윤우혁
헌법
기출문제집

2 통치구조론

# CONTENTS 목차

## PART 01   헌법총론

### CHAPTER 01 | 헌법과 헌법학

| | | |
|---|---|---|
| 제1절 | 헌법의 의의 | 0010 |
| 제2절 | 헌법해석과 헌법관 | 0014 |
| 제3절 | 헌법의 제정·개정과 변천 | 0020 |
| 제4절 | 헌법의 수호 | 0030 |

### CHAPTER 02 | 대한민국헌법총설

| | | |
|---|---|---|
| 제1절 | 대한민국 헌정사 | 0041 |
| 제2절 | 대한민국의 국가형태와 구성요소 | 0055 |
| 제3절 | 대한민국헌법의 기본원리 | 0083 |
| 제4절 | 대한민국헌법의 기본질서 | 0126 |

## PART 02   기본권론

### CHAPTER 01 | 기본권총론

| | | |
|---|---|---|
| 제1절 | 기본권의 의의 | 0151 |
| 제2절 | 기본권의 분류와 체계 | 0154 |
| 제3절 | 기본권의 주체 | 0157 |
| 제4절 | 기본권의 효력 | 0171 |
| 제5절 | 기본권의 한계와 제한 | 0178 |
| 제6절 | 기본권의 확인과 보장 | 0198 |

### CHAPTER 02 | 인간의 존엄과 가치·행복추구권·평등권

| | | |
|---|---|---|
| 제1절 | 인간으로서의 존엄과 가치 | 0206 |
| 제2절 | 행복추구권 | 0217 |
| 제3절 | 평등권 | 0230 |

### CHAPTER 03 | 자유권적 기본권

| | | |
|---|---|---|
| 제1절 | 인신의 자유권 | 0282 |
| 제2절 | 사생활의 자유권 | 0363 |
| 제3절 | 정신적 자유권 | 0395 |

### CHAPTER 04 | 경제적 기본권

| | | |
|---|---|---|
| 제1절 | 재산권 | 0464 |
| 제2절 | 직업선택의 자유 | 0502 |

### CHAPTER 05 | 정치적 기본권

| | | |
|---|---|---|
| 제1절 | 참정권 | 0529 |
| 제2절 | 선거권과 선거제도 | 0535 |
| 제3절 | 정당의 자유와 정당제도 | 0568 |
| 제4절 | 공무담임권과 직업공무원제도 | 0590 |

### CHAPTER 06 | 청구권적 기본권

| | | |
|---|---|---|
| 제1절 | 청원권 | 0617 |
| 제2절 | 재판청구권 | 0625 |
| 제3절 | 국가배상청구권 | 0652 |
| 제4절 | 형사보상청구권 | 0658 |
| 제5절 | 범죄피해자구조청구권 | 0665 |

## CHAPTER 07 | 사회적 기본권

- **제1절** 사회적 기본권의 구조와 체계 — 0669
- **제2절** 인간다운 생활을 할 권리 — 0680
- **제3절** 교육을 받을 권리와 교육제도 — 0685
- **제4절** 근로의 권리 — 0705
- **제5절** 근로3권 — 0713
- **제6절** 환경권 — 0724
- **제7절** 혼인, 가족, 모성보호, 보건에 관한 권리 — 0728

## CHAPTER 08 | 국민의 기본적 의무 — 0740

# PART 03  통치구조론

## CHAPTER 01 | 통치구조론의 이론적 기초

## CHAPTER 02 | 통치구조의 구성원리

- **제1절** 대의제 원리 — 0750
- **제2절** 권력분립의 원리 — 0753

## CHAPTER 03 | 통치구조의 형태 — 0758

## CHAPTER 04 | 국회 — 0761

## CHAPTER 05 | 대통령과 행정부

- **제1절** 대통령 — 0883
- **제2절** 정부 — 0926
- **제3절** 선거관리위원회 — 0949
- **제4절** 지방자치제도 — 0959
- **제5절** 군사제도 — 0980

## CHAPTER 06 | 사법부(법원) — 0981

## CHAPTER 07 | 헌법재판소와 헌법소송

- **제1절** 헌법재판소 일반론 — 1017
- **제2절** 위헌법률심판 — 1053
- **제3절** 위헌심사형 헌법소원 — 1064
- **제4절** 권리구제형 헌법소원 — 1071
- **제5절** 권한쟁의심판 — 1121

## 부록

2024 국가직 7급 헌법 기출문제 및 해설 — 1142
2024 서울·지방직 7급 헌법 기출문제 및 해설 — 1161

# PART 03

2025 윤우혁 헌법 기출문제집

# 통치구조론

| | |
|---|---|
| **CHAPTER 01** | 통치구조론의 이론적 기초(기출문제 없음) |
| **CHAPTER 02** | 통치구조의 구성원리 |
| **CHAPTER 03** | 통치구조의 형태 |
| **CHAPTER 04** | 국회 |
| **CHAPTER 05** | 대통령과 행정부 |
| **CHAPTER 06** | 사법부 |
| **CHAPTER 07** | 헌법재판소와 헌법소송 |

# CHAPTER 02 통치구조의 구성원리

## 제1절 대의제 원리

### 001
19 지방7급

**국회의원에 대한 설명으로 옳지 않은 것은? (다툼이 있는 경우 판례에 의함)**

① 현대의 민주주의가 순수한 대의제 민주주의에서 정당국가적 민주주의의 경향으로 변화하여 사실상 정당에 의하여 국회가 운영되고 있다고 하더라도 국회의원의 전체국민대표성 자체를 부정할 수는 없다.
② 국회의원의 원내활동을 기본적으로 각자에게 맡기는 자유위임은 의회 내에서의 정치의사형성에 정당의 협력을 배척하는 것은 아니지만, 적어도 국회의원이 정당과 교섭단체의 지시에 기속되는 것을 배제하는 근거가 된다.
③ 국회의원은 자신의 사적인 이해관계와 국민에 대한 공적인 이해관계가 충돌할 경우 당연히 후자를 우선하여야 할 이해충돌 회피의무 내지 직무전념의무를 지게 되는바, 이를 국회의원 개개인의 양심에만 맡겨둘 것이 아니라 국가가 제도적으로 보장할 필요성 또한 인정된다.
④ 「국회법」에 따라 제명된 사람은 그로 인하여 궐원된 의원의 보궐선거에서 후보자가 될 수 없다.

**해설**

① (O)
② (X)

> 국회의원의 원내활동을 기본적으로 각자에게 맡기는 자유위임은 자유로운 토론과 의사형성을 가능하게 함으로써 당내민주주의를 구현하고 정당의 독재화 또는 과두화를 막아주는 순기능을 갖는다. 그러나 자유위임은 의회 내에서의 정치의사형성에 정당의 협력을 배척하는 것이 아니며, 의원이 정당과 교섭단체의 지시에 기속되는 것을 배제하는 근거가 되는 것도 아니다. 또한 국회의원의 국민대표성을 중시하는 입장에서도 특정 정당에 소속된 국회의원이 정당기속 내지는 교섭단체의 결정(소위 '당론')에 위반하는 정치활동을 한 이유로 제재를 받는 경우, 국회의원 신분을 상실하게 할 수는 없으나 '정당 내부의 사실상의 강제' 또는 소속 '정당으로부터의 제명'은 가능하다고 보고 있다. 그렇다면, 당론과 다른 견해를 가진 소속 국회의원을 당해 교섭단체의 필요에 따라 다른 상임위원회로 전임(사·보임)하는 조치는 특별한 사정이 없는 한 헌법상 용인될 수 있는 '정당 내부의 사실상 강제'의 범위 내에 해당한다고 할 것이다. (헌재 2003.10.30. 2002헌라1)

③ (O)
④ (O) 국회법 제164조

**정답** ②

## 002

**통치기구의 구성원리에 관한 기술로 옳은 것은?**

① 대의제는 동일성의 원리의 요청에 부합하며, 국민의 의사와 국가의 의사가 항상 일치한다는 것을 전제로 하는 통치원리이다.
② 현대 대의제의 위기를 극복하는 방안의 하나로 국민의 직접입법제를 전면적으로 도입하는 것은 허용되지 아니한다.
③ 자유위임의 원리가 정당국가의 원리보다 우선된다고 볼 때에는 위헌정당해산결정으로 해산정당 소속 의원은 의원의 신분을 상실하게 된다.
④ 권력분립의 원리에 충실하려면 입법부작위에 관한 헌법재판소의 관할권이 폭넓게 인정되어야 한다.
⑤ 우리 헌법은 권력분립주의에 입각하여 국회로 하여금 국민의 권리와 의무에 관한 모든 사항을 법률의 형식으로 규정하도록 하고 있다.

**해설**

① (X) 대의제원리는 간접민주주의로서 치자와 피치자를 구분하는 이론이다. 따라서 동일성 민주주의와 조화되지 않는다.
② (O)

🍀 **대의제의 위기원인과 극복방안**

| 위기원인 | 극복방안 |
| --- | --- |
| 보통선거제의 확립과 대중사회화의 진전에 따른 국민의 정치에 대한 직접 참여 욕구의 증대 | 직접민주주의의 가미: 직접민주제적 요소를 제도적으로 도입하여 대의제와 조화를 도모하는 것이 필요하다. |
| • 정당국가적 경향의 강화: 정당 중심의 선거로 변화, 대표기관의 대표성의 약화와 자질 저하<br>• 정당정치의 발달: 정당정치의 발달로 인하여 무기속위임의 원칙에 대한 위협 및 공개적 토론의 경시 | 정당국가적 현상으로 인한 문제점은 정당의 민주화를 통하여 해결하여야 한다. 특히 대의기구의 구성·당의 운영이나 당 의사의 결정·공직선거후보자 추천 등의 민주화를 확보하는 제도적 장치를 마련함으로써 당내 민주화를 실현하는 것이 중요하다. |
| • 사회세력의 등장과 집단이기주의: 이익집단·압력단체의 등장<br>• 의회의 선분성 약화 | 의사절차의 능률성 확보, 시민교육이 활성화, 직능대표제나 비례대표제의 도입, 언론자유의 확대 등도 함께 논의된다. |

③ (X) 위헌정당해산결정으로 의원의 신분이 유지되는지에 대한 명문규정은 없다. 자유위임의 원리가 정당국가의 원리보다 우선된다고 보면, 위헌정당해산결정으로 해산정당 소속 의원은 의원의 신분을 상실하지 않으며 무소속 의원으로 남는다.
④ (X) 권력분립의 원리에 충실한다면 헌법재판소가 입법권을 침해해서는 안 되므로 입법부작위에 관한 헌법재판소의 관할권은 축소된다. 헌법재판소가 변형결정을 하는 것은 국회의 입법권을 존중하기 때문이다(기능적 적정성원칙).
⑤ (X) 우리 헌법은 법규명령을 인정하고 있다. 즉, 대통령령, 총리령, 부령, 국회규칙, 대법원규칙, 헌법재판소규칙, 중앙선거관리위원회규칙 등을 인정하고 있다. 다만, 감사원규칙에 대해서는 헌법에 규정이 없다.

**정답** ②

### 기출지문 OX

❶ 자유위임은 무기속위임과는 전적으로 동일한 개념은 아니다. 11 국회9급 ( O / X )
　해설　자유위임과 무기속위임은 동일한 개념이다.　　　　　　　　　　　　　　　정답 X

❷ 국회의원은 선거를 통해 일단 당선된 이후에는 자신이 선출된 지역의 발전을 위해 활동할 법적 의무가 없다. 11 국회9급 ( O / X )
　해설　국회의원은 지역구 출신이라고 하더라도 지역의 대표가 아니라 국민의 대표이기 때문이다.　정답 O

❸ 국회의원은 자신이 소속된 정당의 지시에 따르지 않고 자신의 소신에 따라 활동할 수 있다. 11 국회9급 ( O / X )
　해설　이를 자유투표(교차투표)라고 한다. 국회법에 근거규정이 있다.　　　　　　정답 O

## 003　회독 ☐☐☐　　　　　　　　　　　　　　　　　　　　　　　　　　　10 국회8급

**사회계약설에 관한 설명으로 옳지 않은 것은?**

① 사회계약설은 국가의 기원을 인민의 동의에서 구하면서, 개인의 자유와 재산의 수호에서 국가의 존립 목적을 찾는다.
② 사회계약설은 국가성립 이전의 자연상태를 논의의 전제로 삼는다.
③ 홉스는 사회계약에서 복종계약을 도출하고, 복종계약은 취소할 수 없고 또한 국가에 대한 저항도 허용되지 않는다고 본다.
④ 로크는 위임계약론에 기초하여 시민의 자유와 권리를 침해하는 국가권력에 대한 저항권을 인정하였다.
⑤ 루소는 국가권력이 인민의 일반의사에 기초하고 있으며, 이는 대표이론에 근거를 제공한 것으로 본다.

해설

사회계약설은 국가의 성립을 국민의 동의에서 구하는데, 근대입헌주의 성립에 사상적으로 결정적 영향을 미쳤다. 그 내용은 학자마다 조금씩 다르다.

| 구분 | 홉스(복종계약설) | 로크(위임계약설) | 루소(사회계약설) |
| --- | --- | --- | --- |
| 자연상태에 대한 설정 | 만인에 대한 만인의 투쟁상태 | 무규범적이지만 평화상태 | 평화상태로 설정 |
| 인간관에 대한 설정 | 성악설적 관점 | 성선설적 관점 | 성선설적 관점 |
| 주권론의 차이점 | 군주주권론 | 국민주권론 | 국민주권론(인민주권론) |
| 사회계약의 성질 | 복종계약 | 이중계약<br>(결합계약과 위임계약) | 결합계약 |
| 저항권 인정 여부 | 부정 | 인정 | 부정(반대견해가 있다) |

⑤ (X) 루소는 "국민의 의사는 대표될 수 없다."라고 주장하여 대의제를 반대하였다. 이에 비해 시예스는 대의제를 옹호하였다.

정답 ⑤

## 제2절 권력분립의 원리

*기출문제는 거의 없지만 알아두면 좋은 부분을 정리해 두었습니다.

### 1 개설

1. **권력분립원리의 의의**

   (1) 개념

   권력분립원리란 국가작용을 입법, 행정, 사법의 다른 작용으로 분할하여 각 작용을 각각 분리·독립된 별개의 국가기관에 분산시킴으로써, 국가기관 상호 간의 견제·균형을 유지하도록 하여 국민의 자유와 권리를 보장하기 위한 통치구조의 구성원리를 말한다.

   (2) 이론적 전제

   권력분립은 의회제도와 필수불가결하게 관련되나, 민주주의를 전제로 하는 것은 아니다. 권력분립은 기술적·조직적 원리이기 때문에 민주주의가 아닌 다른 국가형태(군주제)와도 결합될 수 있는 중립적 원리이다. 따라서 권력분립과 국민주권(특히 직접민주주의, 인민주권)은 갈등관계가 될 수도 있다.

2. **권력분립원리의 본질**

   (1) 자유주의적 원리

   권력분립원리는 단순한 국가권력의 배분원리가 아니라 국민의 자유와 권리를 보호하기 위한 자유주의적 원리이다. 따라서 민주주의와 반드시 결부되는 것은 아니다. 고전적 권력분립제는 민주국가의 실현을 위한 수단으로 제창된 것이 아니었다.

   (2) 소극적 원리

   권력분립원리는 국가권력의 배분에서 오는 불가피한 마찰에 의하여 국가권력의 남용을 막기 위한 소극적 원리이지 국정운영의 능률을 향상시키기 위한 적극적 원리가 아니다.

   (3) 중립적 원리

   권력분립원리는 기술적인 것이며 정치적으로는 중성적인 성격을 띠고 있다는 점에서 중립적 원리이기도 하다. 따라서 군주제나 공화제와도 결부될 수 있다.

   (4) 균형의 원리

   권력분립원리는 정치집단 간에 세력의 균형을 유지하기 위한 권력균형의 원리를 의미하기도 한다.

### 2 고전적 권력분립론의 전개

1. **로크의 권력분립론**

   로크는 '시민정부에 관한 두 논문'(1690)에서 권력분립론을 최초로 주장하였다. 그는 국가권력을 입법권, 집행권, 동맹권(외교권), 대권의 4가지로 나누고, 입법, 집행의 양 권력을 동일 기관에 귀속시켜서는 안 된다고 한다. 사법권은 집행권에 포함되는 것으로 보았기 때문에 2권분립론을 제시하였다(기능 중심으로는 4권분립, 기관 중심으로는 2권분립). 그러나 사법권에 관한 언급이 없었다.

2. **몽테스키외의 권력분립론**

   몽테스키외는 '법의 정신'(De L'Esprit des Lois, 1748)에서 국가권력을 입법권, 사법권, 행정권으로 나누고 있다.

3. 로크와 몽테스키외의 권력분립론 비교
   (1) 로크가 집행권에 대한 입법권의 우위를 주장한 데 반하여, 몽테스키외의 경우는 3권이 대등한 지위이면서 권력적 균형을 유지하여야 한다고 하였다.
   (2) 로크의 입법부 우위적 2권분립론은 영국의 헌정에 영향을 미쳐 의원내각제이론으로 발전하였고, 몽테스키외의 엄격한 3권분립론은 미국의 헌법제정에 영향을 미쳐 대통령제이론으로 발전하였다.

## 3 권력분립제의 위기와 현대적 변용

1. 고전적 권력분립제의 위기
   (1) 정당국가화 경향
      정당정치의 발달로 정당을 중심으로 한 권력의 통합현상 때문에 여당이 행정부와 사실상 하나의 권력이 됨으로써 고전적 권력분립의 위기 원인으로 지목된다. 한편, 정당의 발달은 권력통제의 기능도 한다.
   (2) 행정국가화 경향
   (3) 행정입법
      행정입법의 증대와 처분적 법률의 증가로 의회입법의 기능이 약화되어 행정부의 권한이 비대해졌다.
   (4) 비상사태의 만성화
      만성적인 비상사태의 극복을 위한 권력의 집중으로 고전적 권력분립은 위기를 맞게 되었다.
   (5) 헌법재판제도의 등장
      헌법재판제도의 강화로 인한 사법국가화의 경향은 헌법재판소에 의해 의회의 입법을 무효화시킴으로써 고전적 권력분립에서는 생각하지 못하는 결과를 낳았다. 그러나 헌법재판제도는 권력분립에 기여하는 측면도 있다. 즉, 헌법재판제도는 고전적 권력분립의 위기인 동시에 기능적 권력분립의 출발점이다.

2. 권력분립제의 변질(현대적 변용) = 기능적 권력분립론
   (1) 뢰벤슈타인의 동태적 권력분립론
      뢰벤슈타인은 오늘날에는 입법, 행정, 사법의 기관은 분리되어 있으나, 기능의 분리는 되어 있지 않다고 보아 국가권력의 기능을 중심으로 정책결정기능과 정책집행기능 그리고 정책통제기능으로 나누는 동태적 권력분립론을 제시하였다. 이 세 가지 기능 중 정책통제기능을 가장 핵심적인 국가기능이라고 하였다.
      ① 정책결정기능: 정책결정이란 일반적인 정책을 말하는 것이 아니라 헌법의 제정·개정과 같이 국가의 중요정책을 결정하는 것을 말하는데, 정책담당자만 참여하는 것이 아니라 국민도 참여한다.
      ② 정책집행기능: 고전적 권력분립에서 말하는 입법, 행정, 사법이 모두 정책집행기능에 포함된다.
      ③ 정책통제기능: 수평적 통제와 수직적 통제로 구분하고 다시 수평적 통제를 기관 간 통제와 기관 내 통제로 나눈다.
   (2) 고전적 권력분립과의 결정적 차이
      ① 국가기능의 분류에서의 차이: 동태적 권력분립론은 정책결정, 정책집행, 정책통제를 기관에 따라 형식적으로 배분하는 것이 아니다. 고전적 권력분립에 의하면 정책집행은 행정부의 소관이지만 동태적 권력분립론에 따르면 입법, 행정, 사법이 모두 정책집행이 될 수 있다.
      ② 통제에서의 차이: 뢰벤슈타인은 수평적 통제와 수직적 통제(예 연방국가제도, 인권보장, 다원적 사회구조와 이익단체의 조직)를 구별하고, 수평적 통제를 다시 기관 간 통제(예 대통령의 법률안거부권, 정부의 의회해산권, 법원의 위헌법률심사권)와 기관 내 통제(예 부서제도, 양원 간의 통제)로 나누고 있다.

## 004  회독 ☐☐☐                                                        22 입시

**권력분립에 대한 설명으로 옳지 않은 것은? (다툼이 있는 경우 판례에 의함)**

① 헌법원칙으로서의 권력분립원칙은 구체적인 헌법질서와 분리하여 파악될 수 없는 것으로서 권력분립원칙의 구체적 내용은 헌법으로부터 나오므로, 어떠한 국가행위가 권력분립원칙에 위배되는지 여부는 구체적인 헌법규범을 토대로 판단되어야 한다.

② 본질적으로 권력통제의 기능을 가진 특별검사제도의 취지와 기능에 비추어 볼 때 특별검사제도의 도입 여부를 입법부가 독자적으로 결정하고 특별검사 임명에 관한 권한을 헌법기관 간에 분산시키는 것이 권력분립의 원칙에 반한다고 볼 수 없으나, 정치적 사건을 담당하게 될 특별검사의 임명에 정치적 중립성을 엄격하게 지켜야 할 대법원장을 관여시키는 것에 대한 국회의 정치적·정책적 판단은 헌법상 권력분립의 원칙에 어긋난다.

③ 전통적으로 권력분립원칙은 입법권·행정권·사법권의 분할과 이들 간의 견제와 균형의 원리이므로, 고위공직자범죄수사처의 설치로 말미암아 고위공직자범죄수사처와 기존의 다른 수사기관과의 관계가 문제된다 하더라도 동일하게 행정부 소속인 고위공직자범죄수사처와 다른 수사기관 사이의 권한배분의 문제는 헌법상 권력분립원칙의 문제라고 볼 수 없다.

④ 대통령이 국군을 이라크에 파견하기로 한 결정은 그 성격상 국방 및 외교에 관련된 고도의 정치적 결단을 요하는 문제로서 헌법과 법률이 정한 절차를 지켜 이루어진 것임이 명백하므로, 대통령과 국회의 판단은 존중되어야 하고 헌법재판소가 사법적 기준만으로 이를 심판하는 것은 자제되어야 한다.

⑤ 우리 헌법은 자유민주주의 헌법의 원리에 따라 국가의 기능을 입법·행정·사법으로 분립하여 견제와 균형을 이루게 하는 권력분립제도를 채택하고 있어 행정과 사법은 법률에 기속되므로, 국회가 특정한 사항에 대하여 행정부에 위임하였음에도 불구하고 행정부가 정당한 이유 없이 이를 이행하지 않는다면 권력분립의 원칙과 법치국가의 원칙에 위배되는 것이다.

### 해설

① (O)

② (X)

> 정치적 중립성을 엄격하게 지켜야 할 대법원장의 지위에 비추어 볼 때 정치적 사건을 담당하게 될 특별검사의 임명에 대법원장을 관여시키는 것이 과연 바람직한 것인지에 대하여 논란이 있을 수 있으나, 그렇다고 국회의 이러한 정치적·정책적 판단이 헌법상 권력분립원칙에 어긋난다거나 입법재량의 범위에 속하지 않는다고는 할 수 없다. (헌재 2008.1.10. 2007헌마1468)

③ (O)

> [1] 고위공직자범죄수사처 설치 및 운영에 관한 법률(이하 '공수처법'이라 한다) 제24조 제1항은 고위공직자범죄수사처와 다른 수사기관 사이의 권한배분에 관한 사항을 규정한 것으로 청구인들의 법적 지위에 영향을 미친다고 볼 수 없어 기본권 침해가능성이 인정되지 않으므로 위 조항에 대한 심판청구는 부적법하다.
> [2] **구 공수처법 제2조 및 공수처법 제3조 제1항은 권력분립원칙에 반하여 청구인들의 평등권, 신체의 자유 등을 침해하지 않는다.**
> 가. 국무총리에 관한 헌법규정의 해석상 국무총리의 통할을 받는 '행정각부'에 모든 행정기관이 포함된다고 볼 수 없다. 즉, 정부의 구성단위로서 그 권한에 속하는 사항을 집행하는 중앙행정기관을 반드시 국무총리의 통할을 받는 '행정각부'의 형태로 설치하거나 '행정각부'에 속하는 기관으로 두어야 하는 것이 헌법상 강제되는 것은 아니므로, 법률로써 '행정각부'에 속하지 않는 독립된 형태의 행정기관을 설치하는 것이 헌법상 금지된다고 할 수 없다. … 수사처는 직제상 대통령 또는 국무총리 직속기관 내지 국무총리의 통할을 받는 행정각부에 속하지 않는다고 하더라도 대통령을 수반으로 하는 행정부에 소속되고 그 관할권의 범위가 전국에 미치는 중앙행정기관으로 보는 것이 타당하다.

나. 수사처의 권한 행사에 대해서는 여러 기관으로부터의 통제가 이루어질 수 있으므로, 단순히 수사처가 독립된 형태로 설치되었다는 이유만으로 권력분립원칙에 위반된다고 볼 수 없다.

다. 법률에 근거하여 수사처라는 행정기관을 설치하는 것이 헌법상 금지되지 않는바, … 그 판단에는 본질적으로 국회의 폭넓은 재량이 인정된다. 또한 수사처의 설치로 말미암아 수사처와 기존의 다른 수사기관과의 관계가 문제된다고 하더라도 동일하게 행정부 소속인 수사처와 다른 수사기관 사이의 권한배분의 문제는 헌법상 권력분립원칙의 문제라고 볼 수 없다.

[3] 헌법에 규정된 영장신청권자로서의 검사는 검찰권을 행사하는 국가기관인 검사로서 공익의 대표자이자 수사단계에서의 인권옹호기관으로서의 지위에서 그에 부합하는 직무를 수행하는 자를 의미하는 것이지, 검찰청법상 검사만을 지칭하는 것으로 보기 어렵다. (헌재 2021.1.28. 2020헌마264【각하, 기각】)

④ (○) 헌재 2004.4.29. 2003헌마814
⑤ (○) 행정입법부작위는 원칙적으로 헌법에 위반된다. 다만, 하위법의 제정 없이도 실행 가능한 경우(사법시험 2차 채점사건)에는 헌법에 위반되지 않는다.

정답 ②

## 005 재구성 — 17 입시, 15 국가7급

**권력분립의 원칙에 대한 설명으로 옳지 않은 것은? (다툼이 있는 경우 판례에 의함)**

① 보안관찰처분 대상자에게 출소 후 신고의무를 법집행기관의 구체적 처분이 아닌 법률로 직접 부과하고 있는 「보안관찰법」 제6조 제1항 전문 후단은 권력분립의 원칙에 위반된다.
② 입헌주의적 헌법은 국민의 기본권 보장을 그 이념으로 하고 그것을 위한 권력분립과 법치주의를 그 수단으로 한다.
③ 방송통신위원회의 「정보통신망 이용촉진 및 정보보호 등에 관한 법률」상 불법정보에 대한 취급거부·정지·제한명령은 행정처분으로서 행정소송을 통한 사법적 사후심사가 보장되어 있고, 그 자체가 법원의 재판이나 고유한 사법작용이 아니므로 사법권을 법원에 둔 권력분립원칙에 위반되지 않는다.
④ 권력분립의 원칙은 인적 측면에서도 입법과 행정의 분리를 요청하므로, 행정공무원의 경우는 지방의회의원의 입후보 제한이나 겸직금지가 필요하다.

**해설**

① (×) [17 입시]

> 보안관찰법 제6조 제1항 전문 후단이 보안관찰처분 대상자에게 출소 후 신고의무를 법집행기관의 구체적 처분(예 신고의무 부과처분)이 아닌 법률로 직접 부과하고 있기는 하나 위 조항은 보안관찰처분 대상자 중에서 일부 특정 대상자에게만 적용되는 것이 아니라 위 대상자 모두에게 적용되는 일반적이고 추상적인 법률규정이므로 법률이 직접 출소 후 신고의무를 부과하고 있다고 하더라도 처분적 법률 내지 개인적 법률에 해당된다고 볼 수 없으므로 권력분립원칙에 위반되지 아니한다. (헌재 2003.6.26. 2001헌가17 등)

② (○) [17 입시]
③ (○) 헌재 2014.9.25. 2012헌바325 [15 국가7급]
④ (○) 헌재 1991.3.11. 90헌마28 [17 입시]

정답 ①

> **기출지문 OX**
>
> 권력분립은 국민주권과 더불어 근대헌법의 기본원리를 구성하지만, 국민주권은 단일하고 불가분하다는 근대국가시기의 이론에 근거하는 데 반하여 권력분립은 하나의 기관에 권력을 집중시키지 않는 것으로써, 국민주권의 자연스러운 귀결이 아니라 자유주의적 조직원리로서 발전된 것이다. 15 국가7급 ( O / X )
>
> 해설 주권은 단일불가분적이며, 통치권은 가분적이다. 정답 O

# CHAPTER 03 통치구조의 형태

**핵심노트**

### 의원내각제와 대통령제의 구성방법

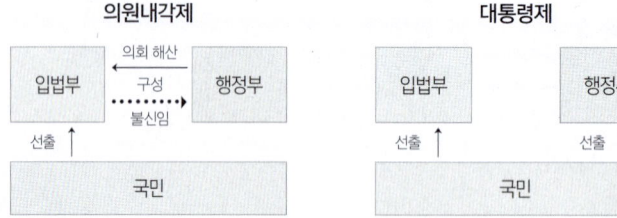

### 의원내각제와 대통령제의 비교

| 구분 | 의원내각제 | 대통령제 |
|---|---|---|
| 민주적 정당성 | 일원화 | 이원화 |
| 행정부 구조 | 이원화(군주와 수상) | 일원화(대통령 중심) |
| 행정부 성립 | 상호의존과 권력균형 | 상호독립 |
| 책임 | 정치적 책임(내각불신임과 의회해산) | 법적 책임(탄핵) |
| 탄핵 | 인정 | 인정 |
| 불신임 | 인정 | 부정 |
| 의회 해산 | 인정 | 부정 |
| 정부의 법률안제출권 | 인정 | 부정(우리나라 인정) |
| 정부의 법률안거부권 | 부정 | 인정 |
| 각료회의 | 의결기구 | 자문기구(우리나라 심의기구) |
| 각료의 의원직 겸직 | 인정 | 부정(우리나라 인정) |
| 각료의 의회출석·발언권 | 인정 | 부정(우리나라 인정) |

### 의원내각제와 대통령제의 장단점

| 구분 | 의원내각제 | 대통령제 |
|---|---|---|
| 장점 | • 행정부의 성립과 존속이 의회에 의존하기 때문에 민주주의적 요청에 부합한다.<br>• 국민의 의사에 따라 행정부가 교체되므로 책임정치를 구현할 수 있다.<br>• 내각불신임권과 의회해산권의 행사로 정치적 대립을 신속히 해결할 수 있다.<br>• 정당을 통해 행정부를 구성하므로 정당정치에 유리하다. | • 행정부의 안정과 권위가 유지되므로 정국의 안정에 기여한다.<br>• 법률안거부권을 통한 의회 다수파 견제가 가능하여 국회의 졸속입법을 방지할 수 있다(소수파보호).<br>• 임기가 보장되므로 임기 내에 강력한 정책을 추진할 수 있다. |
| 단점 | • 군소정당 난립시 정국의 불안을 초래하기 쉽다.<br>• 의회가 정권 획득을 위한 정쟁장소로 전락할 위험이 있다.<br>• 내각의 연명을 위해 의회에 구애받지 않는 강력한 정치를 추진하는 데 어려움이 있다.<br>• 내각이 원내 다수당과 제휴하여 다수의 횡포를 행할 수 있다. | • 의회신임 여부에 관계없이 재직하고 정치적 책임을 가지지 않으므로 대통령의 독재화 우려가 있다.<br>• 대통령 소속 정당과 국회의 다수당이 일치하지 않을 경우 국정의 통일적 수행이 방해된다.<br>• 국회와 정부가 대립할 경우 해결방법이 없어 행정부의 기능이 정지될 우려가 있다(대립의 장기화).<br>• 의원내각제에 비하여 정치적 엘리트의 훈련기회가 적다. |

### 이원집행부제의 본질과 구조적 원리

이원집행부제란 행정부가 대통령과 내각의 두 기구로 구성되고 대통령과 내각이 각기 집행에 관한 실질적 권한을 나누어 가지는 정부형태를 의미한다. 이원집행부제는 대통령제의 요소와 의원내각제의 요소가 혼합되어 있는 혼합형 내지 절충형 정부형태라고 할 수 있다.

1. **행정부의 이원적 구조**
  국민의 직선에 의해 선출되는 대통령이 실질적 권한을 가지고, 내각의 수상은 원내 다수당의 지도자가 선출된다.
2. **행정에 관한 권한의 분할행사**
  이원집행부제에서의 각 기구는 단지 명목상 기구가 아니라 대통령과 수상이 각각 집행에 관한 실질적인 고유권한을 보유하고 행사한다. 대체로 대통령은 외교·국방 등 국가안보에 관한 사항을 관장하고 국가긴급권을 보유하며, 수상은 법률의 집행권과 그 밖의 일반행정에 관한 사항을 관장한다.
3. **대통령의 의회해산권과 의회의 내각불신임권**
  대통령은 수상임면권과 의회해산권 등을 행사할 수 있는 반면, 의회는 수상의 내각에 대해서만 불신임결의를 할 수 있고, 대통령의 정치적 무책임성으로 인하여 대통령에 대해서는 불신임결의를 할 수 없다.

---

**001** 회독 ☐☐☐  20 국가7급

**정부형태에 대한 설명으로 옳지 않은 것은?**

① 대통령제는 대통령의 임기를 보장하기 때문에 행정부의 안정성을 유지할 수 있는 장점이 있지만, 대통령과 국회가 충돌할 때 이를 조정할 수 있는 제도적 장치의 구비가 상대적으로 미흡하다.
② 대통령제에서는 국민이 대통령과 의회의 의원을 각각 선출하므로, 국가권력에게 민주적 정당성을 부여하는 방식이 이원화되어 있다.
③ 의원내각제에서 일반적으로 국민의 대표기관인 의회는 행정부불신임권으로 행정부를 견제하고 행정부는 의회해산권으로 이에 대응한다.
④ 우리 헌정사에서 1960년 6월 개정헌법은 의원내각제를 채택한 헌법으로서, 국가의 원수이며 의례상 국가를 대표하는 대통령이 민의원해산권을 행사하도록 규정하였다.

**해설**

① (O) 대통령제의 특성이다.
② (O) 대통령제는 민주적 정당성이 이원화되고 행정부의 구조는 일원화된다. 의원내각제는 민주적 정당성이 일원화되고 행정부의 구조는 이원화된다.
③ (O) 의원내각제의 특성이다.
④ (X) 민의원해산권은 국무총리의 권한이다. 헌정사에서 대통령에게 국회해산권이 부여된 것은 제7차·제8차 개정헌법이다.

**정답** ④

## 002　17 서울7급

**정부형태에 대한 설명으로 가장 옳지 않은 것은?**

① 정부형태는 권력분립원리의 조직적·구조적 실현형태를 말하는 것으로, 특히 협의로는 입법부와 행정부의 관계를 중심으로 살펴본 것이다.
② 고전적 의원내각제의 병폐인 정국 불안정을 해소하고자 의원내각제 합리화의 방안으로 독일은 연방의회 재적의원 과반수의 찬성으로 차기수상을 선임하지 아니하고는 내각을 불신임할 수 없는 제도를 도입하고 있다.
③ 대통령제에서는 경성형 권력분립, 즉 대통령과 의회에 대한 상호독립성으로 말미암아 통상적으로 의회의 정부불신임권과 집행부의 의회해산권이 존재하지 않는다.
④ 프랑스에서는 의원내각제 합리화의 방안으로 이원정부제를 운영하고 있는데, 대통령제의 요소로서 국민의 보통선거에 의한 대통령직선제를 도입하고 있기 때문에 의회의 정부불신임권은 인정되지 않는다.

**해설**

① (O) 권력분립의 개념이다.
② (O) 건설적 불신임제라고 한다.
③ (O) 대통령제는 행정부와 의회가 상호독립적이고, 의원내각제는 상호의존적이다.
④ (×) 프랑스는 하원이 정부에 대한 불신임결의안을 행사할 수 있다. 다만, 대통령에 대해서는 불신임할 수 없다. 대통령은 하원을 해산할 수 있다.

**정답** ④

# CHAPTER 04 국회

## 001  24 국회8급

**국회에 대한 설명으로 옳지 않은 것은?**

① 국회 환경노동위원회 위원장이 국회의장에게 「노동조합 및 노동관계조정법」 일부 개정법률안의 본회의 부의를 요구한 행위는 국회 법제사법위원회 소속 국회의원들의 법률안에 대한 심의·표결권을 침해하지 않는다.
② 「국회법」 제5조의3 제1항은 정부는 매년 2월 말일까지 해당 연도에 제출할 법률안에 관한 계획을 국회에 통지하여야 한다고 규정하고 있다.
③ 국회에 청원하는 방법으로 일정한 기간 동안 일정한 수 이상의 국민의 동의를 받도록 정한 「국회법」 제123조 제1항 중 '국회규칙으로 정하는 기간 동안 국회규칙으로 정하는 일정한 수 이상의 국민의 동의를 받아' 부분은 포괄위임금지원칙에 위반되지 않는다.
④ 「국회법」 제3조는 국회의원의 의석은 국회의장이 각 교섭단체 대표의원과 협의하여 정하고, 협의가 이루어지지 아니할 때에는 국회의장이 잠정적으로 이를 정한다고 규정하고 있다.
⑤ 「국회법」 제54조는 위원회는 재적위원 5분의 1 이상의 출석으로 개회하고, 재적위원 과반수의 출석과 출석위원 과반수의 찬성으로 의결한다고 규정하고 있다.

**해설**

① (O)

> 법제사법위원회 전체회의의 기재내용에 의하면, 법제사법위원회는 체계·자구 심사를 위해 반드시 필요하다고 보기 어려운 절차를 반복하면서 체계·자구 심사절차를 지연시키고 있었던 것으로 보이고, 달리 국회 내의 사정에 비추어 법제사법위원회가 심사절차를 진행하는 것이 현저히 곤란하거나 심사기간 내에 심사를 마치는 것이 물리적으로 불가능하였다고 볼만한 사정도 인정되지 아니하므로, 국회법 제86조 제3항의 '이유 없이'를 실체적으로 판단하더라도 법제사법위원회의 심사지연에는 여전히 이유가 없다. 따라서 피청구인 환경노동위원회 위원장의 이 사건 본회의 부의 요구행위는 청구인들의 법률안 심의·표결권을 침해하지 아니한다. **(헌재 2023.10.26. 2023헌라3)**

② (X)

> **국회법 제5조의3(법률안 제출계획의 통지)**
> ① 정부는 부득이한 경우를 제외하고는 매년 1월 31일까지 해당 연도에 제출할 법률안에 관한 계획을 국회에 통지하여야 한다.
> ② 정부는 제1항에 따른 계획을 변경하였을 때에는 분기별로 주요 사항을 국회에 통지하여야 한다.

③ (O)

> 국회규칙에서는 국회가 처리할 수 있는 범위 내에서 국민의 의견을 취합하여 국민 다수가 동의하는 의제가 효과적으로 국회의 논의 대상이 될 수 있도록 적정한 수준으로 구체적인 국민동의 요건과 절차가 설정될 것임을 예측할 수 있다. 따라서 국민동의조항은 포괄위임금지원칙에 위반되어 청원권을 침해하지 않는다. **(헌재 2023.3.23. 2018헌마460 등)**

④ (○)

> **국회법 제3조(의석 배정)**
> 국회의원의 의석은 국회의장이 각 교섭단체 대표의원과 협의하여 정한다. 다만, 협의가 이루어지지 아니할 때에는 의장이 잠정적으로 이를 정한다.

⑤ (○) 본회의의 경우에도 같다.

정답 ②

## 002  23 변호사

**국회에 관한 설명 중 옳은 것은? (다툼이 있는 경우 판례에 의함)**

① 국회의장은 헌법에 규정되어 있는 헌법기관이지만, 부의장은 헌법에 규정되어 있지 않은 법률상 기관에 불과하여 국회부의장을 3인으로 하기 위해서는 헌법개정 없이 「국회법」을 개정하는 것으로 족하다.
② 국회의원이 국회의장 또는 부의장으로 당선된 때에는 당선된 다음 날부터 국회의장 또는 부의장으로 재직하는 동안 당적을 가질 수 없다.
③ 권한쟁의심판에서는 처분 또는 부작위를 야기한 기관으로서 법적 책임을 지는 기관만이 피청구인적격을 가지므로 법률의 제·개정행위를 다투는 권한쟁의심판의 경우에는 국회가 피청구인적격을 가진다.
④ '회기결정의 건'을 무제한토론에서 배제하는 법률조항과 관행이 존재하지 않고 '회기결정의 건'의 성격도 무제한토론에 부적합하다고 볼 수 없으므로, '회기결정의 건'은 무제한토론의 대상이 된다.
⑤ 수정동의를 통해 발의할 수 있는 적법한 수정안은 '원안의 취지와 수정안의 취지 사이의 직접관련성', '원안의 취지와 수정안의 내용 사이의 직접관련성', '원안의 내용과 수정안의 내용 사이의 직접관련성'을 모두 갖추어야 한다.

**해설**

① (✗) 국회부의장 2명은 헌법이 직접 규정하므로 국회부의장을 3명으로 하기 위해서는 헌법개정이 필요하다.

> **헌법 제48조**
> 국회는 의장 1인과 부의장 2인을 선출한다.

② (✗) 국회의원이 국회의장으로 당선된 때에는 당선된 다음 날부터 국회의장으로 재직하는 동안 당적을 가질 수 없다. (**국회법 제20조의2 제1항**) 따라서 부의장은 당적을 가진다.
③ (○) 국회본회의 회의절차를 다투면 국회의장이 피청구인, 상임위원회의 회의절차를 다투면 상임위원장이 피청구인, 법률의 제·개정행위를 다투는 권한쟁의심판의 경우에는 국회가 피청구인적격을 가진다.

④ (✗)

'회기결정의 건'이 무제한토론의 대상이라고 보면, 앞서 본 바와 같이 의정활동이 사실상 마비될 가능성이 있다. 이를 피하기 위하여 국회가 매 회기에 회기를 정하는 것을 포기하고 쟁점 안건을 먼저 상정하더라도, 정기회의 경우 100일, 임시회의 경우 30일이 넘는 기간 동안 단 한 건의 안건만을 처리할 수 있게 된다. 국회법 제106조의2 제8항은 무제한토론의 대상이 다음 회기에서 표결될 수 있는 안건임을 전제하고 있다. 그런데 '회기결정의 건'은 해당 회기가 종료된 후 소집된 다음 회기에서 표결될 수 없으므로, '회기결정의 건'이 무제한토론의 대상이 된다고 해석하는 것은 국회법 제106조의2 제8항에도 반한다. 그렇다면 '회기결정의 건'은 그 본질상 국회법 제106조의2에 따른 무제한토론의 대상이 되지 않는다고 보는 것이 타당하다. (헌재 2020.5.27. 2019헌라6 등)

⑤ (✗) 선지는 헌법재판소 소수의견이다.

국회법 제95조 제5항 본문의 문언, 입법취지, 입법경과를 종합적으로 고려하면, 위원회의 심사를 거쳐 본회의에 부의된 법률안의 취지 및 내용과 직접 관련이 있는지 여부는 '원안에서 개정하고자 하는 조문에 관한 추가, 삭제 또는 변경으로서, 원안에 대한 위원회의 심사 절차에서 수정안의 내용까지 심사할 수 있었는지 여부'를 기준으로 판단하는 것이 타당하다. (헌재 2020.5.27. 2019헌라6 등)

정답 ③

## 003  회독 ☐☐☐  22 국가7급

**국회의 구성 및 운영에 대한 설명으로 옳지 않은 것은?**

① 각 교섭단체의 대표의원은 국회운영위원회의 위원 및 정보위원회의 위원이 된다.
② 상임위원회의 위원 정수는 국회규칙으로 정한다. 다만, 정보위원회의 위원 정수는 12명으로 한다.
③ 대통령이 임시회의 집회를 요구할 때에는 기간과 집회 요구의 이유를 명시하여야 한다.
④ 연간 국회 운영 기본일정에 따라 국회는 2월·3월·4월·5월·6월 및 8월의 1일에 임시회를 집회한다.

**해설**

① (O) 각 교섭단체의 대표의원은 당연직으로 국회운영위원회의 위원 및 정보위원회의 위원이 된다.
② (O) 예산결산특별위원회의 위원 수는 국회법에 50명으로 규정되어 있고, 정보위원회의 위원 수도 국회법에 12명으로 규정되어 있다. 일반 상임위원회의 의원 수는 국회규칙으로 정한다.
③ (O) 헌법 제47조 제2항
④ (✗)

국회법 제5조의2(연간 국회 운영 기본일정 등)
① 의장은 국회의 연중 상시 운영을 위하여 각 교섭단체 대표의원과의 협의를 거쳐 매년 12월 31일까지 다음 연도의 국회 운영 기본일정(국정감사를 포함한다)을 정하여야 한다. 다만, 국회의원 총선거 후 처음 구성되는 국회의 해당 연도 국회 운영 기본일정은 6월 30일까지 정하여야 한다.
② 제1항의 연간 국회 운영 기본일정은 다음 각 호의 기준에 따라 작성한다.
  1. 2월·3월·4월·5월 및 6월 1일과 8월 16일에 임시회를 집회한다. 다만, 국회의원 총선거가 있는 경우 임시회를 집회하지 아니하며, 집회일이 공휴일인 경우에는 그 다음 날에 집회한다.

정답 ④

## 004 회독 ☐☐☐   20 서울·지방7급

**국회의장과 부의장에 대한 설명으로 옳은 것은?**

① 임시의장은 무기명투표로 선거하고 재적의원 과반수의 출석과 출석의원 다수득표자를 당선자로 한다.
② 국회의원 총선거 후 처음 선출된 의장과 부의장의 임기는 의원의 임기개시 후 2년이 되는 날까지로 하며, 보궐선거로 당선된 의장 또는 부의장의 임기는 선출된 날로부터 2년으로 한다.
③ 의장은 국회를 대표하고 의사를 정리하며, 질서를 유지하고 사무를 감독한다. 의장은 위원회에 출석하여 발언할 수 있고, 표결에 참가할 수 있다.
④ 의장이 심신상실 등 부득이한 사유로 의사표시를 할 수 없게 되어 직무대리자를 지정할 수 없는 때에는 나이가 많은 부의장의 순으로 의장의 직무를 대행한다.

### 해설

① (○) 임시의장의 선출방법이며, 상임위원장 선출의 정족수도 같다.

② (✕)

> **국회법 제9조(의장·부의장의 임기)**
> ① 의장과 부의장의 임기는 2년으로 한다. 다만, 국회의원 총선거 후 처음 선출된 의장과 부의장의 임기는 그 선출된 날부터 개시하여 의원의 임기개시 후 2년이 되는 날까지로 한다.
> ② 보궐선거로 당선된 의장 또는 부의장의 임기는 전임자 임기의 남은 기간으로 한다.

③ (✕) 의장은 국회의원으로서 본회의에서 표결권을 갖는다. 다만, 상임위원이 아니므로 상임위원회에 출석하여 발언할 수 있지만 표결하지는 못한다.

> **국회법 제11조(의장의 위원회 출석과 발언)**
> 의장은 위원회에 출석하여 발언할 수 있다. 다만, 표결에는 참가할 수 없다.

④ (✕)

> **국회법 제12조(부의장의 의장 직무대리)**
> ① 의장이 사고가 있을 때에는 의장이 지정하는 부의장이 그 직무를 대리한다.
> ② 의장이 심신상실 등 부득이한 사유로 의사표시를 할 수 없게 되어 직무대리자를 지정할 수 없을 때에는 <u>소속 의원 수가 많은 교섭단체 소속 부의장의 순으로 의장의 직무를 대행한다.</u>

**정답** ①

### 기출지문 OX

❶ 국회의장과 부의장은 국회의 동의를 받아 그 직을 사임할 수 있다. 20 5급행시 (○/✕)
　해설 국회법 제19조  정답 ○

❷ 국회의장과 부의장은 특별히 법률로 정한 경우를 제외하고는 국회의원 외의 직을 겸할 수 없다. 20 5급행시 (○/✕)
　해설 국회법 제20조  정답 ○

## 005  회독 ☐☐☐  재구성                                    19 입시, 18 국가7급

**국회의 구성 및 조직에 대한 설명으로 옳은 것은?**

① 현행 「국회법」상 예산결산특별위원회와 윤리특별위원회는 활동기간을 정하여 구성되지 아니하므로 상설로 운영된다.
② 국회의장은 어느 상임위원회에도 속하지 아니하는 사항에 대해 국회운영위원회와 협의 없이 단독으로 소관 상임위원회를 정할 수 있다.
③ 교섭단체는 정당 소속 의원들의 원내 행동 통일을 통하여 정당의 정책을 의안 심의에 최대한 반영하는 기능을 갖는 단체로서 「국회법」상 동일한 정치적 신념을 가진 정당 소속 의원들로 구성할 수 있으므로 무소속 의원 20인으로 하나의 교섭단체를 구성할 수는 없다.
④ 상임위원은 교섭단체 소속 의원 수의 비율에 따라 각 교섭단체 대표의원의 요청으로 의장이 선임하거나 개선하고, 어느 교섭단체에도 속하지 아니하는 의원의 상임위원 선임은 의장이 한다.

### 해설

① (✕) 윤리특별위원회는 비상설특별위원회에 해당한다. [18 국가7급]
② (✕) [19 입시]

> **국회법 제37조(상임위원회와 그 소관)**
> ② 의장은 어느 상임위원회에도 속하지 아니하는 사항은 국회운영위원회와 협의하여 소관 상임위원회를 정한다.

③ (✕) 어느 교섭단체에도 속하지 않는 국회의원 20명이 하나의 교섭단체를 구성할 수 있다. [18 국가7급]
④ (○) 국회법 제48조 제1항·제3항 [18 국가7급]

**정답** ④

### 예상조문

> **국회법 제48조(위원의 선임 및 개선)**
> ⑤ 위원을 선임한 후 교섭단체 소속 의원 수가 변동되었을 때에는 의장은 위원회의 교섭단체별 할당 수를 변경하여 위원을 개선할 수 있다.
> ⑥ 제1항부터 제4항까지에 따라 위원을 개선할 때 임시회의 경우에는 회기 중 개선될 수 없고, 정기회의 경우에는 선임 또는 개선 후 30일 이내에는 개선될 수 없다. 다만, 위원이 질병 등 부득이한 사유로 의장의 허가를 받은 경우에는 그러하지 아니하다.
>
> **제49조의2(위원회 의사일정의 작성기준)**
> ① 위원장(소위원회의 위원장을 포함한다)은 예측 가능한 국회운영을 위하여 특별한 사정이 없으면 다음 각 호의 기준에 따라 제49조 제2항의 의사일정 및 개회일시를 정한다.
>   1. 위원회 개회일시: 매주 월요일·화요일 오후 2시
>   2. 소위원회 개회일시: 매주 수요일·목요일 오전 10시

 **핵심노트**

### 위원회의 종류

| 상임위원회 | 소관 사항에 관한 입법, 그 밖에 의안을 예비적으로 심의하고 국정감사를 하며, 관련 인사청문을 한다. |
|---|---|
| 소위원회 | 상임위원회는 그 소관 사항을 분담·심사하기 위하여 상설소위원회를 둘 수 있다. |
| 특별위원회 | 수 개의 상임위원회 소관 사항과 관련되거나 특히 필요하다고 인정한 안건을 효율적으로 처리하기 위하여 법률의 규정 또는 본회의의 의결로 설치되는 한시적인 위원회이다. |
| 전원위원회 | 상임위원회 중심주의로 인해 본회의에서 의안 심의가 형식화되는 것을 보완하기 위하여 마련된 기구이다. |

### 상임위원장과 특별위원회 위원장

| 상임위원장 | 국회법상 설치된 특별위원회 | | 본회의 의결로 설치되는 특별위원회 |
|---|---|---|---|
| | 상설특별위원회 | 비상설특별위원회 | |
| • 국회의 본회의에서 선거한다.<br>• 상임위원 중 임시의장 선거의 예에 의해 선거한다. | 예산결산특별위원회 | • 인사청문특별위원회<br>• 윤리특별위원회 | • 필요할 때 본회의 의결로 설치한다.<br>• 위원장은 호선하고 본회의에 보고한다. |
| 상임위원회에서 선거하는 것이 아니다. | 예산결산특별위원회 위원장의 선거는 상임위원장과 동일하다. | 위원장은 호선하고 본회의에 보고한다. | |

---

## 006

**22 국회8급**

### 국회의 위원회에 대한 설명으로 옳지 않은 것은?

① 국회의장은 국회를 대표하고 의사를 정리하며 질서를 유지하고 사무를 감독할 지위에 있고, 위원회 위원의 선임 및 개선은 이와 같은 국회의장의 직무 중 의사정리권한에 속한다.

② 대체토론은 안건에 대한 전반적인 문제점과 당부에 관한 일반적인 의견을 제시하는 것으로, 그 목적은 소위원회 회부 전에 소위원회에서 심의할 방향이나 문제점의 시정을 위한 여러 가지 수정방향을 제시해 주는 데 있다.

③ 상임위원장은 해당 상임위원 중에서 임시의장 선거의 예에 준하여 국회의 본회의에서 선거하고 의장의 허가를 받아 사임한다.

④ 국회사무처 소관에 속하는 사항에 대한 의안은 국회운영위원회에서 심사한다.

**해설**

① (O) 국회의장의 의사정리권이라고 한다.

② (O) 대체토론의 기능이다.

③ (X) 선거방식에 대한 내용은 옳지만, 사임방식에 대한 내용은 옳지 않다.

> **국회법 제41조(상임위원장)**
> ② 상임위원장은 제48조 제1항부터 제3항까지에 따라 선임된 해당 상임위원 중에서 임시의장 선거의 예에 준하여 본회의에서 선거한다.
> ⑤ 상임위원장은 본회의의 동의를 받아 그 직을 사임할 수 있다. 다만, 폐회 중에는 의장의 허가를 받아 사임할 수 있다.

④ (O) 국회법 제37조 제1항 제1호 다목

**정답** ③

## 007 회독 ☐☐☐    21 5급행시

**국회의 위원회에 대한 설명으로 옳은 것은?**

① 정보위원회의 위원은 의장이 각 교섭단체 대표의원으로부터 해당 교섭단체 소속 의원 중에서 후보를 추천받아 부의장 및 각 교섭단체 대표의원과 협의하여 선임하거나 개선하며, 각 교섭단체 대표의원은 정보위원회의 위원이 된다.
② 예산결산특별위원회와 윤리특별위원회는 활동기한을 정해서 그 기한의 종료시까지만 존속한다.
③ 정무위원회는 대통령비서실과 국무총리비서실의 소관 사항을 관장한다.
④ 소위원회는 폐회 중에는 활동할 수 없으며, 법률안을 심사하는 소위원회는 매월 2회 이상 개회한다.

**해설**

① (○) 국회법 제48조 제3항
② (✕) 예산결산특별위원회는 상설특별위원회이다. 윤리특별위원회는 활동기간을 정해서 그 기한의 종료시까지만 존속하는 비상설특별위원회이다.
③ (✕) 대통령비서실의 소관 사항은 국회운영위원회가 관장한다. (국회법 제37조 제1항 제1호 사목)
④ (✕)

> **국회법 제57조(소위원회)**
> ⑥ 소위원회는 폐회 중에도 활동할 수 있으며, 법률안을 심사하는 소위원회는 매월 3회 이상 개회한다. 다만, 국회운영위원회, 정보위원회 및 여성가족위원회의 법률안을 심사하는 소위원회의 경우에는 소위원장이 개회 횟수를 달리 정할 수 있다.

**정답** ①

---

## 008 회독 ☐☐☐    21 법원직

**다음 중 국회 법제사법위원회의 소관 사항이 아닌 것은?**

① 법원·군사법원의 사법행정에 관한 사항
② 감사원 소관에 속하는 사항
③ 법률안·국회규칙안의 체계·형식과 자구의 심사에 관한 사항
④ 「국회법」과 국회규칙에 관한 사항

**해설**

① (○) ② (○) ③ (○)
④ (✕) 국회규칙에 관한 사항은 국회운영위원회의 소관 사항이다.

**정답** ④

## 009  20 국회8급, 17 변호사

**국회의 위원회에 대한 설명으로 옳지 않은 것은?**

① 정보위원회는 그 소관 사항을 분담·심사하기 위하여 상설소위원회를 둘 수 있다.
② 윤리심사자문위원회는 위원장 1명을 포함한 8명의 위원으로 구성되고, 위원은 의원 중에서 각 교섭단체 대표의원의 추천에 따라 의장이 위촉한다.
③ 전원위원회는 의안에 대한 수정안을 제출할 수 있다. 이 경우 해당 수정안은 전원위원장이 제안자가 된다.
④ 예산결산특별위원회의 위원 수는 50명이며, 예산결산특별위원회의 위원의 임기는 1년이다.
⑤ 국정감사 또는 조사를 행하는 위원회는 위원회의 의결로 필요한 경우 2명 이상의 위원으로 별도의 소위원회나 반을 구성하여 감사 또는 조사를 하게 할 수 있다.

### 해설

① (O) 국회법 제57조 제1항 [17 변호사]
② (X) [20 국회8급]

> **국회법 제46조의2(윤리심사자문위원회)**
> ① 다음 각 호의 사무를 수행하기 위하여 국회에 윤리심사자문위원회를 둔다.
>   1. 의원의 겸직, 영리업무 종사와 관련된 의장의 자문
>   2. 의원 징계에 관한 윤리특별위원회의 자문
>   3. 의원의 이해충돌 방지에 관한 사항
> ② 윤리심사자문위원회는 위원장 1명을 포함한 8명의 자문위원으로 구성하며, <u>자문위원은 각 교섭단체 대표의원의 추천에 따라 의장이 위촉한다.</u>

③ (O) 국회법 제63조의2 제2항 [20 국회8급]
④ (O) [20 국회8급]

> **국회법 제45조(예산결산특별위원회)**
> ② 예산결산특별위원회의 위원 수는 50명으로 한다. 이 경우 의장은 교섭단체 소속 의원 수의 비율과 상임위원회 위원 수의 비율에 따라 각 교섭단체 대표의원의 요청으로 위원을 선임한다.
> ③ 예산결산특별위원회 위원의 임기는 1년으로 한다. 다만, 국회의원 총선거 후 처음 선임된 위원의 임기는 선임된 날부터 개시하여 의원의 임기개시 후 1년이 되는 날까지로 하며, 보임되거나 개선된 위원의 임기는 전임자 임기의 남은 기간으로 한다.

⑤ (O) 국정감사 및 조사에 관한 법률 제5조 제1항 [17 변호사]

**정답** ②

## 010 회독 ☐☐☐  20 법무사

**다음 중 국회의 법제사법위원회 소관 사항이 아닌 것은?**

① 법제처 소관에 속하는 사항
② 감사원 소관에 속하는 사항
③ 헌법재판소 사무에 관한 사항
④ 국가인권위원회 소관에 속하는 사항
⑤ 탄핵소추에 관한 사항

**해설**

① (O) ② (O) ③ (O) ⑤ (O)
④ (X) 국가인권위원회 소관에 속하는 사항은 국회운영위원회의 소관 사항이다.

정답 ④

## 011 회독 ☐☐☐ 재구성  19 입시

**국회의 위원회에 대한 설명으로 옳지 않은 것은? (다툼이 있는 경우 판례에 의함)**

① 국무총리의 직을 겸한 국회의원은 상임위원을 사임하여야 한다.
② 대통령이 관련 법률에 따라 국가정보원장·경찰청장·합동참모의장의 후보자에 대한 인사청문을 요청한 경우에는 각각 소관 상임위원회별로 인사청문회를 연다.
③ 교섭단체 소속 국회의원만 국회 정보위원회 위원이 될 수 있도록 한 「국회법」 조항에 대한 무소속 국회의원의 헌법소원심판청구는 부적법하다.
④ 위원회는 예산안의 심사를 매년 11월 30일까지 마쳐야 하며, 위원회가 이때까지 심사를 마치지 아니하였을 때에는 그 다음 날에 위원회에서 심사를 마치고 바로 본회의에 부의된 것으로 본다. 다만, 의장이 각 교섭단체 대표의원과 합의한 경우에는 그러하지 아니하다.

**해설**

① (X)

> **국회법 제39조(상임위원회의 위원)**
> ④ 국무총리 또는 국무위원의 직을 겸한 의원은 상임위원을 사임할 수 있다.

② (O) 국회법 제65조의2 제1항 제1호
③ (O) 기본권의 침해가 아니기 때문에 헌법소원은 허용되지 않는다. (헌재 2000.8.31. 2000헌마156)
④ (O)

정답 ①

## 012  17 지방7급

**국회에 대한 설명으로 옳은 것은?**

① 예산결산특별위원회의 위원장은 위원회에서 호선하고, 위원의 선임은 교섭단체 소속 의원 수의 비율과 상임위원회의 위원 수의 비율에 따라 각 교섭단체 대표의원의 요청으로 국회부의장이 행한다.
② 정보위원회 위원은 국회부의장이 각 교섭단체 대표의원으로부터 해당 교섭단체 소속 의원 중에서 후보를 추천받아 각 교섭단체 대표의원과 협의하여 선임 또는 개선한다.
③ 어느 상임위원회에도 속하지 아니하는 사항은 국회의장이 국회운영위원회와 협의하여 소관 상임위원회를 정하며, 국민권익위원회에 관한 사항은 국회운영위원회의 소관 사무에 속한다.
④ 각 교섭단체 대표의원이 추천하는 윤리심사자문위원회의 자문위원 수는 교섭단체 소속 의원 수의 비율에 따른다. 이 경우 소속 의원 수가 가장 많은 교섭단체 대표의원이 추천하는 자문위원 수는 그 밖의 교섭단체 대표의원이 추천하는 자문위원 수와 같아야 한다.

**해설**

① (×)

> **국회법 제45조(예산결산특별위원회)**
> ② 예산결산특별위원회의 위원 수는 50명으로 한다. 이 경우 의장은 교섭단체 소속 의원 수의 비율과 상임위원회 위원 수의 비율에 따라 각 교섭단체 대표의원의 요청으로 위원을 선임한다.
> ④ 예산결산특별위원회의 위원장은 예산결산특별위원회의 위원 중에서 임시의장 선거의 예에 준하여 본회의에서 선거한다.
>
> **제17조(임시의장 선거)**
> 임시의장은 무기명투표로 선거하고 재적의원 과반수의 출석과 출석의원 다수득표자를 당선자로 한다.

② (×)

> **국회법 제48조(위원의 선임 및 개선)**
> ③ 정보위원회의 위원은 의장이 각 교섭단체 대표의원으로부터 해당 교섭단체 소속 의원 중에서 후보를 추천받아 부의장 및 각 교섭단체 대표의원과 협의하여 선임하거나 개선한다. 다만, 각 교섭단체 대표의원은 정보위원회의 위원이 된다.

③ (×) 국민권익위원회 소관에 속하는 사항은 정무위원회의 소관 사무에 속한다. (국회법 제37조 제1항 제3호 마목)
④ (○) 국회법 제46조의2 제4항

정답 ④

## 013 17 국회8급

**국회의 위원회제도에 대한 설명으로 옳은 것을 모두 고르면? (다툼이 있는 경우 헌법재판소 결정에 의함)**

> ㄱ. 본회의에서 복잡하고 기술적인 사항을 심의하기에 적합하지 않아 의사진행의 전문성과 효율성을 높이기 위한 제도이다.
> ㄴ. 의원이 아닌 사람이 위원회를 방청하려면 위원장의 허가를 받아야 한다.
> ㄷ. 윤리특별위원회와 예산결산특별위원회는 「국회법」이 명시한 특별위원회인 반면에, 인사청문특별위원회는 본회의의 의결로 청문사안이 있을 때 일시적으로 설치하는 비상설위원회이다.
> ㄹ. 교섭단체 대표의원의 요청에 따른 국회의장의 상임위원 개선행위는 그 요청이 위헌이나 위법이 아닌 한 해당 국회의원의 법률안의 심의·표결권의 침해로 볼 수 없다.

① ㄷ, ㄹ
② ㄱ, ㄴ, ㄷ
③ ㄱ, ㄴ, ㄹ
④ ㄴ, ㄷ, ㄹ
⑤ ㄱ, ㄴ, ㄷ, ㄹ

### 해설

ㄱ. (O) 위원회제도의 기능이다.

ㄴ. (O) 국회법 제55조 제1항

ㄷ. (X) 인사청문특별위원회는 국회법에 명시되어 있는 위원회이지만, 구체적인 내용은 인사청문회법에 규정되어 있다. 비상설위원회라는 부분은 옳은 내용이다.

> **인사청문회법 제3조(인사청문특별위원회)**
> ① 국회법 제46조의3의 규정에 의한 인사청문특별위원회는 임명동의안 등(국회법 제65조의2 제2항의 규정에 의하여 다른 법률에서 국회의 인사청문을 거치도록 한 공직후보자에 대한 인사청문요청안을 제외한다)이 국회에 제출된 때에 구성된 것으로 본다.
> ⑥ 인사청문특별위원회는 임명동의안 등이 본회의에서 의결될 때 또는 인사청문 경과가 본회의에 보고될 때까지 존속한다.

ㄹ. (O)

> 피청구인의 이 사건 사·보임행위는 청구인이 소속된 정당 내부의 사실상 강제에 터 잡아 교섭단체 대표의원이 상임위원회 사·보임 요청을 하고 이에 따라 이른바 의사정리권한의 일환으로 이를 받아들인 것으로서, 그 절차·과정에 헌법이나 법률의 규정을 명백하게 위반하여 재량권의 한계를 현저히 벗어나 청구인의 법률안 심의·표결권한을 침해한 것으로는 볼 수 없다고 할 것이다. (헌재 2003.10.30. 2002헌라1)

**정답** ③

## 014 회독 ☐☐☐ 재구성  [15 변호사, 11 지방7급]

**국회의 위원회에 대한 설명으로 옳은 것만을 모두 고르면? (다툼이 있는 경우 판례에 의함)**

> ㄱ. 위원회는 본회의의 의결이 있거나 의장 또는 위원장이 필요하다고 인정할 때, 재적위원 4분의 1 이상의 요구가 있을 때 개회한다.
> ㄴ. 국회의원은 둘 이상의 상임위원이 될 수 있다.
> ㄷ. 「국회법」상 상설특별위원회로는 예산결산특별위원회와 국정조사특별위원회가 있고, 윤리특별위원회와 인사청문특별위원회는 한시적 특별위원회에 속한다.
> ㄹ. 교섭단체 소속 국회의원만 국회 정보위원회 위원이 될 수 있도록 한 「국회법」 조항은 교섭단체 소속이 아닌 국회의원의 평등권을 제한한다.

① ㄱ, ㄴ
② ㄱ, ㄹ
③ ㄴ, ㄷ
④ ㄷ, ㄹ

### 해설

ㄱ. (○) 국회법 제52조 [11 지방7급]

ㄴ. (○) 국회법 제39조 제1항 [15 변호사]

ㄷ. (✗) 예산결산특별위원회는 상설이지만, 국정조사특별위원회와 인사청문특별위원회는 한시적이다. [15 변호사]

ㄹ. (✗) 국회의원의 지위에서 헌법소원을 제기할 수 없다. 따라서 교섭단체 소속 국회의원만 국회 정보위원회 위원이 될 수 있도록 한 국회법 조항은 기본권 침해가능성이 없다. 즉, 제한되는 기본권이 없다. (헌재 2000.8.31. 2000헌마156) [15 변호사]

**정답** ①

### 기출지문 OX

❶ 위원회는 재적위원 5분의 1 이상의 요구가 있을 때, 재적위원 4분의 1 이상의 출석으로 개회한다. 19 국회8급  (O / ✗)

> **해설**
> **국회법 제52조(위원회의 개회)**
> 위원회는 다음 각 호의 어느 하나에 해당할 때에 개회한다.
>   1. 본회의의 의결이 있을 때
>   2. 의장이나 위원장이 필요하다고 인정할 때
>   3. 재적위원 4분의 1 이상의 요구가 있을 때
> **제54조(위원회의 의사정족수·의결정족수)**
> 위원회는 재적위원 5분의 1 이상의 출석으로 개회하고, 재적위원 과반수의 출석과 출석위원 과반수의 찬성으로 의결한다.

**정답** ✗

❷ 위원회는 재적위원 5분의 1 이상의 출석으로 개회하고, 재적위원 과반수의 출석과 출석위원 과반수의 찬성으로 의결한다. 13 법원직  (O / ✗)

> **해설** 국회법 제54조

**정답** O

## 015 국회의 위원회에 대한 설명으로 옳지 않은 것은?

① 위원회제도는 당리당략적인 의사방해를 용이하게 하며, 국회의원들의 폭넓은 국정심의 기회를 박탈하는 등 국회의 기능을 약화시키는 역기능의 측면이 있다.
② 국회의 위원회는 상임위원회와 특별위원회의 두 종류로 한다.
③ 금융위원회 소관에 속하는 사항은 정무위원회 소관 사항이다.
④ 임시의 특별위원회를 설치하기 위해서는 본회의의 의결이 있어야 한다. 이때 본회의는 그 활동기간을 정해야 한다.
⑤ 특별위원회 위원은 각 교섭단체 대표의원이 선임한다.

### 해설

① (O) 위원회의 단점으로 지적되는 사항이다. [14 국가7급]
② (O) 국회법 제35조 [13 법원직]
③ (O) 국회법 제37조 제1항 제3호 [11 국회8급]
④ (O) 국회법 제44조 [13 국회9급]
⑤ (X) [14 국회8급]

> **국회법** 제48조(위원의 선임 및 개선)
> ④ 특별위원회의 위원은 제1항과 제2항에 따라 의장이 상임위원 중에서 선임한다. 이 경우 그 선임은 특별위원회 구성결의안이 본회의에서 의결된 날부터 5일 이내에 하여야 한다.

정답 ⑤

### 의사공개의 원칙

| | |
|---|---|
| 본회의 | 공개가 원칙이다. |
| 상임위원회 | 공개가 원칙이다. |
| 소위원회 | 공개가 원칙이다. 다만, 소위원회의 의결로 공개하지 않을 수 있다. |
| 계수조정소위원회 | 비공개이다. 국회의 확립된 원칙이다. |

### 비공개사유

| | |
|---|---|
| 출석의원 과반수의 찬성이 있는 경우 | 비공개 사유의 제한이 없다(토론하지 않고 표결한다). |
| 의장이 국가안전보장을 위하여 필요하다고 인정하는 경우 | 국가안전보장으로 비공개사유가 한정된다. 단, 국회법에 따르면 이때 각 교섭단체 대표의원과 협의하여 공개하지 않을 수 있다. |

## 016  22 법원직

**의사공개의 원칙에 관한 다음 설명 중 가장 옳지 않은 것은?**

① 헌법 제50조 제1항의 의사공개의 원칙은 단순한 행정적 회의를 제외한 국회의 헌법적 기능과 관련한 모든 회의가 원칙적으로 국민에게 공개되어야 함을 천명한 것으로 국회 본회의뿐만 아니라 위원회의 회의에도 적용된다.
② 국회 정보위원회 회의는 국가기밀에 관한 사항과 직·간접적으로 관련되어 있으므로 이를 공개하지 않도록 하고 있는 「국회법」 조항은 의사공개의 원칙에 반하지 않는다.
③ 국회의 회의는 출석의원 과반수의 찬성이 있거나 의장이 국가의 안전보장을 위하여 필요하다고 인정할 때에는 공개하지 않을 수 있다.
④ 국정조사와 마찬가지로 국정감사도 공개가 원칙이나, 위원회의 의결이 있는 경우에는 달리 정할 수 있다.

**해설**

① (○) 헌재 2022.1.27. 2018헌마1162 등
② (×)

> 정보위원회 회의는 공개하지 않는다고 정한 국회법 제54조의2 제1항은 청구인의 알 권리를 침해한다. (헌재 2022.1.27. 2018헌마1162 [위헌])
> 의사공개원칙에 위배된다.
> 헌법상 의사공개원칙은 모든 국회의 회의를 항상 공개하여야 하는 것은 아니나, 이를 공개하지 아니할 경우에는 헌법에서 정하고 있는 일정한 요건을 갖추어야 한다. 또한 헌법 제50조 제1항 단서가 정하고 있는 회의의 비공개를 위한 절차나 사유는 그 문언이 매우 구체적이어서, 이에 대한 예외도 엄격하게 인정되어야 한다. 따라서 헌법 제50조 제1항으로부터 일체의 공개를 불허하는 절대적인 비공개가 허용된다고 볼 수는 없는바, 특정한 내용의 국회의 회의나 특정 위원회의 회의를 일률적으로 비공개한다고 정하면서 공개의 여지를 차단하는 것은 헌법 제50조 제1항에 부합하지 아니한다.

③ (○) 헌법 제50조 제1항 단서
④ (○)

> **국정감사 및 조사에 관한 법률 제12조(공개원칙)**
> 감사 및 조사는 공개한다. 다만, 위원회의 의결로 달리 정할 수 있다.

**정답** ②

---

**기출지문 OX**

국회 회의의 비공개사유는 회의마다 충족되어야 하므로, 국회 정보위원회의 비공개 특례를 규정한 「국회법」 조항이 입법과정에서 재적의원 과반수의 출석과 출석의원 과반수의 찬성으로 의결되었다는 사실만으로 헌법 제50조 제1항 단서의 '출석의원 과반수의 찬성'이라는 요건을 충족하는 것으로 해석할 수 없다. 24 입시   (○/×)

**해설**

> 심판대상조항은 정보위원회의 회의 일체를 비공개 하도록 정함으로써 정보위원회 활동에 대한 국민의 감시와 견제를 사실상 불가능하게 하고 있다. 또한 헌법 제50조 제1항 단서에서 정하고 있는 비공개사유는 각 회의마다 충족되어야 하는 요건으로 입법과정에서 재적의원 과반수의 출석과 출석의원 과반수의 찬성으로 의결되었다는 사실만으로 헌법 제50조 제1항 단서의 '출석위원 과반수의 찬성'이라는 요건이 충족되었다고 볼 수도 없다. 따라서 심판대상조항은 헌법 제50조 제1항에 위배되는 것으로 과잉금지원칙 위배 여부에 대해서는 더 나아가 판단할 필요 없이 청구인들의 알 권리를 침해한다. (헌재 2022.1.27. 2018헌마1162)

**정답** ○

## 017

**국회의 의사공개원칙에 대한 설명으로 옳지 않은 것은? (다툼이 있는 경우 판례에 의함)**

① 국민은 헌법상 보장된 알 권리의 한 내용으로서 국회에 대하여 입법과정의 공개를 요구할 권리를 가지며, 국회의 의사에 대하여는 직접적인 이해관계 유무와 상관없이 일반적 정보공개청구권을 가진다고 할 수 있다.
② 본회의는 공개하며, 의장의 제의 또는 의원 10명 이상의 연서에 의한 동의(動議)로 본회의 의결이 있거나 의장이 각 교섭단체 대표의원과 협의하여 국가의 안전보장을 위하여 필요하다고 인정할 때에는 공개하지 아니할 수 있다.
③ 헌법은 국회 회의의 공개 여부에 관하여 회의 구성원의 자율적 판단을 허용하고 있으므로, 소위원회 회의의 공개 여부 또한 소위원회 또는 소위원회가 속한 위원회에서 여러 가지 사정을 종합하여 합리적으로 결정할 수 있다 할 것이다.
④ 의사공개의 원칙은 방청 및 보도의 자유를 의미하는 것으로 회의록의 공표까지 포함하는 것은 아니다.

### 해설

① (O) 헌재 2009.9.24. 2007헌바17 [22 서울·지방7급]
② (O) [22 서울·지방7급]

> **국회법 제75조(회의의 공개)**
> ① 본회의는 공개한다. 다만, 의장의 제의 또는 의원 10명 이상의 연서에 의한 동의(動議)로 본회의 의결이 있거나 의장이 각 교섭단체 대표의원과 협의하여 국가의 안전보장을 위하여 필요하다고 인정할 때에는 공개하지 아니할 수 있다.
> ② 제1항 단서에 따른 제의나 동의에 대해서는 토론을 하지 아니하고 표결한다.

③ (O) [22 서울·지방7급]

> 헌법 제50조 제1항 본문에서 천명하고 있는 국회 의사공개의 원칙이 소위원회의 회의에 적용되는 것과 마찬가지로, 출석의원 과반수의 찬성이 있거나 의장이 국가의 안전보장을 위하여 필요하다고 인정할 때에는 국회 회의를 공개하지 아니할 수 있다고 규정한 동항 단서 역시 소위원회의 회의에 적용된다. 국회법 제57조 제5항 단서는 헌법 제50조 제1항 단서가 국회 의사공개원칙에 대한 예외로서의 비공개요건을 규정한 내용을 소위원회 회의에 관하여 그대로 이어받아 규정한 것에 불과하므로, 헌법 제50조 제1항에 위반하여 국회 회의에 대한 국민의 알 권리를 침해하는 것이라거나 과잉금지의 원칙을 위배하는 위헌적인 규정이라고 할 수 없다. (헌재 2009.9.24. 2007헌바17)

④ (✗) 회의록도 공개가 원칙이다. [19 입시]

**정답** ④

## 기출지문 OX

**❶ 일반정족수는 다수결의 원리를 실현하는 국회의 의결방식으로서 헌법상의 원칙에 해당한다.** 21 국가7급
( O / X )

**해설**
[1] 다수결의 원리를 실현하는 국회의 의결방식은 헌법이나 법률에 특별한 규정이 없는 한 재적의원 과반수의 출석과 출석의원 과반수의 찬성을 요하는 일반정족수를 기본으로 한다. 일반정족수는 국회의 의결이 유효하기 위한 최소한의 출석의원 또는 찬성의원의 수를 의미하므로, 의결대상 사안의 중요성과 의미에 따라 헌법이나 법률에 의결의 요건을 달리 규정할 수 있다. 즉, 일반정족수는 다수결의 원리를 실현하는 국회의 의결방식 중 하나로서 국회의 의사결정시 합의에 도달하기 위한 최소한의 기준일 뿐 이를 헌법상 절대적 원칙이라고 보기는 어렵다.
[2] 헌법 제49조에 따라 어떠한 사항을 일반정족수가 아닌 특별정족수에 따라 의결할 것인지 여부는 국회 스스로 판단하여 법률에 정할 사항이다. 국회법 제109조도 "의사는 헌법 또는 이 법에 특별한 규정이 없는 한, 재적의원 과반수의 출석과 출석의원 과반수의 찬성으로 의결한다."라고 규정하여 국회법에 의결의 요건을 달리 규정할 수 있음을 밝히고 있다. (헌재 2016.5.26. 2015헌라1)

정답 X

**❷ 소관 위원회는 다른 위원회와 협의하여 연석회의를 열어 의견을 교환하고, 필요한 경우 연석회의에서 표결할 수 있다.** 19 입시
( O / X )

**해설**
**국회법 제63조(연석회의)**
① 소관 위원회는 다른 위원회와 협의하여 연석회의를 열고 의견을 교환할 수 있다. 다만, 표결은 할 수 없다.

정답 X

**❸ 의원 10명 이상의 연서에 의한 동의로 본회의의 의결이 있거나 의장이 각 교섭단체 대표의원과 협의하여 필요하다고 인정할 때에는 의장은 회기 전체 의사일정의 일부를 변경하거나 당일 의사일정의 안건 추가 및 순서 변경을 할 수 있다.** 17 국가7급
( O / X )

**해설** 의사일정의 변경을 위해서는 의원 10명이 아니라 20명 이상의 연서에 의한 동의가 있어야 한다.

**국회법 제77조(의사일정의 변경)**
의원 20명 이상의 연서에 의한 동의로 본회의의 의결이 있거나 의장이 각 교섭단체 대표의원과 협의하여 필요하다고 인정할 때에는 의장은 회기 전체 의사일정의 일부를 변경하거나 당일 의사일정의 안건 추가 및 순서 변경을 할 수 있다. 이 경우 의원의 동의에는 이유서를 첨부하여야 하며, 그 동의에 대해서는 토론을 하지 아니하고 표결한다.

정답 X

**❹ 법안에 대한 투표가 종료된 결과 재적의원 과반수의 출석이라는 의결정족수에 미달된 경우에는 법안에 대한 국회의 의결이 유효하게 성립되었다고 할 수 없으므로, 국회의장이 법안에 대한 재표결을 실시하여 그 결과에 따라 법안의 가결을 선포한 것은 일사부재의의 원칙에 위배되지 않는다.** 17 국가7급
( O / X )

**해설**
전자투표에 의한 표결의 경우 국회의장의 투표종료선언에 의하여 투표 결과가 집계됨으로써 안건에 대한 표결절차는 실질적으로 종료되므로, 투표의 집계 결과 출석의원 과반수의 찬성에 미달한 경우는 물론 재적의원 과반수의 출석에 미달한 경우에도 국회의 의사는 부결로 확정되었다고 볼 수밖에 없다. 결국 방송법 수정안에 대한 1차 투표가 종료되어 재적의원 과반수의 출석에 미달되었음이 확인된 이상, 방송법 수정안에 대한 국회의 의사는 부결로 확정되었다고 보아야 하므로, 피청구인이 이를 무시하고 재표결을 실시하여 그 표결 결과에 따라 방송법안의 가결을 선포한 행위는 일사부재의원칙(국회법 제92조)에 위배하여 청구인들의 표결권을 침해한 것이다. (헌재 2009.10.29. 2009헌라8 등)

정답 X

## 018　회독 ☐☐☐　　　22 5급행시

**국회의 회의 및 의사운영에 대한 설명으로 옳지 않은 것은?**

① 정기회의 회기는 100일을, 임시회의 회기는 30일을 초과할 수 없으며, 임시회는 대통령 또는 국회 재적의원 4분의 1 이상의 요구에 의하여 집회된다.
② 본회의는 재적의원 5분의 1 이상의 출석으로 개의하고, 의사는 헌법이나 「국회법」에 특별한 규정이 없으면 재적의원 과반수의 출석과 출석의원 과반수의 찬성으로 의결한다.
③ 국회가 행정각부의 장을 탄핵소추하기 위해서는 국회 재적의원 3분의 1 이상의 발의가 있어야 하며 그 의결은 국회 재적의원 과반수의 찬성이 있어야 한다.
④ 의장은 임시회의 집회 요구가 있는 경우 집회기일 2일 전에 공고하며, 이 경우 둘 이상의 집회 요구가 있을 때에는 그 요구서가 먼저 제출된 것을 공고한다.

**해설**

① (O)

> **헌법 제47조**
> ① 국회의 정기회는 법률이 정하는 바에 의하여 매년 1회 집회되며, 국회의 임시회는 대통령 또는 국회 재적의원 4분의 1 이상의 요구에 의하여 집회된다.
> ② 정기회의 회기는 100일을, 임시회의 회기는 30일을 초과할 수 없다.
> ③ 대통령이 임시회의 집회를 요구할 때에는 기간과 집회 요구의 이유를 명시하여야 한다.

② (O) 국회법 제73조 제1항, 제109조
③ (O) 헌법 제65조 제2항
④ (×)

> **국회법 제5조(임시회)**
> ① 의장은 임시회의 집회 요구가 있을 때에는 집회기일 3일 전에 공고한다. 이 경우 둘 이상의 집회 요구가 있을 때에는 집회일이 빠른 것을 공고하되, 집회일이 같은 때에는 그 요구서가 먼저 제출된 것을 공고한다.
> ② 의장은 제1항에도 불구하고 다음 각 호의 어느 하나에 해당하는 경우에는 집회기일 1일 전에 공고할 수 있다.
>   1. 내우외환, 천재지변 또는 중대한 재정·경제상의 위기가 발생한 경우
>   2. 국가의 안위에 관계되는 중대한 교전상태나 전시·사변 또는 이에 준하는 국가비상사태인 경우
> ③ 국회의원 총선거 후 첫 임시회는 의원의 임기개시 후 7일에 집회하며, 처음 선출된 의장의 임기가 폐회 중에 만료되는 경우에는 늦어도 임기만료일 5일 전까지 집회한다. 다만, 그 날이 공휴일인 때에는 그 다음 날에 집회한다.

**정답** ④

## 019

**국회의 의사절차에 대한 설명으로 옳지 않은 것은? (다툼이 있는 경우 판례에 의함)**

① 팩스로 제출이 시도되었던 법률안의 접수가 완료되지 않아 동일한 법률안을 제출하기 전에 철회절차가 필요 없다고 보는 것은 발의된 법률안을 철회하는 요건을 정한 「국회법」 규정에 반하지 않는다.
② 헌법상 의사공개원칙은 모든 국회의 회의를 항상 공개하여야 하는 것은 아니나, 이를 공개하지 아니할 경우에는 헌법에서 정하고 있는 일정한 요건을 갖추어야 함을 의미한다.
③ 의안에 대한 수정동의는 그 안을 갖추고 이유를 붙여 국회의원 30명 이상의 찬성자와 연서하여 미리 국회의장에게 제출하여야 하나, 예산안에 대한 수정동의는 국회의원 50명 이상의 찬성이 있어야 한다.
④ 사법개혁특별위원회의 신속처리안건 지정동의안에 대한 표결 전에 그 대상이 되는 법안의 배포나 별도의 질의·토론절차를 거치지 않았다면 그 표결은 절차상 위법하다.

### 해설

① (○) 헌재 2020.5.27. 2019헌라3 등 [22 국가7급]
② (○) [22 국가7급]

> **헌법 제50조**
> ① 국회의 회의는 공개한다. 다만, 출석의원 과반수의 찬성이 있거나 의장이 국가의 안전보장을 위하여 필요하다고 인정할 때에는 공개하지 아니할 수 있다.

③ (○) 국회법 제95조 제1항 [18 5급행시]
④ (X) [22 국가7급]

> 신속처리안건 지정동의안의 심의는 그 대상이 된 위원회 회부 안건 자체의 심의가 아니라, 이를 신속처리대상안건으로 지정하여 의사절차의 단계별 심사기간을 설정할 것인지 여부를 심의하는 것이다. 국회법 제85조의2 제1항에서 요건을 갖춘 지정동의가 제출된 경우 의장 또는 위원장은 '지체 없이' 무기명투표로 표결하도록 규정하고 있고, 이 밖에 신속처리안건 지정동의안의 표결 전에 국회법상 질의나 토론이 필요하다는 규정은 없다. 이 사건 사법개혁특별위원회의 신속처리안건 지정동의안에 대한 표결 전에 그 대상이 되는 법안의 배포나 별도의 질의·토론절차를 거치지 않았다는 이유로 그 표결이 절차상 위법하다고 볼 수 없다. (헌재 2020.5.27. 2019헌라3 등)

**정답** ④

## 020

**국회에 대한 설명으로 옳지 않은 것은? (다툼이 있는 경우 판례에 의함)**

① 본회의가 탄핵소추안을 법제사법위원회에 회부하기로 의결하지 아니한 경우에는 본회의에 보고된 때부터 24시간 이후 72시간 이내에 탄핵소추 여부를 무기명투표로 표결하되, 이 기간 내에 표결하지 아니한 탄핵소추안은 폐기된 것으로 본다.
② 지방자치단체 중 특별시·광역시·도에 대한 국정감사의 범위는 국가위임사무와 국가가 보조금 등 예산을 지원하는 사업으로 한정된다.
③ 정기회의 회기는 100일을, 임시회의 회기는 30일을 초과할 수 없으며, 정기회와 임시회를 합하여 연 150일을 초과할 수 없다.
④ 국회의원의 심의·표결권은 국회의 대내적인 관계에서 행사되고 침해될 수 있을 뿐 다른 국가기관과의 대외적인 관계에서는 침해될 수 없다.

### 해설

① (O) 국회법 제130조 제2항
  국무총리 또는 국무위원의 해임건의안도 동일하다.

② (O)

> **국정감사 및 조사에 관한 법률 제7조(감사의 대상)**
> 감사의 대상기관은 다음 각 호와 같다.
>   1. 정부조직법, 그 밖의 법률에 따라 설치된 국가기관
>   2. 지방자치단체 중 특별시·광역시·도. 다만, 그 감사범위는 국가위임사무와 국가가 보조금 등 예산을 지원하는 사업으로 한다.
>   3. 공공기관의 운영에 관한 법률 제4조에 따른 공공기관, 한국은행, 농업협동조합중앙회, 수산업협동조합중앙회
>   4. 제1호부터 제3호까지 외의 지방행정기관, 지방자치단체, 감사원법에 따른 감사원의 감사대상기관. 이 경우 본회의가 특히 필요하다고 의결한 경우로 한정한다.

③ (X) 현행헌법은 연회기 일수 제한이 없다. 따라서 연간 상시 운영이 가능하다.

④ (O)

> 국회의원의 심의·표결권은 국회의 대내적인 관계에서 행사되고 침해될 수 있을 뿐 다른 국가기관과의 대외적인 관계에서는 침해될 수 없는 것이므로, 국회의원들 상호 간 또는 국회의원과 국회의장 사이와 같이 국회 내부적으로만 직접적인 법적 연관성을 발생시킬 수 있을 뿐이고 대통령 등 국회 이외의 국가기관과 사이에서는 권한침해의 직접적인 법적 효과를 발생시키지 아니한다. 따라서 피청구인인 대통령이 국회의 동의 없이 조약을 체결·비준하였다고 하더라도 국회의원인 청구인들의 심의·표결권이 침해될 가능성은 없다. (헌재 2007.7.26. 2005헌라8)

**정답** ③

## 021 회독 □□□ 재구성
21 국회8급

**국회의 의사절차에 대한 설명으로 옳은 것은? (다툼이 있는 경우 판례에 의함)**

① 2021년 2월의 임시회에서 의결하지 못한 법률안은 2021년 8월의 임시회에서 다시 의결하지 못한다.
② 국회 본회의에서 260명의 국회의원이 출석하여 법률안에 대해 표결한 결과 찬성 130명, 반대 130명으로 의결이 이루어져 가부동수인 경우, 국회의장이 결정권을 가진다.
③ 국회에서 의결되어 정부에 이송된 법률안에 대해 대통령이 15일 이내에 공포나 재의의 요구를 하지 않은 때에 그 법률안은 법률로서 확정되고, 이 경우에 공포 없이도 그 효력이 발생한다.
④ 국회에서 의결되어 정부에 이송된 법률안에 대해 대통령이 이의가 있을 때에는 이의서를 붙여 국회에 환부할 수 있지만, 그 법률안을 수정하여 재의를 요구할 수는 없다.

> **해설**

① (×) 일사부재의원칙은 부결된 안을 같은 회기에서 다시 의결하지 못한다는 것이다. 선지의 2월 국회와 8월 국회는 회기가 다르므로 다시 의결할 수 있다.
② (×) 우리나라의 국회의장은 표결권이 있지만, 가부동수일 때 결정권은 없다. 영국의 의회의장은 표결권이 없고 가부동수일 때 결정권이 있다. 한편, 대법관회의의 의장인 대법원장과 선거관리위원회 위원장은 의결권과 가부동수일 때 결정권이 있다.
③ (×) 확정은 되지만, 공포를 하지 않은 이상 효력이 발생하지는 않는다.
④ (○) 수정거부, 일부거부는 인정되지 않는다.

**정답** ④

## 022 회독 ☐☐☐ 재구성                    20·18 5급행시, 10 국가7급

**국회에 대한 설명으로 옳지 않은 것은?**

① 정족수원칙에는 회의가 성립하기 위한 최소요건인 의사정족수(또는 개의정족수)와 의안을 유효하게 결정하기 위한 최소요건인 의결정족수가 있는바, 의결정족수에 관한 헌법상의 원칙은 재적의원 과반수이다.
② 중요한 안건으로서 국회의장의 제의 또는 국회의원의 동의로 본회의의 의결이 있거나 재적의원 5분의 1 이상의 요구가 있을 때에는 기명·호명 또는 무기명투표로 표결한다.
③ 탄핵심판에서는 국회 법제사법위원회의 위원장이 소추위원이 된다.
④ 국회는 매년 정기회 집회일 이전에 국정감사 시작일부터 30일 이내의 기간을 정하여 국정감사를 실시하나, 본회의 의결로 정기회 기간 중에 국정감사를 실시할 수 있다.

### 해설

① (✗) 일반의결정족수는 재적의원 과반수 출석에 출석의원 과반수의 찬성이다. 이에 비해 국회의 의사정족수는 본회의, 상임위원회 모두 재적 5분의 1 이상의 출석이다. 회의 도중 의사정족수가 미달되어도 교섭단체 대표위원이 정족수의 충족을 요청하지 않으면 회의를 계속할 수 있다. [10 국가7급]
② (○) 국회법 제112조 제2항 [18 5급행시]
③ (○) 헌법재판소법 제49조 제1항 [20 5급행시]
④ (○) 국정감사 및 조사에 관한 법률 제2조 제1항 [20 5급행시]

**정답** ①

### 중요조문

**국회법 제112조(표결방법)**
① 표결할 때에는 전자투표에 의한 기록표결로 가부를 결정한다. 다만, 투표기기의 고장 등 특별한 사정이 있을 때에는 기립표결로, 기립표결이 어려운 의원이 있는 경우에는 의장의 허가를 받아 본인의 의사표시를 할 수 있는 방법에 의한 표결로 가부를 결정할 수 있다.
  → 전자투표(원칙), 기립투표(예외)
② 중요한 안건으로서 의장의 제의 또는 의원의 동의로 본회의 의결이 있거나 재적의원 5분의 1 이상의 요구가 있을 때에는 기명투표·호명투표 또는 무기명투표로 표결한다.
③ 의장은 안건에 대하여 이의가 있는지 물어서 이의가 없다고 인정할 때에는 가결되었음을 선포할 수 있다. 다만, 이의가 있을 때에는 제1항이나 제2항의 방법으로 표결하여야 한다.
④ 헌법개정안은 기명투표로 표결한다.
⑤ 대통령으로부터 환부된 법률안과 그 밖에 인사에 관한 안건은 무기명투표로 표결한다. 다만, 겸직으로 인한 의원 사직과 위원장 사임에 대하여 의장이 각 교섭단체 대표의원과 협의한 경우에는 그러하지 아니하다.
⑥ 국회에서 실시하는 각종 선거는 법률에 특별한 규정이 없으면 무기명투표로 한다. 투표 결과 당선자가 없을 때에는 최고득표자와 차점자에 대하여 결선투표를 하여 다수표를 얻은 사람을 당선자로 한다. 다만, 득표수가 같을 때에는 연장자를 당선자로 한다.
⑦ 국무총리 또는 국무위원의 해임건의안이 발의되었을 때에는 의장은 그 해임건의안이 발의된 후 처음 개의하는 본회의에 그 사실을 보고하고, 본회의에 보고된 때부터 24시간 이후 72시간 이내에 무기명투표로 표결한다. 이 기간 내에 표결하지 아니한 해임건의안은 폐기된 것으로 본다.
⑧ 제1항 본문에 따라 투표를 하는 경우 재적의원 5분의 1 이상의 요구가 있을 때에는 전자적인 방법 등을 통하여 정당한 투표권자임을 확인한 후 투표한다.

**제114조의2(자유투표)**
  → 교차투표
의원은 국민의 대표자로서 소속 정당의 의사에 기속되지 아니하고 양심에 따라 투표한다.

## 023 20 서울·지방7급

**국회의 운영에 대한 설명으로 옳지 않은 것은?**

① 본회의는 오후 2시(토요일은 오전 10시)에 개의하지만, 의장은 각 상임위원회 위원장과 협의하여 그 개의시를 변경할 수 있다.
② 국회는 휴회 중이라도 대통령의 요구가 있을 때, 의장이 긴급한 필요가 있다고 인정할 때 또는 재적의원 4분의 1 이상의 요구가 있는 때에는 국회의 회의를 재개한다.
③ 정부가 본회의 또는 위원회에서 의제가 된 정부제출의 의안을 수정 또는 철회할 때에는 본회의 또는 위원회의 동의를 얻어야 한다.
④ 정부는 부득이한 경우를 제외하고는 매년 1월 31일까지 해당 연도에 제출할 법률안에 관한 계획을 국회에 통지하여야 한다.

### 해설

① (X)

**국회법 제72조(개의)**
본회의는 오후 2시(토요일은 오전 10시)에 개의한다. 다만, 의장은 각 교섭단체 대표의원과 협의하여 그 개의시를 변경할 수 있다.

② (O)

**국회법 제8조(휴회)**
① 국회는 의결로 기간을 정하여 휴회할 수 있다.
② 국회는 휴회 중이라도 대통령의 요구가 있을 때, 의장이 긴급한 필요가 있다고 인정할 때 또는 재적의원 4분의 1 이상의 요구가 있을 때에는 국회의 회의(이하 '본회의'라 한다)를 재개한다.

③ (O)

**국회법 제90조(의안·동의의 철회)**
① 의원은 그가 발의한 의안 또는 동의(動議)를 철회할 수 있다. 다만, 2명 이상의 의원이 공동으로 발의한 의안 또는 동의에 대해서는 발의의원 2분의 1 이상이 철회의사를 표시하는 경우에 철회할 수 있다.
② 제1항에도 불구하고 의원이 본회의 또는 위원회에서 의제가 된 의안 또는 동의를 철회할 때에는 본회의 또는 위원회의 동의(同意)를 받아야 한다.
③ 정부가 본회의 또는 위원회에서 의제가 된 정부제출 의안을 수정하거나 철회할 때에는 본회의 또는 위원회의 동의를 받아야 한다.

④ (O)

**국회법 제5조의3(법률안 제출계획의 통지)**
① 정부는 부득이한 경우를 제외하고는 매년 1월 31일까지 해당 연도에 제출할 법률안에 관한 계획을 국회에 통지하여야 한다.
② 정부는 제1항에 따른 계획을 변경하였을 때에는 분기별로 주요 사항을 국회에 통지하여야 한다.

정답 ①

## 024 회독 ☐☐☐ 재구성     20 입시, 11 국가7급

**국회의 의사에 대한 설명으로 옳지 않은 것은? (다툼이 있는 경우 판례에 의함)**

① 의원들의 국정감사활동에 대하여 시민연대가 평가하여 그 결과를 언론에 발표하게 되면 의원들의 명예를 훼손할 우려가 있다거나, 국정감사활동에 지장을 초래한다는 등의 사유는 방청을 불허할 수 있는 정당한 사유가 되지 못하므로 국정감사 방청불허행위는 국회방청권을 침해한다.
② 무제한토론을 실시하는 본회의는 무제한토론의 종결 선포 전까지 산회하지 않고 회의를 계속하며, 회의 중 재적의원 5분의 1 이상이 출석하지 아니하였을 때에도 같다.
③ 위원회는 이견을 조정할 필요가 있는 안건(예산안, 기금운용계획안, 임대형 민자사업 한도액안, 체계·자구심사를 위하여 법제사법위원회에 회부된 법률안, 안건조정위원회를 거친 안건은 제외한다)을 심사하기 위하여 안건조정위원회를 구성할 수 있다.
④ 한번 철회된 안건의 재의를 요청하는 것은 일사부재의의 원칙에 반하지 아니한다.

### 해설

① (✗) [20 입시]

> **시민단체회원들에 대한 국회방청불허** (헌재 2000.6.29. 98헌마443【기각】)
> [1] 예산결산특별위원회의 계수조정소위원회는 예산의 각 장·관·항의 조정과 예산액 등의 수치를 종합적으로 조정·정리하는 소위원회로서, 예산심의에 관하여 이해관계를 가질 수밖에 없는 많은 국가기관과 당사자들에게 계수조정과정을 공개하기는 곤란하다는 점과 계수조정소위원회를 비공개로 진행하는 것이 국회의 확립된 관행이라는 점을 들어 방청을 불허한 것이고, 한편 절차적으로도 계수조정소위원회를 비공개로 함에 관하여는 예산결산특별위원회 위원들의 실질적인 합의 내지 찬성이 있었다고 볼 수 있으므로, 이 사건 소위원회 방청불허행위를 헌법이 설정한 국회 의사자율권의 범위를 벗어난 위헌적인 공권력의 행사라고 할 수 없다.
> [2] 피청구인들은 의원들의 국정감사활동에 대한 시민연대의 평가기준의 공정성에 대한 검증절차가 없었고, 모니터 요원들의 전문성이 부족하며, 평가의 언론공표로 의원들의 정치적 평판 내지 명예에 대한 심각한 훼손의 우려가 있어 청구인들의 방청을 허용할 경우 원활한 국정감사의 실현이 불가능하다고 보아 전면적으로 또는 조건부로 방청을 불허하였으나, 원만한 회의 진행 등 회의의 질서유지를 위하여 방청을 금지할 필요성이 있었는지에 관하여는 국회의 자율적 판단을 존중하여야 하는 것인즉, 피청구인들이 위와 같은 사유를 들어 방청을 불허한 것이 헌법재판소가 관여하여야 할 정도로 명백히 이유 없는 자의적인 것이라고 보기 어렵다.

② (○) [20 입시]

> **국회법 제106조의2(무제한토론의 실시 등)**
> ① 의원이 본회의에 부의된 안건에 대하여 이 법의 다른 규정에도 불구하고 시간의 제한을 받지 아니하는 토론(이하 이 조에서 '무제한토론'이라 한다)을 하려는 경우 재적의원 3분의 1 이상이 서명한 요구서를 의장에게 제출하여야 한다. 이 경우 의장은 해당 안건에 대하여 무제한토론을 실시하여야 한다.
> ② 제1항에 따른 요구서는 요구대상 안건별로 제출하되, 그 안건이 의사일정에 기재된 본회의가 개의되기 전까지 제출하여야 한다. 다만, 본회의 개의 중 당일 의사일정에 안건이 추가된 경우에는 해당 안건의 토론 종결 선포 전까지 요구서를 제출할 수 있다.
> ③ 의원은 제1항에 따른 요구서가 제출되면 해당 안건에 대하여 무제한토론을 할 수 있다. 이 경우 의원 1명당 한 차례만 토론할 수 있다.
> ④ 무제한토론을 실시하는 본회의는 제7항에 따른 무제한토론 종결 선포 전까지 산회하지 아니하고 회의를 계속한다. 이 경우 제73조 제3항 본문에도 불구하고 회의 중 재적의원 5분의 1 이상이 출석하지 아니하였을 때에도 회의를 계속한다.
> ⑤ 의원은 무제한토론을 실시하는 안건에 대하여 재적의원 3분의 1 이상의 서명으로 무제한토론의 종결동의를 의장에게 제출할 수 있다.
> ⑥ 제5항에 따른 무제한토론의 종결동의는 동의가 제출된 때부터 24시간이 지난 후에 무기명투표로 표결하되 재적의원 5분의 3 이상의 찬성으로 의결한다. 이 경우 무제한토론의 종결동의에 대해서는 토론을 하지 아니하고 표결한다.
> ⑦ 무제한토론을 실시하는 안건에 대하여 무제한토론을 할 의원이 더 이상 없거나 제6항에 따라 무제한토론의 종결동의가 가결되는 경우 의장은 무제한토론의 종결을 선포한 후 해당 안건을 지체 없이 표결하여야 한다.

③ (O) [20 입시]

> **국회법 제57조의2(안건조정위원회)**
> ① 위원회는 이견을 조정할 필요가 있는 안건(예산안, 기금운용계획안, 임대형 민자사업 한도액안 및 체계·자구심사를 위하여 법제사법위원회에 회부된 법률안은 제외한다. 이하 이 조에서 같다)을 심사하기 위하여 재적위원 3분의 1 이상의 요구로 안건조정위원회(이하 이 조에서 '조정위원회'라 한다)를 구성하고 해당 안건을 국회법 제58조 제1항에 따른 대체토론이 끝난 후 조정위원회에 회부한다. 다만, 조정위원회를 거친 안건에 대해서는 그 심사를 위한 조정위원회를 구성할 수 없다.

④ (O) 의안의 철회가 있는 경우는 일사부재의의 원칙이 적용되지 않는다. 일사부재의의 원칙은 헌법상 원칙이 아니라 국회법상 원칙이다.
[11 국가7급]

> 🔖 **일사부재의원칙의 위반이 아닌 경우**
> - 일단 의제가 된 의안일지라도 철회되어 의결에 이르지 아니한 안건
> - 동일 의안일지라도 전 회기에 의결한 것을 다음 회기에 다시 심의하는 것
> - 동일 인물에 대한 해임건의안일지라도 그 후 사정변경이 생긴 경우
> - 위원회의 의결을 본회의에서 다시 심의하는 경우
> - 의결된 의안 또는 법률안을 회기 내 다시 개정하는 것
> - 번안

정답 ①

## 025  20 법원직

**국회에 관한 다음 설명 중 가장 옳지 않은 것은?**

① 국회의 회의는 공개한다. 다만, 재적의원 과반수의 찬성이 있거나 의장이 국가의 안전보장을 위하여 필요하다고 인정할 때에는 공개하지 아니할 수 있다.
② 국회에 제출된 법률안 기타의 의안은 회기 중에 의결되지 못한 이유로 폐기되지 아니하는 것이 원칙이다.
③ 국채를 모집하거나 예산 외에 국가의 부담이 될 계약을 체결하려 할 때에는 정부는 미리 국회의 의결을 얻어야 한다.
④ 국회는 국무총리 또는 국무위원의 해임을 대통령에게 건의할 수 있다.

**해설**

① (X) 국회의 회의는 공개한다. 다만, <u>출석의원 과반수의 찬성</u>이 있거나 의장이 국가의 안전보장을 위하여 필요하다고 인정할 때에는 공개하지 아니할 수 있다.
② (O) 회기계속의 원칙이다.
③ (O) 헌법 제58조
④ (O) 헌법 제63조 제1항
  🔖 해임건의는 구속력이 인정되지 않는다.

정답 ①

## 026 회독 □□□  20 국가7급

**국회의 운영에 대한 설명으로 옳지 않은 것은?**

① 의원이 다른 의원의 자격에 대하여 이의가 있을 때에는 30명 이상의 연서로 의장에게 자격심사를 청구할 수 있으며, 의원이 체포 또는 구금된 의원의 석방 요구를 발의할 때에는 재적의원 4분의 1 이상의 연서로 그 이유를 첨부한 요구서를 의장에게 제출하여야 한다.
② 발언한 의원은 회의록이 배부된 날의 다음 날 오후 5시까지 회의록에 적힌 자구의 정정을 의장에게 요구할 수 있으나, 발언의 취지를 변경할 수 없다.
③ 의장이 산회를 선포한 당일에는 다시 개의할 수 없으나, 내우외환, 천재지변 또는 중대한 재정·경제상의 위기, 국가의 안위에 관계되는 중대한 교전상태나 전시·사변 또는 이에 준하는 국가비상사태의 경우에는 의장이 교섭단체 대표의원과 합의 없이도 회의를 다시 개의할 수 있다.
④ 의장이 토론에 참가할 때에는 의장석에서 물러나야 하며, 그 안건에 대한 표결이 끝날 때까지 의장석으로 돌아갈 수 없다.

**해설**

① (O) 자격심사의 요건과 석방 요구의 요건이다.
② (O) 국회법 제117조 제1항
③ (X)

> **국회법 제74조(산회)**
> ① 의사일정에 올린 안건의 의사가 끝났을 때에는 의장은 산회를 선포한다.
> ② 산회를 선포한 당일에는 회의를 다시 개의할 수 없다. 다만, 내우외환, 천재지변 또는 중대한 재정·경제상의 위기, 국가의 안위에 관계되는 중대한 교전상태나 전시·사변 또는 이에 준하는 국가비상사태로서 <u>의장이 각 교섭단체 대표의원과 합의한 경우에는</u> 그러하지 아니하다.

④ (O) 국회법 제107조

**정답** ③

## 027 NEW

23 서울·지방7급

**국회의 의사절차 및 입법절차에 대한 설명으로 옳지 않은 것은?**

① 자유위임원칙은 헌법이 추구하는 가치를 보장하고 실현하기 위한 통치구조의 구성원리 중 하나이므로, 다른 헌법적 이익에 언제나 우선하는 것은 아니고, 국회의 기능수행을 위해서 필요한 범위 내에서 제한될 수 있다.
② 일사부재의원칙을 경직되게 적용하는 경우에는 국정운영이 왜곡되고 다수에 의해 악용되어 다수의 횡포를 합리화하는 수단으로 전락할 수도 있으므로, 일사부재의원칙은 신중한 적용이 요청된다.
③ 국회의원이 국회 내에서 행하는 질의권·토론권 및 표결권 등은 입법권 등 공권력을 행사하는 국가기관인 국회의 구성원의 지위에 있는 국회의원 개인에게 헌법이 보장하는 권리, 즉 기본권으로 인정된 것이라고 할 수 있다.
④ 국회 본회의에서 수정동의를 지나치게 넓은 범위에서 인정할 경우, 국회가 의안 심의에 관한 국회운영의 원리로 채택하고 있는 위원회 중심주의를 저해할 우려가 있다.

**해설**

① (O)

> 국회의원의 원내활동을 기본적으로 각자에 맡기는 자유위임은 자유로운 토론과 의사형성을 가능하게 함으로써 당내민주주의를 구현하고 정당의 독재화 또는 과두화를 막아주는 순기능을 갖는다. 그러나 자유위임은 의회내에서의 정치의사형성에 정당의 협력을 배척하는 것이 아니며, 의원이 정당과 교섭단체의 지시에 기속되는 것을 배제하는 근거가 되는 것도 아니다. 또한 국회의원의 국민대표성을 중시하는 입장에서도 특정 정당에 소속된 국회의원이 정당기속 내지는 교섭단체의 결정(소위 '당론')에 위반하는 정치활동을 한 이유로 제재를 받는 경우, 국회의원 신분을 상실하게 할 수는 없으나 '정당내부의 사실상의 강제' 또는 소속 '정당으로부터의 제명'은 가능하다고 보고 있다. 그렇다면, 당론과 다른 견해를 가진 소속 국회의원을 당해 교섭단체의 필요에 따라 다른 상임위원회로 전임(사·보임)하는 조치는 특별한 사정이 없는 한 헌법상 용인될 수 있는 '정당내부의 사실상 강제'의 범위 내에 해당한다고 할 것이다. (헌재 2003.10.30. 2002헌라1)

② (O) 헌재 2009.10.29. 2009헌라8 등
③ (X) 국회의원이 국회 내에서 행하는 질의권·토론권 및 표결권 등은 기본권이 아니라 국회의원의 지위에서 인정되는 권한이다. 따라서 질의권·토론권 및 표결권 침해를 이유로 헌법소원을 청구할 수 없다.
④ (O) 헌재 2020.5.27. 2019헌라6 등

**정답** ③

## 028   23 서울·지방7급

**국회에 대한 설명으로 옳지 않은 것은?**

① 「국회법」상 안건조정위원회의 활동기한 90일은 국회 소수세력의 안건처리 지연을 통한 의사저지수단을 제도적으로 보장한 것으로서 90일을 초과할 수 없고, 그 축소도 안건조정위원회를 구성할 때 안건조정위원회의 위원장과 간사가 합의한 경우에만 가능하므로, 안건조정위원회의 활동기한이 만료되기 전 안건조정위원회가 안건에 대한 조정 심사를 마쳐서 조정안을 의결하여 안건조정위원회 위원장이 그 조정안의 가결을 선포한 것은 「국회법」 위반이다.

② 국회의 예비금은 사무총장이 관리하되, 국회운영위원회의 동의와 국회의장의 승인을 받아 지출한다. 다만, 폐회 중일 때에는 국회의장의 승인을 받아 지출하고 다음 회기 초에 국회운영위원회에 보고한다.

③ 국가기관의 부분 기관이 자신의 이름으로 소속 기관의 권한을 주장할 수 있는 '제3자 소송담당'을 명시적으로 허용하는 법률의 규정이 없는 현행법 체계하에서는 국회의 구성원인 국회의원이 국회의 조약에 대한 체결·비준 동의권의 침해를 주장하는 권한쟁의심판을 청구할 수 없다.

④ 헌법은 국회 회의의 공개 여부에 관하여 회의 구성원의 자율적 판단을 허용하고 있으므로, 소위원회 회의의 공개 여부 또한 소위원회 또는 소위원회가 속한 위원회에서 여러 가지 사정을 종합하여 합리적으로 결정할 수 있다.

### 해설

① (×)

> [1] 국회법 제57조의2에 근거한 안건조정위원회 위원장은 국회법상 소위원회의 위원장으로서 헌법 제111조 제1항 제4호 및 헌법재판소법 제62조 제1항 제1호의 '국가기관'에 해당한다고 볼 수 없으므로, 권한쟁의심판에서의 당사자능력이 인정되지 않는다.
> [2] 이 사건에서 국회법상 90일 또는 신속처리대상안건의 심사기간과 같은 안건조정위원회의 활동기한이 도래하지 않았음에도 피청구인 조정위원장이 이 사건 조정안이 가결을 선포하였다는 사정만으로 이를 국회법에 위배되있다고 볼 수는 없다. (헌재 2020.5.27. 2019헌라5)

② (○)

> **국회법 제23조(국회의 예산)**
> ① 국회의 예산은 독립하여 국가예산에 계상한다.
> ② 의장은 국회 소관 예산요구서를 작성하여 국회운영위원회의 심사를 거쳐 정부에 제출한다. 다만, 국가재정법에서 정한 예산요구서 제출기일 전일까지 국회운영위원회가 국회 소관 예산요구서의 심사를 마치지 못한 경우에는 의장은 직접 국회 소관 예산요구서를 정부에 제출할 수 있다.
> ③ 국회의 예산에 예비금을 둔다.
> ④ 국회의 예비금은 사무총장이 관리하되, 국회운영위원회의 동의와 의장의 승인을 받아 지출한다. 다만, 폐회 중일 때에는 의장의 승인을 받아 지출하고 다음 회기 초에 국회운영위원회에 보고한다.
> ⑤ 정부가 국가재정법 제40조 제2항에 따라 국회 소관 세출예산요구액을 감액하기 위하여 국회의 의견을 구하려는 경우에는 그 감액 내용 및 사유를 적어 국무회의 7일 전까지 의장에게 송부하여야 한다.
> ⑥ 의장은 제5항에 따른 송부가 있은 때에는 그 감액 내용에 대한 의견서를 해당 국무회의 1일 전까지 정부에 송부한다.

③ (○) 국회의원은 의원 개인의 권한인 심의·표결권의 침해를 이유로 권한쟁의심판을 청구할 수 있지만, 국회의 권한인 동의권의 침해를 이유로 권한쟁의를 청구할 수는 없다.

④ (○) 헌재 2000.6.29. 98헌마443 등

**정답** ①

## 029

**국회의 의사절차에 대한 설명으로 옳지 않은 것은? (다툼이 있는 경우 판례에 의함)**

① 일반정족수는 다수결의 원리를 실현하는 국회의 의결방식 중 하나로서 국회의 의사결정시 합의에 도달하기 위한 최소한의 기준일 뿐 이를 헌법상 절대적 원칙이라고 볼 수는 없다.
② 국회 재적의원 과반수의 요청이 있으면 국회의장이 의무적으로 직권상정하여야 하는 제도를 「국회법」에 두지 않은 것은 국회의장의 직권상정제도를 규정하면서 반드시 함께 규율하였어야 할 성질의 부진정입법부작위에 해당한다.
③ 「국회법」상 안건신속처리제도는 여야 간 쟁점안건이 심의대상도 되지 못하고 위원회에 장기간 계류되는 상황을 최소화하기 위한 제도적 장치로, 위원회 중심주의를 존중하면서도 입법의 효율성을 제고하고자 도입된 것이다.
④ 「국회법」에서 국회의장의 심사기간 지정사유를 엄격하게 제한하고 있는 것은 국회의장의 직권상정권한이 신속 입법을 위한 우회적 절차로 활용되는 것을 방지하여 물리적 충돌을 막고, 수정안을 공동으로 만들어 대화와 타협에 의한 의회정치의 정상화를 도모하고자 함에 있다.
⑤ 본회의 직권상정에 앞서 중간보고를 듣는 목적은 위원회의 심사상황을 파악하고 앞으로 심사전망 등을 판단하기 위한 것으로, 그 형식은 서면 외에 구두로도 할 수 있다.

### 해설

① (O) 일반정족수가 원칙이지만, 다양한 특별정족수가 규정되어 있다. (헌재 2016.5.26. 2015헌라1)
② (X) 이론적으로 진정입법부작위로 보기 어렵지만, 헌법재판소가 진정입법부작위로 본 경우이다.

> 국회법 제85조 제1항에 국회 재적의원 과반수가 의안에 대하여 심사기간 지정을 요청하는 경우 국회의장이 그 의안에 대하여 의무적으로 심사기간을 지정하도록 규정하지 아니한 입법부작위는 입법자가 재적의원 과반수의 요구에 의해 위원회의 심사를 배제할 수 있는 비상입법절차와 관련하여 아무런 입법을 하지 않음으로써 입법의 공백이 발생한 '진정입법부작위'에 해당한다. (헌재 2016.5.26. 2015헌라1)

③ (O) 헌재 2016.5.26. 2015헌라1
④ (O) 직권상정제도의 취지이다.

**국회법 제85조(심사기간)**
① 의장은 다음 각 호의 어느 하나에 해당하는 경우에는 위원회에 회부하는 안건 또는 회부된 안건에 대하여 심사기간을 지정할 수 있다. 이 경우 제1호 또는 제2호에 해당할 때에는 의장이 각 교섭단체 대표의원과 협의하여 해당 호와 관련된 안건에 대해서만 심사기간을 지정할 수 있다.
  1. 천재지변의 경우
  2. 전시·사변 또는 이에 준하는 국가비상사태의 경우
  3. 의장이 각 교섭단체 대표의원과 합의하는 경우
② 제1항의 경우 위원회가 이유 없이 지정된 심사기간 내에 심사를 마치지 아니하였을 때에는 의장은 중간보고를 들은 후 다른 위원회에 회부하거나 바로 본회의에 부의할 수 있다.

⑤ (O) 헌재 2008.4.24. 2006헌라2

**정답** ②

## 030 회독 ☐☐☐     19 지방7급

**국회의 의사원칙에 대한 설명으로 옳지 않은 것은? (다툼이 있는 경우 판례에 의함)**

① 의안이 발의되고 부결된 경우 회기를 달리하여 그 의안을 다시 발의할 수 있다.
② 헌법은 국회에 제출된 법률안 기타의 의안은 회기 중에 의결되지 못한 이유로 폐기되지 아니한다고 하여 회기계속의 원칙을 채택하고 있지만, 국회의원의 임기가 만료된 때에는 그러하지 아니하다는 규정을 두고 있다.
③ 헌법은 출석의원 과반수의 찬성으로 국회의 회의를 공개하지 않는 경우에 대해서는 사후공개를 정당화하는 사유를 명시적으로 언급하고 있다.
④ 위원회에서 의원 아닌 사람의 방청허가에 관한 「국회법」 규정은 위원회의 공개원칙을 전제로 한 것이지, 비공개를 원칙으로 하여 위원장의 자의에 따라 공개 여부를 결정케 한 것이 아닌바, 회의의 질서유지를 위하여 필요한 경우에 한하여 방청을 불허할 수 있는 것으로 제한적으로 풀이하여야 한다.

> **해설**

① (O) 회기가 달라지면 일사부재의원칙이 적용되지 않는다.
② (O)

> **헌법 제51조**
> 국회에 제출된 법률안 기타의 의안은 회기 중에 의결되지 못한 이유로 폐기되지 아니한다. 다만, 국회의원의 임기가 만료된 때에는 그러하지 아니하다.

③ (X) 사유를 명시적으로 규정하지 않고 법률에 위임하고 있다.

> **헌법 제50조**
> ① 국회의 회의는 공개한다. 다만, 출석의원 과반수의 찬성이 있거나 의장이 국가의 안전보장을 위하여 필요하다고 인정할 때에는 공개하지 아니할 수 있다.
> ② 공개하지 아니한 회의 내용의 공표에 관하여는 법률이 정하는 바에 의한다.

④ (O) 원칙적으로 공개하여야 한다는 의미이다.

**정답** ③

## 031 19 5급행시, 18 국가7급

**국회의 운영에 대한 설명으로 옳지 않은 것만을 모두 고르면?**

ㄱ. 위원회에서의 번안동의는 위원의 동의로 그 안을 갖춘 서면으로 제출하되, 재적위원 과반수의 출석과 출석위원 3분의 2 이상의 찬성으로 의결하지만, 본회의에서 의제가 된 후에는 번안할 수 없다.
ㄴ. 국회 본회의는 공개하나, 의장의 제의 또는 의원 10명 이상의 연서에 의한 동의로 본회의 의결이 있는 경우 공개하지 아니할 수 있으며 그 제의나 동의에 대하여 토론을 거쳐 표결한다.
ㄷ. 국회의원 총선거 후 첫 임시회는 의원의 임기개시 후 7일에 집회하며, 처음 선출된 의장의 임기가 폐회 중에 만료되는 경우에는 늦어도 임기만료일 5일 전까지 집회한다. 다만, 그날이 공휴일인 때에는 그 다음 날에 집회한다.
ㄹ. 국회운영위원회는 본회의 의결이 있거나 의장이 필요하다고 인정하여 각 교섭단체 대표의원과 협의한 경우를 제외하고는 본회의 중에는 개회할 수 없다.

① ㄱ, ㄴ
② ㄴ, ㄷ
③ ㄴ, ㄹ
④ ㄷ, ㄹ

### 해설

ㄱ. (○) 국회법 제91조 제2항 [18 국가7급]
> 번안이란 의안이 가결된 후에 사정변경 또는 착오를 이유로 가결된 의안을 번복하여 의결을 무효로 하고 다시 의결하는 것을 말한다. 번안은 일사부재의의 원칙 위반이 아니다.

ㄴ. (✗) [18 국가7급]

**국회법 제75조(회의의 공개)**
① 본회의는 공개한다. 다만, 의장의 제의 또는 의원 10명 이상의 연서에 의한 동의로 본회의 의결이 있거나 의장이 각 교섭단체 대표의원과 협의하여 국가의 안전보장을 위하여 필요하다고 인정할 때에는 공개하지 아니할 수 있다.
② 제1항 단서에 따른 제의나 동의에 대해서는 토론을 하지 아니하고 표결한다.

ㄷ. (○) 국회법 제5조 제3항 [19 5급행시]

ㄹ. (✗) [19 5급행시]

**국회법 제56조(본회의 중 위원회의 개회)**
위원회는 본회의 의결이 있거나 의장이 필요하다고 인정하여 각 교섭단체 대표의원과 협의한 경우를 제외하고는 본회의 중에는 개회할 수 없다. 다만, 국회운영위원회는 그러하지 아니하다.

**정답** ③

## 032

**「국회법」 및 「공직선거법」에 따를 때, A~E 중 가장 큰 수는?**

- 대통령 선거에서 후보자의 등록은 선거일 전 ( A )일부터 2일간 관할 선거구 선거관리위원회에 서면으로 신청하여야 한다.
- 정부에 대한 질문을 제외하고는 의원의 발언시간은 ( B )분을 초과하지 아니하는 범위에서 의장이 정한다.
- 국회의원 지역구의 공정한 획정을 위하여 임기만료에 따른 국회의원 선거의 선거일 전 ( C )개월부터 해당 국회의원 선거에 적용되는 국회의원 지역구의 명칭과 그 구역이 확정되어 효력을 발생하는 날까지 국회의원 선거구획정위원회를 설치·운영한다.
- 대통령 선거의 선거기간은 ( D )일이다.
- 의원 ( E )명 이상의 연서에 의한 동의로 본회의 의결이 있거나 의장이 각 교섭단체 대표의원과 협의하여 필요하다고 인정할 때에는 의장은 회기 전체 의사일정의 일부를 변경하거나 당일 의사일정의 안건 추가 및 순서 변경을 할 수 있다.

① A  ② B  ③ C  ④ D  ⑤ E

### 해설

- A: 24  • B: 15  • C: 18  • D: 23  • E: 20

가장 큰 수는 A이다.

**공직선거법 제49조(후보자등록 등)**
① 후보자의 등록은 대통령 선거에서는 선거일 전 (A) **24일**, 국회의원 선거와 지방자치단체의 의회의원 및 장의 선거에서는 선거일 전 20일부터 2일간 관할 선거구 선거관리위원회에 서면으로 신청하여야 한다.

**제24조(국회의원 선거구획정위원회)**
① 국회의원 지역구의 공정한 획정을 위하여 임기만료에 따른 국회의원 선거의 선거일 전 (C) **18개월**부터 해당 국회의원 선거에 적용되는 국회의원 지역구의 명칭과 그 구역이 확정되어 효력을 발생하는 날까지 국회의원 선거구획정위원회를 설치·운영한다.
② 국회의원 선거구획정위원회는 중앙선거관리위원회에 두되, 직무에 관하여 독립의 지위를 가진다.
③ 국회의원 선거구획정위원회는 중앙선거관리위원회 위원장이 위촉하는 9명의 위원으로 구성하되, 위원장은 위원 중에서 호선한다.

**제33조(선거기간)**
① 선거별 선거기간은 다음 각 호와 같다.
  1. 대통령 선거는 (D) **23일**
  2. 국회의원 선거와 지방자치단체의 의회의원 및 장의 선거는 14일

**국회법 제77조(의사일정의 변경)**
의원 (E) **20명** 이상의 연서에 의한 동의로 본회의 의결이 있거나 의장이 각 교섭단체 대표의원과 협의하여 필요하다고 인정할 때에는 의장은 회기 전체 의사일정의 일부를 변경하거나 당일 의사일정의 안건 추가 및 순서 변경을 할 수 있다. 이 경우 의원의 동의에는 이유서를 첨부하여야 하며, 그 동의에 대해서는 토론을 하지 아니하고 표결한다.

**제104조(발언원칙)**
① 정부에 대한 질문을 제외하고는 의원의 발언시간은 (B) **15분**을 초과하지 아니하는 범위에서 의장이 정한다. 다만, 의사진행발언, 신상발언 및 보충발언은 5분을, 다른 의원의 발언에 대한 반론발언은 3분을 초과할 수 없다.

**정답** ①

### 예상조문

**국회법 제103조(발언 횟수의 제한)**
의원은 같은 의제에 대하여 두 차례만 발언할 수 있다. 다만, 질의에 대하여 답변할 때와 위원장·발의자 또는 동의자가 그 취지를 설명할 때에는 그러하지 아니하다.

**제104조(발언원칙)**
② 교섭단체를 가진 정당을 대표하는 의원이나 교섭단체의 대표의원이 정당 또는 교섭단체를 대표하여 연설(이하 '교섭단체 대표연설'이라 한다)이나 그 밖의 발언을 할 때에는 40분까지 발언할 수 있다. 이 경우 교섭단체 대표연설은 매년 첫 번째 임시회와 정기회에서 한 번씩 실시하되, 전반기·후반기 원 구성을 위한 임시회의 경우와 의장이 각 교섭단체 대표의원과 합의를 하는 경우에는 추가로 한 번씩 실시할 수 있다.

**제105조(5분 자유발언)**
① 의장은 본회의가 개의된 경우 그 개의시부터 1시간을 초과하지 아니하는 범위에서 의원에게 국회가 심의 중인 의안과 청원, 그 밖의 중요한 관심 사안에 대한 의견을 발표할 수 있도록 하기 위하여 5분 이내의 발언(이하 '5분 자유발언'이라 한다)을 허가할 수 있다. 다만, 의장은 당일 본회의에서 심의할 의안이 여러 건 있는 경우 등 효율적인 의사진행을 위하여 필요하다고 인정하는 경우에는 각 교섭단체 대표의원과 협의하여 개의 중에 5분 자유발언을 허가할 수 있다.
② 5분 자유발언을 하려는 의원은 늦어도 본회의 개의 4시간 전까지 그 발언 취지를 간략히 적어 의장에게 신청하여야 한다.
③ 5분 자유발언의 발언자 수와 발언 순서는 교섭단체별 소속 의원 수의 비율을 고려하여 의장이 각 교섭단체 대표의원과 협의하여 정한다.

## 033

**국회의 운영과 의사절차에 대한 설명으로 옳지 않은 것만을 모두 고르면? (다툼이 있는 경우 판례에 의함)**

ㄱ. 「국회법」은 소위원회의 회의 비공개사유 및 절차 등 요건을 헌법이 규정한 회의 비공개요건에 비하여 더 완화시키고 있다.
ㄴ. 위원회에서 위원장은 발언을 원하는 위원이 2인 이상인 경우 운영위원회와 협의하여 10분의 범위 안에서 각 위원의 첫 번째 발언시간을 균등하게 정하여야 한다.
ㄷ. 「국회법」에는 연간 국회 운영 기본일정으로 국회의원 총선거가 있는 월의 경우를 제외하고 연 3회의 임시회 집회일이 명시되어 있다.
ㄹ. '의원이 아닌 사람이 위원회를 방청하려면, 위원장의 허가를 받아야 한다'는 「국회법」 제55조 제1항은 위원회의 비공개원칙을 전제로 한 것이므로, 위원장이 재량으로 방청불허결정을 할 수 있다.

① ㄱ, ㄴ
② ㄱ, ㄴ, ㄷ
③ ㄴ, ㄷ, ㄹ
④ ㄱ, ㄴ, ㄷ, ㄹ

### 해설

ㄱ. (✗) 헌법은 원칙적으로 공개원칙에 입각하고 있으나, 국회법은 소위원회에 대해 그 의결로 비공개를 할 수 있도록 함으로써 비공개의 요건을 강화하고 있다. [18 국회8급]

ㄴ. (✗) [18 국회8급]

> **국회법 제60조(위원의 발언)**
> ① 위원은 위원회에서 같은 의제에 대하여 횟수 및 시간 등에 제한 없이 발언할 수 있다. 다만, 위원장은 발언을 원하는 위원이 2명 이상일 경우에는 간사와 협의하여 15분의 범위에서 각 위원의 첫 발언시간을 균등하게 정하여야 한다.
> ② 위원회에서의 질의는 일문일답의 방식으로 한다. 다만, 위원회의 의결이 있는 경우 일괄질의의 방식으로 할 수 있다.

ㄷ. (✗) 임시회는 6회가 규정되어 있다. [18 국회8급]

> **국회법 제5조의2(연간 국회 운영 기본일정 등)**
> ① 의장은 국회의 연중 상시 운영을 위하여 각 교섭단체 대표의원과의 협의를 거쳐 매년 12월 31일까지 다음 연도의 국회 운영 기본일정(국정감사를 포함한다)을 정하여야 한다. 다만, 국회의원 총선거 후 처음 구성되는 국회의 해당 연도 국회 운영 기본일정은 6월 30일까지 정하여야 한다.
> ② 제1항의 연간 국회 운영 기본일정은 다음 각 호의 기준에 따라 작성한다.
>   1. 2월·3월·4월·5월 및 6월 1일과 8월 16일에 임시회를 집회한다. 다만, 국회의원 총선거가 있는 경우 임시회를 집회하지 아니하며, 집회일이 공휴일인 경우에는 그 다음 날에 집회한다.
>   2. 정기회의 회기는 100일로, 제1호에 따른 임시회의 회기는 해당 월의 말일까지로 한다. 다만, 임시회의 회기가 30일을 초과하는 경우에는 30일로 한다.
>   3. 2월, 4월 및 6월에 집회하는 임시회의 회기 중 한 주는 제122조의2에 따라 정부에 대한 질문을 한다.

ㄹ. (✗) 비공개가 아니라 공개가 원칙이다. [17 입시]

**정답** ④

## 기출지문 OX

**❶** 국회의 회의절차에 관한 사실인정을 함에 있어서 회의록의 기재 내용을 객관적으로 신빙할 수 없는 사정이 있는 경우라면, 회의록에 기재된 내용에 얽매일 것이 아니라, 변론에 현출된 모든 자료와 정황을 종합하여 건전한 상식과 경험칙에 따라 객관적·합리적으로 판단하여야 한다. 15 국회8급 ( O / X )

> **해설** 청구인들이 국회 본회의에서 이의제기를 한 사실이 있는지 여부에 관한 증거를 보면, 국회 본회의 회의록에 장내소란으로 기재된 것만으로 청구인들이 이의를 한 것으로 인정할 수는 없고, 방송사의 보도 내용을 담은 비디오테이프 또한 본회의장 내에서 일어난 소란을 청구인들이 이의를 한 것으로 인정할 증거가 되지 아니한다. 국회 본회의에서 피청구인이 각 안건에 대하여 이의 유무를 물었을 때에 일부 청구인들이 "이의 있습니다."라고 주장하였는데도 이 사건 법률안에 대하여 전원일치로 가결·선포하는 '변칙 처리'를 한 것은 국회의원의 심의·표결권을 침해한 것이 아니다. (헌재 2000.2.24. 99헌라1)

정답 X

**❷** 국회의장이 국회의원을 일방적으로 특정 상임위원회 위원으로 선임하는 행위는 헌법소원심판청구의 대상이 될 수 있다. 10 지방7급 ( O / X )

> **해설** 국회의장이 국회의원을 국회 상임위원회 위원으로 선임한 행위는 국회법 제48조에 근거한 행위로서 국회 내부의 조직을 구성하는 행위에 불과할 뿐 국민의 권리·의무에 대하여 직접적인 법률효과를 발생시키는 행위라고 할 수 없으므로, 헌법소원심판의 대상이 되지 아니한다. (헌재 1999.6.24. 98헌마472)
> 권한쟁의심판의 대상은 된다.

정답 X

**❸** 이른바 날치기 법률안 처리와 같은 입법절차의 하자를 둘러싼 분쟁은 국회의원이 청구한 헌법소원심판을 통하여 해결할 수 있다. 10 지방7급 ( O / X )

> **해설** 국회의장인 피청구인의 불법적인 의안 처리행위로 헌법의 기본원리가 훼손되었다고 하더라도 그로 인하여 헌법상 보장된 구체적 기본권을 침해당한 바 없는 국회의원인 청구인들에게 헌법소원심판청구가 허용된다고 할 수는 없다. (헌재 1995.2.23. 91헌마231)

정답 X

## 034 17 국회8급

**국회의 운영과 의사원칙에 대한 설명으로 옳지 않은 것은? (다툼이 있는 경우 헌법재판소의 결정에 의함)**

① 의사공개원칙은 방청의 자유, 보도의 자유, 의사록의 공표·배포의 자유를 내용으로 한다.
② 국회는 한 번 부결된 안건은 같은 회기 중에 다시 발의 또는 제출하지 못한다. 그러나 동일 의안이더라도 새로이 발생한 사유로 재차 심의할 수 있다.
③ 국회의장 권한대행은 의장으로서 의사진행의 원활을 기하기 위하여 의사진행 발언 및 산회 선포 등의 권한을 가진다.
④ 국회의원의 임기가 만료되어 새로운 국회가 구성되는 경우에는 예외적으로 회기불계속의 원칙을 적용한다.
⑤ 국회의장과 위원장은 국회 안에서 경호권을 행한다.

### 해설

① (O) 헌재 2000.6.29. 98헌마443 등
② (O) 일사부재의원칙의 개념이다. 번안은 일사부재의원칙 위반이 아니다.
③ (O)
④ (O)

> **헌법 제51조**
> 국회에 제출된 법률안 기타의 의안은 회기 중에 의결되지 못한 이유로 폐기되지 아니한다. 다만, 국회의원의 임기가 만료된 때에는 그러하지 아니하다.

⑤ (✗) 위원장은 경호권이 없다.

> **국회법 제143조(의장의 경호권)**
> 의장은 회기 중 국회의 질서를 유지하기 위하여 국회 안에서 경호권을 행사한다.

**정답** ⑤

## 035

**국회에 대한 설명으로 옳지 않은 것은?**

① 국회의원의 수는 입법형성의 범위에 속하나 법률로 그 수를 200인 미만으로 정하는 경우 이유를 불문하고 위헌이다.
② 법률안에 대한 표결은 전자투표에 의한 기록표결로 하되, 대통령으로부터 환부된 법률안은 무기명투표로 표결한다.
③ 국회의장이 행한 처분에 대하여는 행정소송을 제기할 수 없다.
④ 공개되지 아니한 회의의 내용은 공표되어서는 아니 된다.

**해설**

① (O) 헌법 제41조 제2항에 따라 국회의원의 수는 법률로 정하되, 200명 이상으로 하여야 한다. 공직선거법에 의하면 국회의원의 수는 300명으로 되어 있다. [11 국가7급]
② (O) 국회법 제112조 제1항·제5항 [13 지방7급]
③ (✗) 국회의장이 행한 처분도 권리·의무에 직접적인 변동을 초래한 경우에는 행정소송이 가능하다. [11 국회9급]
④ (O) 국회법 제118조 제4항 [10 국회8급]

**정답** ③

## 036 회독 ☐☐☐ 재구성     12 국가7급, 10 국회8급

**국회에 대한 설명으로 옳은 것은? (다툼이 있는 경우 판례에 의함)**

① 국민주권주의를 규정한 헌법 제1조 제2항, 국회의 구성에 관한 헌법 제41조 제1항으로부터 국회구성권이 도출되고, 국회구성권에는 국회의 정당 간의 의석분포를 결정할 권리, 즉 '국회구도결정권'도 포함된다.
② 국회의원 총선거에 관하여 국회의장이 선거구획정위원회 위원을 선임·위촉하지 않은 부작위 및 선거구획정위원회가 선거구획정안을 국회의장에게 제출하지 않은 부작위에 대해서는 헌법소원심판을 통한 사법심사가 가능하다.
③ 국회의 의사절차에 관한 헌법상 원칙으로는 의사공개의 원칙, 회기계속의 원칙, 일사부재의의 원칙이 있다.
④ 검찰의 기소독점주의 및 기소편의주의에 대한 예외로서 특별검사제도를 인정할지 여부의 판단에는 본질적으로 국회의 폭넓은 재량이 인정된다.
⑤ 헌법이 인정하고 있는 위임입법의 형식은 열거적인 것으로 보아야 하므로 법률이 행정규칙에 위임하는 것은 비록 그 행정규칙이 위임된 사항만을 규율할 수 있다고 하더라도 국회입법의 원칙에 위배되는 것이다.

### 해설

① (✗) '국회구성권'이라는 기본권은 헌법의 명문규정으로도, 해석상으로도 인정할 수 없다. [10 국회8급]

> 청구인들 주장의 '국회구성권'이란 유권자가 설정한 국회의석분포에 국회의원들을 기속시키고자 하는 것이고, 이러한 내용의 '국회구성권'이라는 것은 오늘날 이해되고 있는 대의제도의 본질에 반하는 것이므로 헌법상 인정될 여지가 없다. (헌재 1998.10.29. 96헌마186)

② (✗) [10 국회8급]

> 선거구획정위원회 위원 선임 및 신거구획정위원회의 선거구획정안 제출행위를 하지 않은 부작위는 국가기관의 내부적 의사결정행위에 불과하여 그 자체로 국민에 대하여 직접적인 법률효과를 발생시키는 행위가 아니므로 헌법소원의 대상이 되는 헌법재판소법 제68조 제1항 소정의 공권력의 불행사에 해당되지 아니한다. (헌재 2004.2.26. 2003헌마285)
> 
> 🔍 선거구획정을 하지 않는 부작위는 헌법소원의 대상이 된다. 그러나 헌법소원 후 선거구를 획정하면 권리보호이익이 없어 각하된다.

③ (✗) 다수결의 원칙도 헌법상 원칙이다. 일사부재의의 원칙은 헌법상 원칙이 아니라 국회법 제92조에 규정되어 있다. [10 국회8급]

④ (○) 헌재 2008.1.10. 2007헌마1468 [12 국가7급]

⑤ (✗) [12 국가7급]

> **법령보충적 규칙에 의한 기본권 제한** (헌재 2004.10.28. 99헌바91)
> 오늘날 의회의 입법독점주의에서 입법중심주의로 전환하여 일정한 범위 내에서 행정입법을 허용하게 된 동기가 사회적 변화에 대응한 입법수요의 급증과 종래의 형식적 권력분립주의로는 현대사회에 대응할 수 없다는 기능적 권력분립론에 있다는 점 등을 감안하여 헌법 제40조와 헌법 제75조, 제95조의 의미를 살펴보면, 국회입법에 의한 수권이 입법기관이 아닌 행정기관에게 법률 등으로 구체적인 범위를 정하여 위임한 사항에 관하여는 당해 행정기관에게 법 정립의 권한을 갖게 되고, 입법자가 규율의 형식도 선택할 수도 있다고 할 것이므로, 헌법이 인정하고 있는 위임입법의 형식은 예시적인 것으로 보아야 할 것이고, 그것은 법률이 행정규칙에 위임하더라도 그 행정규칙은 위임된 사항만을 규율할 수 있으므로, 국회입법의 원칙과 상치되지도 않는다. 다만, 형식의 선택에 있어서 규율의 밀도와 규율영역의 특성이 개별적으로 고찰되어야 할 것이고, 그에 따라 입법자에게 상세한 규율이 불가능한 것으로 보이는 영역이라면 행정부에게 필요한 보충을 할 책임이 인정되고 극히 전문적인 식견에 좌우되는 영역에서는 행정기관에 의한 구체화의 우위가 불가피하게 있을 수 있다. 그러한 영역에서 행정규칙에 대한 위임입법이 제한적으로 인정될 수 있다.

**정답** ④

## 037 회독 ☐☐☐ 재구성                                    10·09 국회8급

**국회의 의사절차에 대한 설명으로 옳지 않은 것은?**

① 의장은 회의장 안의 질서를 방해하는 방청인의 퇴장을 명할 수 있으며, 방청석이 소란할 때에는 모든 방청인을 퇴장시킬 수 있다.
② 가부동수로 부결된 안건은 같은 회기 중에 다시 발의할 수 있다.
③ 본회의 또는 위원회의 의결로 공개하지 아니하기로 한 경우를 제외하고는 의장 또는 위원장은 회의장 안에서의 녹음·녹화·촬영 및 중계방송을 국회규칙이 정하는 바에 따라 허용할 수 있다.
④ 표결을 할 때에는 회의장에 있지 아니한 의원은 표결에 참가할 수 없다. 그러나 기명·무기명투표에 의하여 표결할 때에는 투표함이 폐쇄될 때까지 표결에 참가할 수 있다.

> **해설**

① (O) 국회법 제154조 [10 국회8급]

② (X) [10 국회8급]

> **국회법 제92조(일사부재의)**
> 부결된 안건은 같은 회기 중에 다시 발의하거나 제출할 수 없다.

③ (O) 국회법 제149조의2 제1항 [09 국회8급]
④ (O) 국회법 제111조 제1항 [09 국회8급]

정답 ②

### 🔵 신속처리안건 지정동의와 무제한토론

| 구분 | 신속처리안건 지정동의 | 무제한토론 |
|---|---|---|
| 요구 | 재적 과반수가 서명한 요구서를 의장(본회의) 또는 위원장(상임위원회)에 제출한다. | • 재적 3분의 1 이상이 서명한 요구서를 의장에게 제출한다.<br>• 1인당 1회에 한정하여 토론 가능: 별도의 표결 없이 무제한토론을 하여야 한다. |
| 표결 | 지체 없이 무기명투표로 재적 5분의 3 이상의 찬성으로 의결한다. | 무제한토론의 종결동의는 동의가 제출된 때부터 24시간이 경과한 후에 무기명투표로 표결하되 재적의원 5분의 3 이상의 찬성으로 의결한다. 이 경우 무제한토론의 종결동의에 대하여는 토론을 하지 아니하고 표결한다. |

## 038 회독 □□□  20 국회8급

**각각의 정족수가 다른 것으로만 묶은 것은?**

① 국회 임시회 소집 요구 – 계엄해제 요구 – 감사위원 탄핵소추 의결
② 법률안 재의결 – 국무총리·국무위원 해임건의 발의 – 헌법개정안 발의
③ 법관 탄핵소추 발의 – 헌법개정안 발의 – 국무총리·국무위원 해임건의 발의
④ 계엄해제 요구 – 헌법개정안 발의 – 감사위원 탄핵소추 발의
⑤ 대통령 탄핵소추 발의 – 헌법개정안 의결 – 국회의원 제명

### 해설

① (✗)

> **헌법 제47조**
> ① 국회의 정기회는 법률이 정하는 바에 의하여 매년 1회 집회되며, 국회의 임시회는 대통령 또는 국회 재적의원 4분의 1 이상의 요구에 의하여 집회된다.
>
> **제77조**
> ⑤ 국회가 재적의원 과반수의 찬성으로 계엄의 해제를 요구한 때에는 대통령은 이를 해제하여야 한다.
>
> **제65조**
> ② 제1항의 탄핵소추는 국회 재적의원 3분의 1 이상의 발의가 있어야 하며, 그 의결은 국회 재적의원 과반수의 찬성이 있어야 한다. 다만, 대통령에 대한 탄핵소추는 국회 재적의원 과반수의 발의와 국회 재적의원 3분의 2 이상의 찬성이 있어야 한다.

② (○) ③ (✗)

> **헌법 제53조**
> ④ 재의의 요구가 있을 때에는 국회는 재의에 붙이고, 재적의원 과반수의 출석과 출석의원 3분의 2 이상의 찬성으로 전과 같은 의결을 하면 그 법률안은 법률로서 확정된다.
>
> **제128조**
> ① 헌법개정은 국회 재적의원 과반수 또는 대통령의 발의로 제안된다.
>
> **제63조**
> ② 제1항의 해임건의는 국회 재적의원 3분의 1 이상의 발의에 의하여 국회 재적의원 과반수의 찬성이 있어야 한다.

④ (✗)
⑤ (✗)

> **헌법 제130조**
> ① 국회는 헌법개정안이 공고된 날로부터 60일 이내에 의결하여야 하며, 국회의 의결은 재적의원 3분의 2 이상의 찬성을 얻어야 한다.
>
> **제64조**
> ③ 의원을 제명하려면 국회 재적의원 3분의 2 이상의 찬성이 있어야 한다.

**정답** ②

## 039　20 법무사

**다음 설명 중 가장 옳지 않은 것은?**

① 국무총리에 대한 해임건의 발의정족수와 탄핵소추 발의정족수는 같다.
② 국회의원의 자격심사의 청구정족수와 예산안에 대한 수정동의정족수는 같다.
③ 국회 위원회의 의사정족수와 본회의 의사정족수는 같다.
④ 국회의원 제명정족수와 헌법개정안 의결정족수는 같다.
⑤ 국회의장 선출정족수와 계엄해제 요구정족수는 같다.

### 해설

① (O)

> **헌법 제63조**
> ② 제1항의 해임건의는 국회 재적의원 3분의 1 이상의 발의에 의하여 국회 재적의원 과반수의 찬성이 있어야 한다.
>
> **제65조**
> ② 제1항의 탄핵소추는 국회 재적의원 3분의 1 이상의 발의가 있어야 하며, 그 의결은 국회 재적의원 과반수의 찬성이 있어야 한다. 다만, 대통령에 대한 탄핵소추는 국회 재적의원 과반수의 발의와 국회 재적의원 3분의 2 이상의 찬성이 있어야 한다.

② (×)

> **국회법 제138조(자격심사의 청구)**
> 의원이 다른 의원의 자격에 대하여 이의가 있을 때에는 30명 이상의 연서로 의장에게 자격심사를 청구할 수 있다.
>
> **제95조(수정동의)**
> ① 의안에 대한 수정동의는 그 안을 갖추고 이유를 붙여 30명 이상의 찬성 의원과 연서하여 미리 의장에게 제출하여야 한다. 다만, 예산안에 대한 수정동의는 의원 50명 이상의 찬성이 있어야 한다.

③ (O)

> **국회법 제54조(위원회의 의사정족수·의결정족수)**
> 위원회는 재적위원 5분의 1 이상의 출석으로 개회하고, 재적위원 과반수의 출석과 출석위원 과반수의 찬성으로 의결한다.
>
> **제73조(의사정족수)**
> ① 본회의는 재적의원 5분의 1 이상의 출석으로 개의한다.

④ (O)

> **헌법 제64조**
> ③ 의원을 제명하려면 국회 재적의원 3분의 2 이상의 찬성이 있어야 한다.
>
> **제130조**
> ① 국회는 헌법개정안이 공고된 날로부터 60일 이내에 의결하여야 하며, 국회의 의결은 재적의원 3분의 2 이상의 찬성을 얻어야 한다.

⑤ (O)

> **헌법 제77조**
> ⑤ 국회가 재적의원 과반수의 찬성으로 계엄의 해제를 요구한 때에는 대통령은 이를 해제하여야 한다.
>
> **국회법 제15조(의장·부의장의 선거)**
> ① 의장과 부의장은 국회에서 무기명투표로 선거하고 재적의원 과반수의 득표로 당선된다.

**정답 ②**

## 040  회독 ☐☐☐                                                  20 입시

**다음 계산식에서 도출되는 값으로 옳은 것은?**

A + (B × C) - D + E - F = ?

**보기**
ㄱ. 국회의장은 임시회의 집회 요구가 있을 때에는 집회기일 ( A )일 전에 공고한다. 다만, 국회의장은 내우외환, 천재지변 또는 중대한 재정·경제상의 위기가 발생한 경우나 국가의 안위에 관계되는 중대한 교전상태나 전시·사변 또는 이에 준하는 국가비상사태인 경우에는 집회기일 ( B )일 전에 공고할 수 있다.
ㄴ. 예산안이 아닌 의안에 대한 수정동의는 그 안을 갖추고 이유를 붙여 ( C )명 이상의 찬성 의원과 연서하여 미리 국회의장에게 제출하여야 한다.
ㄷ. 국무총리 또는 국무위원의 해임건의안이 발의되었을 때에는 본회의에 보고된 때부터 ( D )시간 이후 ( E )시간 이내에 무기명투표로 표결한다.
ㄹ. 예산결산특별위원회의 위원 수는 ( F )명으로 한다.

① 7    ② 21    ③ 27    ④ 31    ⑤ 51

**해설**

ㄱ. 국회의장은 임시회의 집회 요구가 있을 때에는 집회기일 (A) **3일** 전에 공고한다. 다만, 국회의장은 내우외환, 천재지변 또는 중대한 재정·경제상의 위기가 발생한 경우나 국가의 안위에 관계되는 중대한 교전상태나 전시·사변 또는 이에 준하는 국가비상사태인 경우에는 집회기일 (B) **1일** 전에 공고할 수 있다.

> **국회법 제5조(임시회)**
> ① 의장은 임시회의 집회 요구가 있을 때에는 집회기일 3일 전에 공고한다. 이 경우 둘 이상의 집회 요구가 있을 때에는 집회일이 빠른 것을 공고하되, 집회일이 같을 때에는 그 요구서가 먼저 제출된 것을 공고한다.
> ② 의장은 제1항에도 불구하고 다음 각 호의 어느 하나에 해당하는 경우에는 집회기일 1일 전에 공고할 수 있다.
>   1. 내우외환, 천재지변 또는 중대한 재정·경제상의 위기가 발생한 경우
>   2. 국가의 안위에 관계되는 중대한 교전상태나 전시·사변 또는 이에 준하는 국가비상사태인 경우
> ③ 국회의원 총선거 후 첫 임시회는 의원의 임기개시 후 7일에 집회하며, 처음 선출된 의장의 임기가 폐회 중에 만료되는 경우에는 늦어도 임기만료일 5일 전까지 집회한다. 다만, 그 날이 공휴일인 때에는 그 다음 날에 집회한다.

ㄴ. 예산안이 아닌 의안에 대한 수정동의는 그 안을 갖추고 이유를 붙여 (C) **30명** 이상의 찬성 의원과 연서하여 미리 국회의장에게 제출하여야 한다.

> **국회법 제95조(수정동의)**
> ① 의안에 대한 수정동의는 그 안을 갖추고 이유를 붙여 30명 이상의 찬성 의원과 연서하여 미리 의장에게 제출하여야 한다. 다만, 예산안에 대한 수정동의는 의원 50명 이상의 찬성이 있어야 한다.
> ② 위원회에서 심사보고한 수정안은 찬성 없이 의제가 된다.
> ③ 위원회는 소관 사항 외의 안건에 대해서는 수정안을 제출할 수 없다.
> ④ 의안에 대한 대안은 위원회에서 그 원안을 심사하는 동안에 제출하여야 하며, 의장은 그 대안을 그 위원회에 회부한다.
> ⑤ 제1항에 따른 수정동의는 원안 또는 위원회에서 심사보고(제51조에 따라 위원회에서 제안하는 경우를 포함한다)한 안의 취지 및 내용과 직접 관련이 있어야 한다. 다만, 의장이 각 교섭단체 대표의원과 합의를 하는 경우에는 그러하지 아니하다.

ㄷ. 국무총리 또는 국무위원의 해임건의안이 발의되었을 때에는 본회의에 보고된 때부터 (D) **24시간** 이후 (E) **72시간** 이내에 무기명투표로 표결한다.
ㄹ. 예산결산특별위원회의 위원 수는 (F) **50명**으로 한다.

**정답** ④

## 041

**정족수가 같은 것끼리 연결되지 않은 것은?**

① 국회임시의장 · 상임위원장 선거 – 국회의장 · 부의장 선거
② 계엄의 해제 요구 – 국무총리 · 국무위원 등에 대한 탄핵소추의 의결
③ 신속처리안건 지정동의의 의결 – 무제한토론 종결동의의 의결
④ 의원의 제명 – 의원자격 상실의 결정
⑤ 대통령이 환부한 법률안의 재의결 – 번안동의의 의결

> **해설**

① (✗) 국회임시의장 · 상임위원장 선거는 재적 과반수의 출석과 출석 다수표로 당선된다. 국회의장 · 부의장 선거는 재적 과반수의 찬성이 있어야 한다.
② (O) 국회 재적 과반수의 찬성
③ (O) 국회 재적 5분의 3 이상
④ (O) 국회 재적 3분의 2 이상
⑤ (O) 재적 과반수의 출석과 출석 3분의 2 이상

정답 ①

 **핵심노트**

## 법률제정절차

**법률안 제출**
- 정부: 국무회의의 심의를 거쳐 제출
- 의원
  - 의원 10명 이상(법률안 수정동의 30명 이상) (국회법 제79조)
  - 예산상 조치가 필요한 경우는 예상되는 비용에 대한 추계서 제출·법률안실명제 도입
- 위원회: 재적 과반수 → 출석 과반수로 의결, 위원회가 제출하면 제출자는 위원장이 된다.

⇩

**본회의 보고**
- 의장: 의회가 휴회·폐회 중에는 생략 가능 (국회법 제81조)

⇩

**소관 상임위원회에 회부**
- 의장
  - 소관 상임위원회 불명확시 운영위원회와 협의 결정 → 협의가 안 되면 의장이 결정
  - 위원회는 회부된 법률안에 대하여 위원회 상정 → 제안자 취지 설명 → 전문위원 검토보고 → 대체토론 → 소위원회 심사보고 → 축조심사 → 찬반토론 → 의결(표결)의 순서로 심사 (국회법 제58조)

⇩

**위원회 의결**
- 위원회
  - 의사정족수: 재적 5분의 1 출석 개회
  - 의결정족수: 재적 과반수 → 출석 과반수로 의결
  - 위원회에서 폐기된 법안: 위원회는 법안을 폐기할 수 있다. 그러나 본회의에 보고된 날로부터 폐회 또는 휴회 중의 기간을 제외한 7일 이내 의원 30명 이상의 요구가 있을 때 그 의안을 본회의에 부의하여야 하는데, 이를 위원회의 해임이라고 한다.

  > **국회법 제88조(위원회의 제출 의안)**
  > 위원회에서 제출한 의안은 그 위원회에 회부하지 아니한다. 다만, 의장은 국회운영위원회의 의결에 따라 그 의안을 다른 위원회에 회부할 수 있다.

⇩

**체계·자구심사**
- 법제사법위원회 (국회법 제86조)

⇩

**전원위원회 심사 (임의적)**
- 전원위원회: 정부조직에 관한 법률안, 조세 또는 국민에게 부담을 주는 법률안 등 주요 의안에 대해서는 해당 안건의 본회의 상정 전이나 상정 후 재적의원 4분의 1 이상의 요구가 있으면 전원위원회의 심사를 거친다. (국회법 제63조의2 제1항)
  - 법안수정권이 있다.

⇩

**본회의 의결**
- 본회의
  - 의사정족수: 재적 5분의 1 이상 출석 개의
  - 의결정족수: 재적 과반수 → 출석 과반수로 의결
  - 의안의 철회: 의원·정부는 본회의·위원회의 의제로 상정된 후, 본회의·위원회 동의를 얻어 의안 철회 가능
  - 수정: 의원 30명 이상(예산안의 경우 50명 이상)
  - 의원은 정부안에 대한 수정안을 제출할 수 있다. 그러나 정부는 의원안에 대한 수정안을 제출할 수 없다.

⇩

**정부 이송**
- 정부: 대통령이 서명하고 국무총리, 관계 국무위원이 부서하면 법률로서 성립·확정

⇩

**대통령의 환부거부**
- 대통령
  - 이송일로부터 15일 내(15일 이내에 거부 없으면 법률로서 성립·확정)
  - 일부거부, 수정거부 불가
  - 폐회 중에도 환부거부하여야 한다.
  - 대통령의 보류거부: 국회 임기만료시 예외적으로 인정된다는 견해가 있다.

⇩

**국회의 재의결**
- 국회: 재적 과반수 출석·출석 3분의 2 찬성으로 의결 → 법률로서 성립·확정
  - 재의결안의 공포: 재의결된 법률안이 정부로 이송 후 5일 내 대통령이 공포하지 않는 경우 국회의장이 공포 (헌법 제53조)

⇩

## 법률제정절차

**공포 (대통령, 국회의장)**
- 대통령이 15일 내 (확정된 법률을 공포하지 않는 경우 국회의장이 공포)
- 공포의 방법: 관보에 게재
  국회의장의 법률안 공포는 서울특별시에서 발행되는 일간신문 2개 이상에 게재 (법령 등 공포에 관한 법률 제11조 제2항)
- 공포시점: 관보에 최초구독가능시설이 통설·판례

⇩

**효력 발생**
- 법률의 규정이 없으면 공포 후 20일 경과 (헌법 제53조 제7항)
- 국민의 권리 제한·의무 부과 법률은 30일 경과
- 시행일이 규정된 경우에도 공포가 시행일 이후이면 시행일 규정은 효력 상실
  ("공포 없으면 효력 없다.")

---

## 042 [NEW]  23 국가7급

**법률의 제·개정절차에 대한 설명으로 옳지 않은 것은?**

① 국회는 헌법 또는 법률에 특별한 규정이 없는 한 재적의원 과반수의 출석과 출석의원 과반수의 찬성으로 의결하며, 가부동수인 때에는 가결된 것으로 본다.

② 국회에 제출된 법률안은 회기 중에 의결되지 못한 이유로 폐기되지 않지만, 국회의원의 임기가 만료된 때에는 그러하지 아니하다.

③ 법률은 특별한 규정이 없는 한 공포한 날로부터 20일을 경과함으로써 효력을 발생한다.

④ 대통령은 법률안의 일부에 대하여 또는 법률안을 수정하여 재의를 요구할 수 없다.

### 해설

① (✗)

**헌법 제49조**
국회는 헌법 또는 법률에 특별한 규정이 없는 한 재적의원 과반수의 출석과 출석의원 과반수의 찬성으로 의결한다. 가부동수인 때에는 부결된 것으로 본다.

② (○)

**헌법 제51조**
국회에 제출된 법률안 기타의 의안은 회기 중에 의결되지 못한 이유로 폐기되지 아니한다. 다만, 국회의원의 임기가 만료된 때에는 그러하지 아니하다.

③ (○) ④ (○)

**헌법 제53조**
① 국회에서 의결된 법률안은 정부에 이송되어 15일 이내에 대통령이 공포한다.
② 법률안에 이의가 있을 때에는 대통령은 제1항의 기간 내에 이의서를 붙여 국회로 환부하고, 그 재의를 요구할 수 있다. 국회의 폐회 중에도 또한 같다.
③ 대통령은 법률안의 일부에 대하여 또는 법률안을 수정하여 재의를 요구할 수 없다.
④ 재의의 요구가 있을 때에는 국회는 재의에 붙이고, 재적의원 과반수의 출석과 출석의원 3분의 2 이상의 찬성으로 전과 같은 의결을 하면 그 법률안은 법률로서 확정된다.
⑤ 대통령이 제1항의 기간 내에 공포나 재의의 요구를 하지 아니한 때에도 그 법률안은 법률로서 확정된다.

⑥ 대통령은 제4항과 제5항의 규정에 의하여 확정된 법률을 지체 없이 공포하여야 한다. 제5항에 의하여 법률이 확정된 후 또는 제4항에 의한 확정법률이 정부에 이송된 후 5일 이내에 대통령이 공포하지 아니할 때에는 국회의장이 이를 공포한다.
⑦ 법률은 특별한 규정이 없는 한 공포한 날로부터 20일을 경과함으로써 효력을 발생한다.

정답 ①

## 043  23 서울·지방7급

**국회의 입법권에 대한 설명으로 옳지 않은 것은?**

① 헌법 제40조 "입법권은 국회에 속한다."의 의미는 적어도 국민의 권리와 의무의 형성에 관한 사항을 비롯하여 국가의 통치조직과 작용에 관한 기본적이고 본질적인 사항은 반드시 국회가 정하여야 한다는 것이다.
② 헌법 제52조는 '20명 이상의 국회의원과 정부는 법률안을 제출할 수 있다.'고 규정하고 있다.
③ 국회의원이 발의한 법률안 중 국회에서 의결된 제정법률안 또는 전부개정법률안을 공표하거나 홍보하는 경우에는 해당 법률안의 부제를 함께 표기할 수 있다.
④ 의안을 발의하는 국회의원은 그 안을 갖추고 이유를 붙여 찬성자와 연서하여 이를 국회의장에게 제출하여야 한다.

### 해설

① (O) 형식적 의미의 법률은 국회가 독점적으로 행사한다.
② (X) ③ (O) ④ (O)

**헌법 제52조**
국회의원과 정부는 법률안을 제출할 수 있다.

**국회법 제79조(의안의 발의 또는 제출)**
① 의원은 10명 이상의 찬성으로 의안을 발의할 수 있다.
② 의안을 발의하는 의원은 그 안을 갖추고 이유를 붙여 찬성자와 연서하여 이를 의장에게 제출하여야 한다.
③ 의원이 법률안을 발의할 때에는 발의의원과 찬성의원을 구분하되, 법률안 제명의 부제로 발의의원의 성명을 기재한다.
④ 제3항에 따라 발의의원의 성명을 기재할 때 발의의원이 2명 이상인 경우에는 대표발의의원 1명을 명시하여야 한다. 다만, 서로 다른 교섭단체에 속하는 의원이 공동으로 발의하는 경우(교섭단체에 속하는 의원과 어느 교섭단체에도 속하지 아니하는 의원이 공동으로 발의하는 경우를 포함한다) 소속 교섭단체가 다른 대표발의의원(어느 교섭단체에도 속하지 아니하는 의원을 포함할 수 있다)을 3명 이내의 범위에서 명시할 수 있다.
⑤ 의원이 발의한 법률안 중 국회에서 의결된 제정법률안 또는 전부개정법률안을 공표하거나 홍보하는 경우에는 해당 법률안의 부제를 함께 표기할 수 있다.

정답 ②

## 044  23 5급행시

**법률의 공포와 효력 발생에 대한 설명으로 옳지 않은 것은?**

① 법률의 공포일은 해당 법률을 게재한 관보 또는 신문이 발행된 날로 한다.
② 법률에 시행일이 명시된 경우에 시행일까지 공포되지 않으면 그 법률은 시행일부터 효력을 발생한다.
③ 관보의 내용 해석 및 적용 시기 등에 대하여 종이관보와 전자관보는 동일한 효력을 가진다.
④ 국민의 권리 제한 또는 의무 부과와 직접 관련되는 법률은 긴급히 시행하여야 할 특별한 사유가 있는 경우를 제외하고는 공포일부터 적어도 30일이 경과한 날부터 시행되도록 하여야 한다.

### 해설

① (O)

> **법령 등 공포에 관한 법률 제12조(공포일·공고일)**
> 제11조의 법령 등의 공포일 또는 공고일은 해당 법령 등을 게재한 관보 또는 신문이 발행된 날로 한다.

② (X) 법률은 공포되어야 효력을 발생하므로 공포되지 않으면 효력이 발생하지 않는다.

> **헌법 제53조**
> ⑦ 법률은 특별한 규정이 없는 한 공포한 날로부터 20일을 경과함으로써 효력을 발생한다.

③ (O) 법령 등 공포에 관한 법률 제11조 제4항

④ (O)

> **법령 등 공포에 관한 법률 제13조의2(법령의 시행유예기간)**
> 국민의 권리 제한 또는 의무 부과와 직접 관련되는 법률, 대통령령, 총리령 및 부령은 긴급히 시행하여야 할 특별한 사유가 있는 경우를 제외하고는 공포일부터 적어도 30일이 경과한 날부터 시행되도록 하여야 한다.

**정답** ②

## 045 22 국회8급

**국회의 의안처리과정에 대한 설명으로 옳지 않은 것은?**

① 입법예고기간은 10일 이상으로 한다. 다만, 위원장은 긴급히 입법을 하여야 하는 경우나 입법 내용의 성질 또는 그 밖의 사유로 입법예고가 필요 없거나 곤란하다고 판단되는 경우에는 간사와 협의 없이 직권으로 입법예고를 하지 아니할 수 있다.

② 위원회에서 본회의에 부의할 필요가 없다고 결정된 의안은 본회의에 부의하지 아니한다. 다만, 위원회의 결정이 본회의에 보고된 날부터 폐회 또는 휴회 중의 기간을 제외한 7일 이내에 의원 30명 이상의 요구가 있을 때에는 그 의안을 본회의에 부의하여야 한다.

③ 예산결산특별위원회는 예산안, 기금운용계획안 및 결산에 대하여 공청회를 개최하여야 한다. 다만, 추가경정예산안, 기금운용계획변경안 또는 결산의 경우에는 위원회의 의결로 공청회를 생략할 수 있다.

④ 위원회에 회부된 안건을 신속처리대상안건으로 지정하려는 경우, 의장 또는 안건의 소관 위원회 위원장은 지체 없이 신속처리안건 지정동의를 무기명투표로 표결하되, 재적의원 5분의 3 이상 또는 안건의 소관 위원회 재적위원 5분의 3 이상의 찬성으로 의결한다.

⑤ 의원은 10명 이상의 찬성으로 의안을 발의할 수 있으며, 예산상 또는 기금상의 조치를 수반하는 의안을 발의하는 경우에는 그 의안의 시행에 수반될 것으로 예상되는 비용에 관한 국회예산정책처의 추계서 또는 국회예산정책처에 대한 추계요구서를 함께 제출하여야 한다.

**해설**

① (X)

> **국회법 제82조의2(입법예고)**
> ① 위원장은 간사와 협의하여 회부된 법률안(체계·자구심사를 위하여 법제사법위원회에 회부된 법률안은 제외한다)의 입법취지와 주요 내용 등을 국회공보 또는 국회 인터넷 홈페이지 등에 게재하는 방법 등으로 입법예고하여야 한다. 다만, 다음 각 호의 어느 하나에 해당하는 경우에는 위원장이 <u>간사와 협의하여</u> 입법예고를 하지 아니할 수 있다.
> 　1. 긴급히 입법을 하여야 하는 경우
> 　2. 입법 내용의 성질 또는 그 밖의 사유로 입법예고가 필요 없거나 곤란하다고 판단되는 경우
> ② 입법예고기간은 10일 이상으로 한다. 다만, 특별한 사정이 있는 경우에는 단축할 수 있다.
> ③ 입법예고의 시기·방법·절차, 그 밖에 필요한 사항은 국회규칙으로 정한다.

② (O) 국회법 제87조 제1항
③ (O) 국회법 제84조의3
④ (O) 국회법 제85조의2
⑤ (O) 국회법 제79조 제1항, 제79조의2 제1항

**정답** ①

## 046  22 변호사

**국회의 법률제정절차에 관한 설명 중 옳은 것은? (다툼이 있는 경우 판례에 의함)**

① 국회 본회의에서 A법률안을 표결에 부친 결과 재적 300명, 출석 280명, 찬성 140명, 반대 130명, 무효 10명으로 나타난 경우, 이 법률안은 가결된다.
② 국회에서 의결되어 정부에 이송된 B법률안 중 제3조에 대해 위헌 논란이 있어 대통령이 국회에 재의를 요구하는 경우, 제3조를 수정하여 재의를 요구할 수 있다.
③ 제21대 국회(2020~2024)의 제388회 국회(임시회: 2021.6.4.~2021.7.3.)에서 의결되어 2021.6.27. 정부에 이송된 C법률안에 대해 대통령은 국회가 폐회 중인 2021.7.4. 국회에 재의를 요구할 수 있다.
④ 제20대 국회(2016~2020)의 마지막 회기에서 처리되지 못한 D법률안은 제21대 국회의 첫 회기에서 자동으로 상정되어 심의된다.
⑤ 정부에 이송된 E법률안에 대해 대통령이 재의를 요구하는 경우, 국회가 재적의원 3분의 2 이상의 찬성으로 전과 같은 의결을 하면 대통령은 더 이상 재의를 요구할 수 없고 지체 없이 공포하여야 하며, 대통령이 공포함으로써 E법률안은 법률로서 확정된다.

**해설**

① (✗) 280명 출석에 출석의원 과반수면 141명의 찬성이 있어야 한다.
② (✗) 대통령의 법률안거부권은 수정거부나 일부거부는 인정되지 않는다.
③ (O) 대통령의 법률안거부는 환부거부를 하여야 하고 국회가 폐회 중인 경우에도 환부하여야 한다.
④ (✗) 국회의 임기가 만료되면 모든 법률안이 폐기된다.
⑤ (✗) 국회가 재적의원 과반수의 출석과 출석의원 3분의 2 이상의 찬성으로 전과 같은 의결을 하면 대통령은 더 이상 재의를 요구할 수 없고 지체 없이 공포하여야 하며, 국회의 재의결만으로 법률안은 확정된다.

**정답** ③

## 047 회독 ☐☐☐ 재구성                                21 서울·지방7급, 11 국회9급

**국회의 입법절차 및 의사절차에 대한 설명으로 옳지 않은 것은?**

① 「국회법」에 따른 국회의장의 직권상정권한은 국회의 수장이 국회의 비상적인 헌법적 장애상태를 회복하기 위하여 가지는 권한으로 국회의장의 의사정리권에 속하고, 의안심사에 관하여 위원회중심주의를 채택하고 있는 우리 국회에서는 비상적·예외적 의사절차에 해당한다.

② 어느 교섭단체에도 속하지 아니하는 의원이 당적을 취득하거나 소속 정당을 변경한 때에는 그 사실을 즉시 의장에게 보고할 필요는 없다.

③ 국회의장이 국회의 위임 없이 법률안을 정리하더라도 그러한 정리가 국회에서 의결된 법률안의 실질적 내용에 변경을 초래하는 것이 아닌 한 헌법이나 「국회법」상의 입법절차에 위반된다고 볼 수 없다.

④ 본회의는 안건을 심의할 때 그 안건을 심사한 위원장의 심사보고를 듣고 질의·토론을 거쳐 표결하나, 다만 위원회의 심사를 거치지 아니한 안건에 대해서는 제안자가 그 취지를 설명하여야 하고, 위원회의 심사를 거친 안건에 대해서는 의결로 질의와 토론을 모두 생략하거나 그중 하나를 생략할 수 있다.

### 해설

① (O) 국회의장이 하는 직권상정의 성격이다. [21 서울·지방7급]

② (X) [11 국회9급]

> **국회법 제33조(교섭단체)**
> ③ 어느 교섭단체에도 속하지 아니하는 의원이 당적을 취득하거나 소속 정당을 변경한 때에는 그 사실을 즉시 의장에게 보고하여야 한다.

③ (O) 국회의장의 의사정리권이라고 한다. [21 서울·지방7급]

④ (O) **국회법 제93조** [21 서울·지방7급]

정답 ②

## 048

**국회의 입법절차 및 의사절차에 대한 설명으로 옳지 않은 것만을 모두 고르면? (다툼이 있는 경우 판례에 의함)**

> ㄱ. 국회에서 의결된 법률안이 정부에 이송되어 15일 이내에 대통령이 공포나 재의의 요구를 하지 아니한 때에는 그 법률안은 법률로서 확정되며, 이와 같이 확정된 법률은 그 법률이 확정된 후 5일 이내에 국회의장이 공포한다.
> ㄴ. 제정법률안 및 전부개정법률안을 심사하는 경우에 위원회는 이에 대하여 위원회의 의결로 공청회 또는 청문회를 생략할 수는 없지만 축조심사를 생략할 수 있다.
> ㄷ. 회기계속의 원칙은 국회는 전 회기의 의사가 후 회기의 의사를 구속하지 못한다는 논리에 바탕을 두고 있다.
> ㄹ. 방청불허의 사유 자체는 제한적이지만 그러한 사유의 구비 여부에 대한 판단에 관하여는 국회의 자율성 존중의 차원에서 폭넓은 재량을 인정하여야 할 것이다.

① ㄱ, ㄴ  ② ㄱ, ㄷ  ③ ㄱ, ㄹ  ④ ㄱ, ㄴ, ㄷ  ⑤ ㄴ, ㄷ, ㄹ

### 해설

ㄱ. (×) [21 입시]

> **헌법 제53조**
> ① 국회에서 의결된 법률안은 정부에 이송되어 15일 이내에 대통령이 공포한다.
> ② 법률안에 이의가 있을 때에는 대통령은 제1항의 기간 내에 이의서를 붙여 국회로 환부하고, 그 재의를 요구할 수 있다. 국회의 폐회 중에도 또한 같다.
> ③ 대통령은 법률안의 일부에 대하여 또는 법률안을 수정하여 재의를 요구할 수 없다.
> ④ 재의의 요구가 있을 때에는 국회는 재의에 붙이고, 재적의원 과반수의 출석과 출석의원 3분의 2 이상의 찬성으로 전과 같은 의결을 하면 그 법률안은 법률로서 확정된다.
> ⑤ 대통령이 제1항의 기간 내에 공포나 재의의 요구를 하지 아니한 때에도 그 법률안은 법률로서 확정된다.
> ⑥ 대통령은 제4항과 제5항의 규정에 의하여 확정된 법률을 지체 없이 공포하여야 한다. 제5항에 의하여 법률이 확정된 후 또는 제4항에 의한 확정법률이 정부에 이송된 후 5일 이내에 대통령이 공포하지 아니할 때에는 국회의장이 이를 공포한다.
> ⑦ 법률은 특별한 규정이 없는 한 공포한 날로부터 20일을 경과함으로써 효력을 발생한다.

ㄴ. (×) 상임위원회는 축조심사를 생략할 수 있지만, 제정법률이나 전부개정법률의 경우에는 축조심사를 생략하지 못한다. 소위원회는 축조심사를 생략하지 못한다. [21 입시]

ㄷ. (×) 선지만으로는 무엇을 묻고자 하는지가 명확하지 않다. 회기계속의 원칙을 묻는 선지로 보아야 할 것이다. 헌법 제51조는 회기계속의 원칙에 따라 국회의원의 임기가 만료된 때를 제외하고는 국회에 제출된 법률안 기타의 의안은 회기 중에 의결되지 못한 이유로 폐기되지 아니한다고 규정한다. 한편, 회기불계속의 원칙이란 의회의 1회기 중에 심의가 완료되지 아니한 안건은 그 회기가 끝남으로써 소멸하고 다음 회기에 계속되지 아니한다는 원칙을 말한다. 의회는 회기 중에만 활동능력을 가지며 매 회기마다 독립된 의사를 가지므로, 전 회기의 의사가 후 회기의 의사를 구속하지 못한다는 논리에 바탕을 둔 것이다. [11 국가7급]

ㄹ. (○) [09 국가7급]

> 국회법 제55조 제1항은 위원회의 공개원칙을 전제로 한 것이지, 비공개를 원칙으로 하여 위원장의 자의에 따라 공개 여부를 결정하게 한 것이 아닌바, 위원장이라고 하여 아무런 제한 없이 임의로 방청불허결정을 할 수 있는 것이 아니라, 회의장의 장소적 제약으로 불가피한 경우, 회의의 원활한 진행을 위하여 필요한 경우 등 결국 회의의 질서유지를 위하여 필요한 경우에 한하여 방청을 불허할 수 있는 것으로 제한적으로 풀이되며, 이와 같이 이해하는 한, 위 조항은 헌법에 규정된 의사공개의 원칙에 저촉되지 않으면서도 국민의 방청의 자유와 위원회의 원활한 운영 간에 적절한 조화를 꾀하고 있다고 할 것이므로 국민의 기본권을 침해하는 위헌조항이라고 할 수 없다. (헌재 2000.6.29. 98헌마443 등)

**정답** ④

## 049 회독 ☐☐☐ 재구성                         21 입시, 20 국가7급

「국회법」에 대한 설명으로 옳지 않은 것만을 모두 고르면?

ㄱ. 의원이 의장으로 당선된 때에는 당선된 다음 날부터 의장으로 재직하는 동안은 당적을 가질 수 없다. 다만, 국회의원 총선거에서 「공직선거법」 제47조에 따른 정당추천후보자로 추천을 받으려는 경우에는 의원 임기만료일 90일 전부터 당적을 가질 수 있다.
ㄴ. 전원위원회는 재적위원 5분의 1 이상의 출석으로 개회하고, 재적위원 4분의 1 이상의 출석과 출석위원 과반수의 찬성으로 의결한다.
ㄷ. 의장은 특히 필요하다고 인정하는 안건에 대해서는 국회운영위원회와 협의하여 이를 특별위원회에 회부한다.
ㄹ. 위원회는 일부개정법률안의 경우 의안이 그 위원회에 회부된 날부터 20일이 경과되지 아니한 때는 이를 상정할 수 없다.

① ㄱ, ㄴ
② ㄱ, ㄹ
③ ㄴ, ㄷ
④ ㄷ, ㄹ

### 해설

ㄱ. (O) 부의장은 당적을 가질 수 있다. [21 입시]

> **국회법 제20조의2(의장의 당적 보유 금지)**
> ① 의원이 의장으로 당선된 때에는 당선된 다음 날부터 의장으로 재직하는 동안은 당적을 가질 수 없다. 다만, 국회의원 총선거에서 공직선거법 제47조에 따른 정당추천후보자로 추천을 받으려는 경우에는 의원 임기만료일 90일 전부터 당적을 가질 수 있다.
> ② 제1항 본문에 따라 당적을 이탈한 의장의 임기가 만료된 때에는 당적을 이탈할 당시의 소속 정당으로 복귀한다.

ㄴ. (O) 국회법 제63조의2 제4항 [21 입시]

ㄷ. (X) [21 입시]

> **국회법 제82조(특별위원회 회부)**
> ① 의장은 특히 필요하다고 인정하는 안건에 대해서는 <u>본회의의 의결을 거쳐</u> 이를 특별위원회에 회부한다.

ㄹ. (X) [20 국가7급]

> **국회법 제59조(의안의 상정시기)**
> 위원회는 의안(예산안, 기금운용계획안 및 임대형 민자사업 한도액안은 제외한다. 이하 이 조에서 같다)이 위원회에 회부된 날부터 다음 각 호의 구분에 따른 기간이 지나지 아니하였을 때에는 그 의안을 상정할 수 없다. 다만, 긴급하고 불가피한 사유로 위원회의 의결이 있는 경우에는 그러하지 아니하다.
> 　1. 일부개정법률안: 15일
> 　2. 제정법률안, 전부개정법률안 및 폐지법률안: 20일
> 　3. 체계·자구심사를 위하여 법제사법위원회에 회부된 법률안: 5일
> 　4. 법률안 외의 의안: 20일

**정답** ④

## 050

**국회의 안건의 신속처리에 대한 설명으로 옳은 것은?**

① 신속처리안건에 대한 지정동의가 소관 위원회 위원장에게 제출된 경우 안건의 소관 위원회 위원장은 지체 없이 신속처리안건 지정동의를 기명투표로 표결한다.
② 소관 위원회는 원칙적으로 신속처리대상안건에 대한 심사를 그 지정일부터 90일 이내에 마쳐야 한다.
③ 법제사법위원회가 신속처리대상안건에 대하여 그 지정일부터 60일 이내에 심사를 마치지 아니하였을 때에는 그 기간이 끝난 다음 날에 법제사법위원회에서 심사를 마치고 바로 본회의에 부의된 것으로 본다.
④ 신속처리대상안건을 심사하는 안건조정위원회는 그 안건이 관련 규정에 따라 법제사법위원회에 회부되거나 바로 본회의에 부의된 것으로 보는 경우에는 안건조정위원회의 활동기한이 남았더라도 그 활동을 종료한다.

### 해설

① (✗) 무기명으로 표결한다.

> **국회법 제85조의2(안건의 신속 처리)**
> ① 위원회에 회부된 안건(체계·자구심사를 위하여 법제사법위원회에 회부된 안건을 포함한다)을 제2항에 따른 신속처리대상안건으로 지정하려는 경우 의원은 재적의원 과반수가 서명한 신속처리대상안건 지정요구 동의(이하 이 조에서 '신속처리안건 지정동의'라 한다)를 의장에게 제출하고, 안건의 소관 위원회 소속 위원은 소관 위원회 재적위원 과반수가 서명한 신속처리안건 지정동의를 소관 위원회 위원장에게 제출하여야 한다. 이 경우 의장 또는 안건의 소관 위원회 위원장은 지체 없이 신속처리안건 지정동의를 무기명투표로 표결하되, 재적의원 5분의 3 이상 또는 안건의 소관 위원회 재적위원 5분의 3 이상의 찬성으로 의결한다.

② (✗) 180일 이내에 심사하여야 한다.

> **국회법 제85조의2(안건의 신속 처리)**
> ③ 위원회는 신속처리대상안건에 대한 심사를 그 지정일부터 180일 이내에 마쳐야 한다. 다만, 법제사법위원회는 신속처리대상안건에 대한 체계·자구심사를 그 지정일, 제4항에 따라 회부된 것으로 보는 날 또는 제86조 제1항에 따라 회부된 날부터 90일 이내에 마쳐야 한다.

③ (✗) 90일 이내에 심사를 마치지 않은 경우 부의된 것으로 본다.

> **국회법 제85조의2(안건의 신속 처리)**
> ⑤ 법제사법위원회가 신속처리대상안건(체계·자구심사를 위하여 법제사법위원회에 회부되었거나 제4항 본문에 따라 회부된 것으로 보는 신속처리대상안건을 포함한다)에 대하여 제3항 단서에 따른 기간(90일) 내에 심사를 마치지 아니하였을 때에는 그 기간이 끝난 다음 날에 법제사법위원회에서 심사를 마치고 바로 본회의에 부의된 것으로 본다.

④ (○) 국회법 제57조의2 제9항

**정답** ④

## 051  회독 ☐☐☐   20 법무사

**국회의 동의권한에 관한 다음 설명 중 가장 옳지 않은 것은?**

① 대통령이 일반사면을 명하려면 국회의 동의를 얻어야 한다.
② 대통령이 감사원장을 임명하는 경우 국회의 동의가 필요 없다.
③ 국회는 상호원조 또는 안전보장에 관한 조약, 중요한 국제조직에 관한 조약, 우호통상항해조약, 주권의 제약에 관한 조약, 강화조약, 국가나 국민에게 중대한 재정적 부담을 지우는 조약 또는 입법사항에 관한 조약의 체결·비준에 대한 동의권을 가진다.
④ 대법관은 대법원장의 제청으로 국회의 동의를 얻어 대통령이 임명한다.
⑤ 국회는 선전포고, 국군의 외국에의 파견 또는 외국군대의 대한민국 영역 안에서의 주류에 대한 동의권을 가진다.

### 해설

① (O) 헌법 제79조 제2항
> 사면, 감형, 복권은 모두 국무회의 심의대상이지만, 국회의 동의를 얻어야 하는 것은 일반사면에 한정된다.

② (✕)

> **헌법 제98조**
> ① 감사원은 원장을 포함한 5인 이상 11인 이하의 감사위원으로 구성한다.
> ② 원장은 국회의 동의를 얻어 대통령이 임명하고, 그 임기는 4년으로 하며, 1차에 한하여 중임할 수 있다.
> ③ 감사위원은 원장의 제청으로 대통령이 임명하고, 그 임기는 4년으로 하며, 1차에 한하여 중임할 수 있다.

③ (O) 헌법 제60조 제1항
④ (O) 헌법 제104조 제2항
⑤ (O) 헌법 제60조 제2항

**정답** ②

## 052 회독 ☐☐☐ 재구성                    20 입시, 18 5급행시, 14 국회9급

「국회법」에 대한 설명으로 옳지 않은 것은?

① 어느 교섭단체에도 속하지 않으면서 서로 다른 정당에 속한 국회의원들은 하나의 교섭단체를 구성할 수 있다.
② 국회의장이 특별한 사유로 각 교섭단체 대표의원과의 협의를 거쳐 정한 경우를 제외하고, 본회의는 위원회가 법률안에 대한 심사를 마치고 국회의장에게 그 보고서를 제출한 후 1일을 경과하지 아니한 때에는 이를 의사일정으로 상정할 수 없다.
③ 예산안은 법제사법위원회의 체계·자구심사를 거치지 않는다.
④ 본회의의 안건심사에 있어서 위원회의 심사를 거치지 아니한 안건은 제안자가 취지설명을 하고 의결로써 질의와 토론 또는 그중의 하나를 생략할 수 있다.

### 해설

① (O) 국회법 제33조 제1항 단서 [20 입시]
② (O) 국회법 제93조의2 [18 5급행시]
   상임위원회에 대한 상정은 15일을 지나야 하는 것이 원칙이다.
③ (O) 법률안, 국회규칙안에 대해 체계·자구심사를 거친다. [20 입시]
④ (X) [14 국회9급]

**국회법 제93조(안건 심의)**
본회의는 안건을 심의할 때 그 안건을 심사한 위원장의 심사보고를 듣고 질의·토론을 거쳐 표결한다. 다만, 위원회의 심사를 거치지 아니한 안건에 대해서는 제안자가 그 취지를 설명하여야 하고, 위원회의 심사를 거친 안건에 대해서는 의결로 질의와 토론을 모두 생략하거나 그중 하나를 생략할 수 있다.

정답 ④

## 053  회독 ☐☐☐  재구성                                    20 변호사, 18 5급행시

**국회의 입법권과 입법절차에 대한 설명으로 옳은 것만을 모두 고르면?**

> ㄱ. 법규정립행위는 그것이 국회입법이든 행정입법이든 막론하고 일종의 법률행위이므로, 그 행위의 속성상 행위 자체는 한번에 끝나는 것이고, 그러한 입법행위의 결과인 권리침해상태가 계속될 수 있을 뿐이다.
> ㄴ. 법률안 제출은 국가기관 상호 간의 행위이며, 이로써 국민에 대하여 직접적인 법률효과를 발생시키는 것이므로, 정부가 법률안을 제출하지 아니하는 것은 헌법소원의 대상이 되는 공권력의 불행사에 해당한다.
> ㄷ. 국회의원은 국회의장의 가결선포행위에 대하여 심의·표결권 침해를 이유로 권한쟁의심판을 청구할 수 있을 뿐, 질의권·토론권 및 표결권의 침해를 이유로 헌법소원심판을 청구할 수 없다.
> ㄹ. 국회의원 10명 이상, 정부 또는 국회 상임위원회는 법률안을 제출할 수 있다.

① ㄱ, ㄴ  
② ㄱ, ㄷ  
③ ㄴ, ㄷ  
④ ㄱ, ㄷ, ㄹ

**해설**

ㄱ. (O) [20 변호사] ㄴ. (✕) 헌법소원을 할 때는 입법절차를 대상으로 하는 것이 아니고 이미 만들어진 법률의 내용을 대상으로 헌법소원을 하여야 한다. [20 변호사]
ㄷ. (O) 심의·표결권은 국회의원의 권한이지 기본권이 아니기 때문이다. [20 변호사]
ㄹ. (O) 상임위원회가 법률안을 제출할 때는 상임위원장이 제출자가 된다. [18 5급행시]

**정답** ④

---

**기출지문 OX**

❶ 국회의원과 정부는 법률안을 제출할 수 있으며, 정부의 법률안제출권은 미국식 대통령제 정부형태의 요소이다. [19 변호사]  (O / ✕)
  **해설** 정부의 법률안제출권은 의원내각제의 요소이다. 미국은 정부의 법률안제출권이 인정되지 않는다.  **정답** ✕

❷ 우리 헌법은 제헌헌법 이래 현행헌법에 이르기까지 정부의 법률안제출권을 계속하여 인정하여 오고 있다. [10 법무사]  (O / ✕)
  **해설** 대통령에게 헌법개정제안권을 인정하지 않은 유일한 시기 제3공화국(제5차·제6차 개정헌법) 때이다.  **정답** O

## 054

**「국회법」상 의안의 처리절차에 대한 설명으로 옳은 것만을 모두 고르면?**

ㄱ. 위원회에서 제출한 의안은 그 위원회에 회부하지 아니한다. 다만, 의장은 국회운영위원회의 의결에 따라 그 의안을 다른 위원회에 회부할 수 있다.
ㄴ. 위원회에서 법률안의 심사를 마치거나 입안을 하였을 때에는 법제사법위원회에 회부하여 체계와 자구에 대한 심사를 거쳐야 한다. 이 경우 법제사법위원회 위원장은 간사와 협의하여 심사에서 제안자의 취지 설명과 토론을 생략할 수 있다.
ㄷ. 같은 의제에 대하여 여러 건의 수정안이 제출되었을 때에는 위원회의 수정안을 의원의 수정안보다 먼저 표결하며, 수정안이 전부 부결되었을 때에는 원안을 표결한다.
ㄹ. 본회의에 부의된 안건에 대하여 시간의 제한을 받지 아니하는 토론을 하려는 경우, 의원은 재적의원 3분의 1 이상이 서명한 요구서를 의장에게 제출하여 무제한토론을 실시할 수 있고, 무제한토론의 종결동의는 동의가 제출된 때부터 24시간이 경과한 후에 재적의원 과반수 찬성으로 의결한다.
ㅁ. 무제한토론을 실시하는 중에 해당 회기가 종료되는 때에는 무제한토론은 종결 선포된 것으로 본다. 이 경우 해당 안건은 바로 다음 회기에서 지체 없이 표결하여야 한다.

① ㄱ, ㄴ, ㄷ
② ㄱ, ㄴ, ㅁ
③ ㄴ, ㄷ, ㄹ
④ ㄷ, ㄹ, ㅁ

### 해설

ㄱ. (O) 국회법 제88조 [19 국회8급]

ㄴ. (O) 국회법 제86조 제1항 [19 국회8급]

ㄷ. (X) [19 국회8급]

> **국회법 제96조(수정안의 표결 순서)**
> ① 같은 의제에 대하여 여러 건의 수정안이 제출되었을 때에는 의장은 다음 각 호의 기준에 따라 표결의 순서를 정한다.
>   1. 가장 늦게 제출된 수정안부터 먼저 표결한다.
>   2. 의원의 수정안은 위원회의 수정안보다 먼저 표결한다.
>   3. 의원의 수정안이 여러 건 있을 때에는 원안과 차이가 많은 것부터 먼저 표결한다.
> ② 수정안이 전부 부결되었을 때에는 원안을 표결한다.

ㄹ. (X) [17 국가7급(하)]

> **국회법 제106조의2(무제한토론의 실시 등)**
> ① 의원이 본회의에 부의된 안건에 대하여 이 법의 다른 규정에도 불구하고 시간의 제한을 받지 아니하는 토론(이하 이 조에서 '무제한토론'이라 한다)을 하려는 경우에는 재적의원 3분의 1 이상이 서명한 요구서를 의장에게 제출하여야 한다. 이 경우 의장은 해당 안건에 대하여 무제한토론을 실시하여야 한다.
> ⑤ 의원은 무제한토론을 실시하는 안건에 대하여 재적의원 3분의 1 이상의 서명으로 무제한토론의 종결동의를 의장에게 제출할 수 있다.
> ⑥ 제5항에 따른 무제한토론의 종결동의는 동의가 제출된 때부터 24시간이 지난 후에 무기명투표로 표결하되 재적의원 5분의 3 이상의 찬성으로 의결한다. 이 경우 무제한토론의 종결동의에 대해서는 토론을 하지 아니하고 표결한다.

ㅁ. (O) 국회법 제106조의2 제8항 [19 법무사]

**정답** ②

> **예상조문**
>
> **국회법 제89조(동의)**
> 이 법에 다른 규정이 있는 경우를 제외하고 동의는 동의자 외 1명 이상의 찬성으로 의제가 된다.

## 055 회독 ☐☐☐     18 변호사

**국회의 입법절차에 관한 설명 중 옳지 않은 것은? (다툼이 있는 경우 판례에 의함)**

① 법률안 가결선포는 국회 본회의에서 이루어지는 법률안 의결절차의 종결행위로서 이를 권한쟁의 심판대상으로 삼아 이에 이르기까지 일련의 심의·표결절차상의 하자들을 다툴 수 있는 이상, 하나의 법률안 의결과정에서 국회의장이 행한 중간처분에 불과한 반대토론 불허행위를 별도의 판단대상으로 삼을 필요가 없다.

② 국회부의장이 법률안들에 대한 표결절차 등을 진행하였다 하더라도 국회부의장은 국회의장의 위임에 따라 그 직무를 대리하여 법률안 가결선포행위를 할 수 있을 뿐, 법률안 가결선포행위에 따른 법적 책임을 지는 주체가 될 수 없다.

③ 어떠한 의안으로 인하여 원안이 본래의 취지를 잃고 전혀 다른 의미로 변경되는 정도에까지 이르지 않는다면 이를 「국회법」상의 수정안에 해당하는 것으로 보아 의안을 처리할 수 있다는 해석이 가능하므로, 헌법상 보장된 국회의 자율권을 근거로 개별적인 수정안에 대한 평가와 그 처리에 대한 국회의장의 판단은 명백히 법에 위반되지 않는 한 존중되어야 한다.

④ 국회의 의결을 요하는 안건에 대하여 국회의장이 본회의 의결에 앞서 소관 위원회에 안건을 회부하는 것은 국회의 심의권을 위원회에 위양하는 것이므로, 국회 상임위원회 위원장이 위원회를 대표해서 의안을 심사하는 권한은 국회의장으로부터 위임된 것이다.

⑤ 의사진행 방해로 의안상정·제안설명 등 의사진행이 정상적으로 이루어지지 못하고 질의신청을 하는 의원도 없는 상황에서 국회의장이 '질의신청 유무'에 대한 언급 없이 단지 '토론신청이 없으므로 바로 표결하겠다'고 한 행위가 위원회 심의를 거치지 않은 안건에 대하여 질의, 토론을 거치도록 정한 「국회법」 제93조에 위반하여 국회의원들의 심의·표결권을 침해할 정도에 이르렀다고는 보기 어렵다.

해설

① (O)

> '한국정책금융공사법안' 및 '신용정보의 이용 및 보호에 관한 법률 전부개정법률안'은 위원회의 심사를 거친 안건이지만 청구인으로부터 적법한 반대토론 신청이 있었으므로 원칙적으로 피청구인이 그 반대토론절차를 생략하기 위해서는 반드시 본회의 의결을 거쳐야 할 것인데(국회법 제93조 단서), 피청구인은 청구인의 반대토론 신청이 적법하게 이루어졌음에도 이를 허가하지 않고 나아가 토론절차를 생략하기 위한 의결을 거치지도 않은 채 이 사건 법률안들에 대한 표결절차를 진행하였으므로, 이는 국회법 제93조 단서를 위반하여 청구인의 법률안 심의·표결권을 침해하였다. (헌재 2011.8.30. 2009헌라7)
> 청구인은 피청구인이 이 사건 법률안들에 대한 청구인의 반대토론을 허가하지 않은 것에 따른 권한침해의 확인도 구하고 있으나, 법률안의 가결선포는 국회 본회의에서 이루어지는 법률안 의결절차의 종결행위로서 이를 심판대상으로 삼아 이에 이르기까지 일련의 심의·표결절차상의 하자들을 다툴 수 있는 이상, 하나의 법률안 의결과정에서 피청구인이 행한 중간처분에 불과한 반대토론 불허행위를 별도의 판단대상으로 삼을 필요가 없으므로, 이 사건 법률안들과 관련하여 문제되는 피청구인의 처분은 위 각 가결선포행위로 한정하기로 한다.

② (O) 국회부의장이 한 회의의 진행은 국회의장의 행위로 귀결되므로 피청구인은 국회의장이다.

③ (O)

> **수정안의 범위** (헌재 2006.2.23. 2005헌라6 [기각])
> 국회의장이 방위사업청 신설을 내용으로 하는 의안을 복수차관제와 일부청의 차관급 격상을 내용으로 하는 정부조직법 개정안의 수정안으로 보고 처리한 것은 국회법에 위반되지 않는다.
> [1] 어떠한 의안으로 인하여 원안이 본래의 취지를 잃고 전혀 다른 의미로 변경되는 정도에까지 이르지 않는다면 이를 국회법상의 수정안에 해당하는 것으로 보아 의안을 처리할 수 있는 것으로 볼 수 있다. 물론 이미 이루어진 것의 잘못된 점을 바로잡는다는 수정의 사전적 의미를 감안하여 원안의 목적 또는 성격을 변경하지 않는 범위 내에서 고치는 것을 전제로 하고 수정안은 원안과 동일성이 인정되는 범위 내에서만 인정될 수 있다는 해석도 가능하기는 하다. 그러나 원안의 목적과 성격을 보는 관점에 따라서는 동일성의 인정범위가 달라질 수 있고 또한 너무 좁게 해석하면 국회법 규정에 따른 수정의 의미를 상실할 수도 있다.
> [2] 복수차관제와 일부청의 차관급 격상을 내용으로 하는 정부조직법 개정안에 대한 수정안인 방위사업청 신설을 내용으로 하는 의안을 국회의장이 적법한 수정안에 해당하는 것으로 보고 의안을 처리하였다고 하더라도 이를 명백히 법률에 위반된다고 할 수는 없다.

④ (X)

> **한미FTA 비준동의안에 대한 권한쟁의 사건** (헌재 2010.12.28. 2008헌라7 등)
> [1] 국회 상임위원회가 그 소관에 속하는 의안, 청원 등을 심사하는 권한은 법률상 부여된 위원회의 고유한 권한이므로, 국회 상임위원회 위원장이 위원회를 대표해서 의안을 심사하는 권한이 국회의장으로부터 위임된 것임을 전제로 한 국회의장에 대한 이 사건 심판청구는 피청구인적격이 없는 자를 상대로 한 청구로서 부적법하다.
> [2] 외교통상통일위원회 위원장인 피청구인이 이 사건 당일 개의 무렵부터 회의 종료시까지 외교통상통일위원회 회의장 출입문의 폐쇄상태를 유지함으로써 회의의 주체인 소수당 소속 외교통상통일위원회 위원들의 회의장 출석을 봉쇄한 것은 '상임위원회 회의의 원활한 진행'이라는 질서유지권의 인정목적에 정면 배치되는 것으로서 질서유지권 행사의 한계를 벗어난 행위이므로, 이를 정당화할 만한 특별한 사정이 있었다는 점에 대한 입증책임이 피청구인에게 부과된다 할 것인데, 이 사건에 나타난 사정을 종합하더라도 이를 정당화할 만한 불가피한 사정이 있었다고 보기 어렵다. 그러므로 피청구인이 청구인들의 출입을 봉쇄한 상태에서 이 사건 회의를 개의하여 한미FTA 비준동의안을 상정한 행위 및 위 동의안을 법안심사소위원회에 심사회부한 행위는 헌법 제49조의 다수결의 원리, 헌법 제50조 제1항의 의사공개의 원칙과 이를 구체적으로 구현하는 국회법 제54조, 제75조 제1항에 반하는 위헌, 위법한 행위라고 할 것이고, 그 결과 청구인들은 이 사건 동의안 심의과정(대체토론)에 참여하지 못하게 됨으로써, 이 사건 상정·회부행위로 인하여 헌법에 의하여 부여받은 이 사건 동의안의 심의권을 침해당하였다고 할 것이다.

⑤ (O) 극도의 혼란이 아니면 '토론신청이 없으므로 바로 표결하겠다'고 한 행위가 위원회 심의를 거치지 않은 안건에 대하여 질의, 토론을 거치도록 정한 국회법 제93조에 위반하여 국회의원들의 심의·표결권을 침해할 정도에 이르렀다고는 보기 어렵다. (헌재 2008.4.24. 2006헌라2)

정답 ④

### 기출지문 OX

❶ 헌법은 처분적 법률로서의 개인대상법률 또는 개별사건법률의 정의를 따로 두고 있지 않음은 물론, 이러한 처분적 법률의 제정을 금하는 명문의 규정도 두고 있지 않다. 18 국가7급  (○/×)

정답 ○

❷ 폐지대상인「세무대학설치법」자체가 이미 처분법률에 해당하는 것이므로, 이를 폐지하는 법률도 당연히 그에 상응하여 처분법률의 형식을 띨 수밖에 없다. 18 국가7급  (○/×)

정답 ○

❸ 상임위원회는 국회의 내부기관인 동시에 본회의의 심의 전에 회부된 안건을 심사하거나 그 소관에 속하는 의안을 입안하는 국회의 합의제기관으로, 회부된 안건을 심사하고 그 결과를 본회의에 보고하여 본회의의 판단자료를 제공한다. 이처럼 우리나라 국회의 법률안 심의는 본회의 중심주의를 채택하고 있다. 19 법무사  (○/×)

해설 우리나라는 상임위원회 중심주의와 본회의 의결주의를 채택하고 있다.

정답 ×

❹ 정부가 예산 또는 기금상의 조치를 수반하는 법률안을 제출하는 경우에는 그 법률안의 시행에 수반될 것으로 예상되는 비용에 대한 추계서와 이에 상응하는 재원조달방안에 관한 자료를 법률안에 첨부하여야 한다. 17 변호사  (○/×)

해설 한편, 국회가 예산 또는 기금상의 조치를 수반하는 법률안을 제출하는 경우에는 그 법률안의 시행에 수반될 것으로 예상되는 비용에 대한 추계서만 내면 되고 재원조달방안에 관한 자료를 첨부할 필요는 없다.

정답 ○

❺ 법률의 입법절차가 헌법이나 국회법에 위반된다고 하더라도 그러한 사유만으로는 그 법률로 인하여 국민의 기본권이 현재, 직접적으로 침해받는다고 볼 수 없으므로 헌법재판소법 제68조 제1항의 헌법소원심판을 청구할 수 없다. 17 변호사  (○/×)

해설 헌법재판소법 제68조 제1항의 헌법소원심판은 기본권의 침해가 있어야 하기 때문이다.

정답 ○

❻ 위원회는 제정법률안 및 전부개정법률안에 대한 공청회 또는 청문회를 위원회 의결로 생략할 수 없다. 09 국가7급  (○/×)

해설
**국회법 제58조(위원회의 심사)**
⑥ 위원회는 제정법률안과 전부개정법률안에 대해서는 공청회 또는 청문회를 개최하여야 한다. 다만, 위원회의 의결로 이를 생략할 수 있다.

정답 ×

❼ 헌법재판소에 따르면 국가보위입법회의에서 제정된 법률의 내용이 현행헌법에 저촉된다고 하여 이를 다투는 것은 별론으로 하고 그 제정절차에 하자가 있음을 이유로 하여 이를 다툴 수는 없다. 16 서울7급  (○/×)

해설
당해 소송사건에 있어서 청구인들이 국가보위입법회의법 위반으로 기소된 것도 아니고, 법원에서 동법을 적용한 바도 없으며, 뒤에서 보는 바와 같이 어떤 법률이 국가보위입법회의에서 제정 또는 개정되었다는 이유만으로 그 제정 또는 개정절차에 위헌적 하자가 있다고 다툴 수 없으므로, 동법의 위헌 여부는 이 사건의 당해 소송사건인 국가보안법 위반 사건의 재판의 전제가 된다고 할 수 없다. (헌재 1997.1.6. 89헌마240)
1980.10.27. 공포된 구 헌법 부칙 제6조 제1항·제3항 및 1987.10.29. 공포된 현행헌법 부칙 제5조의 규정에 비추어 보면, 국가보위입법회의에서 제정된 법률(이 사건에서는 구 국가보안법)은 '그 내용'이 현행헌법에 저촉된다고 하여 이를 다투는 것은 별론으로 하고 '그 제정절차'에 하자가 있음을 이유로 하여 이를 다툴 수는 없다고 보아야 한다.

정답 ○

❽ 대통령이 법률안에 이의가 있는 때에는 환부거부할 수 있고, 대통령이 법률안을 국회에 환부한 후에 국회가 재의에 부쳐서 재의결하면 그 때부터 시행된다. 09 지방7급 ( O / X )

> 해설 대통령의 환부거부에 대해서 국회가 재적의원 과반수의 출석과 출석의원 3분의 2 이상으로 찬성하면 그 법률안은 법률로서 확정된다. 법률은 공포가 없으면 시행될 수 없다. 정답 X

❾ 입법절차의 준수 여부에 대해서는 헌법재판소의 권한쟁의심판에 의하여 심사할 수 있다. 09 지방7급 ( O / X )

> 해설 입법절차의 하자는 헌법소원의 대상이 아니다. 그러나 권한쟁의심판의 대상은 된다. 정답 O

## 조문정리

**국회법 제58조(위원회의 심사)**
① 위원회는 안건을 심사할 때 먼저 그 취지의 설명과 전문위원의 검토보고를 듣고 대체토론(안건 전체에 대한 문제점과 당부에 관한 일반적 토론을 말하며 제안자와의 질의·답변을 포함한다)과 축조심사 및 찬반토론을 거쳐 표결한다.
② 상임위원회는 안건을 심사할 때 소위원회에 회부하여 이를 심사·보고하도록 한다.
③ 위원회는 제1항에 따른 대체토론이 끝난 후에만 안건을 소위원회에 회부할 수 있다.
④ 제1항 및 제3항에도 불구하고 소위원회에 회부되어 심사 중인 안건과 직접 관련된 안건이 위원회에 새로 회부된 경우 위원장이 간사와 협의하여 필요하다고 인정할 때에는 그 안건을 바로 해당 소위원회에 회부하여 함께 심사하게 할 수 있다.
⑤ 제1항에 따른 축조심사는 위원회의 의결로 생략할 수 있다. 다만, 제정법률안과 전부개정법률안에 대해서는 그러하지 아니하다.
⑥ 위원회는 제정법률안과 전부개정법률안에 대해서는 공청회 또는 청문회를 개최하여야 한다. 다만, 위원회의 의결로 이를 생략할 수 있다.
⑦ 위원회는 안건이 예산상의 조치를 수반하는 경우에는 정부의 의견을 들어야 하며, 필요하다고 인정하는 경우에는 의안 시행에 수반될 것으로 예상되는 비용에 관하여 국회예산정책처의 의견을 들을 수 있다.
⑧ 위원회는 안건이 제58조의2에 따라 제정 또는 개정되는 법률안인 경우 국회사무처의 의견을 들을 수 있다.
⑨ 제1항에 따른 전문위원의 검토보고서는 특별한 사정이 없으면 해당 안건의 위원회 상정일 48시간 전까지 소속 위원에게 배부되어야 한다.
⑩ 법제사법위원회의 체계·자구심사에 관하여는 제5항 단서와 제6항을 적용하지 아니한다.

**제58조의2(헌법재판소 위헌결정에 대한 위원회의 심사)**
① 헌법재판소는 종국결정이 법률의 제정 또는 개정과 관련이 있으면 그 결정서 등본을 국회로 송부하여야 한다.
② 의장은 제1항에 따라 송부된 결정서 등본을 해당 법률의 소관 위원회와 관련 위원회에 송부한다.
③ 위원장은 제2항에 따라 송부된 종국결정을 검토하여 소관 법률의 제정 또는 개정이 필요하다고 판단하는 경우 소위원회에 회부하여 이를 심사하도록 한다.

## 056  23 경찰간부

**부담금에 대한 설명으로 가장 적절하지 않은 것은? (다툼이 있는 경우 헌법재판소 판례에 의함)**

① 「한강수계 상수원수질개선 및 주민지원 등에 관한 법률」이 규정한 '물사용량에 비례한 부담금'은 수도요금과 구별되는 별개의 금전으로서 한강수계로부터 취수된 원수를 정수하여 직접 공급받는 최종 수요자라는 특정 부류의 집단에만 강제적·일률적으로 부과되므로 재정조달목적 부담금에 해당한다.

② 경유차 소유자로부터 부과·징수하도록 한 「환경개선비용 부담법」상 환경개선부담금은 '경유차 소유자'라는 특정 부류의 집단에만 특정한 반대급부 없이 강제적·일률적으로 부과되는 정책실현목적의 유도적 부담금으로 분류될 수 있다.

③ 주택재개발사업의 경우 학교용지부담금 부과대상에서 '기존거주자와 토지 및 건축물의 소유자에게 분양하는 경우'에 해당하는 개발사업분만 제외하고, 현금청산의 대상이 되어 제3자에게 일반분양됨으로써 기존에 비하여 가구 수가 증가하지 아니하는 개발사업분을 학교용지부담금 부과대상에서 제외하지 아니한 것은 평등원칙에 위배되지 않는다.

④ 「의료사고 피해구제 및 의료분쟁 조정 등에 관한 법률」의 해당 조항이 보건의료기관개설자에게 부과하도록 하는 대불비용부담금은 보건의료기관개설자라는 특정한 집단이 반대급부 없이 납부하는 공과금의 성격을 가지므로 재정조달목적 부담금에 해당한다.

### 해설

① (O) 물이용부담금은 조세와 구별되는 것으로서 부담금에 해당한다.

> 물이용부담금은 한강수계관리기금의 재원을 마련하는 데에 그 부과의 목적이 있고, 그 부과 자체로써 수돗물 최종수요자의 행위를 특정한 방향으로 유도하거나 물이용부담금 납부의무자 이외의 다른 집단과의 형평성 문제를 조정하고자 하는 등의 목적이 있다고 보기 어려우므로, 재정조달목적 부담금에 해당한다. (헌재 2020.8.28. 2018헌바425)

② (O)

> 환경개선부담금은 경유차의 소유·운행 자체를 직접적으로 금지하는 대신 납부의무자에게 일정한 금전적 부담을 지움으로써 위와 같은 행위를 간접적·경제적으로 규제하고 억제하려는 유도적 수단의 성격을 가지고 있고, 경유차 소유 및 운행 자제를 통한 대기오염물질 배출의 자발적 저감이라는 정책적 효과가 환경개선부담금의 부과단계에서 행위자의 행위선택에 영향을 미침으로써 이미 실현되기 때문이다. 따라서 환경개선부담금은 정책실현목적의 유도적 부담금으로 분류될 수 있다. (헌재 2022.6.30. 2019헌바440)

③ (X)

> 이 사건 법률조항이 주택재건축사업의 경우 학교용지부담금 부과대상에서 '기존 거주자와 토지 및 건축물의 소유자에게 분양하는 경우'에 해당하는 개발사업분만 제외하고, 매도나 현금청산의 대상이 되어 제3자에게 분양됨으로써 기존에 비하여 가구 수가 증가하지 아니하는 개발사업분을 제외하지 아니한 것은 주택재건축사업의 시행자들 사이에 학교시설 확보의 필요성을 유발하는 정도와 무관한 불합리한 기준으로 학교용지부담금의 납부액을 달리 하는 차별을 초래하므로, 이 사건 법률조항은 평등원칙에 위배된다. (헌재 2013.7.25. 2011헌가32)

④ (O)

> 보건의료기관개설자의 손해배상금 대불비용부담은 손해배상금 대불제도를 운영하기 위한 재원 마련을 위한 것이다. 따라서 심판대상조항에 따라 손해배상금 대불비용을 보건의료기관개설자가 부담하는 것은 손해배상금 대불제도의 시행이라는 특정한 공적 과제의 수행을 위한 재원 마련을 목적으로 보건의료기관개설자라는 특정한 집단이 반대급부 없이 납부하는 공과금의 성격을 가지므로, 재정조달목적 부담금에 해당한다. (헌재 2022.7.21. 2018헌바504)
>
> [1] 의료사고 피해구제 및 의료분쟁 조정 등에 관한 법률 제47조 제2항 후단 중 '그 금액' 부분은 포괄위임금지원칙에 위배된다.【헌법불합치】
>
> [2] 의료사고 피해구제 및 의료분쟁 조정 등에 관한 법률 제47조 제2항 전단, 같은 항 후단 중 '납부방법 및 관리 등' 부분, 제47조 제4항은 각각 헌법에 위반되지 아니한다.【합헌】

정답 ③

### 기출지문 OX

텔레비전방송 수신료는 한국방송공사의 텔레비전방송을 시청하는 대가이므로 특정 이익의 혜택이나 특정 시설의 사용가능성에 대한 금전적 급부인 수익자부담금에 해당한다. 24 법원직 ( O / X )

> **해설**
>
> 수신료는 공영방송사업이라는 특정한 공익사업의 소요경비를 충당하기 위한 것으로서 일반재정수입을 목적으로 하는 조세와 다르다. 또한 텔레비전방송을 수신하기 위하여 수상기를 소지한 자에게만 부과되어 공영방송의 시청가능성이 있는 이해관계인에게만 부과된다는 점에서도 일반 국민 주민을 대상으로 하는 조세와 차이가 있다. 그리고 '공사의 텔레비전방송을 수신하는 자'가 아니라 '텔레비전방송을 수신하기 위하여 수상기를 소지한 자'가 부과대상이므로 실제 방송시청 여부와 관계없이 부과된다는 점, 그 금액이 공사의 텔레비전방송의 수신 정도와 관계없이 정액으로 정해져 있는 점 등을 감안할 때 이를 공사의 서비스에 대한 대가나 수익자부담금으로 보기도 어렵다. 따라서 수신료는 공영방송사업이라는 특정한 공익사업의 경비조달에 충당하기 위하여 수상기를 소지한 특정 집단에 대하여 부과되는 특별부담금에 해당한다고 할 것이다. (헌재 1999.5.27. 98헌바70【헌법불합치(잠정적용)】)

정답 X

## 057  22 서울·지방7급

**예산에 대한 설명으로 옳은 것은? (다툼이 있는 경우 판례에 의함)**

① 예산 역시 일종의 법규범이고 법률과 마찬가지로 국회의 의결을 거쳐 제정되므로 국가기관과 국민을 모두 구속한다.
② 정부는 예산안을 국회에 제출한 후 부득이한 사유로 인하여 그 내용의 일부를 수정하고자 하는 때에는 국무회의의 심의를 거쳐 국무총리의 승인을 얻은 수정예산안을 국회에 제출할 수 있다.
③ 국회는 정부의 동의 없이 정부가 제출한 지출예산 각 항의 금액을 증가할 수 있으나 새 비목을 설치할 수는 없다.
④ 세출예산은 예산으로 성립하여 있다고 하더라도 그 경비의 지출을 인정하는 법률이 없는 경우 정부는 지출행위를 할 수 없다.

### 해설

① (✗)

> 예산은 일종의 법규범이고 법률과 마찬가지로 국회의 의결을 거쳐 제정되지만 법률과 달리 국가기관만을 구속할 뿐 일반국민을 구속하지 않는다. 따라서 국회가 의결한 예산 또는 국회의 예산안 의결은 헌법재판소법 제68조 제1항 소정의 '공권력의 행사'에 해당하지 않고 헌법소원의 대상이 되지 아니한다. (헌재 2006.4.25. 2006헌마409)

② (✗)

> **국가재정법 제35조(국회 제출 중인 예산안의 수정)**
> 정부는 예산안을 국회에 제출한 후 부득이한 사유로 인하여 그 내용의 일부를 수정하고자 하는 때에는 국무회의의 심의를 거쳐 대통령의 승인을 얻은 수정예산안을 국회에 제출할 수 있다.

③ (✗)

> **헌법 제57조**
> 국회는 정부의 동의 없이 정부가 제출한 지출예산 각 항의 금액을 증가하거나 새 비목을 설치할 수 없다.

④ (O) 예산으로 법률을 변경할 수 없고, 법률로 예산을 변경할 수도 없다.

**정답** ④

## 058  회독 ☐☐☐
                                            22 국가7급, 18 5급행시

**예산에 대한 설명으로 옳은 것은?**

① 예산결산특별위원회의 위원 수는 50명으로 하고 위원장은 교섭단체 소속 의원 수의 비율과 상임위원회 위원 수의 비율에 따라 각 교섭단체 대표의원의 요청으로 위원을 선임한다.
② 새로운 회계연도가 개시될 때까지 예산안이 의결되지 못한 경우, 이미 예산으로 승인된 사업의 계속을 위한 경비에 대해서는 국회에서 예산안이 의결될 때까지 정부는 아직 의결되지 못한 그 예산안에 따라 집행할 수 있다.
③ 국회의원과 정부가 국회에 예산안을 제출할 수 있으며, 정부가 제출하는 예산안은 국무회의 심의사항이다.
④ 정부는 회계연도마다 예산안을 편성하여 회계연도 개시 90일 전까지 국회에 제출하고, 국회는 회계연도 개시 30일 전까지 이를 의결하여야 한다.

### 해설

① (✗) [22 국가7급]

> **국회법 제45조(예산결산특별위원회)**
> ② 예산결산특별위원회의 위원 수는 50명으로 한다. 이 경우 의장은 교섭단체 소속 의원 수의 비율과 상임위원회 위원 수의 비율에 따라 각 교섭단체 대표의원의 요청으로 위원을 선임한다.
> ③ 예산결산특별위원회 위원의 임기는 1년으로 한다. 다만, 국회의원 총선거 후 처음 선임된 위원의 임기는 선임된 날부터 개시하여 의원의 임기개시 후 1년이 되는 날까지로 하며, 보임되거나 개선된 위원의 임기는 전임자 임기의 남은 기간으로 한다.

② (✗) [22 국가7급]

> **헌법 제54조**
> ③ 새로운 회계연도가 개시될 때까지 예산안이 의결되지 못한 때에는 정부는 국회에서 예산안이 의결될 때까지 다음의 목적을 위한 경비는 전년도 예산에 준하여 집행할 수 있다.
> 　1. 헌법이나 법률에 의하여 설치된 기관 또는 시설의 유지·운영
> 　2. 법률상 지출의무의 이행
> 　3. 이미 예산으로 승인된 사업의 계속

③ (✗) 예산안은 정부만 제출할 수 있고, 국회는 심의·확정권을 가진다. **(헌법 제54조 제1항·제2항)** 또한 국무회의의 심의사항이다. **(같은 법 제89조 제4호)** [18 5급행시]
④ (○) 헌법 제54조 제2항 [22 국가7급]

**정답** ④

## 059 회독 ☐☐☐ 재구성　　　　　　　　　　　　　　　　　　　　　　22 법원직, 14 변호사

**조세법률주의에 대한 설명으로 옳지 않은 것은? (다툼이 있는 경우 판례에 의함)**

① 헌법 제59조의 조세법률주의는 조세평등주의와 함께 조세법의 기본원칙으로 과세요건법정주의와 과세요건명확주의를 핵심내용으로 한다.
② 28년간의 혼인생활 끝에 협의이혼하면서 재산분할을 청구하여 받은 재산액 중 상속세의 배우자 인적공제액을 초과하는 부분에 대하여 증여세를 부과하는 것은 증여세제의 본질에 반하여 증여라는 과세원인이 없음에도 불구하고 증여세를 부과하는 것이어서 실질적 조세법률주의에 위배된다.
③ 경제현실의 변화나 전문적 기술의 발달에 즉시 대응하여야 할 필요 등 부득이한 사정이 있는 경우에는 법률로 규정하여야 할 사항에 관하여 행정입법에 위임하였더라도 조세법률주의 위반으로 볼 수 없다.
④ 조세법의 영역에서는 경과규정의 미비라는 명백한 입법의 공백을 방지하고 형평성의 왜곡을 시정하는 것은 원칙적으로 법률조항의 법문의 한계 안에서 법률을 해석·적용하여야 하는 법원이나 과세관청의 의무에 해당한다.

**해설**

① (○) 헌재 2007.4.26. 2006헌바71 [22 법원직]
② (○) 재산분할은 증여가 아님에도 증여세를 부과하는 것은 실질과세원칙에 위배된다. [14 변호사]
③ (○) 헌재 2010.7.29. 2009헌바192 [22 법원직]
④ (✕) [22 법원직]

> 조세법의 영역에서는 경과규정의 미비라는 명백한 입법의 공백을 방지하고 형평성의 왜곡을 시정하는 것은 원칙적으로 법원이나 과세관청의 의무가 아니라 입법부의 의무에 해당한다. (헌재 2012.5.31. 2009헌바123 등)

**정답** ④

## 060   21 변호사, 17 입시

**국가의 예산과 재정에 대한 설명으로 옳지 않은 것은? (다툼이 있는 경우 판례에 의함)**

① 새로운 회계연도가 개시될 때까지 예산안이 의결되지 못한 때에는 정부는 국회에서 예산안이 의결될 때까지 헌법에 의하여 설치된 기관 또는 시설의 유지·운영의 목적을 위한 경비는 전년도 예산에 준하여 집행할 수 있으나, 법률에 의하여 설치된 기관 또는 시설의 유지·운영의 목적을 위한 경비는 전년도 예산에 준하여 집행할 수 없다.

② 국회는 예산심의를 전면거부할 수 없으며, 대통령도 법률안거부권 행사와 같이 국회에서 통과된 예산안을 국회에 환송하여 재심의를 요구하는 거부권을 행사할 수 없다.

③ 예산안이 국회에 제출되면, 국회는 예산안을 소관 상임위원회에 회부하고, 소관 상임위원회는 예비심사를 하여 그 결과를 의장에게 보고하며, 예산안에 대해 본회의에서 정부의 시정연설을 듣는다.

④ 행정각부의 장관이 국가 예산을 재원으로 사회복지사업을 시행함에 있어 예산 확보방법과 그 집행대상 등에 관하여 정책결정을 내리고 이를 미리 일선 공무원들에게 지침 등의 형태로 고지하는 일련의 행위는 장래의 예산 확보 및 집행에 대비한 일종의 준비행위로서 「헌법재판소법」 제68조 제1항의 헌법소원의 대상이 될 수 없지만, 위와 같은 정책결정을 구체화한 지침의 내용이 국민의 기본권에 직접적으로 영향을 끼치고, 앞으로 법령의 뒷받침에 의하여 그대로 실시될 것이 틀림없을 것으로 예상될 수 있을 때에는 예외적으로 대상이 될 수도 있다.

**해설**

① (X) [21 변호사]

> **헌법 제54조**
> ③ 새로운 회계연도가 개시될 때까지 예산안이 의결되지 못한 때에는 정부는 국회에서 예산안이 의결될 때까지 다음의 목적을 위한 경비는 전년도 예산에 준하여 집행할 수 있다.
>   1. 헌법이나 법률에 의하여 설치된 기관 또는 시설의 유지·운영
>   2. 법률상 지출의무의 이행
>   3. 이미 예산으로 승인된 사업의 계속

② (O) [17 입시]
③ (O) 국회법 제84조 제1항 [17 입시]
④ (O) 헌재 2007.10.25. 2006헌마1236 [21 변호사]

**정답** ①

## 061 회독 ☐☐☐ 　20 국가7급

**국회의 재정에 대한 권한으로 옳지 않은 것은? (다툼이 있는 경우 판례에 의함)**

① 특정인이나 특정 계층에 대하여 정당한 이유 없이 조세감면의 우대조치를 하는 것은 특정한 납세자군이 조세의 부담을 다른 납세자군의 부담으로 떠맡기는 것에 다름 아니므로 조세감면의 근거 역시 법률로 정하여야만 하는 것이 국민주권주의나 법치주의의 원리에 부응하는 것이다.
② 어떤 공과금이 조세인지 아니면 부담금인지는 단순히 법률에서 그것을 무엇으로 성격 규정하고 있느냐를 기준으로 할 것이 아니라, 그 실질적인 내용을 결정적인 기준으로 삼아야 한다.
③ 한 회계연도를 넘어 계속하여 지출할 필요가 있을 때에는 정부는 연한을 정함이 없이 계속비로서 국회의 의결을 얻어 지출할 수 있다.
④ 「의료사고 피해구제 및 의료분쟁 조정 등에 관한 법률」 규정상 보상의 전제가 되는 의료사고에 관한 사항들은 의학의 발전 수준 등에 따라 변할 수 있으므로, 분담금 납부의무자의 범위와 보상재원의 분담비율을 반드시 법률에서 정해야 한다고 보기는 어렵다.

**해설**

① (O) 조세는 부과와 감면 모두 법적 근거가 필요하다.
② (O) 실질과세원칙의 내용이다.
③ (X)

> **헌법 제55조**
> ① 한 회계연도를 넘어 계속하여 지출할 필요가 있을 때에는 정부는 연한을 정하여 계속비로서 국회의 의결을 얻어야 한다.
> ② 예비비는 총액으로 국회의 의결을 얻어야 한다. 예비비의 지출은 차기국회의 승인을 얻어야 한다.

④ (O)

> 보건의료인의 충분한 주의의무가 있었음에도 불가항력적으로 발생한 분만의료사고에 대한 피해 보상사업은 무과실 분만의료사고 피해를 보상하기 위한 것으로서, 그 성격상 보건의료기관개설자들이 부담하는 분담금이 많을 것으로 보이지 아니한다. 따라서 입법자는 이 사건 보상사업에 드는 비용을 분담시킴에 있어 폭넓은 재량을 가지므로 분담비율을 정하는 기준이나 분담비율의 상한 등을 구체적으로 정하여 위임하지 않았더라도 보상재원의 분담비율에 대한 예측가능성이 없다고 보기 어렵다. 심판대상조항은 포괄위임금지원칙에 위반되지 않는다. (헌재 2018.4.26. 2015헌가13)

**정답** ③

---

**기출지문 OX**

예비비는 항목별로 국회의 의결을 얻어야 하며, 예비비의 지출은 사전에 국회의 동의를 얻어야 한다. 　18 5급행시　(O / X)

**해설**
> **헌법 제55조**
> ② 예비비는 총액으로 국회의 의결을 얻어야 한다. 예비비의 지출은 차기국회의 승인을 얻어야 한다.

**정답** X

## 062 　회독 ☐☐☐　재구성　　　　　　　　　　　　　　　　　　　　20 법무사, 16 국가7급

**부담금에 대한 설명으로 가장 옳지 않은 것은? (다툼이 있는 경우 판례에 의함)**

① 부담금은 그 부과목적과 기능에 따라 (가) 순수하게 재정조달의 목적만 가지는 재정조달목적 부담금과 (나) 재정조달목적뿐만 아니라 부담금의 부과 자체로써 국민의 행위를 특정한 방향으로 유도하거나 특정한 공법적 의무의 이행 또는 공공출연으로부터의 특별한 이익과 관련된 집단 간의 형평성 문제를 조정하여 특정한 사회·경제정책을 실현하기 위한 정책실현목적 부담금으로 구분될 수 있다. 전자의 경우에는 공적 과제가 부담금 수입의 지출단계에서 비로소 실현되나, 후자의 경우에는 공적 과제의 전부 혹은 일부가 부담금의 부과단계에서 이미 실현된다.

② 재정조달목적 부담금은 특정한 반대급부 없이 부과될 수 있다는 점에서 조세와 매우 유사하므로 헌법 제38조가 정한 조세법률주의, 헌법 제11조 제1항이 정한 법 앞의 평등원칙에서 파생되는 공과금 부담의 형평성, 헌법 제54조 제1항이 정한 국회의 예산심의·확정권에 의한 재정감독권과의 관계에서 오는 한계를 고려하여, 그 부과가 헌법적으로 정당화되기 위하여는 (가) 조세에 대한 관계에서 예외적으로만 인정되어야 하며 국가의 일반적 과제를 수행하는 데에 부담금 형식을 남용하여서는 아니 되고, (나) 부담금 납부의무자는 일반국민에 비해 부담금을 통해 추구하고자 하는 공적 과제에 대하여 특별히 밀접한 관련성을 가져야 하며, (다) 부담금이 장기적으로 유지되는 경우 그 징수의 타당성이나 적정성이 입법자에 의해 지속적으로 심사되어야 한다.

③ 「부담금관리 기본법」 제3조는 부담금은 별표에 규정된 법률에 따르지 아니하고는 설치할 수 없다고 규정하고 있으므로 개별법률에 부담금 부과에 관한 근거규정이 존재하더라도 그 개별법률의 근거규정이 「부담금관리 기본법」 별표에 포함되어 있지 않다면 그 개별법률의 근거규정에 따른 부담금을 부과하는 것은 허용될 수 없다.

④ 내국인 국외여행자에게 2만 원의 범위 안에서 대통령령이 정하는 금액을 관광진흥개발기금에 납부하도록 한 국외여행자 납부금은 내국인 중 국외여행자라는 특정 집단에게 부과된 재정충당 및 유도적 성격을 지닌 특별부담금이다.

---

**해설**

① (O) 헌재 2008.11.27. 2007헌마860 [20 법무사]

② (O) [20 법무사]

> **재정조달목적 부담금의 헌법적 정당화요건** (헌재 2008.11.27. 2007헌마860)
> [1] 재정조달목적 부담금은 특정한 반대급부 없이 부과될 수 있다는 점에서 조세와 매우 유사하므로 헌법 제38조가 정한 조세법률주의, 헌법 제11조 제1항이 정한 법 앞의 평등원칙에서 파생되는 공과금 부담의 형평성, 헌법 제54조 제1항이 정한 국회의 예산심의·확정권에 의한 재정감독권과의 관계에서 오는 한계를 고려하여, 그 부과가 헌법적으로 정당화되기 위하여는 ㉠ 조세에 대한 관계에서 예외적으로만 인정되어야 하며 국가의 일반적 과제를 수행하는 데에 부담금 형식을 남용하여서는 아니 되고, ㉡ 부담금 납부의무자는 일반국민에 비해 부담금을 통해 추구하고자 하는 공적 과제에 대하여 특별히 밀접한 관련성을 가져야 하며, ㉢ 부담금이 장기적으로 유지되는 경우 그 징수의 타당성이나 적정성이 입법자에 의해 지속적으로 심사되어야 한다.
> [2] 특히 부담금 납부의무자는 그 부과를 통해 추구하는 공적 과제에 대하여 '특별히 밀접한 관련성'이 있어야 한다는 점에 있어서 ㉠ 일반인과 구별되는 동질성을 지녀 특정 집단이라고 이해할 수 있는 사람들이어야 하고(집단적 동질성), ㉡ 부담금의 부과를 통하여 수행하고자 하는 특정한 경제적·사회적 과제와 특별히 객관적으로 밀접한 관련성이 있어야 하며(객관적 근접성), ㉢ 그러한 과제의 수행에 관하여 조세외적 부담을 져야 할 책임이 인정될 만한 집단이어야 하고(집단적 책임성) ㉣ 만약 부담금의 수입이 부담금 납부의무자의 집단적 이익을 위하여 사용될 경우에는 그 부과의 정당성이 더욱 제고된다(집단적 효용성). 또한 부담금은 국민의 재산권을 제한하는 성격을 가지고 있으므로 부담금을 부과함에 있어서도 평등원칙이나 비례성원칙과 같은 기본권 제한입법의 한계는 준수되어야 하며 위와 같은 부담금의 헌법적 정당화요건은 기본권 제한의 한계를 심사함으로써 자연히 고려될 수 있다.

③ (✗) [20 법무사]

> 부담금관리 기본법의 제정목적, 부담금관리 기본법 제3조의 조문 형식 및 개정 경과 등에 비추어 볼 때, 부담금관리 기본법은 법 제정 당시 시행되고 있던 부담금을 별표에 열거하여 정당화 근거를 마련하는 한편, 시행 후 기본권 침해의 소지가 있는 부담금을 신설하는 경우 자의적인 부과를 견제하기 위하여 위 법률에 의하여 이를 규율하고자 한 것이나, 그러한 점만으로 부담금 부과에 관한 명확한 법률규정이 존재하더라도 법률규정과는 별도로 반드시 부담금관리 기본법 별표에 부담금이 포함되어야만 부담금 부과가 유효하게 된다고 해석할 수는 없다. (대판 2014.1.29. 2013다25927, 25934)

④ (○) 관광진흥기금은 재정조달목적의 성격과 정책실현(유도적)목적의 성격을 둘 다 가지고 있다. [16 국가7급]

> 국외여행자납부금은 관광사업의 효율적 발전 및 관광외화수입의 증대라는 과제를 위한 관광진흥개발기금의 재원을 마련하는 동시에, 내국인의 국외여행을 간접적으로 규제함으로써 관광수지 적자를 억제하고 국내 관광사업의 활성화를 유도하기 위하여 내국인 중 국외여행자라는 특정 집단으로부터 재정충당 및 유도적 성격을 지닌 특별부담금이다. (헌재 2003.1.30. 2002헌바5)

정답 ③

### 예상판례

**정책실현목적 부담금(유도적 부담금)의 헌법적 정당화요건** (헌재 2004.7.15. 2002헌바42)

[1] 정책실현목적 부담금의 경우 재정조달목적은 오히려 부차적이고 그보다는 부과 자체를 통해 일정한 사회적·경제적 정책을 실현하려는 목적이 더 주된 경우가 많다. 이 때문에, 재정조달목적 부담금의 정당화 여부를 논함에 있어서 고려되었던 사정들 중 일부는 정책실현목적 부담금의 경우에 똑같이 적용될 수 없다.

[2] 정책실현목적 부담금의 경우에는 특별한 사정이 없는 한 부담금의 부과가 정당한 사회적·경제적 정책목적을 실현하는 데 적절한 수단이라는 사실이 곧 합리적 이유를 구성할 여지가 많다. 그러므로 이 경우에는 '재정조달대상인 공적 과제와 납부의무자 집단 사이에 존재하는 관련성' 자체보다는 오히려 '재정조달 이전 단계에서 추구되는 특정 사회적·경제적 정책목적과 부담금의 부과 사이에 존재하는 상관관계'에 더 주목하게 된다. 따라서 재정조달목적 부담금의 헌법적 정당화에 있어서는 중요하게 고려되는 '재정조달대상 공적 과제에 대한 납부의무자 집단의 특별한 재정책임 여부' 내지 '납부의무자 집단에 대한 부담금의 유용한 사용 여부' 등은 정책실현목적 부담금의 헌법적 정당화에 있어서는 그다지 결정적인 의미를 가지지 않는다고 할 것이다.

### 기출지문 OX

❶ 어떤 공적 과제에 관한 재정을 조달할 경우 조세와 부담금 중 어느 형식을 이용할 것인지를 입법자가 자유롭게 선택해서는 안 된다. 20 5급행시 (○/✗)

> 해설 조세는 일반목적(교육행정 등)에 부과되어야 하고 부담금은 조세에 대한 관계에서 어디까지나 예외적으로만 인정되어야 하며, 어떤 공적 과제에 관한 재정조달을 조세로 할 것인지 아니면 부담금으로 할 것인지에 관하여 입법자의 자유로운 선택권을 허용하여서는 안 된다. (헌재 2004.7.15. 2002헌바42)

정답 ○

❷ 예산총계주의는 국가재정의 모든 수지를 예산에 반영함으로써 그 전체를 분명하게 하고 국회와 국민에 의한 재정상의 감독을 용이하게 하려는 것이다. 20 5급행시 (○/✗)

> 해설 예산총계주의는 국가재정의 모든 수지를 예산에 반영함으로써 그 전체를 분명하게 함과 동시에 국회와 국민에 의한 재정상의 감독을 용이하게 하자는 데 그 의의가 있다. (헌재 2004.7.15. 2002헌바42)
> 
> 국가재정법 제17조 제2항 본문은 "세입세출은 모두 예산에 계상하여야 한다."라고 규정하여 예산총계주의원칙을 선언하고 있다.

정답 ○

## 063

**조세법률주의에 대한 설명으로 옳은 것은? (다툼이 있는 경우 판례에 의함)**

① 미신고 또는 누락된 상속세에 대하여 상속세 부과요건이 성립된 시점인 상속이 개시된 때가 아니라 상속세 부과 당시의 가액을 과세대상인 상속재산의 가액으로 하는 것은 일정한 제재의 의미도 가미되어 있으므로 조세법률주의에 위반되지 않는다.
② 실효된 법률조항을 유효한 것으로 해석하여 과세의 근거로 삼는 것은 관련 당사자가 공평에 반하는 이익을 얻을 가능성을 막기 위한 것으로 헌법상 권력분립원칙과 조세법률주의의 원칙에 반하지 않는다.
③ 과세요건명확주의는 과세요건을 법률로 규정하였다고 하더라도 그 규정 내용이 지나치게 추상적이고 불명확하면 과세관청의 자의적인 해석과 집행을 초래할 염려가 있으므로 그 규정 내용이 명확하고 일의적이어야 한다는 것이다.
④ 텔레비전수신료는 아무런 반대급부 없이 국민으로부터 강제적·의무적으로 징수되고 있는 실질적인 조세로서 조세법률주의에 따라 법률의 형식으로 규정되어야 한다.

**해설**

① (✗) [17 국가7급]

> 무신고나 과소신고의 경우에 상속세나 증여세를 부과할 상속재산 또는 증여재산의 가액을 상속 당시 또는 증여 당시를 기준으로 하지 않고 그 조세 부과 당시를 기준으로 하여 평가한다고 규정한 것은 사람의 사망시기나 어떤 재산의 증여시기를 법률로 바꾸겠다는 것과 같은 것으로서 상속제도 또는 증여제도의 본질에 반한다. 무신고나 과소신고에 대하여는 가산세를 무겁게 부과한다든지 그 세율을 높이면 되는 것이지 상속재산이나 증여재산의 가액 그 자체를 세금 부과 당시의 가액으로 평가하겠다는 것은 국민의 재산권을 부당하게 침해하는 것이다. 또한 상속재산이나 수증재산을 이미 처분한 후에 상속세나 증여세가 부과되는 때에는 경우에 따라서는 처분가격의 몇 10배 또는 몇 100배나 되는 세금을 납부해야 하는 모순도 생길 수 있다. 따라서 위 법률조항은 헌법 제23조의 재산권 보장에 관한 규정에 위배된다. (헌재 1992.12.24. 90헌바21)

② (✗) [19 5급행시]

> 형벌조항이나 조세법의 해석에 있어서는 헌법상의 죄형법정주의, 조세법률주의의 원칙상 엄격하게 법문을 해석하여야 하고 합리적인 이유 없이 확장해석하거나 유추해석할 수는 없는바, '유효한' 법률조항의 불명확한 의미를 논리적·체계적 해석을 통해 합리적으로 보충하는 데에서 더 나아가, 해석을 통하여 전혀 새로운 법률상의 근거를 만들어 내거나 기존에는 존재하였으나 실효되어 더 이상 존재한다고 볼 수 없는 법률조항을 여전히 '유효한' 것으로 해석한다면, 이는 법률해석의 한계를 벗어나 '법률의 부존재'로 말미암아 형벌의 부과나 과세의 근거가 될 수 없는 것을 법률해석을 통하여 창설해내는 일종의 '입법행위'로서 헌법상의 권력분립원칙, 죄형법정주의, 조세법률주의의 원칙에 반한다. (헌재 2012.5.31. 2009헌바123 등)

③ (○) 조세법률주의의 내용이다. [17 국가7급]

④ (✗) 텔레비전방송수신료는 조세가 아닌 특별부담금에 해당하므로 조세법률주의 적용을 받지 않는다. (헌재 1999.5.27. 98헌바70) 다만, 특별부담금의 헌법적 한계는 지켜야 한다. [16 국가7급]

**정답** ③

## 064

**조세법률주의에 대한 설명으로 옳지 않은 것은? (다툼이 있는 경우 판례에 의함)**

① 조세는 국가나 지방자치단체 등 공권력의 주체가 과세권을 발동하여 일반국민으로부터 반대급부 없이 강제적으로 부과·징수하는 공과금을 말한다.
② 개발비용으로 계상되는 세액의 범위를 대통령령에 위임한 구 「개발이익 환수에 관한 법률」은 헌법에 위반된다.
③ 소급과세금지의 원칙은 그 조세법령의 효력 발생 이전에 완성된 과세요건사실에 대하여 당해 법령을 적용할 수 없음을 말한다.
④ 특별부담금은 그 특정 과제의 수행을 위하여 별도로 지출·관리되어야 하며 국가의 일반적 재정수입에 포함시켜 일반적 국가과제를 수행하는 데 사용할 수 없다.

### 해설

① (○) 조세의 개념이다. (헌재 1990.9.3. 89헌가95)

② (×)

> 구 '개발이익 환수에 관한 법률' 제12조 제2항은 대통령령으로 위임하는 내용을 '그 개발비용으로 계상되는 세액의 범위 등'이라고 규정하고 있다. 따라서 위와 같은 법률규정으로부터 납부의무자는 대통령령에 규정될 내용이 토지의 양도시기, 즉 부과종료시점 이전인지 이후인지에 따라 개발비용으로 계상되는 양도소득세의 세액범위와 개발비용으로 계상되는 세액의 산정방법 등이 될 것임을 쉽게 예측할 수 있다고 할 것이므로 구 '개발이익 환수에 관한 법률' 제12조 제2항이 조세법률주의에 준하는 원칙과 포괄위임입법금지의 원칙에 위반된다고 할 수 없다. (헌재 2009.12.29. 2008헌바171)

③ (○) 헌재 2008.5.29. 2006헌바99

④ (○)

> 조세유사적 성격을 지니고 있는 특별부담금의 부과가 과잉금지의 원칙과 관련하여 방법상 적정한 것으로 인정되기 위해서는, 이러한 부담금의 부과를 통하여 수행하고자 하는 특정한 경제적·사회적 과제에 대하여 특별히 객관적으로 밀접한 관련이 있는 특정 집단에 국한하여 부과되어야 하고, 이와 같이 부과·징수된 부담금은 그 특정 과제의 수행을 위하여 별도로 지출·관리되어야 하며 국가의 일반적 재정수입에 포함시켜 일반적 국가과제를 수행하는 데 사용하여서는 아니 된다. (헌재 1999.10.21. 97헌바84)

**정답** ②

## 065

**예산과 재정에 대한 설명으로 옳지 않은 것은?**

① 국회의원 또는 정부가 세입예산안에 부수하는 법률안을 발의 또는 제출하는 경우 세입예산안 부수 법률안 여부를 표시하여야 하고, 국회의장은 국회예산정책처의 의견을 들어 세입예산안 부수 법률안으로 지정한다.
② 정부는 법령에 따라 국가가 지급하여야 하는 지출이 발생하거나 증가하여 이미 확정된 예산에 변경을 가할 필요가 있는 경우에는 추가경정예산안을 편성할 수 있으며, 국회에서 추가경정예산안이 확정되기 전에 이를 미리 배정하거나 집행할 수 없다.
③ 「국가재정법」에서는 정부가 예산안을 편성하여 회계연도 개시 120일 전까지 국회에 제출하도록 규정하고 있지만, 헌법은 회계연도 개시 90일 전까지 국회에 제출하고, 국회는 회계연도 개시 전까지 이를 의결하도록 규정하고 있다.
④ 정부는 예측할 수 없는 예산 외 지출 또는 예산초과지출에 충당하기 위하여 일반회계 예산총액의 100분의 1 이내의 금액을 예비비로 계상할 수 있는데, 공무원의 보수 인상을 위한 인건비 충당을 위하여는 예비비 사용목적을 지정할 수 없다.

**해설**

① (O) 국회법 제85조의3 제4항
② (O) 국가재정법 제89조
③ (X) 국가재정법에서는 정부가 예산안을 편성하여 회계연도 개시 120일 전까지 국회에 제출하도록 규정하고 있다. 헌법은 회계연도 개시 90일 전까지 국회에 제출하고, 국회는 회계연도 30일 전까지 이를 의결하도록 규정하고 있다.
④ (O) 국가재정법 제22조

**정답** ③

## 066 회독 ☐☐☐ 재구성　　　17 법원직, 15 지방7급, 11 국회8급

**예산에 대한 설명으로 옳지 않은 것은?**

① 예산은 법률과 달리 일년예산주의, 예산총계주의, 예산단일주의 등을 채택하고 있다.
② 법률의 효력발생요건은 공포이지만 예산안의 효력발생요건은 관보의 공고이다.
③ 정부는 독립기관의 예산을 편성함에 있어 당해 독립기관의 장의 의견을 최대한 존중하여야 하며 국가 재정상황 등에 따라 조정이 필요한 때에는 당해 독립기관의 장과 미리 협의하여야 한다.
④ 국가의 예산안을 편성·제출하는 권한은 정부가 가지고, 국회는 예산편성권을 가지지 못한다.

### 해설

① (O) [11 국회8급]
② (✕) 예산안은 공포나 공고에 의해 효력이 발생하는 것이 아니고, 국회의 의결에 의해 효력이 발생한다. [11 국회8급]

| 구분 | 예산 | 법률 |
|---|---|---|
| 존재형식 | 법률과 별개의 형식(예산비법률주의) | 법률의 형식 |
| 제출시한 | 회계연도 개시 90일 전까지 (헌법 제54조 제2항) | 제한 없다. |
| 제안·편성 | 정부에서 편성 | 정부, 국회의원(10명), 위원회 |
| 심의절차 | 삭감 가능하나, 증액·신설은 원칙적으로 불가하다(소극적 수정권만 인정). | 국회 단독으로 수정·증보 가능하다(수정시 30명 동의). |
| 대통령의 거부권 행사 | 불가 | 가능 |
| 의결정족수 | 일반의결정족수 | 일반의결정족수 |
| 효력요건으로서의 공포 | 공포는 효력요건이 아니다(국회 의결시 효력 발생). | 공포시 효력 발생 |
| 시간적 효력 | 당해 회계연도만(1년) | 폐지·수정될 때까지 |
| 인적 효력 | 국가기관의 재정행위만 구속한다. | 국가기관은 물론 국민에게도 효력을 미친다. |
| 헌법소원 | 불가 | 가능 |

③ (O) 국가재정법 제40조 제1항 [15 지방7급]
④ (O) [17 법원직]

> **헌법 제54조**
> ① 국회는 국가의 예산안을 심의·확정한다.
> ② 정부는 회계연도마다 예산안을 편성하여 회계연도 개시 90일 전까지 국회에 제출하고, 국회는 회계연도 개시 30일 전까지 이를 의결하여야 한다.

정답 ②

기출지문 OX

❶ 헌법재판소는 유사석유제품 제조자와 석유제품 제조자 모두에게 교통·에너지·환경세를 부과하면서 동일하게 제조량을 과세표준으로 삼은 것은 조세평등주의에 위반되지 않는다고 판시하였다. 15 변호사 ( O / X )
해설 헌재 2014.7.24 2013헌바177   정답 O

❷ 헌법재판소는 사회보험료인 구 「국민건강보험법」상의 보험료는 특정의 반대급부 없이 금전납부의무를 부담하는 세금과는 달리, 반대급부인 보험급여를 전제로 하고 있고, 부과주체가 국가 또는 지방자치단체가 아니며, 그 징수절차가 조세와 다르므로 조세법률주의가 적용되지 않는다고 판시하였다. 15 변호사 ( O / X )
해설 사회보험에는 조세법률주의가 적용되지 않는다.   정답 O

❸ 우리나라 법률의 효력은 별도의 규정이 없는 한 영구적이므로 헌법이 특히 일년세주의를 명문으로 규정하고 있지 않는 이상 헌법 제59조의 조세법률주의는 영구세주의를 규정한 것이다. 12 국회9급 ( O / X )
해설 우리나라는 영구세주의를 채택하고 있다.   정답 O

❹ 이미 성립한 납세의무의 구체적인 내용을 변경하지 않은 채 국세 부과권의 제척기간을 연장하였다는 것만으로는 조세법률주의의 소급과세원칙에 위반되지 않는다. 16 서울7급 ( O / X )
  정답 O

## 067 ⑨ 국가7급

**조세법률주의에 관한 설명으로 옳지 않은 것은? (다툼이 있는 경우 판례에 의함)**

① 우리 헌법은 법률과 예산의 형식을 구별하고 있기 때문에, 만일 예산법률주의를 채택하고자 할 경우에는 헌법을 개정하여야 한다.
② 조세법률주의는 엄격하게 해석하여야 하므로 유추해석은 금지되지만 확장해석은 허용될 수 있다.
③ 예산과 법률은 형식, 성립절차 및 규율대상이 다르기 때문에 예산으로 법률을 변경하거나 법률로 예산을 변경할 수 없다.
④ 수질개선부담금은 조세와는 구별되지만 부담금을 부과할 때에도 평등원칙이나 비례성원칙과 같은 기본권 제한입법의 한계를 준수하여야 한다.

### 해설

① (O) 우리나라는 예산과 법률을 구별하여 규정하고 있기 때문에 예산법률주의를 취한다면 헌법개정이 필요하다.
② (X) 조세법률은 엄격히 해석하여야 하는 것이어야 하므로 확장해석과 유추해석이 금지된다.
③ (O) 예산과 법률은 형식과 성립절차, 그리고 규율대상과 효력 발생적인 측면에서도 다르기 때문에 예산으로 법률을 변경하거나 법률로 예산을 변경할 수 없다.
④ (O)

> 수질개선부담금과 같은 부담금을 부과함에 있어서는 평등원칙이나 비례성원칙과 같은 기본권 제한입법의 한계를 준수하여야 함은 물론 이러한 부담금의 부과를 통하여 수행하고자 하는 특정한 사회적·경제적 과제에 대하여 조세 외적 부담을 지울 만큼 특별하고 긴밀한 관계가 있는 특정 집단에 국한하여 부과되어야 하고, 이와 같이 부과·징수된 부담금은 그 특정 과제의 수행을 위하여 별도로 관리·지출되어야 하며 국가의 일반적 재정수입에 포함시켜 일반적 국가과제를 수행하는 데 사용되어서는 아니 된다. (헌재 1998.12.24. 98헌가1)

정답 ②

### 📖 예상판례

❶ **취득세의 미납에 따른 가산세 부과에 미납기간의 장단을 고려하지 않는 것은 헌법에 위배된다.** (헌재 2003.9.25. 2003헌바16 [헌법불합치])
가산세의 부담은 세법상의 의무 위반의 내용과 정도에 따라 달리 결정되어야 합리성을 갖는 것이며, 취득세 자진납부의무의 위반 정도는 미납기간의 장단과 미납세액의 다과라는 두 가지 요소에 의하여 결정되어야 함에도 불구하고 이 사건 법률조항은 산출세액의 100분의 20을 가산세로 획일규정한 것은 의무 위반의 정도를 결정하는 두 가지 요소 중 미납세액만을 고려하고 또 하나의 요소인 미납기간의 장단은 전혀 고려하지 아니하고 있으므로 이는 현저히 합리성을 결하여 헌법상의 비례의 원칙에 위반된다고 할 수 있다.

❷ **소득세할 주민세의 미납에 미납기간의 장단을 고려하지 않은 것은 헌법에 위반된다.** (헌재 2005.10.27. 2004헌가21)

❸ **법인세할 주민세의 미납에 미납기간의 장단을 고려하지 않은 것은 헌법에 위반된다.** (헌재 2005.10.27. 2004헌가22)

❹ **부동산등기 신청에 있어서 등록세 미납기간의 장단을 고려하지 않는 것은 합헌이다.** (헌재 2005.12.22. 2004헌가31)
등록세의 경우 등록세 납부의무의 불이행기간이 장기화될 수 있는 범위는 등기신청서 접수일로부터 보정을 거쳐 등록세를 납부하는 날까지라 할 것인데, 부동산등기법 제55조 단서는 당일보정을 원칙으로 하고 있고, 각하 또는 당일보정을 원칙으로 하는 법규정에도 불구하고 실무상 등기·등록신청인에게 보정기간을 더 허여한다고 하더라도 그 기간이 1주일을 넘기는 어렵다고 보이므로 등록세에 있어서는 … 헌법에 위반되지 아니한다.

❺ **종합소득세의 납부의무 위반에 대하여 미납기간을 고려하지 않고 일률적으로 미납세액의 100분의 10에 해당하는 가산세를 부과하도록 한 구 소득세법 제81조 제3항에 대하여 헌법에 위반되지 아니한다.** (헌재 2013.8.29. 2011헌가27)

## 068

**헌법기관의 구성과 국회의 인사절차에 대한 설명으로 옳지 않은 것은?**

① 대법원장이 지명하는 헌법재판관 3명은 법제사법위원회의 인사청문회를 거쳐야 하나 대통령의 임명에 국회의 동의가 필요한 것은 아니다.
② 국회에서 선출하는 헌법재판관 3명은 인사청문특별위원회의 인사청문회를 거쳐야 한다.
③ 국회에서 선출하는 중앙선거관리위원회 위원 3명은 인사청문특별위원회의 인사청문회를 거쳐야 한다.
④ 대법원장이 지명하는 중앙선거관리위원회 위원 3명은 법제사법위원회의 인사청문회를 거쳐야 하며 대통령의 임명에 국회의 동의가 필요하다.

**해설**

① (O) 헌법재판소장은 국회의 동의를 얻어 재판관 중에서 임명하지만, 헌법재판관의 임명에는 국회의 동의가 필요 없다.
② (O) 국회에서 선출하는 헌법재판관 3명의 인사청문은 인사청문특별위원회의 대상이고 6명은 법제사법위원회의 대상이다.
③ (O) 국회에서 선출하는 중앙선거관리위원회 위원 3명의 인사청문은 인사청문특별위원회의 대상이고 6명은 법제사법위원회의 대상이다.
④ (X) 대법원장이 지명하는 중앙선거관리위원회 위원 3명은 법제사법위원회의 인사청문회를 거쳐야 하지만, 임명을 대통령이 하는 것이 아니라 대법원장이 임명한다. 국회의 동의도 필요 없다.

**정답** ④

## 069

**국회의 인사청문에 대한 설명으로 옳지 않은 것은?**

① 모든 헌법재판소 재판관이 국회 인사청문특별위원회의 인사청문을 거쳐야만 하는 것은 아니다.
② 인사청문특별위원회는 13인의 국회의원으로 구성되며, 어느 교섭단체에도 속하지 않는 국회의원은 교섭단체 대표들이 협의하여 위원을 선임한다.
③ 국회는 임명동의안 등이 제출된 날로부터 20일 이내에 그 심사 또는 인사청문을 마쳐야 한다.
④ 국회가 국가인권위원회 위원장 후보자의 인사청문경과보고서를 송부하지 아니하여 대통령이 인사청문경과보고서를 송부하여 줄 것을 국회에 요청하였음에도 불구하고 국회가 송부하지 아니한 경우에는 대통령은 국가인권위원회 위원장을 임명할 수 있다.

**해설**

① (O) 모든 헌법재판소 재판관은 국회의 인사청문을 거쳐야 한다. 다만, 국회가 선출하는 3명의 헌법재판소 재판관과 헌법재판소장의 경우에는 인사특별위원회의 인사청문을 거쳐야 하고 그 외의 6명의 재판관은 상임위원회의 인사청문을 거친다.

② (×)

> **인사청문회법 제3조(인사청문특별위원회)**
> ② 인사청문특별위원회의 위원 정수는 13인으로 한다.
> ④ 어느 교섭단체에도 속하지 아니하는 의원의 위원 선임은 의장이 이를 행한다.

③ (O) ④ (O)

> **인사청문회법 제6조(임명동의안 등의 회부 등)**
> ② 국회는 임명동의안 등이 제출된 날부터 20일 이내에 그 심사 또는 인사청문을 마쳐야 한다.
> ③ 부득이한 사유로 제2항의 규정에 의한 기간 이내에 헌법재판소 재판관·중앙선거관리위원회 위원·국무위원·방송통신위원회 위원장·국가정보원장·공정거래위원회 위원장·금융위원회 위원장·국가인권위원회 위원장·고위공직자범죄수사처장·국세청장·검찰총장·경찰청장·합동참모의장·한국은행 총재·특별감찰관 또는 한국방송공사 사장(이하 '헌법재판소 재판관 등'이라 한다)의 후보자에 대한 인사청문회를 마치지 못하여 국회가 인사청문경과보고서를 송부하지 못한 경우에 대통령·대통령 당선인 또는 대법원장은 제2항에 따른 기간의 다음 날부터 10일 이내의 범위에서 기간을 정하여 인사청문경과보고서를 송부하여 줄 것을 국회에 요청할 수 있다.
> ④ 제3항의 규정에 의한 기간 이내에 헌법재판소 재판관 등의 후보자에 대한 인사청문경과보고서를 국회가 송부하지 아니한 경우에 대통령 또는 대법원장은 헌법재판소 재판관 등으로 임명 또는 지명할 수 있다.

**정답** ②

## 070

국회 소관 상임위원회에서 인사청문회를 실시하는 인사청문대상자는 모두 몇 개인가?

- 대법관 후보자
- 국무총리 후보자
- 국무위원 후보자
- 경찰청장 후보자
- 합동참모의장 후보자
- 방송통신위원회 위원장 후보자
- 감사위원 후보자

① 2개  ② 3개  ③ 4개  ④ 5개  ⑤ 6개

**해설**

인사청문회는 인사청문특별위원회가 하는 경우와 해당 상임위원회에서 하는 경우가 있다(인사청문은 헌법에 규정이 없고 법률에 규정이 있다).

| 인사청문특별위원회 대상<br>(기준: 임명에 국회의 동의를 요하거나 국회가 선출하는 기관) | 상임위원회 대상<br>(기준: 임명에 국회의 동의를 요하지 않는 기관) |
| --- | --- |
| 국무총리, 대통령 당선인이 지명하는 국무총리 후보자, 대법원장, 대법관, 헌법재판소장, 감사원장, 국회에서 선출하는 헌법재판소 재판관 3명, 국회에서 선출하는 중앙선거관리위원회 위원 3명 | 대통령이 임명하는 헌법재판소 재판관 3명, 대통령이 임명하는 중앙선거관리위원회 위원 3명, 국무위원, 국무위원 후보자(대통령 당선자가 지명하는 경우), 국가정보원장, 공정거래위원회 위원장, 금융위원회 위원장, 국가인권위원회 위원장, 한국은행 총재의 후보자, 국세청장, 검찰총장, 경찰청장, 대법원장이 지명하는 헌법재판소 재판관 3명, 중앙선거관리위원회 위원 3명, 방송통신위원회 위원장, 합동참모의장 후보자, 고위공직자범죄수사처장 |

중앙선거관리위원회 위원장은 인사청문회의 대상이 아니다(호선하므로).

정답 ③

**기출지문 OX**

대통령이 국무총리 · 대법원장 · 헌법재판소장 · 감사원장 · 국가정보원장 · 검찰총장 후보자에 대한 인사청문을 요청한 경우 인사청문특별위원회에서 인사청문을 실시한다. 15 국가7급 ( ○ / × )

해설 국무총리 · 대법원장 · 헌법재판소장 · 감사원장에 대한 인사청문은 인사청문특별위원회에서 하고, 국가정보원장 · 검찰총장 후보자에 대한 인사청문은 상임위원회에서 한다.

정답 ×

## 071 [22 국회8급]

**국회의 권한에 대한 설명으로 옳지 않은 것은? (다툼이 있는 경우 판례에 의함)**

① 국가기관의 권한쟁의심판청구를 소권의 남용이라고 평가하기 위해서는 그것이 권한쟁의심판제도의 취지와 전혀 부합되지 않는다고 볼 극히 예외적인 사정이 인정되어야 할 것이므로, 국회의원들이 자신들의 정치적 의사를 관철하려는 의도로 소속 정당 당직자 등의 회의개최 방해행위를 종용하거나 방조하였다 하더라도, 그들의 권한쟁의심판청구를 소권의 남용이라고 볼 수 없다.

② 상임위원회 위원장이 질서유지권을 발동하여 소수당 의원들의 회의장 출입을 봉쇄한 상태에서 상임위원회 전체회의를 개의하여 의안을 상정하고 법안심사소위원회에 회부하였다면, 상임위원회 의사절차의 주재자로서 질서유지권과 의사정리권의 귀속주체인 상임위원회 위원장에게 권한쟁의심판청구의 피청구인적격이 인정된다.

③ 국회의원의 의안에 대한 심의·표결권은 국민에 의하여 선출된 국가기관인 국회의원이 그 본연의 업무를 수행하기 위하여 가지고 있는 본질적 권한이라고 할 것이므로, 국회의원의 개별적인 의사에 따라 포기할 수 있는 성질의 것이 아니다.

④ 국회 상임위원회가 그 소관에 속하는 의안, 청원 등을 심사하는 권한은 법률상 부여된 위원회의 고유한 권한이 아니라 국회의장이 안건을 위원회에 회부함으로써 위임된 것이다.

**해설**

① (O)

> 국가기관의 권한쟁의심판청구를 소권의 남용이라고 평가하기 위해서는 그것이 권한쟁의심판제도의 취지와 전혀 부합되지 않는다고 볼 극히 예외적인 사정이 인정되어야 할 것인바, 권한쟁의심판제도 자체가 헌법적 가치질서를 보호하는 객관적 기능을 수행하는 것이고, 특히 국회의원의 법률안 심의·표결권의 침해 여부가 문제되는 권한쟁의심판의 경우는 국회의원의 객관적 권한을 보호함으로써 헌법상의 권한질서 및 국회의 의사결정체제와 기능을 수호·유지하기 위한 공익적 쟁송으로서의 성격이 강하므로, 설령 청구인들 중 일부가 자신들의 정치적 의사를 관철하려는 과정에서 위 주장과 같은 행위를 하였다고 하더라도, 그러한 사정만으로 이 사건 심판청구 자체가 권한쟁의심판제도의 취지와 전혀 부합되지 않는 소권의 남용에 해당하여 부적법하다고 볼 수는 없다. (헌재 2009.10.29. 2009헌라8 등)

② (O) ③ (O)

④ (X) 상임위원회 내부의 문제에 대한 권한쟁의심판의 피청구인은 국회의장이 아니라 상임위원회 위원장이라는 의미이다.

**정답** ④

## 072

**국회의 국정통제에 대한 설명으로 옳은 것으로만 묶은 것은?**

ㄱ. 본회의는 의결로 국무총리, 국무위원 또는 정부위원의 출석을 요구할 수 있으며, 이 경우 그 발의는 의원 10명 이상이 이유를 구체적으로 밝힌 서면으로 하여야 한다.
ㄴ. 국회에서 탄핵소추가 발의된 자는 그때부터 헌법재판소의 탄핵심판이 있을 때까지 권한 행사가 정지된다.
ㄷ. 상임위원회는 위원회 또는 상설소위원회를 정기적으로 개회하여 그 소관 중앙행정기관이 제출한 대통령령·총리령 및 부령의 법률 위반 여부 등을 검토하여야 한다.
ㄹ. 「대통령직 인수에 관한 법률」제5조 제2항에 따라 대통령 당선인이 국무총리 후보자에 대한 인사청문의 실시를 요청하는 경우에 국회의장은 각 교섭단체 대표의원과 협의하여 그 인사청문을 실시하기 위한 인사청문특별위원회를 둔다.

① ㄱ, ㄴ
② ㄱ, ㄹ
③ ㄴ, ㄷ
④ ㄷ, ㄹ

### 해설

ㄱ. (✗) 의원 10명이 아니라 20명이어야 한다. (국회법 제121조 제1항)

ㄴ. (✗)

> **헌법재판소법 제50조(권한 행사의 정지)**
> 탄핵소추의 의결을 받은 사람은 헌법재판소의 심판이 있을 때까지 그 권한 행사가 정지된다.

ㄷ. (○)

> **국회법 제98조의2(대통령령 등의 제출 등)**
> ① 중앙행정기관의 장은 법률에서 위임한 사항이나 법률을 집행하기 위하여 필요한 사항을 규정한 대통령령·총리령·부령·훈령·예규·고시 등이 제정·개정 또는 폐지되었을 때에는 10일 이내에 이를 국회 소관 상임위원회에 제출하여야 한다. 다만, 대통령령의 경우에는 입법예고를 할 때(입법예고를 생략하는 경우에는 법제처장에게 심사를 요청할 때를 말한다)에도 그 입법예고안을 10일 이내에 제출하여야 한다.
> ② 중앙행정기관의 장은 제1항의 기간 이내에 제출하지 못한 경우에는 그 이유를 소관 상임위원회에 통지하여야 한다.
> ③ 상임위원회는 위원회 또는 상설소위원회를 정기적으로 개회하여 그 소관 중앙행정기관이 제출한 대통령령·총리령 및 부령(이하 이 조에서 '대통령령 등'이라 한다)의 법률 위반 여부 등을 검토하여야 한다.
> ④ 상임위원회는 제3항에 따른 검토 결과 대통령령 또는 총리령이 법률의 취지 또는 내용에 합치되지 아니한다고 판단되는 경우에는 검토의 경과와 처리 의견 등을 기재한 검토결과보고서를 의장에게 제출하여야 한다.
> ⑤ 의장은 제4항에 따라 제출된 검토결과보고서를 본회의에 보고하고, 국회는 본회의 의결로 이를 처리하고 정부에 송부한다.
> ⑥ 정부는 제5항에 따라 송부받은 검토 결과에 대한 처리 여부를 검토하고 그 처리 결과(송부받은 검토 결과에 따르지 못하는 경우 그 사유를 포함한다)를 국회에 제출하여야 한다.
> ⑦ 상임위원회는 제3항에 따른 검토 결과 부령이 법률의 취지 또는 내용에 합치되지 아니한다고 판단되는 경우에는 소관 중앙행정기관의 장에게 그 내용을 통보할 수 있다.
> ⑧ 제7항에 따라 검토 내용을 통보받은 중앙행정기관의 장은 통보받은 내용에 대한 처리계획과 그 결과를 지체 없이 소관 상임위원회에 보고하여야 한다.

ㄹ. (○) 국회법 제46조의3 제1항 단서

**정답** ④

### 기출지문 OX

국회의 본회의는 그 의결로 대통령, 국무총리, 국무위원 또는 정부위원의 출석을 요구할 수 있다. 13 국가7급 ( O / X )

**해설** 대통령에 대한 출석 요구는 인정되지 않는다. 대통령이 스스로 출석·발언하는 것은 가능하다. **정답** X

---

## 073  회독 ☐☐☐  재구성                                                    18 서울7급, 13 국회8급

**국회의 권한에 대한 설명으로 옳지 않은 것만을 모두 고르면?**

ㄱ. 국무총리나 국무위원에 대한 해임건의는 위헌이나 위법행위가 아닌 정치적 책임을 묻기 위해서도 할 수 있고, 국회 재적의원 3분의 1 이상의 발의에 의하여 국회 재적의원 과반수의 찬성이 있어야 한다.
ㄴ. 대통령이 일반사면을 명하려면 국회의 동의를 거쳐야 하고, 특별사면은 법무부장관이 사면심사위원회의 심사를 거쳐 대통령에게 상신하여야 한다.
ㄷ. 본회의는 그 의결로 국무총리, 국무위원, 정부위원, 대법원장, 헌법재판소장, 중앙선거관리위원회 위원장, 감사원장 등의 출석을 요구할 수 있으며, 그 발의는 의원 20인 이상이 이유를 명시한 서면으로 하여야 한다.
ㄹ. 국회는 의원이 의장석 또는 위원장석을 점거하고 점거해제를 위한 의장 또는 위원장의 조치에 불응하거나 의원의 본회의장 또는 위원회 회의장 출입을 방해한 때에는 윤리특별위원회의 심사를 거치지 아니하고 의결로써 징계할 수 있다.

① ㄱ, ㄴ    ② ㄱ, ㄹ    ③ ㄴ, ㄷ    ④ ㄷ, ㄹ

**해설**

ㄱ. (O) 해임건의는 대통령제의 요소는 아니다. 또한 탄핵과 달리 사유의 제한이 없다. [18 서울7급]
ㄴ. (O) [18 서울7급]
ㄷ. (X) [18 서울7급]

> **국회법 제121조(국무위원 등의 출석 요구)**
> ① 본회의는 의결로 국무총리, 국무위원 또는 정부위원의 출석을 요구할 수 있다. 이 경우 그 발의는 의원 20명 이상이 이유를 구체적으로 밝힌 서면으로 하여야 한다.
> ⑤ 본회의나 위원회는 특정한 사안에 대하여 질문하기 위하여 대법원장, 헌법재판소장, 중앙선거관리위원회 위원장, 감사원장 또는 그 대리인의 출석을 요구할 수 있다. 이 경우 위원장은 의장에게 그 사실을 보고하여야 한다.

ㄹ. (X) [13 국회8급]

> **국회법 제155조(징계)**
> 국회는 의원이 다음 각 호의 어느 하나에 해당하는 행위를 하였을 때에는 윤리특별위원회의 심사를 거쳐 그 의결로써 징계할 수 있다. 다만, 의원이 제10호에 해당하는 행위를 하였을 때에는 윤리특별위원회의 심사를 거치지 아니하고 그 의결로써 징계할 수 있다.
> 10. 제148조의2를 위반하여 의장석 또는 위원장석을 점거하고 점거해제를 위한 제145조에 따른 의장 또는 위원장의 조치에 따르지 아니하였을 때
> 11. 제148조의3을 위반하여 의원의 본회의장 또는 위원회 회의장 출입을 방해하였을 때

**정답** ④

## 074

**국회의 권한에 대한 내용으로 옳은 것(○)과 옳지 않은 것(×)을 바르게 조합한 것은?**

> ㄱ. 국회의원 10인 이상의 찬성으로 회기 중 현안이 되고 있는 중요한 사항을 대상으로 정부에 대하여 질문할 것을 의장에게 요구할 수 있다.
> ㄴ. 국채를 모집하거나 예산 외에 국가의 부담이 될 계약을 체결하려 할 때에는 정부는 미리 국회의 의결을 얻어야 한다.
> ㄷ. 국회는 재적의원 4분의 1 이상의 요구가 있는 때에는 특별위원회 또는 상임위원회로 하여금 국정의 특정사안에 관하여 조사를 시행하게 한다.
> ㄹ. 대통령의 탄핵소추사유는 헌법이나 법률을 위반한 때로 제한되고, 정치적 무능력이나 정책결정상의 잘못 등 직책수행의 성실성 여부는 그 자체로서 소추사유가 되지 않는다.
> ㅁ. 국회 재적의원 3분의 1 이상의 발의와 국회 재적의원 과반수의 찬성이 있으면 국회는 국무총리나 국무위원의 해임을 대통령에게 건의할 수 있지만, 그 해임건의는 대통령에게 법적 구속력이 없다.

|   | ㄱ | ㄴ | ㄷ | ㄹ | ㅁ |
|---|---|---|---|---|---|
| ① | ○ | ○ | × | ○ | ○ |
| ② | × | ○ | ○ | ○ | ○ |
| ③ | × | ○ | ○ | ○ | × |
| ④ | ○ | × | × | × | ○ |

**해설**

ㄱ. (×)

> **국회법 제122조의3(긴급현안질문)**
> ① 국회의원은 20명 이상의 찬성으로 회기 중 현안이 되고 있는 중요한 사항을 대상으로 정부에 대하여 질문을 할 것을 의장에게 요구할 수 있다.

ㄴ. (○) 헌법 제58조
ㄷ. (○) 국정감사 및 조사에 관한 법률 제3조 제1항
ㄹ. (○) 탄핵은 법적 책임을 묻는 제도이기 때문이다. 의원내각제의 불신임은 정치적 책임을 묻는 것이다.
ㅁ. (○) 해임건의는 대통령제의 전형적인 제도가 아니며 건의의 사유에도 제한이 없다. 즉, 정치적 책임을 묻는 것이며 구속력이 없다. 다만, 의원내각제의 불신임(해임의결)은 구속력이 있다.

정답 ②

## 075 NEW

**탄핵심판에 관한 설명 중 옳지 않은 것은? (다툼이 있는 경우 판례에 의함)**

① 탄핵심판의 이익을 인정하기 위해서는 탄핵결정 선고 당시까지 피청구인이 해당 공직을 보유하는 것이 필요하다.
② 탄핵소추 당시 피청구인이 공직에 있어 적법하게 소추되었더라도 탄핵심판 계속 중 그 직에서 퇴직하였다면 이는 심판절차의 계속을 저지하는 사유이므로 주문에서 심판절차종료선언을 하여야 한다.
③ 헌법은 탄핵소추의 사유를 '헌법이나 법률에 대한 위배'로 명시하고 헌법재판소가 탄핵심판을 관장하게 함으로써 탄핵절차를 정치적 심판절차가 아니라 규범적 심판절차로 규정하였고, 이에 따라 탄핵심판절차의 목적은 '정치적 이유가 아니라 법 위반을 이유로 하는' 파면임을 밝히고 있다.
④ 탄핵심판절차에 따른 파면결정으로 피청구인이 된 행정부나 사법부의 고위공직자는 공직을 박탈당하게 되는데, 이는 공무담임권의 제한에 해당한다.
⑤ 헌법재판소의 탄핵결정에 의한 파면은 그 요건과 절차가 준수될 경우 공직의 부당한 박탈이 되지 않으며, 권력분립원칙에 따른 균형을 훼손하지 않는다.

### 해설

① (O) ③ (O) ④ (O) ⑤ (O) 헌재 2021.10.28. 2021헌나1
② (X) 주문에서 각하결정을 하면 별도로 절차종료선언을 하지 않는다.

> 형사소송에서도 범죄사실을 인정하는 판단을 하는 경우 법령의 적용을 거쳐 형을 선고하는 등의 주문으로 판결할 뿐 '범죄사실의 위법 확인' 주문을 별도로 선고하지 않는 것과 다르지 않으니, 탄핵심판의 대상과 결정 주문을 위와 같이 정하는 것은 형사소송에 관한 법령을 우선 준용하도록 한 헌법재판소법 제40조에도 부합한다. (헌재 2021.10.28. 2021헌나1)

**정답** ②

## 076

**탄핵심판에 대한 설명으로 옳지 않은 것은?**

① 헌법 제65조 제1항은 탄핵사유를 '헌법이나 법률을 위배한 때'로 규정하고 있는데, '헌법'에는 명문의 헌법규정만이 포함되고, 헌법재판소의 결정에 의하여 형성되어 확립된 불문헌법은 포함되지 않는다.
② 탄핵심판에서는 국회 법제사법위원회 위원장이 소추위원이 되고, 소추위원은 헌법재판소에 소추의결서 정본을 제출하여 탄핵심판을 청구하며, 심판의 변론에서 피청구인을 신문할 수 있다.
③ 헌법 제65조 제1항은 '직무집행에 있어서'라고 하여, 탄핵사유의 요건을 '직무'집행으로 한정하고 있으므로, 대통령의 직위를 보유하고 있는 상태에서 범한 법 위반행위만 소추사유가 될 수 있다.
④ 국회의 탄핵소추절차는 국회와 대통령이라는 헌법기관 사이의 문제이고, 국회의 탄핵소추 의결에 의하여 사인으로서의 대통령의 기본권이 침해되는 것이 아니라, 국가기관으로서의 대통령의 권한 행사가 정지되는 것이므로, 국가기관이 국민과의 관계에서 공권력을 행사함에 있어서 준수해야 할 법원칙으로서 형성된 적법절차의 원칙을 국가기관에 대하여 헌법을 수호하고자 하는 탄핵소추절차에는 직접 적용할 수 없다.

### 해설

① (×)

> **헌법이나 법률의 범위** (헌재 2004.5.14. 2004헌나1)
> 헌법 제65조에 규정된 탄핵사유를 구체적으로 살펴보면, '직무집행에 있어서'의 '직무'란, 법제상 소관 직무에 속하는 고유업무 및 통념상 이와 관련된 업무를 말한다. 따라서 직무상의 행위란, 법령·조례 또는 행정관행·관례에 의하여 그 지위의 성질상 필요로 하거나 수반되는 모든 행위나 활동을 의미한다. 헌법은 탄핵사유를 '헌법이나 법률에 위배한 때'로 규정하고 있는데, '헌법'에는 명문의 헌법규정 뿐만 아니라 헌법재판소의 결정에 의하여 형성되어 확립된 불문헌법도 포함된다. '법률'이란 단지 형식적 의미의 법률 및 그와 등등한 효력을 가지는 국제조약, 일반적으로 승인된 국제법규 등을 의미한다.

② (○) 헌법재판소법 제49조
③ (○) 대통령 취임 전의 행위는 심판대상이 아니다.
④ (○) 헌재 2021.10.8. 2021헌나1

**정답** ①

## 077 회독 ☐☐☐ 재구성　　　　　　　　　　　　　　　　　　　　　23 입시

**탄핵심판에 대한 설명으로 옳지 않은 것은? (다툼이 있는 경우 판례에 의함)**

① 헌법재판관 1인이 결원이 되어 8인의 재판관으로 재판부가 구성되더라도 탄핵심판을 심리하고 결정하는 데 헌법과 법률상 아무런 문제가 없다.
② 대통령에 대한 파면결정은 대통령의 직을 유지하는 것이 더 이상 헌법수호의 관점에서 용납될 수 없거나 대통령이 국민의 신임을 배신하여 국정을 담당할 자격을 상실한 경우에 한하여 정당화된다.
③ 탄핵심판에서 피청구인이 결정 선고 전에 해당 공직에서 파면되었을 때에는 헌법재판소는 심판청구를 기각하여야 한다.
④ 국회가 법관에 대한 탄핵소추를 의결한 후 해당 법관이 임기만료로 법관의 직에서 퇴직하였더라도 헌법적 해명의 필요성이 인정되므로 심판의 이익이 있어 헌법재판소는 본안심사에 들어간다.

### 해설

① (O)
② (O) 헌재 2004.5.14. 2004헌나1
③ (O) 헌법재판소법 제53조 제2항
④ (×)

> **법관에 대한 탄핵심판** (헌재 2021.10.28. 2021헌나1 [각하])
> 이미 임기만료로 퇴직한 피청구인에 대해서는 본안판단에 나아가도 파면결정을 선고할 수 없으므로 결국 이 사건 탄핵심판청구는 부적법하다.
> [1] 헌법재판소법 제53조 제1항이 규정한 탄핵사유인 '탄핵심판청구가 이유 있는 경우'는 피청구인이 '그 직무집행에 있어서 헌법이나 법률을 위배한 때'로서 '파면을 정당화할 정도로 중대한 헌법이나 법률 위배가 있는 때'이다. 탄핵사유에 대하여 위와 같이 판단하는 것은 '탄핵심판절차의 헌법수호기능'을 법치주의와 민주주의의 구현이라는 관점에서 파악하였기 때문이다. 이러한 헌법수호기능은 대통령에 대한 탄핵심판절차뿐만 아니라 법관에 대한 탄핵심판절차의 경우에도 동일하게 작용한다.
> [2] 만일 헌법재판소가 파면 여부와 상관없이 오로지 탄핵사유의 유무에 대한 객관적 해명만을 목적으로 직무집행상 중대한 위헌·위법이 있는지 여부를 심리하여 그에 대한 위헌·위법확인결정을 한다면, 이는 실질적으로 국회의 탄핵소추 의결이 그 실체적 요건을 갖추었는지에 대하여 판단하여 결정하는 것이 된다. 즉, 국회의 의결로써 피청구인의 권한 행사를 정지한 것이 적법하였는지에 대해서만 판단하는 것이 되어버려 권한쟁의심판과 같은 내용이 되는데, 이것은 탄핵심판과 권한쟁의심판을 달리 규정한 현행헌법과 헌법재판소법의 체계상 허용된다고 보기 어렵다.

**정답** ④

### 예상판례

2022.10.29. 서울 용산구 이태원동에서 발생한 다중밀집으로 인한 인명피해사고와 관련하여 피청구인(행정안전부장관)의 사전예방조치 및 사후재난대응조치는 헌법이나 법률에 위반되지 않으며, 피청구인의 사후발언은 탄핵사유에 해당하지 않는다. (헌재 2023.7.25. 2023헌나1 [기각])

## 078

**탄핵심판에 대한 설명 중 옳은 것(○)과 옳지 않은 것(×)을 올바르게 조합한 것은?**

> ㄱ. 탄핵심판은 고위공직자가 권한을 남용하여 헌법이나 법률을 위반하는 경우 그 권한을 박탈함으로써 헌법질서를 지키는 헌법재판이고, 탄핵결정은 대상자를 공직으로부터 파면함에 그치고 형사상 책임을 면제하지 아니한다는 점에서 탄핵심판절차는 형사절차나 일반징계절차와는 성격을 달리한다.
> ㄴ. 국회의 탄핵소추의 대상이 되는 고위직공무원의 범위에 대한 헌법규정은 예시규정이며, 검사는 헌법에 명시되어 있지 않지만 탄핵소추의 대상이 된다.
> ㄷ. 「국회법」에 탄핵소추안에 대하여 표결 전에 반드시 토론을 거쳐야 한다는 명문규정이 있다.
> ㄹ. 탄핵소추의결서에서 그 위반을 주장하는 '법규정의 판단'에 관하여 헌법재판소는 원칙적으로 구속을 받지 않으므로, 청구인이 그 위반을 주장하는 법규정 외에 다른 관련 법규정에 근거하여 탄핵의 원인이 된 사실관계를 판단할 수 있다.
> ㅁ. 헌법재판소는 탄핵소추의결서에 기재되지 아니한 소추사유도 판단의 대상으로 삼을 수 있다.

① ㄱ(○), ㄴ(○), ㄷ(×), ㄹ(○), ㅁ(○)
② ㄱ(○), ㄴ(○), ㄷ(×), ㄹ(○), ㅁ(×)
③ ㄱ(○), ㄴ(×), ㄷ(×), ㄹ(×), ㅁ(×)
④ ㄱ(×), ㄴ(○), ㄷ(×), ㄹ(○), ㅁ(○)
⑤ ㄱ(×), ㄴ(×), ㄷ(○), ㄹ(×), ㅁ(×)

**해설**

ㄱ. (○) [22 변호사]
ㄴ. (○) [15 국가7급]
ㄷ. (×) 탄핵에 대한 토론을 거쳐야 한다는 명문규정은 없고 토론을 하여야 하는지는 국회가 재량으로 결정할 사항이므로 토론을 하지 않고 국회가 의결해도 위법하지 않다. [22 변호사]
ㄹ. (○) [22 변호사] ㅁ. (×) 헌법재판소는 탄핵소추의결서에 기재되지 아니한 소추사유는 판단대상으로 삼을 수 없다. 즉, 국회의 소추사유에 구속된다. 다만, 소추사유의 체계와 법적용에 대해서는 구속되지 않는다. [22 변호사]

**정답** ②

## 079

**탄핵심판에 대한 설명으로 옳은 것만을 모두 고르면? (다툼이 있는 경우 판례에 의함)**

ㄱ. 탄핵심판은 고위공직자에 의한 헌법 침해로부터 헌법을 보호하기 위한 헌법재판제도로서, 제5차 개정헌법에서 최초 도입된 이래로 존속되어 온 제도이다.
ㄴ. 탄핵결정에 의하여 파면된 사람은 결정 선고가 있은 날부터 5년이 지나지 아니하면 공무원이 될 수 없다.
ㄷ. 탄핵사유가 되는 직무집행에서 직무는 법제상 소관 직무에 속하는 고유업무 및 통념상 이와 관련된 업무를 말한다. 따라서 직무상의 행위란 법령·조례 또는 행정관행·관례에 의하여 그 지위의 성질상 필요로 하거나 수반되는 모든 행위나 활동을 의미한다.
ㄹ. 피청구인이 결정 선고 전에 해당 공직에서 파면되었을 때에는 헌법재판소는 심판청구를 각하하여야 한다.

① ㄱ, ㄴ
② ㄱ, ㄹ
③ ㄴ, ㄷ
④ ㄷ, ㄹ

### 해설

ㄱ. (X) 탄핵은 건국헌법 때부터 인정되었다. 다만, 탄핵기관과 절차는 헌법마다 다르다. [21 5급행시]
ㄴ. (O) 해임의 경우는 3년간, 탄핵의 경우는 5년간 공직취임이 금지된다. [20 서울·지방7급]
ㄷ. (O) 헌재 2004.5.14. 2004헌나1 [20 서울·지방7급]
ㄹ. (X) [20 국가7급]

> **헌법재판소법 제53조(결정의 내용)**
> ① 탄핵심판청구가 이유 있는 경우에는 헌법재판소는 피청구인을 해당 공직에서 파면하는 결정을 선고한다.
> ② 피청구인이 결정 선고 전에 해당 공직에서 파면되었을 때에는 헌법재판소는 심판청구를 기각하여야 한다.

**정답** ③

## 080

**탄핵심판에 대한 설명으로 옳은 것만을 모두 고르면? (다툼이 있는 경우 판례에 의함)**

> ㄱ. 탄핵심판절차는 「형사소송법」이 준용되므로 당사자의 출석 없이는 변론을 진행할 수 없다.
> ㄴ. 대통령이 탄핵심판의 대상인 경우에는 특히 대통령은 국민에 의하여 직접 선출되었다는 사실, 그리고 대통령은 헌법수호의 책무를 진다는 점이 고려되어야 한다.
> ㄷ. 피청구인에 대한 탄핵심판청구와 동일한 사유로 형사소송이 진행되고 있는 경우에는 재판부는 심판절차를 정지할 수 있다.
> ㄹ. 헌법 제65조 제1항이 정하고 있는 탄핵소추사유는 공무원이 그 직무집행에 있어서 헌법이나 법률을 위배한 사실이고, 여기에서 법률은 형사법에 한정된다.
> ㅁ. 「국회법」 제130조 제1항이 탄핵소추의 발의가 있을 때 그 사유 등에 대한 조사 여부를 국회의 재량으로 규정하고 있더라도, 국회가 탄핵소추사유에 대하여 별도의 조사를 하지 않았다거나 국정조사 결과나 특별검사의 수사 결과를 기다리지 않고 탄핵소추안을 의결하였다면 헌법이나 법률을 위반한 것이다.

① ㄱ, ㄴ
② ㄴ, ㄷ
③ ㄱ, ㄴ, ㄹ
④ ㄴ, ㄷ, ㅁ

### 해설

ㄱ. (✗) 탄핵심판절차는 민사소송법과 형사소송법이 준용되고, 충돌이 있을 때는 형사소송법이 먼저 적용된다. [20 법원직]

> **헌법재판소법 제52조(당사자의 불출석)**
> ① 당사자가 변론기일에 출석하지 아니하면 다시 기일을 정하여야 한다.
> ② 다시 정한 기일에도 당사자가 출석하지 아니하면 그의 출석 없이 심리할 수 있다.

ㄴ. (○) [12 국회9급]

ㄷ. (○) 헌법재판소법 제51조 [20 국가7급]

ㄹ. (✗) [17 서울7급]

> 헌법은 탄핵사유를 '헌법이나 법률에 위배한 때'로 규정하고 있는데, '헌법'에는 명문의 헌법규정뿐만 아니라 헌법재판소의 결정에 의하여 형성되어 확립된 불문헌법도 포함된다. '법률'이란 단지 형식적 의미의 법률 및 그와 동등한 효력을 가지는 국제조약, 일반적으로 승인된 국제법규 등을 의미한다. (헌재 2004.5.14. 2004헌나1)

ㅁ. (✗) [20 국가7급]

> 이 사건 탄핵소추안을 의결할 당시 국회 법제사법위원회의 조사도 없이 공소장과 신문기사 정도만 증거로 제시되었다는 점에 대하여 국회의 의사절차의 자율권은 권력분립의 원칙상 존중되어야 하고 국회법에 의하더라도 탄핵소추 발의시 사유조사 여부는 국회의 재량으로 규정하고 있으므로 그 의결이 헌법이나 법률을 위배한 것이라고 볼 수 없다. (헌재 2017.3.10. 2016헌나1)

**정답** ②

 **핵심노트**

### 탄핵대상과 절차

| 헌법상 탄핵대상자 | 대통령 · 국무총리 · 국무위원 · 행정각부의 장 · 헌법재판소 재판관 · 법관 · 중앙선거관리위원회 위원 · 감사원장 · 감사위원 |
|---|---|
| 법률상 탄핵대상자 | 검사, 검찰총장, 경찰청장, 방송통신위원장, 원자력위원장, 각급 선거관리위원회 위원 |
| 탄핵사유 | 직무집행에 있어서 헌법이나 법률을 위배한 때(중대한 법 위반이 있어야 한다) |
| 탄핵 발의와 의결 | • 대통령에 대한 탄핵소추: 국회 재적의원 과반수의 발의와 국회 재적의원 3분의 2 이상의 찬성이 있어야 한다.<br>• 대통령 이외의 자에 대한 탄핵소추: 국회 재적의원 3분의 1 이상의 발의가 있어야 하며, 그 의결은 국회 재적의원 과반수의 찬성이 있어야 한다. |
| 탄핵결정 | 헌법재판소 재판관 7명 이상의 심리와 6명 이상의 찬성 → 가처분이 인정될 여지가 없다. |
| 심리방식 | 구술심리 |
| 권한 행사 정지 | 헌법재판소의 결정까지 권한 행사가 정지된다. |
| 탄핵의 효력 | 탄핵결정은 공직으로부터 파면함에 그친다. 그러나 이에 의하여 민사상이나 형사상 책임이 면제되지는 아니한다. |

## 081  회독 ☐☐☐  재구성            19 지방7급, 16·14 국회8급, 12 국회9급

**탄핵제도에 대한 설명으로 옳은 것은?**

① 검사와 각 군 참모총장은 헌법규정에 탄핵대상자로 명시되어 있다.
② 탄핵심판은 고위직공무원의 정치적 과오에 대한 형사법적 제재의 성격을 가진다.
③ 현행헌법상의 규정에 따르면 국회가 헌법재판소에 청구한 대통령에 대한 탄핵소추심판을 철회하려는 경우에는 일반정족수로 한다.
④ 탄핵소추의 발의가 있을 때에는 의장은 발의된 후 처음 개의하는 본회의에 보고하고, 본회의는 의결로 법제사법위원회에 회부하여 조사하게 할 수 있다.

**해설**

① (✕) 검사는 법률상 탄핵대상자이다. [19 지방7급]

> **헌법 제65조**
> ① 대통령 · 국무총리 · 국무위원 · 행정각부의 장 · 헌법재판소 재판관 · 법관 · 중앙선거관리위원회 위원 · 감사원장 · 감사위원 기타 법률이 정한 공무원이 그 직무집행에 있어서 헌법이나 법률을 위배한 때에는 국회는 탄핵의 소추를 의결할 수 있다.

② (✕) 탄핵의 효과인 파면은 형사벌이 아니라 징계벌의 성격을 가진다. [14 국회8급]
③ (✕) 탄핵심판절차가 개시된 이후에 국회가 의결로 탄핵소추를 철회할 수 있는지에 대해서는 명문규정이 없다. 다만, 탄핵심판에 형사소송에 관한 법령을 준용하도록 한 헌법재판소법 제40조 제1항에 의하여 헌법재판소의 결정선고 전까지 철회할 수 있다고 해석하는 것이 가능하다. [12 국회9급]
④ (○) 국회법 제130조 제1항 [16 국회8급]

**정답** ④

## 082

**탄핵제도에 대한 설명으로 옳지 않은 것은? (다툼이 있는 경우 판례에 의함)**

① 탄핵소추안을 각 소추사유별로 나누어 발의할 것인지 아니면 여러 소추사유를 포함하여 하나의 안으로 발의할 것인지는 소추안을 발의하는 의원들의 자유로운 의사에 달린 것이므로, 대통령이 헌법이나 법률을 위배한 사실이 여러 가지일 때 그중 한 가지 사실만으로도 충분히 파면결정을 받을 수 있다고 판단되면 그 한 가지 사유만으로 탄핵소추안을 발의할 수 있다.

② '그 직무집행에 있어서 헌법이나 법률을 위배한 때'를 탄핵사유로 규정하고 있는 헌법 제65조 제1항의 '헌법'에는 명문의 헌법규정뿐만 아니라 헌법재판소의 결정에 따라 형성되어 확립된 불문헌법도 포함되고, '법률'에는 형식적 의미의 법률과 이와 동등한 효력을 가지는 국제조약 및 일반적으로 승인된 국제법규 등이 포함된다.

③ 대통령에 대한 탄핵심판청구는 대통령 본인의 직무집행과 관련한 중대한 헌법이나 법률 위배를 이유로 하는 경우에만 적법요건을 갖춘 것이다.

④ 여러 개의 탄핵사유가 포함된 하나의 탄핵소추안을 발의하고 안건 수정 없이 그대로 본회의에 상정된 경우에, 국회의장은 '표결할 안건의 제목을 선포'할 권한만 있는 것이지, 직권으로 탄핵소추안에 포함된 개개 소추사유를 분리하여 여러 개의 탄핵소추안으로 만든 다음 이를 각각 표결에 부칠 수는 없다.

### 해설

① (O) ② (O) ④ (O)
③ (X) 적법요건이 아니라 본안의 대상이 된다.

> **[1] 적법요건에 관한 판단**
>
> 가. 소추의결서에 기재된 소추사실은 구체적으로 특정되었다.
>
> 헌법상 탄핵소추사유는 공무원이 그 직무집행에서 헌법이나 법률을 위배한 사실이고 여기서 법률은 형사법에 한정되지 않는다. 그리고 탄핵결정은 대상자를 공직으로부터 파면하는 것이지 형사상 책임을 묻는 것은 아니다. 따라서 피청구인이 방어권을 행사할 수 있고 심판대상을 확정할 수 있을 정도로 사실관계를 기재하면 된다. 이 사건 소추의결서의 헌법 위배행위 부분이 분명하게 유형별로 구분되지 않은 측면이 없지 않지만, 법률 위배행위 부분과 종합하여 보면 소추사유를 특정할 수 있다.
>
> 나. 국회의 탄핵소추절차는 헌법이나 법률을 위반하지 않았다.
>
> 이 사건 탄핵소추안을 의결할 당시 국회 법제사법위원회의 조사도 없이 공소장과 신문기사 정도만 증거로 제시되었다는 점에 대하여 국회의 의사절차의 자율권은 권력분립의 원칙상 존중되어야 하고 국회법에 의하더라도 탄핵소추 발의시 사유조사 여부는 국회의 재량으로 규정하고 있으므로 그 의결이 헌법이나 법률을 위배한 것이라고 볼 수 없다.
>
> 다. 이 사건 소추의결이 아무런 토론 없이 진행되었다는 점에 관하여
>
> 의결 당시 상황을 살펴보면, 토론 없이 표결이 이루어진 것은 사실이나, 국회법상 반드시 토론을 거쳐야 한다는 규정은 없고 미리 찬성 또는 반대의 뜻을 국회의장에게 통지하고 토론할 수는 있다. 그런데 당시 토론을 희망한 의원은 한 사람도 없었으며, 국회의장이 토론을 희망하는데 못하게 한 사실도 없었다.
>
> 라. 탄핵사유는 개별사유별로 의결절차를 거쳐야 함에도 여러 개 탄핵사유 전체에 대하여 일괄하여 의결한 것은 위법하다는 점에 관하여
>
> 소추사유가 여러 개 있을 경우 사유별로 표결할 것인지, 여러 사유를 하나의 소추안으로 표결할 것인지는 소추안을 발의하는 국회의원의 자유로운 의사에 달린 것이고, 표결방법에 관한 어떠한 명문규정도 없다.
>
> 마. 8명 재판관에 의한 선고가 9명으로 구성된 재판부로부터 공정한 재판을 받을 권리를 침해하였다는 점에 관하여
>
> 헌법과 법률에서는 이러한 경우에 대비한 규정을 마련해 놓고 있다. 헌법재판소법은 탄핵결정을 할 때에는 재판관 6명 이상의 찬성이 있어야 하고, 재판관 7명 이상의 출석으로 사건을 심리한다고 규정하고 있다. … 8명의 재판관으로 이 사건을 심리하여 결정하는 데 헌법과 법률상 아무런 문제가 없는 이상 헌법재판소로서는 한정위기상황을 계속해서 방치할 수는 없다. 그렇다면 국회의 탄핵소추 가결절차에 헌법이나 법률을 위배한 위법이 없으며, 다른 적법요건에 어떠한 흠결도 없다.

[2] **탄핵사유에 관하여(본안에 관한 판단)**
   가. 공무원 임면권을 남용하여 직업공무원제도의 본질을 침해하지 않았다.
      1급 공무원 여섯 명으로부터 사직서를 제출받아 그중 세 명의 사직서가 수리된 사실은 인정된다. 그러나 이 사건에 나타난 증거를 종합하더라도, 피청구인이 노 국장과 진 과장이 최서원의 사익 추구에 방해가 되었기 때문에 인사를 하였다고 인정하기에는 부족하고, 유진룡이 면직된 이유나 김기춘이 여섯 명의 1급 공무원으로부터 사직서를 제출받도록 한 이유 역시 분명하지 아니하다.
   나. 언론의 자유를 침해하지 않았다.
      이 사건에 나타난 모든 증거를 종합하더라도 세계일보에 구체적으로 누가 압력을 행사하였는지 분명하지 않고 피청구인이 관여하였다고 인정할 만한 증거는 없다.
   다. 세월호 사건에 관한 생명권 보호의무와 직책성실의무 위반의 점에 관하여
      피청구인은 국가가 국민의 생명과 신체의 안전보호의무를 충실하게 이행할 수 있도록 권한을 행사하고 직책을 수행하여야 하는 의무를 부담한다. 그러나 국민의 생명이 위협받는 재난상황이 발생하였다고 하여 피청구인이 직접 구조활동에 참여하여야 하는 등 구체적이고 특정한 행위의무까지 바로 발생한다고 보기는 어렵다.
   라. 피청구인은 헌법상 대통령으로서의 직책을 성실히 수행할 의무를 부담하고 있다.
      세월호 사고는 참혹하기 그지없으나, 세월호 참사 당일 피청구인이 직책을 성실히 수행하였는지 여부는 탄핵심판절차의 판단대상이 되지 아니한다.
   마. 피청구인의 최서원에 대한 국정개입 허용과 권한 남용에 관하여
      ㉠ 피청구인이 재단법인 설립과 관련하여 대기업으로부터 486억 원 등을 출연받은 행위는 헌법과 법률에 위배된다.
      ㉡ 피청구인의 행위는 최서원의 이익을 위해 대통령의 지위와 권한을 남용한 것으로서 공정한 직무수행이라고 할 수 없으며, 헌법, 국가공무원법, 공직자윤리법 등을 위배한 것이다.
      ㉢ 재단법인 미르와 케이스포츠의 설립, 최서원의 이권 개입에 직·간접적으로 도움을 준 피청구인의 행위는 기업의 재산권을 침해하였을 뿐만 아니라, 기업경영의 자유를 침해한 것이다.
      ㉣ 피청구인의 지시 또는 방치에 따라 직무상 비밀에 해당하는 많은 문건이 최서원에게 유출된 점은 국가공무원법의 비밀엄수의무를 위배한 것이다.
      ㉤ 피청구인의 법 위반행위는 피청구인을 파면할 만큼 중대한 것에 해당한다.
      이 사건 소추사유와 관련한 피청구인의 일련의 언행을 보면, 법 위배행위가 반복되지 않도록 할 헌법 수호의지가 드러나지 않는다. 결국 피청구인의 위헌·위법행위는 국민의 신임을 배반한 것으로 헌법 수호의 관점에서 용납될 수 없는 중대한 법 위배행위라고 보아야 한다. 피청구인의 법 위배행위가 헌법질서에 미치는 부정적 영향과 파급효과가 중대하므로, 피청구인을 파면함으로써 얻는 헌법수호의 이익이 압도적으로 크다고 할 것이다. **(헌재 2017.3.10. 2016헌나1【인용(파면)】)**

**정답** ③

## 083 회독 □□□ 재구성

18 국회8급

두 차례 탄핵심판(헌재 2004.5.14. 2004헌나1 및 헌재 2017.3.10. 2016헌나1)에 대한 결정 내용과 일치하는 것을 모두 고르면? (다툼이 있는 경우 판례에 의함)

> ㄱ. 대통령의 기자회견시 특정 정당에 대한 지지발언은 「공직선거법」상 공무원의 선거운동금지규정 위반이나 공무원의 정치적 중립의무 위반은 아니다.
> ㄴ. 중앙선거관리위원회의 선거법 위반결정에 대한 대통령의 선거법 폄하발언은 대통령의 헌법수호의무 위반은 아니다.
> ㄷ. 대통령이 자신에 대한 재신임을 국민투표의 형태로 묻고자 제안한 것은 헌법을 실현하고 수호해야 할 대통령의 의무를 위반한 것이다.
> ㄹ. 대통령의 '직책을 성실히 수행할 의무'는 헌법적 의무에 해당하고 규범적으로 그 이행이 관철될 수 있는 성격의 의무이므로 원칙적으로 사법적 판단의 대상이 된다.
> ㅁ. 세월호 참사에 대한 대통령의 대응조치에 미흡하고 부적절한 면이 있었기에 대통령은 생명권 보호의무를 위반하였다.
> ㅂ. 대통령이 특정인의 국정개입을 허용하고 그 특정인의 이익을 위해 대통령으로서의 지위와 권한을 남용한 행위는 공무원의 공익실현의무 위반이다.

① ㄷ, ㅂ
② ㅁ, ㅂ
③ ㄱ, ㄴ, ㄷ
④ ㄱ, ㄹ, ㅂ
⑤ ㄴ, ㄷ, ㄹ, ㅂ

### 해설

ㄱ. (✗) 공무원의 정치적 중립의무 위반에 해당한다.
ㄴ. (✗) 헌법수호의무 위반이다.
ㄷ. (○) 재신임국민투표는 헌법에 명문규정이 없는 한 인정되지 않는다.
ㄹ. (✗) 대통령의 '직책을 성실히 수행할 의무'는 헌법적 의무이지만 규범적으로 그 이행이 관철될 수 없는 성격의 의무이므로 원칙적으로 사법적 판단대상이 아니다.
ㅁ. (✗)

> 2014.4.16. 세월호가 침몰하여 304명이 희생되는 참사가 발생하였고, 당시 피청구인은 관저에 머물러 있었다. 헌법은 국가는 개인이 가지는 불가침의 기본적 인권을 확인하고 이를 보장할 의무를 진다고 규정하고 있으며 세월호 침몰사건은 모든 국민들에게 큰 충격과 고통을 안겨준 참사라는 점에서 어떠한 말로도 희생자들을 위로하기에는 부족할 것이다. 피청구인은 국가가 국민의 생명과 신체의 안전보호의무를 충실하게 이행할 수 있도록 권한을 행사하고 직책을 수행하여야 하는 의무를 부담한다. 그러나 국민의 생명이 위협받는 재난상황이 발생하였다고 하여 피청구인이 직접 구조활동에 참여하여야 하는 등 구체적이고 특정한 행위의무까지 바로 발생한다고 보기는 어렵다. (헌재 2017.3.10. 2016헌나1)

ㅂ. (○) 헌재 2017.3.10. 2016헌나1

정답  ①

## 084

**탄핵제도의 헌정사에 대한 설명으로 가장 옳은 것은?**

① 1948년 헌법은 탄핵사건을 심판하기 위하여 탄핵재판소를 설치하도록 규정했는데, 대통령과 부통령을 심판하는 경우 외에는 부통령이 재판장의 직무를 행한다고 정하고 있다.
② 1960년 제3차 개정헌법은 헌법위원회에서 탄핵을 심판하도록 규정했는데, 헌법위원회의 위원장을 대통령이 임명하도록 했다.
③ 1962년 제5차 개정헌법은 헌법재판소에서 탄핵재판을 담당하도록 했는데, 탄핵판결은 심판관 9인 중 6인 이상의 찬성이 있어야 한다고 규정했다.
④ 1972년 제7차 개정헌법은 탄핵심판위원회를 두었는데, 탄핵결정은 공직으로부터 파면함에 그치도록 규정했다.

### 해설

① (O) ② (X) ③ (X) ④ (X)

| | |
|---|---|
| 건국헌법: 헌법위원회 | • 건국헌법은 헌법위원회로 하여금 위헌법률심사를 하게 하고 구체적 규범통제에 한정하였다(실제 위헌판결은 2건이었다).<br>• 탄핵사건은 탄핵재판소가 담당하였다. |
| 1960년 헌법: 헌법재판소 | 헌법재판소를 설치하여 ㉠ 법률의 위헌 여부심사, ㉡ 헌법에 관한 최종적 해석, ㉢ 국가기관 간의 권한쟁송, ㉣ 정당해산, ㉤ 탄핵재판, ㉥ 대통령, 대법원장과 대법관의 선거에 관한 소송 등을 관할하였다.<br>그러나 5·16의 발발로 실제로 설치되지는 못하였다. |
| 1962년 헌법: 법원(일반법원형)과 탄핵심판위원회 | • 탄핵심판에 관한 권한을 탄핵심판위원회에 부여하고, 위헌정당해산심판과 위헌법률심사는 법원의 권한으로 하였다.<br>• 당시 대법원은 국가배상법의 이중배상금지규정에 대해 위헌판결을 하였다. |
| 1972년 헌법: 헌법위원회 | 헌법위원회로 하여금 위헌법률심사, 탄핵심판, 위헌정당해산결정에 관한 권한을 부여하였다.<br>그러나 헌법위원회법은 대법원에 불송부결정권을 부여한 결과 헌법위원회에 의한 위헌법률심사는 한 건도 이루어지지 않았다. |
| 1980년 헌법: 헌법위원회 | 헌법위원회에 위헌법률심사를 비롯한 탄핵심판, 위헌정당해산심판 등을 부여하고, 법원에 대하여는 명령·규칙심사권과 선거소송에 관한 심판권만을 부여하였다.<br>그러나 위헌법률심판의 경우 법원은 '법률이 헌법에 위반되는 것으로 인정할 때에만' 헌법위원회에 제청할 수 있도록 하고, 대법원에 불송부결정권을 행사할 수 있도록 한 결과 한 건의 위헌법률심사도 이루어지지 않았다. |

정답 ①

## 085

**탄핵제도에 대한 설명으로 옳지 않은 것은?**

① 미국에서 탄핵소추권은 연방하원이 행사하고 탄핵심판권은 연방상원이 행사한다.
② 국회에서 탄핵소추 의결이 있을 때에는 소추위원은 지체 없이 소추의결서 정본을 국회에 송달하여야 한다.
③ 「사면법」은 탄핵결정으로 파면된 자가 대통령의 사면대상이 되는지 여부에 대하여 규정하고 있지 않다.
④ 소추의결서가 송달된 때에는 피소추자의 권한 행사는 정지되며, 임명권자는 피소추자의 사직원을 접수하거나 해임할 수 없다.

### 해설

① (O) 미국은 하원이 탄핵소추를 발의하고, 상원에서 3분의 2 이상의 찬성으로 탄핵결정을 한다. [17 국회8급]
② (X) [17 입시]

> **국회법 제134조(소추의결서의 송달과 효과)**
> ① 탄핵소추가 의결되었을 때에는 의장은 지체 없이 소추의결서 정본을 법제사법위원장인 소추위원에게 송달하고, 그 등본을 헌법재판소, 소추된 사람과 그 소속 기관의 장에게 송달한다.
>
> **헌법재판소법 제49조(소추위원)**
> ② 소추위원은 헌법재판소에 소추의결서 정본을 제출하여 탄핵심판을 청구하며, 심판의 변론에서 피청구인을 신문할 수 있다.

③ (O) 사면법에는 탄핵결정으로 파면된 자가 대통령의 사면대상이 되는지 여부에 대한 명문규정이 없다. 다만, 사면은 어렵다는 것이 학설의 일반적 입장이다. [17 국회8급]
④ (O) 국회법 제134조 제2항 [17 국회8급]

파면은 가능하다.

정답  ②

## 086 회독 ☐☐☐ 재구성
10 국회8급

**탄핵제도에 대한 설명으로 옳지 않은 것은?**

① 국회의원과 헌법재판소 재판관은 각각 탄핵소추와 탄핵심판에 직접 관여하므로 탄핵소추의 대상자에서 제외된다.
② 탄핵제도는 건국헌법에서 처음 채택된 이래 현재까지 유지되고 있다.
③ 공무원의 사소한 법 위반을 이유로 탄핵결정을 하게 되면 법익형량의 원칙에 위반된다.
④ 대통령이 헌법 등 위배행위를 하더라도 국회가 탄핵소추 의결을 하여야 할 헌법상의 작위의무가 있다고 할 수 없다.

**해설**

① (✗) 국회의원은 탄핵대상자가 아니나, 헌법재판소 재판관은 탄핵대상자에 해당한다.
② (○)
③ (○) 탄핵은 중대한 법 위반이 있어야 한다.
④ (○)

**정답** ①

## 087 회독 ☐☐☐ 재구성
15 국회8급, 13 서울7급

**국회의 국무총리·국무위원 해임건의권에 대한 설명으로 옳은 것만을 모두 고르면?**

ㄱ. 제7차 개정헌법(1972년)과 제8차 개정헌법(1980년)도 현행헌법에서와 마찬가지로 국무총리 또는 국무위원에 대한 해임건의권을 규정하였다.
ㄴ. 국무총리에 대한 해임건의는 국무총리가 그 직무집행에 있어서 헌법이나 법률을 위배한 때에 한한다.
ㄷ. 헌법은 대통령에게 국회해산권을 부여하고 있지 않기 때문에 해임건의권에 법적 구속력을 인정할 경우 권력분립질서와 조화되기 어렵다.
ㄹ. 국회의 해임건의는 국무총리 또는 국무위원에 대하여 개별적 또는 일괄적으로 할 수 있다.

① ㄱ, ㄴ
② ㄱ, ㄹ
③ ㄴ, ㄷ
④ ㄷ, ㄹ

**해설**

ㄱ. (✗) 제7차 개정헌법(1972년)과 제8차 개정헌법(1980년)에서는 해임건의권이 아니라 해임의결권을 규정하였다. 이때 대통령의 국회해산권도 인정되었다. [15 국회8급]
ㄴ. (✗) 해임건의사유에는 제한이 없다. [15 국회8급]
ㄷ. (○) [15 국회8급]
ㄹ. (○) [13 서울7급]

**정답** ④

 **핵심노트**

## 국정조사권

### 1. 국정조사권의 연혁

| 영국 | 1689년 영국의 의회가 특별위원회를 구성하여 아일랜드 카톨릭교도의 폭동 진압에서 있었던 불미스러운 사태와 패전원인을 조사하기 위하여 구성된 것이 그 효시이다. |
|---|---|
| 바이마르헌법 | 국정조사권이 헌법에 최초로 규정되었다. |
| 미국 | 미연방헌법에는 국정조사에 관한 명문규정이 없다. 그러나 보조적 권한설에 의해 당연히 인정된다. |

### 2. 국정감사 · 조사권은 보조적 권한이다. 따라서 헌법규정이 없어도 국정조사가 가능하다.

### 3. 우리나라의 국정감사 · 조사권의 연혁

| 구분 | 제1공화국~제3공화국 | 제4공화국 | 제5공화국 | 현행헌법 |
|---|---|---|---|---|
| 국정감사 | 건국헌법의 국정감사가 일반감사는 국정감사로, 특정감사는 국정조사로 발전되었다. | 국정감사 삭제 | 국정감사 삭제 | 헌법에 부활 |
| 국정조사 | 별도의 규정이 없다. | 국회법에 규정(헌법 ×) | 헌법에 국정조사가 처음으로 규정 | 헌법에 규정 |

### 4. 국정감사 · 조사위원회 구성과 공개

| 국정감사 | 소관 상임위원회가 한다. |
|---|---|
| 국정조사 | 상임위원회 또는 특별위원회가 한다. 특별위원회는 교섭단체 의원 수의 비율에 따라 구성한다. 위원회는 국정조사를 하기 전에 전문가 등으로 하여금 예비조사를 하게 할 수 있다. |
| 소위원회 | 감사 또는 조사를 행하는 위원회는 위원회의 의결로 필요한 경우 2명 이상의 위원으로 별도의 소위원회나 반을 구성하여 감사 또는 조사를 시행하게 할 수 있다. 소위원회나 반은 같은 교섭단체 소속 의원만으로 구성할 수 없다. |
| 제척 · 회피 | ① 의원은 직접 이해관계가 있거나, 공정을 기할 수 없는 현저한 사유가 있는 경우에는 그 사안에 한하여 감사 또는 조사에 참여할 수 없다.<br>② 위 ①의 사유가 있는 의원은 그 사안에 한하여 위원회의 허가를 받아 감사 또는 조사를 회피할 수 있다. |
| 공개 | 감사 및 조사는 공개로 한다. 다만, 위원회의 의결로 달리 정할 수 있다. |

### 5. 국정감사 · 조사에서는 제척제도와 회피제도는 있지만 기피제도는 없다.

## 088

**국정감사 및 국정조사에 대한 설명으로 옳은 것은? (다툼이 있는 경우 판례에 의함)**

① 국정감사권과 국정조사권은 국회의원의 권한일 뿐 국회의 권한이라 할 수 없으므로 국회의원은 법원을 상대로 국정감사권 또는 국정조사권 자체에 관한 침해를 이유로 권한쟁의심판을 청구할 수 있다.
② 국회는 본회의의 의결로써 조사위원회의 활동기간을 연장할 수 있으나 이를 단축할 수는 없다.
③ 국정조사는 소관 상임위원회별로 시행하나, 국정감사는 특별위원회를 구성하여 시행할 수 있다.
④ 국정조사를 할 특별위원회를 교섭단체 의원 수의 비율에 따라 구성하여야 하나, 조사에 참여하기를 거부하는 교섭단체의 의원은 제외할 수 있다.

### 해설

① (✗)

> 국회의 국정감사 또는 조사와 관련된 국회의원의 권한으로는, '국정감사 및 조사에 관한 법률'이 규정하고 있는, 재적 국회의원 4분의 1 이상에 의한 국정조사 요구권(제3조), 감사 또는 조사를 행하는 위원회에 속한 국회의원의 3분의 1 이상의 요구에 의한 서류제출 요구권(제10조 제1항), 본회의 의결권(제16조)을 비롯한 각 위원회와 본회의에서의 감사 또는 조사 결과에 대한 심의·의결권 등을 상정할 수 있으나, 이 사건 가처분재판과 이 사건 간접강제재판은 위와 같은 국회의원의 권한에 대해서는 아무런 제한을 가하고 있지 않으므로, 이 사건 가처분재판과 이 사건 간접강제재판으로 인해 국회의 국정감사 또는 조사와 관련된 청구인의 국회의원으로서의 권한이 침해될 가능성 또한 없다. (헌재 2010.7.29. 2010헌라1)

② (✗)

> **국정감사 및 조사에 관한 법률 제9조(조사위원회의 활동기간)**
> ① 조사위원회의 활동기간 연장은 본회의 의결로 할 수 있다.
> ② 본회의는 조사위원회의 중간보고를 받고 조사를 장기간 계속할 필요가 없다고 인정되는 경우에는 <u>의결로 조사위원회의 활동기간을 단축할 수 있다.</u>
> ③ 조사계획서에 조사위원회의 활동기간이 확정되지 아니한 경우에는 그 활동기간은 조사위원회의 조사 결과가 본회의에서 의결될 때까지로 한다.

③ (✗) 국정조사는 소관 상임위원회 또는 특별위원회가 할 수 있으나, 국정감사는 상임위원회별로 한다.
④ (○) 국정감사 및 조사에 관한 법률 제4조 제1항

**정답** ④

## 089

**국정감사 및 조사에 대한 설명으로 옳지 않은 것은?**

① 1948년 제헌헌법에는 국정감사만 있을 뿐 국정조사는 없었고 1980년 개정헌법부터 국정조사제도를 두었다.
② 국회는 국정 전반에 관하여 소관 상임위원회별로 매년 정기회 집회일 이전에 감사 시작일부터 30일 이내의 기간을 정하여 감사를 실시하므로, 정기회 기간 중에는 국정조사만 인정된다.
③ 「형법」상 위증죄보다 국회에서의 위증을 무거운 법정형으로 정한 「국회에서의 증언·감정 등에 관한 법률」 조항은 형벌체계상의 정당성과 균형성을 상실한 것이 아니다.
④ 지방자치단체 중 특별시·광역시·도는 국정감사 및 조사의 대상기관이 되며, 다만 그 감사범위는 국가위임사무와 국가가 보조금 등 예산을 지원하는 사업에 한정된다.
⑤ 조사위원회는 조사의 목적, 조사할 사안의 범위와 조사방법, 조사에 필요한 기간 및 소요경비 등을 기재한 조사계획서를 본회의에 제출하여 승인을 받아 조사를 한다.

**해설**

① (O)
② (×)

> **국정감사 및 조사에 관한 법률 제2조(국정감사)**
> ① 국회는 국정 전반에 관하여 소관 상임위원회별로 매년 정기회 집회일 이전에 국정감사(이하 '감사'라 한다) 시작일부터 30일 이내의 기간을 정하여 감사를 실시한다. 다만, 본회의 의결로 정기회 기간 중에 감사를 실시할 수 있다.

③ (O) 어떤 범죄에 대해 어떤 형벌을 부과할 것인가는 입법재량의 영역이다.
④ (O) 자치사무에 대해서는 국정감사가 허용되지 않는다.
⑤ (O) 국정조사의 요건이다.

**정답** ②

## 090  20 서울·지방7급

**국정감사 및 국정조사에 대한 설명으로 옳지 않은 것은?**

① 「국정감사 및 조사에 관한 법률」에 따르면 본회의는 조사위원회의 중간보고를 받고 조사를 장기간 계속할 필요가 없다고 인정되는 경우에는 의결 없이 조사위원회의 활동기간을 단축할 수 있다.
② 조사위원회의 위원장이 사고가 있거나 그 직무를 수행하기를 거부 또는 기피하여 조사위원회가 활동하기 어려운 때에는 위원장이 소속하지 아니하는 교섭단체 소속의 간사 중에서 소속 의원 수가 많은 교섭단체 소속인 간사의 순으로 위원장의 직무를 대행한다.
③ 국정조사는 국회 재적의원 4분의 1 이상의 요구가 있는 때에 특별위원회 또는 상임위원회가 국정의 특정 사안에 대해 행한다.
④ 「국정감사 및 조사에 관한 법률」에 따르면 국정감사의 대상기관 중 지방자치단체는 본회의가 특히 필요하다고 의결하지 않은 이상 특별시·광역시·도이다.

**해설**

① (X)

> **국정감사 및 조사에 관한 법률 제9조(조사위원회의 활동기간)**
> ① 조사위원회의 활동기간 연장은 본회의 의결로 할 수 있다.
> ② 본회의는 조사위원회의 중간보고를 받고 조사를 장기간 계속할 필요가 없다고 인정되는 경우에는 의결로 조사위원회의 활동기간을 단축할 수 있다.
> ③ 조사계획서에 조사위원회의 활동기간이 확정되지 아니한 경우에는 그 활동기간은 조사위원회의 조사 결과가 본회의에서 의결될 때까지로 한다.

② (O) 국정감사 및 조사에 관한 법률 제4조 제3항
③ (O) 국정감사 및 조사에 관한 법률 제3조 제1항
④ (O)

> **국정감사 및 조사에 관한 법률 제7조(감사의 대상)**
> 감사의 대상기관은 다음 각 호와 같다.
> 1. 정부조직법, 그 밖의 법률에 따라 설치된 국가기관
> 2. 지방자치단체 중 특별시·광역시·도. 다만, 그 감사범위는 국가위임사무와 국가가 보조금 등 예산을 지원하는 사업으로 한다.
> 3. 공공기관의 운영에 관한 법률 제4조에 따른 공공기관, 한국은행, 농업협동조합중앙회, 수산업협동조합중앙회
> 4. 제1호부터 제3호까지 외의 지방행정기관, 지방자치단체, 감사원법에 따른 감사원의 감사대상기관. 이 경우 본회의가 특히 필요하다고 의결한 경우로 한정한다.

**정답** ①

## 091

**「국정감사 및 조사에 관한 법률」상 국정감사 및 조사에 대한 설명으로 옳지 않은 것은?**

① 국정감사 또는 조사를 하는 위원회는 그 의결로 필요한 경우 2명 이상의 위원으로 별도의 소위원회나 반을 구성하여 감사 또는 조사를 하게 할 수 있다.
② 지방자치단체에 대한 감사는 둘 이상의 위원회가 합동으로 반을 구성하여 할 수 있다.
③ 위원회는 그 의결로 감사 또는 조사와 관련된 보고 또는 서류 등의 제출을 관계인 또는 그 밖의 기관에 요구하고, 증인·감정인·참고인의 출석을 요구하고 검증을 할 수 있다. 다만, 위원회가 감사 또는 조사와 관련된 서류 등의 제출을 요구하는 경우에는 재적위원 3분의 1 이상의 요구로 할 수 있다.
④ 위원회가 국정감사 또는 조사를 마쳤을 때에는 지체 없이 그 감사 또는 조사보고서를 작성하여 의장에게 제출하여야 하며, 보고서를 제출받은 의장은 이를 지체 없이 본회의에 보고하여야 한다.
⑤ 국회는 국정 전반에 관하여 소관 상임위원회별로 매년 정기회 집회일 이전 국정감사 시작일부터 30일 이내의 기간을 정하여 감사를 실시한다. 이때 감사는 상임위원장이 각 교섭단체 대표의원과 협의하여 작성한 감사계획서에 따라 한다.

### 해설

① (O) 국정감사 및 조사에 관한 법률 제5조 제1항
② (O) 국정감사 및 조사에 관한 법률 제7조의2
③ (O) 국정감사 및 조사에 관한 법률 제10조 제1항
④ (O) 국정감사 및 조사에 관한 법률 제15조 제1항·제3항
⑤ (×)

**국정감사 및 조사에 관한 법률 제2조(국정감사)**
① 국회는 국정 전반에 관하여 소관 상임위원회별로 매년 정기회 집회일 이전에 국정감사(이하 '감사'라 한다) 시작일부터 30일 이내의 기간을 정하여 감사를 실시한다. 다만, 본회의 의결로 정기회 기간 중에 감사를 실시할 수 있다.
② 제1항의 감사는 상임위원장이 국회운영위원회와 협의하여 작성한 감사계획서에 따라 한다. 국회운영위원회는 상임위원회 간에 감사대상기관이나 감사일정의 중복 등 특별한 사정이 있는 때에는 이를 조정할 수 있다.

**정답** ⑤

## 092 회독 ☐☐☐ 재구성      19 5급행시·국가7급, 18 서울7급

**국정감사 및 조사에 대한 설명으로 옳지 않은 것만을 모두 고르면?**

> ㄱ. 국정조사위원회는 의결로써 국회의 폐회 중에도 활동할 수 있고 조사와 관련한 보고 또는 서류의 제출을 요구하거나 조사를 위한 증인의 출석을 요구하는 경우에는 의장을 경유하여야 한다.
> ㄴ. 국정감사 및 국정조사는 국가안보에 관한 사항을 제외하고 언제나 공개로 한다.
> ㄷ. 국정조사위원회는 조사를 하기 전에 전문위원이나 그 밖의 국회사무처 소속 직원 또는 조사대상기관의 소속이 아닌 전문가 등으로 하여금 예비조사를 하게 할 수 있다.
> ㄹ. 국회 본회의가 특히 필요하다고 의결한 경우라도 「감사원법」에 따른 감사원의 감사대상기관에 대하여 국정감사를 실시할 수는 없다.
> ㅁ. 국회는 감사 또는 조사 결과 위법하거나 부당한 사항이 있을 때에는 그 정도에 따라 정부 또는 해당 기관에 변상, 징계조치, 제도개선, 예산조정 등 시정을 요구하고, 정부 또는 해당 기관에서 처리함이 타당하다고 인정되는 사항은 정부 또는 해당 기관에 이송한다.

① ㄱ, ㄴ, ㄹ
② ㄱ, ㄷ, ㅁ
③ ㄴ, ㄷ, ㄹ
④ ㄷ, ㄹ, ㅁ

### 해설

ㄱ. (✗) [19 5급행시]

> **국정감사 및 조사에 관한 법률 제4조(조사위원회)**
> ④ 조사위원회는 의결로써 국회의 폐회 중에도 활동할 수 있고 조사와 관련한 보고 또는 서류 및 해당 기관이 보유한 사진·영상물(이하 '서류 등'이라 한다)의 제출을 요구하거나 조사를 위한 증인·감정인·참고인의 출석을 요구하는 경우에는 의장을 경유하지 아니할 수 있다.

ㄴ. (✗) [18 서울7급]

> **국정감사 및 조사에 관한 법률 제12조(공개원칙)**
> 감사 및 조사는 공개한다. 다만, 위원회의 의결로 달리 정할 수 있다.

ㄷ. (○) 국정감사 및 조사에 관한 법률 제9조의2 [19 국가7급]

ㄹ. (✗) [19 국가7급]

> **국정감사 및 조사에 관한 법률 제7조(감사의 대상)**
> 감사의 대상기관은 다음 각 호와 같다.
>  1. 정부조직법, 그 밖의 법률에 따라 설치된 국가기관
>  2. 지방자치단체 중 특별시·광역시·도. 다만, 그 감사범위는 국가위임사무와 국가가 보조금 등 예산을 지원하는 사업으로 한다.
>  3. 공공기관의 운영에 관한 법률 제4조에 따른 공공기관, 한국은행, 농업협동조합중앙회, 수산업협동조합중앙회
>  4. 제1호부터 제3호까지 외의 지방행정기관, 지방자치단체, 감사원법에 따른 감사원의 감사대상기관. 이 경우 본회의가 특히 필요하다고 의결한 경우로 한정한다.

ㅁ. (○) 국정감사 및 조사에 관한 법률 제16조 제3항 [19 국가7급]

**정답** ①

## 093  18·11 국회8급, 09 법원직

**국정감사 및 조사에 대한 설명으로 옳은 것은?**

① 미국 연방헌법에는 국정조사권에 대한 명문의 규정을 두고 구체적 절차는 법률로 정하고 있다.
② 국회는 국정감사·조사권의 행사를 통해서 국정운영의 실태를 정확히 파악하고 입법과 예산심의를 위한 자료를 수집하며 국정의 잘못된 부분을 적발·시정함으로써 입법·예산심의·국정통제기능의 효율적인 수행을 도모할 수 있다.
③ 현행헌법에서는 이러한 국정감사·조사권의 명문화뿐만 아니라 구 헌법에 규정되었던 "다만, 재판과 진행 중인 범죄수사·소추에 간섭할 수 없다."라는 단서조항을 그대로 유지하고 있다.
④ 국정감사나 국정조사를 실시하는 위원회는 증인·감정인·참고인 등을 채택하여 위원회에 출석을 요구할 수 있으며, 이들이 위원회의 출석 요구를 받고도 정당한 이유 없이 출석하지 아니한 때에는 의결로써 이들에 대하여 지정한 장소까지 동행할 것을 명령할 수 있다.

**해설**

① (✕) 미국 연방헌법에는 국정조사권에 대한 명문규정이 없지만, 국정조사권을 의회의 권한 행사를 위하여 필요한 보조적 권한으로 보아 학·설과 판례를 통하여 인정하고 있다. [09 법원직]
② (〇) 국정감사의 기능이다. [18 국회8급]
③ (✕) "다만, 재판과 진행 중인 범죄수사·소추에 간섭할 수 없다."라는 단서조항은 헌법이 아니라 국정감사 및 조사에 관한 법률에 규정되어 있다. [18 국회8급]
④ (✕) 동행명령은 증인에 대하여 할 수 있다. [11 국회8급]

> **국회에서의 증언·감정 등에 관한 법률 제6조(증인에 대한 동행명령)**
> ① 국정감사나 국정조사를 위한 위원회(이하 '위원회'라 한다)는 증인이 정당한 이유 없이 출석하지 아니하는 때에는 그 의결로 해당 증인에 대하여 지정한 장소까지 동행할 것을 명령할 수 있다.
> ② 제1항의 동행명령을 할 때에는 위원회의 위원장이 동행명령장을 발부한다.

강제로 구인할 수 있는 것은 아니고, 동행명령을 거부하면 고발에 따라 국회모욕죄로 처벌받을 수 있다.

**정답** ②

---

**기출지문 OX**

국정조사는 다른 나라에서 유례를 찾기 어려운 우리나라에서 특유하게 발달한 제도이나, 국정감사와 달리 그 기능에서 예산안 심사와 연계하여 국회의 기능을 실효성 있게 하고 권력을 효율적으로 통제할 수 있다는 점에 그 제도적 의의가 있다. 14 국회8급

( O / ✕ )

**해설** 국정감사는 다른 나라에서 유례를 찾기 어려운 우리나라에서 특유하게 발달한 제도이나, 국정조사는 대부분의 다른 나라에도 있는 제도이다.

**정답** ✕

## 094

**국회의 국정감사·조사권에 대한 설명으로 옳지 않은 것은?**

① 국정감사는 정해진 시기에 정기적으로 행해지는 반면, 국정조사는 조사가 필요한 사안이 발생하였을 때 부정기적으로 실시할 수 있다.
② 국회로부터 증언을 요구받은 증인이 불출석한 경우에는 증인에 대하여 동행명령장을 발부할 수 있으나 강제구인할 수는 없다.
③ 국정감사·조사권은 행정부와 아울러 사법부에 대해서도 행사할 수 있다.
④ 국정감사 또는 국정조사를 마친 때에는 위원회는 지체 없이 그 감사 또는 조사보고서를 작성하여 국회의장과 대통령에게 제출하여야 한다.

**해설**

① (O)
② (O) 강제구인은 할 수 없고 국회모독죄로 고발할 수 있다.
③ (O) 사법부에 대한 감사·조사도 가능하다. 사법에 관한 사항 중에서도 법원의 사법행정작용과 대법원의 규칙제정작용 등은 국정감사와 조사의 대상이 된다고 본다. 재판의 신속한 처리 여부, 법관의 적정한 배치 등의 사법행정사항 등이 이에 속한다고 본다. 그러나 사법권의 독립을 보장하기 위하여 현재 계속 중인 재판사건에 대하여 법관의 소송지휘, 재판절차를 대상으로 하는 조사는 허용되지 않는다.
④ (X)

> **국정감사 및 조사에 관한 법률 제15조(감사 또는 조사 결과의 보고)**
> ① 감사 또는 조사를 마쳤을 때에는 위원회는 지체 없이 그 감사 또는 조사 보고서를 작성하여 의장에게 제출하여야 한다.

**정답** ④

## 095

**국회의 공청회 또는 청문회에 관한 설명 중 옳지 않은 것은?**

① 공청회는 중요한 안건 또는 전문지식을 요하는 안건을 심사하기 위하여 이해관계인 또는 학식·경험이 있는 자의 의견을 듣는 것이다.
② 청문회는 중요한 안건의 심사에 필요한 경우 증인·감정인·참고인으로부터 증언·진술을 청취하고 증거를 채택하기 위해 개최된다.
③ 변호사인 청문회의 증인은 증언 내용이 직업상 알게 된 사실로서 타인의 비밀에 관한 것일지라도 증언을 거부할 수 없다.
④ 위원회에서 공청회를 열 때에는 안건·일시·장소·진술인·경비 기타 참고사항을 기재한 문서로 국회의장에게 보고하여야 한다.

**해설**

① (O) 공청회의 개념이다.
② (O) 청문회의 개념이다.
③ (X) 청문회의 증인이 변호사일 때는 형사소송법의 규정에 의하여 증언 내용이 직업상 알게 된 사실로서 타인의 비밀에 관한 것은 증언을 거부할 수 있다.
④ (O) 공청회의 절차이다.

**정답** ③

## 096

**국회의 자율권에 대한 설명으로 옳지 않은 것만을 모두 고르면? (다툼이 있는 경우 판례에 의함)**

ㄱ. 국회는 국회운영에 관하여 폭넓은 자율권을 가지므로 국회의 의사절차나 입법절차에 헌법이나 법률의 규정을 명백히 위반한 흠이 있는 경우가 아닌 한 그 자율권은 권력분립의 원칙이나 국회의 위상과 기능에 비추어 존중되어야 한다.
ㄴ. 국회는 법률의 위임범위 내에서 의사와 내부규율에 관한 규칙을 제정할 수 있다.
ㄷ. 국회의장의 처분에 대한 행정소송의 피고는 국회의장이다.
ㄹ. 국회의원에 대한 국회의 징계는 헌법상 사법심사의 대상이 되지 않지만, 지방의회의원에 대한 지방의회의 징계 의결은 행정소송의 대상이 된다.
ㅁ. 국회의 자율권을 보장하더라도 면책특권의 범위 내에 포함되는 국회의원의 행위는 국회의 징계대상이 될 수 없다.

① ㄱ, ㄴ, ㄷ
② ㄱ, ㄴ, ㄹ
③ ㄴ, ㄷ, ㅁ
④ ㄷ, ㄹ, ㅁ

**해설**

ㄱ. (○) [18 법원직]

> **날치기 통과와 입법절차의 하자** (헌재 1997.7.16. 96헌라2【인용(권한침해), 기각】)
> [1] 국회의원과 국회의장은 권한쟁의심판의 당사자가 될 수 있다.
> 헌법 제111조 제1항 제4호에서 헌법재판소의 관장사항의 하나로 '국가기관 상호 간, 국가기관과 지방자치단체 간 및 지방자치단체 상호 간의 권한쟁의에 관한 심판'이라고 규정하고 있을 뿐 권한쟁의심판의 당사자가 될 수 있는 국가기관의 종류나 범위에 관하여는 아무런 규정을 두고 있지 않고, 이에 관하여 특별히 법률로 정하도록 위임하고 있지도 않다. 따라서 입법자인 국회는 권한쟁의심판의 종류나 당사자를 제한할 입법형성의 자유가 있다고 할 수 없고, 헌법 제111조 제1항 제4호에서 말하는 국가기관의 의미와 권한쟁의심판의 당사자가 될 수 있는 국가기관의 범위는 결국 헌법해석을 통하여 확정하여야 할 문제이다.
> [2] 이 사건 심판의 대상이 헌법재판소가 심사할 수 없는 국회 내부의 자율에 관한 문제인지 여부
> 국회는 국민의 대표기관, 입법기관으로서 폭넓은 자율권을 가지고 있고, 그 자율권은 권력분립의 원칙이나 국회의 지위, 기능에 비추어 존중되어야 하는 것이지만, 한편 법치주의의 원리상 모든 국가기관은 헌법과 법률에 의하여 기속을 받는 것이므로 국회의 자율권도 헌법이나 법률을 위반하지 않는 범위 내에서 허용되어야 하고, 따라서 국회의 의사절차나 입법절차에 헌법이나 법률의 규정을 명백히 위반한 흠이 있는 경우에도 국회가 자율권을 가진다고는 할 수 없다.
> [3] 국회의원의 법률안 심의·표결권은 비록 헌법에는 이에 관한 명문의 규정이 없지만 의회민주주의의 원리, 입법권을 국회에 귀속시키고 있는 헌법 제40조, 국민에 의하여 선출되는 국회의원으로 국회를 구성한다고 규정하고 있는 헌법 제41조 제1항으로부터 당연히 도출되는 헌법상의 권한이다.
> [4] 피청구인이 국회법 제76조 제3항을 위반하여 청구인들에게 본회의 개의일시를 통지하지 않음으로써 청구인들은 이 사건 본회의에 출석할 기회를 잃게 되었고 그 결과 이 사건 법률안의 심의·표결과정에도 참여하지 못하게 되었다. 따라서 나머지 국회법 규정의 위반 여부를 더 나아가 살필 필요도 없이 피청구인의 그러한 행위로 인하여 청구인들이 헌법에 의하여 부여받은 권한인 법률안 심의·표결권이 침해되었음이 분명하다.
> [5] 피청구인의 이 사건 법률안의 가결선포행위에는 위에서 본 바와 같은 국회법 위반의 하자는 있을지언정 입법절차에 관한 헌법의 규정을 명백히 위반한 흠이 있다고 볼 수 없으므로, 이를 무효라고 할 수는 없다.

ㄴ. (✗) [18 법원직]

> **헌법 제64조**
> ① 국회는 법률에 저촉되지 아니하는 범위 안에서 의사와 내부규율에 관한 규칙을 제정할 수 있다.
> ② 국회는 의원의 자격을 심사하며, 의원을 징계할 수 있다.
> ③ 의원을 제명하려면 국회 재적의원 3분의 2 이상의 찬성이 있어야 한다.
> ④ 제2항과 제3항의 처분에 대하여는 법원에 제소할 수 없다.

ㄷ. (✗) 국회의장의 처분에 대한 행정소송의 피고는 국회사무총장이다. [17 입시]
ㄹ. (○) [13 지방7급]
ㅁ. (✗) 면책특권은 법적 책임을 면제하는 것이다. 따라서 징계책임이나 정치적 책임을 묻는 것은 가능하다. [13 지방7급]

**정답** ③

## 097 [NEW] 23 국가7급

**국회의원에 대한 설명으로 옳은 것은?**

① 국회의원을 제명하려면 국회 재적의원 과반수 출석과 출석의원 3분의 2 이상의 찬성이 있어야 한다.
② 국회의원이 다른 의원의 자격에 대하여 이의가 있을 때에는 30명 이상의 연서로 의장에게 자격심사를 청구할 수 있다.
③ 국회의원의 법률안 심의·표결권은 국회의원 각자에게 보장되는 법률상 권한이라는 것 또한 의문의 여지가 없으므로, 이는 국회의원의 개별적 의사에 따라 포기할 수 있는 성질의 것이다.
④ 국회의 구성원인 국회의원이 국회를 위하여 국회의 권한침해를 주장하는 권한쟁의심판의 청구는 그 권능이 권력분립원칙과 소수자보호의 이념으로부터 도출될 수 있으므로,「헌법재판소법」에 명문의 규정이 없더라도 적법하다고 보아야 한다.

**해설**

① (✗)

> **헌법 제64조**
> ③ 의원을 제명하려면 국회 재적의원 3분의 2 이상의 찬성이 있어야 한다.

② (○) 국회법 제138조
③ (✗)

> 국회의원의 법률안 심의·표결권은 국민에 의하여 선출된 국가기관으로서 국회의원이 그 본질적 임무인 입법에 관한 직무를 수행하기 위하여 보유하는 권한으로서의 성격을 갖고 있으므로 국회의원의 개별적인 의사에 따라 포기할 수 있는 것은 아니다. (헌재 2009.10.29. 2009헌라8 등)

④ (✗) 권한쟁의심판을 제기하려면 헌법에 의해 설치된 기관이어야 한다.

**정답** ②

## 098  22 입시

**국회의원의 지위와 권한에 대한 설명으로 옳은 것은?**

① 국회의원은 국회의 구성원일 뿐 헌법에 의하여 독자적인 권한을 부여받고 있는 국가기관으로서의 지위를 가진다고 볼 수 없다.
② 국회의원의 면책특권이 적용되는 행위에 대하여 공소가 제기된 경우 형사처벌할 수 없는 행위에 대하여 공소가 제기된 것이므로 무죄를 선고하여야 한다.
③ 경위나 경찰공무원은 국회 안에 현행범인이 있을 때에는 체포한 후 의장의 지시를 받아야 한다. 다만, 회의장 안에서는 의장의 명령 없이 의원을 체포할 수 없다.
④ 국회의원은 대통령, 헌법재판소 재판관, 감사위원을 겸직할 수는 없지만, 국무총리, 국무위원, 지방자치단체의 장을 겸직할 수 있다.
⑤ 국회의원이 불구속으로 기소되어 징역형이 확정된 경우에도 국회의 회기 중에는 그 형을 집행할 수 없다.

### 해설

① (✗) 국회의원은 국회의 구성원으로 독자적 권한을 가지고 권한쟁의심판의 당사자가 된다.
② (✗) 무죄가 아니라 공소제기의 절차가 법률에 위반되어 무효인 때에 해당하여 공소기각을 선고한다.
③ (○) 국회법 제150조
④ (✗) 국회의원은 대통령, 헌법재판소 재판관, 감사위원, 지방자치단체의 장을 겸직할 수는 없지만, 국무총리, 국무위원을 겸직할 수 있다.

> **국회법 제29조(겸직금지)**
> ① 의원은 국무총리 또는 국무위원 직 외의 다른 직을 겸할 수 없다. 다만, 다음 각 호의 어느 하나에 해당하는 경우에는 그러하지 아니하다.
>   1. 공익목적의 명예직
>   2. 다른 법률에서 의원이 임명·위촉되도록 정한 직
>   3. 정당법에 따른 정당의 직

⑤ (✗) 국회의원이 불구속으로 기소되어 징역형이 확정된 경우에는 국회의 회기 중에도 그 형을 집행할 수 있다.

정답 ③

## 099

**국회의원에 대한 설명으로 옳은 것만을 모두 고른 것은?**

> ㄱ. 국회의원이 당선 전부터 영리업무에 종사하였다면 당선인으로 결정된 날부터 1년 이내에 그 영리업무를 휴업한 후 이를 지체 없이 의장에게 서면으로 신고하여야 한다.
> ㄴ. 국회의원은 그 지위를 남용하여 국가·공공단체 또는 기업체와의 계약이나 그 처분에 의하여 재산상의 권리·이익 또는 직위를 취득하거나 타인을 위하여 그 취득을 알선할 수 없다.
> ㄷ. 국회의원이 회기 전에 체포 또는 구금된 때에는 현행범인이 아닌 한 국회의 요구가 있으면 회기 중 석방된다.
> ㄹ. 지방의회의원으로 하여금 지방공사의 직원을 겸직할 수 없도록 한 조항이 국회의원으로 하여금 국무위원이 될 수도 있도록 하고 있는 조항과 비교하여 차별한 것은 아닌지의 문제가 제기된 헌법소원심판 사건에서 헌법재판소는 지방의원과 국회의원을 합리적 사유가 없이 차별한 것으로서 평등권을 침해한다고 하였다.

① ㄱ, ㄷ
② ㄱ, ㄹ
③ ㄴ, ㄷ
④ ㄷ, ㄹ

### 해설

ㄱ. (✕) [22 5급행시]

> **국회법 제29조의2(영리업무 종사금지)**
> ① 의원은 그 직무 외에 영리를 목적으로 하는 업무에 종사할 수 없다. 다만, 의원 본인 소유의 토지·건물 등의 재산을 활용한 임대업 등 영리업무를 하는 경우로서 의원 직무수행에 지장이 없는 경우에는 그러하지 아니하다.
> ② 의원이 당선 전부터 제1항 단서의 영리업무 외의 영리업무에 종사하고 있는 경우에는 임기개시 후 6개월 이내에 그 영리업무를 휴업하거나 폐업하여야 한다.
> ③ 의원이 당선 전부터 제1항 단서의 영리업무에 종사하고 있는 경우에는 임기개시 후 1개월 이내에, 임기 중에 제1항 단서의 영리업무에 종사하게 된 경우에는 지체 없이 이를 의장에게 서면으로 신고하여야 한다.

ㄴ. (○) 헌법 제46조 제3항 [22 5급행시]
ㄷ. (○) 헌법 제44조 제2항 [22 5급행시]
ㄹ. (✕) 지방의회의원과 국회의원은 비교집단이 설정되지 않으므로 평등권 침해가 아니다. [21 국회8급]

**정답** ③

## 100 회독 ☐☐☐ 재구성

22 국가7급, 21 변호사

**국회의원에 대한 설명으로 옳지 않은 것은? (다툼이 있는 경우 판례에 의함)**

① 국회의원을 체포하거나 구금하기 위하여 국회의 동의를 받으려고 할 때에는 관할 법원의 판사는 영장을 발부하기 전에 체포동의 요구서를 국회에 제출하여야 한다.
② 국회의 동의권이 침해되었다고 하여 동시에 국회의원의 심의·표결권이 침해된다고 할 수 없고, 또 국회의원의 심의·표결권은 국회의 대내적인 관계에서 행사되고 침해될 수 있을 뿐 다른 국가기관과의 대외적인 관계에서는 침해될 수 없다.
③ 국회의원이 국회 내에서 하는 정부 행정기관에 대한 자료제출의 요구는 그것이 직무상 질문이나 질의를 준비하기 위한 것인 경우에 직무상 발언에 부수하여 행하여진 것으로서 면책특권이 인정되어야 한다.
④ 구 「공직자윤리법」상 매각 또는 백지신탁의 대상이 되는 주식의 보유한도액을 결정함에 있어 국회의원 본인뿐만 아니라 본인과 일정한 친족관계가 있는 자들의 보유주식 역시 포함하도록 하고 있는 것은 본인과 친족 사이의 실질적 경제적 관련성에 근거한 것이지, 실질적으로 의미 있는 관련성이 없음에도 오로지 친족관계 그 자체만으로 불이익한 처우를 가하는 것이 아니므로 헌법 제13조 제3항에 위배되지 아니한다.

### 해설

① (X) [22 국가7급]

> **국회법 제26조(체포동의 요청의 절차)**
> ① 의원을 체포하거나 구금하기 위하여 국회의 동의를 받으려고 할 때에는 관할 법원의 판사는 영장을 발부하기 전에 체포동의 요구서를 정부에 제출하여야 하며, 정부는 이를 수리한 후 지체 없이 그 사실을 첨부하여 국회에 체포동의를 요청하여야 한다.

② (O) [21 변호사]

> **국회의원의 제3자 소송담당** (헌재 2008.1.17. 2005헌라10)
> [1] 권한쟁의심판의 청구인은 청구인의 권한침해만을 주장할 수 있도록 하고 있을 뿐, 국가기관의 부분 기관이 자신의 이름으로 소속 기관의 권한을 주장할 수 있는 '제3자 소송담당'의 가능성을 명시적으로 규정하고 있지 않은 현행법체계에서 국회의 구성원인 청구인들은 국회의 '예산 외에 국가의 부담이 될 계약'의 체결에 있어 동의권의 침해를 주장하는 권한쟁의심판을 청구할 수 없다.
> [2] 국회의 동의권이 침해되었다고 하여 동시에 국회의원의 심의·표결권이 침해된다고 할 수 없고, 또 국회의원의 심의·표결권은 국회의 대내적인 관계에서 행사되고 침해될 수 있을 뿐 다른 국가기관과의 대외적인 관계에서는 침해될 수 없는 것이므로, 국회의원들 상호 간 또는 국회의원과 국회의장 사이와 같이 국회 내부적으로만 직접적인 법적 연관성을 발생시킬 수 있을 뿐이고 대통령 등 국회 이외의 국가기관과 사이에서는 권한침해의 직접적인 법적 효과를 발생시키지 아니한다. 그렇다면 정부가 국회의 동의 없이 예산 외에 국가의 부담이 될 계약을 체결하였다고 하더라도 국회의 동의권이 침해될 수는 있어도 국회의원인 청구인들 자신의 심의·표결권이 침해될 가능성은 없다.

③ (O) 면책특권은 직무행위뿐만 아니라 부수행위에까지 인정된다. [22 국가7급]
④ (O) 헌재 2012.8.23. 2010헌가65 [22 국가7급]

**정답** ①

## 101 회독 ☐☐☐ 재구성　　　　　　　　　　　　　　　　　21 서울·지방7급, 20 5급행시

**국회의원에 대한 설명으로 옳지 않은 것은?**

① 국회의원의 임기가 개시된 후에 실시하는 선거에 의한 국회의원의 임기는 당선이 결정된 때의 다음 날부터 개시되며 전임자의 잔임기간으로 한다.
② 국회의원이 체포 또는 구금된 국회의원의 석방 요구를 발의할 때에는 재적의원 4분의 1 이상의 연서로 그 이유를 첨부한 요구서를 의장에게 제출하여야 한다.
③ 국회의원은 국무총리 또는 국무위원 직 외의 다른 직을 겸할 수 없으나, 다른 법률에서 국회의원이 임명·위촉되도록 정한 직은 겸할 수 있다.
④ 국회의원은 그 직무 외에 영리를 목적으로 하는 업무에 종사할 수 없으나, 다만 국회의원 본인 소유의 토지·건물 등의 재산을 활용한 임대업 등 영리업무를 하는 경우로서 국회의원 직무수행에 지장이 없는 경우에는 그러하지 아니하다.

### 해설

① (✗) 국회의원의 임기가 개시된 후에 실시하는 선거란 보궐선거를 말하는 것이다. 보궐선거로 당선된 국회의원의 임기는 '당선이 결정된 때의 다음 날부터' 개시되는 것이 아니라 '당선이 결정된 때부터' 개시된다. [20 5급행시]

> **공직선거법 제14조(임기개시)**
> ② 국회의원과 지방의회의원(이하 이 항에서 '의원'이라 한다)의 임기는 총선거에 의한 전임의원의 임기만료일의 다음 날부터 개시된다. 다만, 의원의 임기가 개시된 후에 실시하는 선거와 지방의회의원의 증원선거에 의한 의원의 임기는 당선이 결정된 때부터 개시되며 전임자 또는 같은 종류의 의원의 잔임기간으로 한다.

② (○) 국회법 제28조 [21 서울·지방7급]
③ (○) 국회법 제29조 제1항 제2호 [21 서울·지방7급]
④ (○) 국회법 제29조의2 제1항 [21 서울·지방7급]

**정답** ①

### 예상조문

> **국회법 제29조(겸직금지)**
> ① 의원은 국무총리 또는 국무위원 직 외의 다른 직을 겸할 수 없다. 다만, 다음 각 호의 어느 하나에 해당하는 경우에는 그러하지 아니하다.
>  1. 공익목적의 명예직
>  2. 다른 법률에서 의원이 임명·위촉되도록 정한 직
>  3. 정당법에 따른 정당의 직
> ⑦ 의장은 제4항에 따라 의원에게 통보한 날부터 15일 이내(본회의 의결 또는 의장의 추천·지명 등에 따라 임명·위촉된 경우에는 해당 의원이 신고한 날부터 15일 이내)에 겸직 내용을 국회공보 또는 국회 인터넷 홈페이지 등에 게재하는 방법으로 공개하여야 한다.
> ⑧ 의원이 제1항 각 호의 직을 겸하는 경우에는 그에 따른 보수를 받을 수 없다. 다만, 실비 변상은 받을 수 있다.
>
> **제32조의2(사적 이해관계의 등록)**
> ① 의원 당선인은 당선인으로 결정된 날부터 30일 이내(재선거·보궐선거 등의 경우에는 당선인으로 결정된 날부터 10일 이내를 말한다)에 당선인으로 결정된 날을 기준으로 다음 각 호의 사항을 윤리심사자문위원회에 등록하여야 한다. 이 경우 윤리심사자문위원회는 다른 법령에서 정보공개가 금지되지 아니하는 범위에서 다음 각 호의 사항 중 의원 본인에 관한 사항을 공개할 수 있다.
>  1. 의원 본인, 그 배우자 또는 직계존비속이 임원·대표자·관리자 또는 사외이사로 재직하고 있는 법인·단체의 명단 및 그 업무 내용
>  2. 의원 본인, 그 배우자 또는 직계존비속이 대리하거나 고문·자문 등을 제공하는 개인이나 법인·단체의 명단 및 그 업무 내용
>  3. 의원으로 당선되기 전 3년 이내에 의원 본인이 재직하였던 법인·단체의 명단 및 그 업무 내용
>  4. 의원으로 당선되기 전 3년 이내에 의원 본인이 대리하거나 고문·자문 등을 제공하였던 개인이나 법인·단체의 명단 및 그 업무 내용

5. 의원으로 당선되기 전 3년 이내에 의원 본인이 민간 부문에서 관리·운영하였던 사업 또는 영리행위의 내용
6. 의원 본인, 그 배우자 또는 직계존비속이 국회규칙으로 정하는 비율 또는 금액 이상의 주식·지분 또는 자본금 등을 소유하고 있는 법인·단체의 명단
6의2. 의원 본인, 그 배우자 또는 직계존비속이 소유하고 있는 국회규칙으로 정하는 비율 또는 금액 이상의 가상자산(가상자산 이용자 보호 등에 관한 법률 제2조 제1호에 따른 가상자산을 말한다)과 발행인 명단
7. 의원 본인, 그 배우자 또는 직계존비속이 소유하고 있는 다음 각 목의 재산(소유 명의와 관계없이 사실상 소유하는 재산, 비영리법인에 출연한 재산과 외국에 있는 재산을 포함한다)
   가. 부동산에 관한 소유권·지상권 및 전세권
   나. 광업권·어업권·양식업권, 그 밖에 부동산에 관한 규정이 준용되는 권리
8. 그 밖에 의원의 사적 이해관계와 관련되는 사항으로서 국회규칙으로 정하는 재산사항
② 의원은 제1항 각 호의 등록사항에 대하여 국회규칙으로 정하는 변경사항이 발생한 경우에는 발생한 날부터 10일 이내에 윤리심사자문위원회에 변경등록을 하여야 한다.

### 제32조의3(윤리심사자문위원회의 의견 제출)
① 윤리심사자문위원회는 제32조의2에 따른 등록 및 변경등록 사항을 바탕으로 이해충돌(의원이 직무를 수행할 때 본인의 사적 이해관계가 관련되어 공정하고 청렴한 직무수행이 저해되거나 저해될 우려가 있는 상황을 말한다. 이하 같다) 여부를 검토하여 그 의견을 의장, 해당 의원 및 소속 교섭단체 대표의원에게 제출하여야 한다.

### 제32조의4(이해충돌의 신고)
① 의원은 소속 위원회의 안건 심사, 국정감사 또는 국정조사와 관련하여 다음 각 호의 어느 하나에 해당하는 자가 직접적인 이익 또는 불이익을 받게 되는 것을 안 경우에는 안 날부터 10일 이내에 윤리심사자문위원회에 그 사실을 신고하여야 한다.
1. 의원 본인 또는 그 가족(민법 제779조에 따른 가족을 말한다. 이하 같다)
2. 의원 본인 또는 그 가족이 임원·대표자·관리자 또는 사외이사로 재직하고 있는 법인·단체
3. 의원 본인 또는 그 가족이 대리하거나 고문·자문 등을 제공하는 개인이나 법인·단체
4. 의원 임기개시 전 2년 이내에 의원 본인이 대리하거나 고문·자문 등을 제공하였던 개인이나 법인·단체
5. 의원 본인 또는 그 가족이 국회규칙으로 정하는 일정 비율 이상의 주식·지분 또는 자본금 등을 소유하고 있는 법인·단체
6. 최근 2년 이내에 퇴직한 공직자로서 퇴직일 전 2년 이내에 위원회의 안건 심사, 국정감사 또는 국정조사를 수행하는 의원과 국회규칙으로 정하는 범위의 부서에서 같이 근무하였던 사람
7. 그 밖에 의원의 사적 이해관계와 관련되는 자로서 국회규칙으로 정하는 자
② 윤리심사자문위원회는 제1항에 따른 신고를 바탕으로 이해충돌 여부를 검토하여 의원이 소속 위원회 활동과 관련하여 이해충돌이 발생할 우려가 있다고 인정하는 경우에는 그 의견을 신고를 받은 날부터 10일 이내에 의장, 해당 의원 및 소속 교섭단체 대표의원에게 제출하여야 한다.

### 제32조의5(이해충돌 우려가 있는 안건 등에 대한 회피)
① 의원은 소속 위원회의 안건 심사, 국정감사 또는 국정조사 과정에서 제32조의4 제1항의 신고사항에 해당하여 이해충돌이 발생할 우려가 있다고 판단하는 경우에는 소속 위원회의 위원장에게 그 사안 또는 안건에 대한 표결 및 발언의 회피를 신청하여야 한다.
② 제1항에 따른 회피 신청을 받은 위원장은 간사와 협의하여 회피를 허가할 수 있다.
③ 윤리심사자문위원회는 의원이 이해충돌 우려가 있음에도 불구하고 제1항에 따라 표결 및 발언의 회피를 신청하지 아니하였다고 인정하는 경우에는 그 의견을 의장, 해당 의원 및 소속 교섭단체 대표의원에게 제출할 수 있다.

### 제32조의6(공직자의 이해충돌 방지법의 적용 특례)
① 의원이 제32조의2 제1항 제3호부터 제5호까지의 사적 이해관계를 등록 또는 변경등록한 경우에는 공직자의 이해충돌 방지법 제8조에 따른 의무를 이행한 것으로 본다.

### 제46조의2(윤리심사자문위원회)
① 다음 각 호의 사무를 수행하기 위하여 국회에 윤리심사자문위원회를 둔다.
1. 의원의 겸직, 영리업무 종사와 관련된 의장의 자문
2. 의원 징계에 관한 윤리특별위원회의 자문
3. 의원의 이해충돌 방지에 관한 사항
② 윤리심사자문위원회는 위원장 1명을 포함한 8명의 자문위원으로 구성하며, 자문위원은 각 교섭단체 대표의원의 추천에 따라 의장이 위촉한다.
③ 자문위원의 임기는 2년으로 한다.

④ 각 교섭단체 대표의원이 추천하는 자문위원 수는 교섭단체 소속 의원 수의 비율에 따른다. 이 경우 소속 의원 수가 가장 많은 교섭단체 대표의원이 추천하는 자문위원 수는 그 밖의 교섭단체 대표의원이 추천하는 자문위원 수와 같아야 한다.
⑤ 윤리심사자문위원회 위원장은 자문위원 중에서 호선하되, 위원장이 선출될 때까지는 자문위원 중 연장자가 위원장의 직무를 대행한다.
⑥ 의원은 윤리심사자문위원회의 자문위원이 될 수 없다.

### 제73조의2(원격영상회의)
① 의장은 감염병의 예방 및 관리에 관한 법률 제2조 제2호에 따른 제1급감염병의 확산 또는 천재지변 등으로 본회의가 정상적으로 개의되기 어렵다고 판단하는 경우에는 각 교섭단체 대표의원과 합의하여 본회의를 원격영상회의(의원이 동영상과 음성을 동시에 송수신하는 장치가 갖추어진 복수의 장소에 출석하여 진행하는 회의를 말한다. 이하 이 조에서 같다) 방식으로 개의할 수 있다.
② 의장은 제76조 제2항 및 제77조에도 불구하고 각 교섭단체 대표의원과 합의하여 제1항에 따른 본회의의 당일 의사일정을 작성하거나 변경한다.
③ 의장이 각 교섭단체 대표의원과 합의한 경우에만 제1항에 따른 본회의에 상정된 안건을 표결할 수 있다.
④ 원격영상회의에 출석한 의원은 동일한 회의장에 출석한 것으로 보며, 제111조 제1항에도 불구하고 표결에 참가할 수 있다.
⑤ 제1항에 따라 개의된 본회의에서의 표결은 제6항에 따른 원격영상회의시스템을 이용하여 제112조에 따라 실시한다. 다만, 의장이 필요하다고 인정하는 경우에는 거수로 표결할 수 있다.

## 102

**국회의원의 지위와 권한에 대한 설명으로 옳은 것만을 모두 고르면? (다툼이 있는 경우 판례에 의함)**

> ㄱ. 지역구국회의원은 해당 지역구 국민을 대표하지만, 비례대표국회의원은 전체 국민을 대표한다.
> ㄴ. 국회의장이 국회의원을 그 의사에 반하여 국회 상임위원회 소속을 변경하는 행위는 권한쟁의심판의 대상이 된다.
> ㄷ. 국회의장이 교섭단체의 필요에 따라 국회의원을 다른 상임위원회로 강제전임하는 조치는 헌법을 위반하여 해당 국회의원의 원소속 상임위원회에서의 법률안 심의·표결권을 침해하는 것이 아니다.
> ㄹ. 「국회법」은 상임위원회의 상임위원을 개선함에 있어 '임시회'의 경우에는 회기 중에 개선할 수 없도록 하고 있는데, 여기에서의 '회기'는 '개선의 대상이 되는 해당 위원이 선임 또는 개선된 임시회의 회기'를 의미하는 것으로 해석된다.

① ㄱ, ㄴ
② ㄴ, ㄷ
③ ㄷ, ㄹ
④ ㄴ, ㄷ, ㄹ

### 해설

ㄱ. (X) 지역구국회의원도 국민을 대표한다. [12 법원직]

ㄴ. (O) [12 법원직]

ㄷ. (O) 헌법재판소는 정당국가적 현실에 기초한 정당기속을 어느 정도 인정하고 있다. [21 입시]

> 국회의원의 국민대표성을 중시하는 입장에서도 특정 정당에 소속된 국회의원이 정당기속 내지는 교섭단체의 결정(소위 '당론')에 위반하는 정치활동을 한 이유로 제재를 받는 경우, 국회의원 신분을 상실하게 할 수는 없으나 '정당 내부의 사실상의 강제' 또는 소속 '정당으로부터의 제명'은 가능하다고 보고 있다. 그렇다면, 당론과 다른 견해를 가진 소속 국회위원을 당해 교섭단체의 필요에 따라 다른 상임위원회로 전임(사·보임)하는 조치는 특별한 사정이 없는 한 헌법상 용인될 수 있는 '정당 내부의 사실상 강제'의 범위 내에 해당한다고 할 것이다. (헌재 2003.10.30. 2002헌라1)

ㄹ. (O) [21 입시]

**정답** ④

## 103 <sub>회독</sub> 재구성      21·20 변호사

**국회의원에 대한 설명으로 옳지 않은 것만을 모두 고르면? (다툼이 있는 경우 판례에 의함)**

ㄱ. 국회의원이 자신의 발언 내용이 허위라는 점을 인식하지 못하여 발언 내용에 다소 근거가 부족하거나 진위 여부를 확인하기 위한 조사를 제대로 하지 않았다면, 발언이 직무수행의 일환으로 이루어졌더라도 면책특권의 대상이 되지 않는다.

ㄴ. 경상보조금과 선거보조금은 지급 당시 「국회법」에 의하여 동일 정당의 소속 의원으로 교섭단체를 구성한 정당에 대하여 그 100분의 50을 정당별로 의석 비율에 따라 분할하여 배분·지급한다.

ㄷ. 국회의장이 적법한 반대토론 신청이 있었음에도 반대토론을 허가하지 않고 토론절차를 생략하기 위한 의결을 거치지도 않은 채 법률안들에 대한 표결절차를 진행한 것은 국회의원의 법률안 심의·표결권을 침해한 것이며, 국회의원의 법률안 심의·표결권 침해가 확인된 이상 그 법률안의 가결선포행위는 무효이다.

ㄹ. 사립대학 교원이 국회의원으로 당선된 경우 임기개시일 전까지 그 직을 사직하도록 강제하는 것은 당선된 사립학교 교원으로 하여금 그 직을 휴직하게 하는 것만으로도 충분히 국회의원으로서의 공정성과 직무전념성을 확보할 수 있으므로 사립학교 교원의 공무담임권을 침해한다.

① ㄱ, ㄴ, ㄷ
② ㄱ, ㄷ, ㄹ
③ ㄴ, ㄷ, ㄹ
④ ㄱ, ㄴ, ㄷ, ㄹ

### 해설

ㄱ. (X) 국회의원이 자신의 발언 내용이 허위라는 점을 인식하지 못하여 발언 내용에 다소 근거가 부족하거나 진위 여부를 확인하기 위한 조사를 제대로 하지 않았더라도, 발언이 직무수행의 일환으로 이루어졌다면 면책특권의 대상이 된다. [20 변호사]

ㄴ. (X) [21 변호사]

**🔷 국고보조금의 배분**

| 전체의 50% | 동일 정당의 소속 의원으로 교섭단체(20석 이상)를 구성한 정당에 균등지급한다. |
|---|---|
| 5% | 교섭단체를 구성하지 못한 정당 중 5석 이상의 의석을 가진 정당(5석 이상 19석 이하)에 균등지급한다. |
| 2% | • 최근 실시된 국회의원 총선거에서 유효투표총수의 100분의 2 이상 득표하였으나 의석은 없는 정당<br>• 국회의원 총선거에서 유효투표총수의 100분의 2 미만을 얻었으나 의석은 있으며, 지방자치단체 선거에서 유효투표총수의 100분의 0.5 이상을 득표한 정당<br>• 최근 실시된 국회의원 선거에 참여하지 아니한 정당으로서, 지방자치단체 선거에서 유효투표총수의 100분의 2 이상을 득표한 정당 |
| 잔여분 | 잔여분 중 100분의 50은 의석 수 비율에 따라, 100분의 50은 득표율에 따라 배분한다. |

의석이 없는 정당도 보조금을 배분받을 수 있다. 특히 최근에 실시된 임기만료에 의한 국회의원 선거에 참여하지 아니한 정당의 경우에도 보조금을 배분받을 수 있다.

ㄷ. (X) [20 변호사]

피청구인은 청구인의 반대토론 신청이 적법하게 이루어졌음에도 이를 허가하지 않고 나아가 토론절차를 생략하기 위한 의결을 거치지도 않은 채 이 사건 법률안들에 대한 표결절차를 진행하였으므로, 이는 국회법 제93조 단서를 위반하여 청구인의 법률안 심의·표결권을 침해하였다. (헌재 2011.8.30. 2009헌라7)

국회의 입법과 관련하여 일부 국회의원들의 권한이 침해되었다고 하더라도 그것이 다수결의 원칙(헌법 제49조)과 회의공개의 원칙(헌법 제50조)과 같은 입법절차에 관한 헌법의 규정을 명백히 위반한 흠에 해당하는 것이 아니라면 그 법률안의 가결선포행위를 곧바로 무효로 볼 것은 아닌데, 피청구인의 이 사건 법률안들에 대한 가결선포행위는 그것이 입법절차에 관한 헌법규정을 위반하였다는 등 가결선포행위를 취소 또는 무효로 할 정도의 하자에 해당한다고 보기는 어렵다.

ㄹ. (✕) [20 변호사]

> 심판대상조항은 국회의원의 직무수행에 있어 공정성과 전념성을 확보하여 국회가 본연의 기능을 충실히 수행하도록 하는 동시에 대학교육을 정상화하기 위한 것이므로, 입법자가 이를 심판대상조항으로 인해 발생하는 공무담임권 및 직업선택의 자유에 대한 제한보다 중시한다고 해서 법익의 균형성원칙에도 위반된다고 보기 어렵다. (헌재 2015.4.30. 2014헌마621)

정답 ④

## 104 [재구성]  [20 입시]

**국회 및 국회의원의 권한과 의무에 대한 설명으로 옳지 않은 것은?**

① 국회의원 제명은 헌법상 국회 재적의원 3분의 2 이상의 찬성이 있어야 하고, 제명처분에 대해서는 법원에 제소할 수 없다.
② 국회의원이 공개된 법제사법위원회에서 발언할 내용이 담긴 보도자료를 법제사법위원회 개의 당일 국회의원회관에서 기자들에게 사전에 배포한 행위는 면책특권의 대상이 된다.
③ 조약의 체결·비준에 대한 동의권은 국회에 있으며, 조약의 체결·비준 동의안에 대한 심의·표결권은 국회의원에게 있다.
④ 국회의원의 청렴의무, 지위남용금지의무, 품위유지의무, 겸직금지의무는 헌법에 규정되어 있다.

**해설**

① (○)

> **헌법 제64조**
> ① 국회는 법률에 저촉되지 아니하는 범위 안에서 의사와 내부규율에 관한 규칙을 제정할 수 있다.
> ② 국회는 의원의 자격을 심사하며, 의원을 징계할 수 있다.
> ③ 의원을 제명하려면 국회 재적의원 3분의 2 이상의 찬성이 있어야 한다.
> ④ 제2항과 제3항의 처분에 대하여는 법원에 제소할 수 없다.

② (○) 직무부수행위의 일종으로 면책특권의 대상이 된다.
③ (○) 동의는 국회의 권한이고, 심의·표결권은 국회의원 개인의 권한이다.
④ (✕) 품위유지의무는 헌법이 아니라 국회법상 의무이다. 헌법이 규정하는 국회의원의 의무는 청렴의무, 국가이익우선의무, 이권불개입의무(지위남용금지의무), 겸직금지의무이다.

정답 ④

> **기출지문 OX**
>
> ❶ 국가 간의 단순한 행정협조적 또는 기술적 사항에 관한 내용으로 조약을 체결·비준하는 경우에는 국회의 동의를 요하지 아니한다. 09 국회8급 ( O / × )
>
> 해설 국회의 동의를 요하는 조약은 헌법 제60조에 규정된 조약에 한정된다(열거설). 그 외의 국가 간의 단순한 행정협조적 또는 기술적 사항(예 행정협정, 문화교류협정)에 관한 내용으로 조약을 체결·비준하는 경우에는 국회의 동의를 요하지 아니한다.
>
> 정답 O
>
> ❷ 헌법에 의하여 체결·공포된 조약이란 헌법상의 규정과 절차에 따른 조약을 말하며, 헌법상 조약의 체결권은 대통령에게 있다. 09 국회8급 ( O / × )
>
> 정답 O

## 105  회독 ☐☐☐  재구성                       19 입시, 12 변호사

**국회의원의 지위와 특권에 대한 설명으로 옳은 것은?**

① 「공직선거법」 제192조 제4항에 따라 비례대표국회의원은 소속 정당의 해산시에 그 의원직을 유지하는데, 여기서 말하는 해산에는 헌법재판소의 해산결정에 따른 해산이 포함된다.
② 국회의원은 국회에서 직무상 행한 발언과 표결에 관하여 그 임기 중에 한정하여 국회 밖에서도 민·형사상 책임이 면제된다.
③ 국회의원에게는 헌법 제44조에 따른 불체포특권이 있으므로, 현행범이 아닌 국회의원을 구속하여 수사하려면 회기 종료를 기다릴 수밖에 없다.
④ 국회의원에 대해서는 공개회의에서의 경고, 공개회의에서의 사과, 30일 이내의 출석정지, 제명의 4가지 징계가 가능한데, 제명 이외의 징계에 대해서는 법원에 제소할 수 있다.
⑤ 국회의원이 사직하고자 하는 경우, 회기 중에는 국회의 의결이 있어야 하고, 폐회 중에는 국회의장의 허가가 있어야 한다.

해설

① (✗) 헌법재판소의 해산결정에 따른 경우에는 의원직이 상실된다. [19 입시]
② (✗) 면책특권은 임기 후에도 보장된다. [19 입시]
③ (✗) 회기 중에도 국회의 동의가 있으면 체포가 가능하다. [19 입시]
④ (✗) 국회의 징계는 헌법의 명문규정에 의해 법원에 제소 불가능하다. [19 입시]
⑤ (O) 국회법 제135조 [12 변호사]

정답 ⑤

## 106

**국회의원의 자격과 권리에 대한 설명으로 옳지 않은 것은?**

① 국민에 의해서 선출된 국회의원은 특정한 지역민이나 계층을 대표하는 것이 아니라, 전체 국민의 이익을 고려해야 하므로 명령적 위임에 따르지 아니한다.
② 의원이 발의할 수 있는 주요 의안으로는 법률안, 체포 또는 구금된 의원의 석방 요구안, 정부관계자의 출석 요구안, 의원에 대한 윤리심사 및 징계 요구안 등이 있다.
③ 국회의원은 자기의 징계안에 관한 본회의 또는 위원회에 출석하여 변명할 수 있으나, 다른 의원으로 하여금 변명하게 할 수는 없다.
④ 국회가 의원의 자격 유무를 심사하여 그 자격이 없는 것으로 의결할 때에는 재적의원 3분의 2 이상의 찬성이 있어야 한다.

### 해설

① (O) 헌법재판소는 최근 지역구국회의원은 원칙적으로 국민의 대표이지만 지역의 대표성도 있다고 판시한 바 있다. [15 국회8급]
② (O) [13 국회8급]
③ (X) [18 5급행시]

> **국회법 제160조(변명)**
> 의원은 자기의 징계안에 관한 본회의 또는 위원회에 출석하여 변명하거나 다른 의원으로 하여금 변명하게 할 수 있다. 이 경우 의원은 변명이 끝난 후 회의장에서 퇴장하여야 한다.

④ (O) 국회의원 제명은 재적의원 3분의 2 이상의 찬성이 필요한데 헌법이 직접 규정하고 있다. 자격심사 자체는 헌법에 규정이 있지만 무자격 결정에 재적의원 3분의 2 이상의 찬성이 필요한 것은 국회법 규정이다. [19 5급행시]

**정답** ③

 **핵심노트**

### 불체포특권(의원의 특권인 동시에 의회의 특권 – 포기 ×)

| 국회의원은 | 현행범인인 경우를 제외하고는 | 회기 중 | 국회의 동의 없이 | 체포 또는 구금되지 아니한다. |
|---|---|---|---|---|
| 오직 국회의원에게만 인정된다. | 현행범인인 경우 불체포특권은 일체 인정되지 않는다. | 휴회도 회기 중에 포함된다. | 국회의 동의가 있으면 회기 중에도 체포된다. | 체포·구금만 면제된다. 불구속수사 후 형이 확정되면 집행할 수 있다. |

1. **국회동의의 절차**
   국회의 동의를 받기 위해서 관할 법원의 판사는 영장을 발부하기 전에 체포동의 요구서를 정부에 제출하여야 하며, 정부는 이를 수리한 후 국회에 체포동의를 요청하여야 한다. (국회법 제26조)

2. **회기 전에 체포된 경우**
   국회의원이 회기 전에 체포 또는 구금된 때에는 현행범인이 아닌 한 국회의 요구가 있으면 회기 중 석방된다. (헌법 제44조 제2항) 회기 전에 체포·구금되고 현행범인이 아닌 경우에도 국회의 석방 요구가 없으면 불체포특권은 인정되지 아니한다.

3. **계엄하의 불체포특권**
   계엄법 제13조는 "계엄선포 중 국회의원은 현행범인인 경우를 제외하고는 체포 또는 구금되지 아니한다."라고 하여 계엄선포 중에는 현행범인이 아닌 한 회기 전, 회기 중을 가리지 아니하고 불체포특권이 인정되므로 계엄 중에는 불체포특권이 강화된다. 이때의 계엄은 비상계엄과 경비계엄을 포함한다.

4. **불체포특권의 효과**
   불체포특권은 회기 중 체포당하지 아니하는 특권을 의미할 뿐, 형사책임의 면제를 의미하는 것은 아니다.

### 면책특권(의원의 특권인 동시에 의회의 특권 – 포기 ×)

| 국회의원은 | 국회에서 | 직무상 행한 | 발언과 표결에 관하여 | 국회 외에서 | 책임을 지지 아니한다. |
|---|---|---|---|---|---|
| 오직 국회의원에게만 인정된다. | 국회의 업무수행 중인 모든 공간을 말한다. | 직무부수행위도 포함된다. | 발언과 표결이 아닌 폭행 등은 제외된다. | 국회 내에서의 책임은 인정된다. | 민·형사상의 법적 책임이 면제된다. 정치적 책임이나 징계는 가능하다. |

1. **인적 처벌조각사유**
   면책특권은 범죄성립의 요건은 충족하나 그에 관한 형벌권의 발생이 저지되는 경우이므로 인적 처벌조각사유이다. 따라서 발언을 교사하거나 방조한 자는 민·형사상의 책임을 면할 수 없다.

2. **절대적 권리**
   면책특권은 불체포특권과는 달리 국회의 의결로도 그 효력을 제한할 수 없는 절대적 권리이다.

3. **공소를 제기한 경우**

| 면책특권에 대해 공소제기한 경우 | 대통령의 불소추특권에 대해 공소제기한 경우 |
|---|---|
| 만약 검사가 공소를 제기하면 '공소제기의 절차가 법률의 규정에 위반하여 무효인 때'에 해당하여, 무죄가 아닌 공소기각의 판결을 선고하게 된다. | 재판권의 부존재사유에 해당하여 공소기각의 판결을 한다. |

### 대통령의 불소추특권

| 대통령은 | 내란 또는 외환의 죄를 범한 경우를 제외하고는 | 재직 중 | 형사상의 소추를 받지 아니한다. |
|---|---|---|---|
| 오직 대통령만 | 내란·외환의 죄라면 재직 중에도 소추가 가능하다. | 퇴직 후에는 일반범죄도 소추 가능하다. 재직 중에는 공소시효가 정지된다. | 학설이 대립한다. |

## 107 회독 ☐☐☐ NEW          24 변호사

「국회법」에 관한 설명 중 옳지 않은 것은? (다툼이 있는 경우 판례에 의함)

① 국회의원을 체포하거나 구금하기 위하여 국회의 동의를 받으려고 할 때에는 관할 법원의 판사는 영장을 발부하기 전에 체포동의 요구서를 정부에 제출하여야 하며, 정부는 이를 수리한 후 지체 없이 그 사본을 첨부하여 국회에 체포동의를 요청하여야 한다.
② 국회의원은 둘 이상의 상임위원이 될 수 있고, 각 교섭단체 대표의원은 국회운영위원회의 위원이 된다. 다만, 국회의장은 상임위원이 될 수 없다.
③ 국회 상임위원은 소관 상임위원회의 직무와 관련한 영리행위를 하여서는 아니 된다. 다만, 국회 윤리심사자문위원회의 심사를 거쳐 윤리심사자문위원회 위원장의 허가를 받은 경우에는 예외로 한다.
④ 출석의원 과반수의 찬성이 있거나 의장이 국가의 안전보장을 위하여 필요하다고 인정할 때에는 국회의 회의를 공개하지 아니할 수 있다고 규정한 헌법 제50조 제1항 단서가 국회 소위원회에도 적용되므로, 국회 소위원회의 의결로 회의를 비공개할 수 있도록 규정한 「국회법」 조항은 과잉금지원칙에 위배되는 위헌적인 규정이라 할 수 없다.
⑤ 국회의원이 체포 또는 구금된 의원의 석방 요구를 발의할 때에는 국회 재적의원 4분의 1 이상의 연서로 그 이유를 첨부한 요구서를 국회의장에게 제출하여야 한다.

### 해설

① (O)

> **국회법 제26조(체포동의 요청의 절차)**
> ① 의원을 체포하거나 구금하기 위하여 국회의 동의를 받으려고 할 때에는 관할 법원의 판사는 영장을 발부하기 전에 체포동의 요구서를 정부에 제출하여야 하며, 정부는 이를 수리한 후 지체 없이 그 사본을 첨부하여 국회에 체포동의를 요청하여야 한다.
> ② 의장은 제1항에 따른 체포동의를 요청받은 후 처음 개의하는 본회의에 이를 보고하고, 본회의에 보고된 때부터 24시간 이후 72시간 이내에 표결한다. 다만, 체포동의안이 72시간 이내에 표결되지 아니하는 경우에는 그 이후에 최초로 개의하는 본회의에 상정하여 표결한다.

② (O) 각 교섭단체 대표의원은 국회운영위원회와 정보위원회 위원이 된다. 국회부의장은 상임위원이 될 수 있다.
③ (✗) 선지와 같은 예외조항은 없다. 즉, 영리행위는 금지된다.

> **국회법 제40조의2(상임위원의 직무 관련 영리행위 금지)**
> 상임위원은 소관 상임위원회의 직무와 관련한 영리행위를 하여서는 아니 된다.

④ (O) 헌재 2009.9.24. 2007헌바17
⑤ (O) 국회법 제28조

**정답** ③

## 108 | 회독 ☐☐☐ 재구성 | 19 국가7급, 17 법원직

**국회의원의 면책특권과 불체포특권에 대한 설명으로 옳은 것은?**

① 회기 중 국회의원 체포안에 대한 동의에는 국회의원 재적의원 과반수의 찬성이 필요하다.
② 정부는 체포 또는 구금된 의원이 있을 때에는 지체 없이 의장에게 영장 사본을 첨부하여 이를 통지하여야 하나, 구속기간이 연장되었을 때에는 그러하지 아니한다.
③ 국회의장은 정부로부터 체포동의를 요청받은 후 처음 개의하는 본회의에 이를 보고하고, 본회의에 보고된 때부터 24시간 이후 72시간 이내에 표결하여야 하는데, 체포동의안이 72시간 이내에 표결되지 아니한 경우에는 체포동의안은 폐기된 것으로 본다.
④ 국회의원이 국회 예산결산위원회 회의장에서 법무부장관을 상대로 대정부질의를 하던 중 대통령 측근에 대한 대선자금 제공 의혹과 관련하여 이에 대한 수사를 촉구하는 과정에서 한 발언은 국회의원의 면책특권의 대상이 된다.

> **해설**

① (✗) 규정이 없기 때문에 일반의결정족수가 적용되므로 재적 과반수의 출석과 출석 과반수의 찬성으로 의결된다. [17 법원직]
② (✗) 구속기간 연장의 경우에도 통지하여야 한다. [19 국가7급]

> **국회법 제27조(의원 체포의 통지)**
> 정부는 체포 또는 구금된 의원이 있을 때에는 지체 없이 의장에게 영장 사본을 첨부하여 이를 통지하여야 한다. 구속기간이 연장되었을 때에도 또한 같다.

③ (✗) [19 국가7급]

> **국회법 제26조(체포동의 요청의 절차)**
> ① 의원을 체포하거나 구금하기 위하여 국회의 동의를 받으려고 할 때에는 관할 법원의 판사는 영장을 발부하기 전에 체포동의 요구서를 정부에 제출하여야 하며, 정부는 이를 수리한 후 지체 없이 그 사본을 첨부하여 국회에 체포동의를 요청하여야 한다.
> ② 의장은 제1항에 따른 체포동의를 요청받은 후 처음 개의하는 본회의에 이를 보고하고, 본회의에 보고된 때부터 24시간 이후 72시간 이내에 표결한다. 다만, 체포동의안이 72시간 이내에 표결되지 아니하는 경우에는 그 이후에 최초로 개의하는 본회의에 상정하여 표결한다.

④ (○) 국회의원의 직무수행이므로 면책특권의 대상이 된다. [19 국가7급]

**정답** ④

## 109 회독 ☐☐☐ 재구성
18 서울7급, 10 지방7급

**국회의원의 면책특권에 대한 설명으로 옳지 않은 것은?**

① 면책특권은 국회의원이 국민의 대표자로서 자유롭게 그 직무를 수행할 수 있도록 보장하기 위하여 마련된 장치이다.
② 면책특권은 국회의원에게만 인정되기 때문에 국무위원 중에서 국회의원이 아닌 자가 국회에서 발언하는 경우에는 면책특권이 인정되지 않는다.
③ 국회의원이 본회의나 위원회에서 발언할 내용을 직전에 원내 기자실에서 국회출입기자들에게 배포하는 행위는 면책특권에 포함되는데, 이 면책의 시기는 임기 종료 후에도 적용되어 상당한 기간 책임을 지지 않는다.
④ 국회의원의 면책특권은 범죄의 성립요건은 충족하나 그에 대한 형벌권 발생이 저지되어 소추되지 아니하는 경우로 인적 처벌조각사유에 해당한다.

### 해설
① (O) 면책특권은 자유위임의 근거이기도 하다. [18 서울7급]
② (O) [10 지방7급]
③ (X) 면책특권은 상당한 기간 동안이 아니라 영원히 면책되는 것이다. [18 서울7급]
④ (O) [18 서울7급]

**정답** ③

### 예상판례
**국회의원 면책특권의 취지 및 면책특권의 대상이 되는 행위의 범위와 판단기준** (대판 2011.5.13. 2009도14442)
[1] 국회의원인 피고인이 구 국가안전기획부 내 정보수집팀이 대기업 고위관계자와 중앙일간지 사주 간의 사적 대화를 불법녹음한 자료를 입수한 후 그 대화 내용과 전직 검찰간부인 피해자가 위 대기업으로부터 이른바 떡값 명목의 금품을 수수하였다는 내용이 게재된 보도자료를 작성하여 국회 법제사법위원회 개의 당일 국회의원회관에서 기자들에게 배포한 사안에서, 위 행위가 국회의원 면책특권의 대상이 되는 직무부수행위에 해당한다.
[2] 불법감청·녹음 등에 관여하지 아니한 언론기관이 그 통신 또는 대화 내용을 보도하여 공개하는 행위가 형법 제20조의 정당행위에 해당하기 위한 요건 및 공개행위의 주체가 언론기관이나 그 종사자 아닌 사람인 경우에도 동일한 법리가 적용된다.
[3] 국회의원인 피고인이 구 국가안전기획부 내 정보수집팀이 대기업 고위관계자와 중앙일간지 사주 간의 사적 대화를 불법녹음한 자료를 입수한 후 그 대화 내용과 위 대기업으로부터 이른바 떡값 명목의 금품을 수수하였다는 검사들의 실명이 게재된 보도자료를 작성하여 자신의 인터넷 홈페이지에 게재하였다고 하여 통신비밀보호법 위반으로 기소된 사안에서, 위 행위가 형법 제20조의 정당행위에 해당한다고 볼 수 없는데도 이와 달리 본 원심판단에 법리오해의 위법이 있다.

### 기출지문 OX
❶ 대기업으로부터 이른바 떡값 명목의 금품을 수수하였다는 검사들의 실명이 게재된 보도자료를 국회의원이 작성하여 국회 법제사법위원회 개의 당일 국회의원회관에서 기자들에게 배포한 행위는 면책특권의 대상이 된다. 14 변호사 ( O / X )
해설 주의하여야 할 것은 기자들에게 배포한 행위는 면책특권의 대상이 되지만 이를 다시 인터넷에 게재한 행위는 면책특권의 대상이 아니다. 결국 이 사건으로 유죄판결이 나고 의원직을 상실하였다. **정답** O

❷ 국회 내에서 한 발언과 표결일지라도 그것을 다시 원외에서 발표하거나 출판하는 경우에는 면책되지 아니한다. 10 국가7급 ( O / X )
해설 이때는 국회의원의 면책특권이 인정되지 않지만 표현의 자유의 내용이 될 수는 있다. **정답** O

## 110

**국회의원의 표결·심의권에 대한 설명으로 옳지 않은 것은? (다툼이 있는 경우 판례에 의함)**

① 「국회법」 제85조 제1항 각 호의 심사기간 지정사유는 국회의장의 직권상정권한을 제한하는 역할을 할 뿐 국회의원의 국회 본회의에서의 법안에 대한 심의·표결권을 제한하는 내용을 담고 있지는 않다.
② 국회의원의 심의·표결권은 성질상 일신전속적인 것으로 당사자가 사망한 경우 승계되거나 상속될 수 없어 그에 관련된 권한쟁의심판절차 또한 수계될 수 없으므로, 권한쟁의심판청구는 청구인의 사망과 동시에 그 심판절차가 종료된다.
③ 국회 본회의는 위원장의 보고를 받은 후 필요하다고 인정할 때에는 그 의결로 다시 그 안건을 같은 위원회 또는 다른 위원회에 회부할 수 있다.
④ 입법절차상의 하자로 국회의원의 법률안 심의·표결권이 침해되었음이 권한쟁의심판에서 확인된 경우에는 국회의장에게 그 권한침해행위에 내재하는 위헌·위법성을 제거할 적극적 조치를 취할 법적 의무가 발생한다.

### 해설

① (O) 직권상정이란 국회의장이 상임위원회를 거치지 않고 바로 본회의에 상정하는 것을 말한다. [17 변호사]
② (O) [16 지방7급]

> 권한쟁의심판절차 계속 중 청구인이 사망하거나 의원직을 상실하면 심판절차가 종료된다. 권한쟁의심판 도중 청구인인 국회의원이 사망하였다. 청구인이 법률안 심의·표결권의 주체인 국가기관으로서의 국회의원 자격으로 권한쟁의심판을 청구하였다가 심판절차 계속 중 사망한 경우, 국회의원의 법률안 심의·표결권은 성질상 일신전속적인 것으로 당사자가 사망한 경우 승계되거나 상속될 수 없어 그에 관련된 권한쟁의심판절차 또한 수계될 수 없으므로, 권한쟁의심판청구는 청구인의 사망과 동시에 당연히 그 심판절차가 종료된다. (헌재 2010.11.25. 2009헌라12)

③ (O) 국회법 제94조 [16 지방7급]
④ (X) [13 국회8급]

> **권한침해 확인결정의 기속력** (헌재 2010.11.25. 2009헌라12【기각】)
> [1] 피청구인(국회의장)의 법률안 가결선포행위가 청구인들의 법률안 심의·표결권을 침해한 것임을 확인한 권한침해확인결정의 기속력으로 피청구인이 구체적인 특정한 조치를 취할 작위의무를 부담한다고는 볼 수 없다는 이유로, 권한침해확인결정 이후 피청구인의 부작위가 재차 청구인들의 법률안 심의·표결권을 침해한 것이라고 주장하여 제기된 권한쟁의심판청구를 기각한다.
> [2] 헌법재판소법은 헌법재판소가 피청구인이나 제3자에 대하여 적극적으로 의무를 부과하는 결정을 할 수 있는 권한을 부여하고 있지 않으며, 부작위에 대한 심판청구를 인용하는 결정을 한 때에 피청구인에게 결정의 취지에 따른 처분의무가 있음을 규정(헌법재판소법 제66조 제2항 후단)할 뿐이다. 따라서 헌법재판소가 피청구인의 처분을 직접 취소하거나 무효확인함으로써 그 기속력의 내용으로서 피청구인에게 원상회복의무가 인정되는 것은 별론으로 하고, 헌법재판소가 권한의 존부 및 범위에 관한 판단을 하면서 피청구인이나 제3자인 국회에게 직접 어떠한 작위의무를 부과하는 결정을 할 수는 없으며, 권한의 존부 및 범위에 관한 판단 자체의 효력으로 권한침해행위에 내재하는 위헌·위법상태를 적극적으로 제거할 의무가 발생한다고 보기도 어렵다.

정답 ④

### 기출지문 OX

국회가 선출하여 임명된 헌법재판관 중 공석이 발생하였다 하더라도 국회가 공석인 헌법재판관의 후임자를 선출하여야 할 구체적 작위의무를 부담한다고 볼 수는 없다. 16 법원직 ( ○ / × )

> **해설** 헌법 제27조, 제111조 제2항 및 제3항의 해석상, 피청구인이 선출하여 임명된 재판관 중 공석이 발생한 경우, 국회는 공정한 헌법재판을 받을 권리의 보장을 위하여 공석인 재판관의 후임자를 선출하여야 할 구체적 작위의무를 부담한다고 할 것이다. (헌재 2014.4.24. 2012헌마2)

정답 ×

---

## 111 회독 □□□ 재구성   16·13 법원직

**국회의원에 대한 설명으로 옳지 않은 것은?**

① 국회의원은 국유의 철도·선박과 항공기에 무료로 승용할 수 있다는 「국회법」 제31조는 논란이 있어 삭제한 바 있다.
② 국회의원은 「정부투자기관 관리기본법」 제2조에 규정된 정부투자기관의 임·직원을 겸직할 수 없다.
③ 비례대표국회의원이 소속 정당에서 제명되어 당적을 이탈한 경우에는 퇴직된다.
④ 국회의원의 청렴의무는 헌법에 명문으로 규정되어 있다.

> **해설**
> ① (○) [16 법원직]
> ② (○) 국회법 제29조 제1항 [13 법원직]
> ③ (×) 비례대표국회의원 또는 비례대표지방의회의원이 자진하여 탈당하는 때에는 의원직을 상실한다. 그러나 소속 정당의 합당·해산 또는 제명의 경우에는 의원직을 유지한다. 다만, 비례대표 국회의원이 국회의장으로 당선되어 국회법 규정에 의하여 당적을 이탈한 경우에는 그러하지 아니하다. (공직선거법 제192조 제4항) [13 법원직]
> ④ (○) 헌법이 명문으로 인정하는 국회의원의 의무에는 청렴의 의무, 국가이익우선의무 등이 있다. (헌법 제46조 제1항) [13 법원직]
>
> 🔖 **국회의원의 법적 의무**
>
> | 헌법상 의무 | 법률상 의무 |
> | --- | --- |
> | • 청렴의 의무<br>• 양심에 따른 국가이익우선의 의무<br>• 이권불개입의 의무(지위남용금지의무)<br>• 겸직금지의 의무 | • 품위유지의 의무<br>• 회의출석의무<br>• 질서준수의무<br>• 국정감사·조사에서의 주의의무<br>• 의장의 질서유지에 관한 명령복종의무 |

정답 ③

## 112  회독 ☐☐☐  재구성                    14 서울7급, 09 지방7급

**「국회법」상 국회의원 겸직에 대한 설명으로 옳은 것은?**

① 국회의장은 국회의원의 겸직 내용을 공개할 필요가 없다.
② 겸직이 허용되는 경우에는 그에 따른 보수(실비변상 포함)를 받을 수 있다.
③ 국회의원의 겸직은 일정한 예외를 제외하고는 원칙적으로 허용된다.
④ 국회의원이 겸할 수 없는 직에 취임한 경우에는 의원의 직에서 퇴직된다.

**해설**

① (✕) [14 서울7급]  ② (✕) [14 서울7급]

> **국회법 제29조(겸직금지)**
> ① 의원은 국무총리 또는 국무위원의 직 이외의 다른 직을 겸할 수 없다. 다만, 다음 각 호의 어느 하나에 해당하는 경우에는 그러하지 아니하다.
>   1. 공익목적의 명예직
>   2. 다른 법률에서 의원이 임명·위촉되도록 정한 직
>   3. 정당법에 따른 정당의 직
> ⑦ 의장은 제4항에 따라 의원에게 통보한 날부터 15일 이내(본회의 의결 또는 의장의 추천·지명 등에 따라 임명·위촉된 경우에는 해당 의원이 신고한 날부터 15일 이내)에 겸직 내용을 국회공보 또는 국회 인터넷 홈페이지 등에 게재하는 방법으로 공개하여야 한다.
> ⑧ 의원이 제1항 각 호의 직을 겸하는 경우에 그에 따른 보수(실비변상은 제외)를 받을 수 없다.

③ (✕) 국회법 제29조 제1항의 해석상 국회의원의 겸직은 원칙적으로 금지하고 예외적으로 허용된다. [14 서울7급]
④ (O) 의원이 ㉠ 일반범죄로 금고 이상의 유죄판결(집행유예 포함)이 확정되는 등의 사유로 피선거권이 상실될 때, ㉡ 겸직할 수 없는 직에 취임한 때, ㉢ 임기개시일 이후 해직된 직의 권한을 행사할 때, ㉣ 공직선거법 제53조의 규정에 의하여 사직원을 제출하여 공직선거후보자로 등록된 때 등의 경우에 퇴직된다. [09 지방7급]

**정답** ④

---

## 113  회독 ☐☐☐                    14 국회8급

**우리 헌법 및 법률상의 국회의원의 의무에 관한 다음의 연결 중 옳지 않은 것은?**

① 품위유지의 의무 - 법률상의 의무
② 직무수행에 있어서 국가이익우선의무 - 헌법상의 의무
③ 지위남용금지의무 - 헌법상의 의무
④ 청렴의 의무 - 헌법상의 의무
⑤ 양심에 따른 직무수행의무 - 법률상의 의무

**해설**

① (O)
② (O)
③ (O)
④ (O)
⑤ (✕) 양심에 따른 직무수행의무는 헌법상 의무이다.

**정답** ⑤

# CHAPTER 05 대통령과 행정부

## 제1절 대통령

### 001 NEW
23 국가7급

**대통령 선거에 대한 설명으로 옳은 것은?**

① 대통령 후보자가 1인일 때에는 그 득표수가 선거권자 총수의 과반수가 아니면 대통령으로 당선될 수 없다.
② 대통령선거 예비후보자등록을 신청하는 사람에게 대통령선거 기탁금의 100분의 20에 해당하는 금액인 6,000만 원을 기탁금으로 납부하도록 한 「공직선거법」 조항 중 해당 부분은 경제력이나 조직력이 약한 사람의 예비후보자등록을 억제하거나 예비후보자로 나서는 것 자체를 원천적으로 차단하게 되어 대통령선거 예비후보자의 공무담임권을 침해한다.
③ 헌법은 대통령의 임기가 만료되는 때에는 임기만료 70일 내지 40일 전에 후임자를 선거하고, 대통령이 궐위된 때 또는 대통령 당선자가 사망하거나 판결 기타의 사유로 그 자격을 상실한 때에는 60일 이내에 후임자를 선거한다고 규정한다.
④ 전임자의 임기가 만료된 후에 실시하는 선거와 궐위로 인한 선거에 의한 대통령의 임기는 선거일의 다음 날 0시부터 개시된다.

**해설**

① (✕)

> **헌법 제67조**
> ① 대통령은 국민의 보통·평등·직접·비밀선거에 의하여 선출한다.
> ② 제1항의 선거에 있어서 최고득표자가 2인 이상인 때에는 국회의 재적의원 과반수가 출석한 공개회의에서 다수표를 얻은 자를 당선자로 한다.
> ③ 대통령후보자가 1인일 때에는 그 득표수가 선거권자 총수의 3분의 1 이상이 아니면 대통령으로 당선될 수 없다.
> ④ 대통령으로 선거될 수 있는 자는 국회의원의 피선거권이 있고 선거일 현재 40세에 달하여야 한다.

② (✕) 예비후보자의 기탁금 납부는 헌법에 위반되지 않는다.
③ (○) 헌법 제68조
④ (✕)

> **공직선거법 제14조(임기개시)**
> ① 대통령의 임기는 전임대통령의 임기만료일의 다음 날 0시부터 개시된다. 다만, 전임자의 임기가 만료된 후에 실시하는 선거와 궐위로 인한 선거에 의한 대통령의 임기는 당선이 결정된 때부터 개시된다.

**정답** ③

## 002　회독 □□□

**통치행위에 대한 설명으로 옳지 않은 것은? (다툼이 있는 경우 판례에 의함)**

① 대통령이 개성공단의 운영을 즉시 전면중단하기로 결정하고, 통일부장관은 대통령의 지시에 따라 철수계획을 마련하여 관련 기업인들에게 통보한 다음 개성공단 전면중단 성명을 발표하고, 이에 대응한 북한의 조치에 따라 개성공단에 체류 중인 국민들 전원을 대한민국 영토 내로 귀환하도록 한 일련의 행위로 이루어진 개성공단 전면중단조치는 고도의 정치적 결단을 요하는 통치행위에 해당하여 헌법소원심판의 대상이 될 수 없다.

② 국군의 외국에의 파견결정과 같이 성격상 외교 및 국방에 관련된 고도의 정치적 결단이 요구되는 사안에 대한 국민의 대의기관의 결정은 헌법소원심판의 대상이 될 수 없다.

③ 금융실명제 실시의 효과를 목적으로 한 긴급재정경제명령과 같이 국가긴급권에 관련된 고도의 정치적 결단이 요구되는 사안에 대한 대통령의 결정은 통치행위라도 헌법소원심판의 대상이 될 수 있다.

④ 한미연합사령부의 창설 및 한미연합연습 양해각서의 체결 이후 연례적으로 실시되어 온 한미연합 군사훈련의 일종인 전시증원연습을 하기로 한 대통령의 결정은 국방에 관련되는 고도의 정치적 결단을 요하는 통치행위에 해당된다고 보기 어려워 헌법소원심판의 대상이 될 수 있다.

⑤ 남북정상회담의 개최는 고도의 정치적 성격을 지니고 있는 행위이므로 특별한 사정이 없는 한 그 당부를 심판하는 것은 사법권의 내재적·본질적 한계를 넘어서는 것이지만, 남북정상회담의 개최과정에서 관할 주무관청에 신고하지 아니하거나 관할 주무관청의 협력사업 승인을 얻지 아니한 채 북한측에 사업권의 대가명목으로 송금한 행위 자체는 헌법상 법치국가원리와 평등원칙 등에 비추어 볼 때 사법심사의 대상이 된다.

### 해설

① (×)

> 피청구인 대통령의 개성공단 운영 전면중단결정과, 피청구인 통일부장관의 개성공단 철수계획 마련, 관련 기업인들에 대한 통보, 개성공단 전면중단 성명 발표 및 집행 등 일련의 행위로 이루어진 개성공단 운영 전면중단조치에 대한 개성공단 투자기업 청구인들의 심판청구를 모두 기각하고, 나머지 청구인들의 심판청구를 모두 각하한다. (헌재 2022.1.27. 2016헌마364)
> [1] 이 사건 중단조치에 대한 사법심사가 배제되어야 하는지 여부
> 이 사건 중단조치가 북한의 핵무기 개발로 인한 위기에 대처하기 위한 조치로서 국가안보와 관련된 대통령의 의사결정을 포함하고 그러한 의사결정이 고도의 정치적 결단을 요하는 문제이기는 하나, 그 의사결정에 따른 조치 결과 투자기업인 청구인들의 영업의 자유 등 기본권에 제한이 발생하였다. 그리고 국민의 기본권 제한과 직접 관련된 공권력의 행사는 고도의 정치적 고려가 필요한 대통령의 행위라도 헌법과 법률에 따라 정책을 결정하고 집행하도록 함으로써 국민의 기본권이 침해되지 않도록 견제하는 것이 국민의 기본권 보장을 사명으로 하는 헌법재판소 본연의 임무이므로, 그 한도에서 헌법소원심판의 대상이 될 수 있다. 따라서 이 사건 헌법소원심판이 사법심사가 배제되는 행위를 대상으로 한 것이어서 부적법하다고는 볼 수 없다.
> [2] 이 사건 중단조치는 과잉금지원칙에 위반되어 투자기업인 청구인들의 영업의 자유와 재산권을 침해하지 아니한다.

② (○)

> 파견결정은 그 성격상 국방 및 외교에 관련된 고도의 정치적 결단을 요하는 문제로서, 헌법과 법률이 정한 절차를 지켜 이루어진 것임이 명백하므로(국군의 외국 파견에 대한 절차를 지켰는지는 헌법재판소의 심판대상이 된다), 대통령과 국회의 판단은 존중되어야 하고 헌법재판소가 사법적 기준만으로 이를 심판하는 것은 자제되어야 한다. 이에 대하여는 설혹 사법적 심사의 회피로 자의적 결정이 방치될 수도 있다는 우려가 있을 수 있으나 그러한 대통령과 국회의 판단은 궁극적으로는 선거를 통해 국민에 의한 평가와 심판을 받게 될 것이다. (헌재 2004.4.29. 2003헌마814)

③ (O)

> 비록 고도의 정치적 결단에 의하여 행해지는 국가작용이라고 할지라도 그것이 국민의 기본권 침해와 직접 관련되는 경우에는 당연히 헌법재판소의 심판대상이 된다. (헌재 1996.2.29. 93헌마186)

④ (O) 헌재 2009.5.28. 2007헌마369
⑤ (O) 대판 2004.3.26. 2003도7878

정답 ①

### 기출지문 OX

한미연합 군사훈련을 하기로 한 결정은 대통령의 국군통수권 행사 및 한반도를 둘러싼 국제정치관계 등 관련 제반 상황을 종합적으로 고려한 고도의 정치적 결단의 결과로서 통치행위에 해당하여 사법심사의 대상이 되지 않는다. 16 변호사 ( O / X )

**해설**

> **한미연합 군사훈련결정은 통치행위가 아니다.** (헌재 2009.5.28. 2007헌마369)
> 한미연합 군사훈련은 … 피청구인이 2007.3.경에 한 이 사건 연습결정이 새삼 국방에 관련되는 고도의 정치적 결단에 해당하여 사법심사를 자제하여야 하는 통치행위에 해당된다고 보기 어렵다.

정답 X

## 003 대통령에 대한 설명으로 옳지 않은 것은?

① 대통령은 행정부의 수반으로서 공정한 선거가 실시될 수 있도록 총괄 감독해야 할 의무가 있으므로, 당연히 선거에서의 중립의무를 지는 공직자에 해당하는 것이고, 이로써 「공직선거법」 제9조의 공무원에 포함된다.
② 대통령은 법률안에 이의가 있을 때에는 정부에 이송된 후 15일 이내에 이의서를 붙여 국회로 환부하고, 그 재의를 요구할 수 있으며, 국회의 폐회 중에도 또한 같다.
③ 「계엄법」상 대통령은 전시·사변 또는 이에 준하는 국가비상사태시 사회질서가 교란되어 일반행정기관만으로는 치안을 확보할 수 없는 경우에 공공의 안녕질서를 유지하기 위하여 비상계엄을 선포한다.
④ 대통령이 궐위된 때 또는 대통령 당선자가 사망하거나 판결 기타의 사유로 그 자격을 상실한 때에는 60일 이내에 후임자를 선거한다.

### 해설
① (O) 국회의원과 지방의원을 제외한 모든 공무원은 선거에서 중립의무를 지켜야 한다.
② (O) 헌법 제53조 제2항
③ (X) 비상계엄이 아니라 계엄을 선포한다. (계엄법 제2조 제3항)
④ (O) 헌법 제68조 제2항

정답 ③

### 기출지문 OX

❶ 국회의 재의결에 의한 확정법률이 정부에 이송된 후 15일 이내에 대통령이 공포하지 아니할 때에는 국회의장이 이를 공포한다. 17 법무사 (O/X)
   해설 국회의 재의결에 의한 확정법률이 정부에 이송된 후 5일 이내에 대통령이 공포하지 아니할 때에는 국회의장이 이를 공포한다. (헌법 제53조 제6항)
   정답 X

❷ 헌법은 법률안에 이의가 있을 경우 대통령이 15일 이내에 이의서를 붙여 국회로 환부하여 재의를 요구해야 하지만, 국회가 임기만료로 폐회된 경우에는 그러하지 아니하다고 규정하고 있다. 17 국가7급 (O/X)
   해설 국회가 임기만료로 폐회된 경우에는 그러하지 않다는 규정은 없다. 다만, 그렇게 해석하는 것이 일반적이다.
   정답 X

❸ 정부로 이송된 법률안에 대해 대통령이 15일 동안 아무런 조치를 취하지 않은 경우 국회는 법률안을 재의결할 수 있다. 10 국가7급 (O/X)
   해설 헌법 제53조 제5항에 의해 정부로 이송된 법률안에 대해서 조치가 없는 경우 법률안은 법률로 확정된다. 대통령의 거부권 행사는 반드시 환부거부여야 하므로 국회의 폐회 중에도 환부거부하여야 한다. 다만, 국회의 임기가 만료되는 때는 그렇지 아니하다. 미국은 보류거부가 인정되는데, 보류거부가 인정된다는 것은 대통령의 법률안거부권이 환부거부보다 강력하다는 의미이다. 재의결의 기회를 주지 않고 법률안을 폐기할 수 있기 때문이다.
   정답 X

❹ 대통령 당선인이 사망한 경우 이는 재선거사유에 해당하고, 그 선거는 선거의 실시사유가 확정된 때부터 60일 이내에 실시한다. 14 국가7급 (O/X)
   해설 공직선거법 제35조 제1항
   정답 O

❺ 대통령 당선인은 대통령 당선인으로 결정된 때부터 대통령 임기시작일 전날까지 그 지위를 가진다. 14 국가7급 (O/X)
   해설 임기시작일 0시부터 대통령의 권한을 행사한다.
   정답 O

## 004

**대통령에 대한 설명으로 옳지 않은 것은?**

① 대통령은 필요하다고 인정할 때에는 국회의 동의를 얻어 외교·국방·통일 기타 국가안위에 관한 중요정책을 국민투표에 붙인다.
② 대통령이 재직 중 탄핵결정을 받아 퇴임한 경우 '필요한 기간의 경호 및 경비'를 제외하고는 「전직대통령 예우에 관한 법률」에 따른 전직대통령으로서의 예우를 하지 아니한다.
③ 대통령은 조약을 체결·비준하고, 외교사절을 신임·접수 또는 파견하며, 선전포고와 강화를 한다.
④ 대통령은 조국의 평화적 통일을 위한 성실한 의무를 지며, 이에 대해 취임에 즈음하여 선서한다.

**해설**

① (X) 헌법 제72조의 국민투표는 국회 의결을 거치지 않고 한다. 한편, 제2차 개정헌법 때는 국회 의결 후 국민투표를 하였다.

> **헌법 제72조**
> 대통령은 필요하다고 인정할 때에는 외교·국방·통일 기타 국가안위에 관한 중요정책을 국민투표에 붙일 수 있다.

② (O)

> **전직대통령 예우에 관한 법률 제7조(권리의 정지 및 제외 등)**
> ② 전직대통령이 다음 각 호의 어느 하나에 해당하는 경우에는 제6조 제4항 제1호에 따른 예우(필요한 기간의 경호 및 경비)를 제외하고는 이 법에 따른 전직대통령으로서의 예우를 하지 아니한다.
> 1. 재직 중 탄핵결정을 받아 퇴임한 경우
> 2. 금고 이상의 형이 확정된 경우
> 3. 형사처분을 회피할 목적으로 외국 정부에 도피처 또는 보호를 요청한 경우
> 4. 대한민국의 국적을 상실한 경우

③ (O) 헌법 제73조

선전포고와 강화는 국무회의를 거치고 국회의 동의를 받아야 하고, 외교사절의 신임·접수는 그렇지 않다.

④ (O)

> **헌법 제66조**
> ③ 대통령은 조국의 평화적 통일을 위한 성실한 의무를 진다.
>
> **제69조**
> 대통령은 취임에 즈음하여 다음의 선서를 한다.
> "나는 헌법을 준수하고 국가를 보위하며 조국의 평화적 통일과 국민의 자유와 복리의 증진 및 민족문화의 창달에 노력하여 대통령으로서의 직책을 성실히 수행할 것을 국민 앞에 엄숙히 선서합니다."

**정답** ①

## 005

**대통령에 대한 설명으로 옳은 것만을 모두 고르면?**

ㄱ. 대통령은 국가의 안위에 관계되는 중대한 교전상태에 있어서 국가를 보위하기 위하여 긴급한 조치가 필요하고 국회의 집회가 불가능한 때에 한하여 법률의 효력을 가지는 명령을 발할 수 있다.
ㄴ. 대통령은 사법부를 구성할 권한을 가지므로, 국회의 동의를 얻어 대법원장과 대법관을 임명하며, 대법원장의 제청으로 일반법관을 임명한다.
ㄷ. 대통령직인수위원회는 대통령 임기시작일 이후 30일의 범위에서 존속한다.
ㄹ. 대통령은 외교사절을 신임·접수 또는 파견하고, 이를 위해서는 국회의 동의가 필요하다.

① ㄱ, ㄷ
② ㄱ, ㄹ
③ ㄴ, ㄷ
④ ㄷ, ㄹ

### 해설

ㄱ. (O) 헌법 제76조 제2항

ㄴ. (X)

> **헌법 제104조**
> ① 대법원장은 국회의 동의를 얻어 대통령이 임명한다.
> ② 대법관은 대법원장의 제청으로 국회의 동의를 얻어 대통령이 임명한다.
> ③ 대법원장과 대법관이 아닌 법관은 대법관회의의 동의를 얻어 대법원장이 임명한다.

ㄷ. (O) 대통령직 인수에 관한 법률 제6조 제2항

ㄹ. (X) 외교사절을 신임·접수 또는 파견하는 데 국회의 동의는 필요 없다. 외교사절의 신임·접수는 국무회의의 심의대상도 아니다. 다만, 대사의 임명은 국무회의의 심의대상이다.

**정답** ①

## 006 회독 ☐☐☐ 재구성    21 변호사

**대통령과 행정부에 대한 설명으로 옳지 않은 것은? (다툼이 있는 경우 판례에 의함)**

① 국무총리는 헌법상 대통령의 보좌기관으로서 행정각부를 통할한다는 점 등을 고려할 때, 국무총리의 소재지는 헌법적으로 중요한 기본적 사항이라 보아야 하고, 국무총리가 서울에 소재해야 한다는 규범에 대한 국민적 의식이 형성되었다고 할 수 있으므로 이러한 관습헌법의 존재를 인정할 수 있다.

② 성질상 정부의 구성단위인 중앙행정기관이라 할지라도 법률상 그 기관의 장이 국무위원이 아니라든가 또는 국무위원이라 하더라도 그 소관 사무에 관하여 부령을 발할 권한이 없다면, 그 기관은 헌법이 규정하는 실정법적 의미의 행정각부로 볼 수 없다.

③ 대통령이 계엄을 선포하였을 때에는 지체 없이 국회에 통고하여야 하며, 국회가 폐회 중일 때에는 대통령은 지체 없이 국회에 집회를 요구하여야 한다.

④ 헌법이 감사원을 독립된 외부감사기관으로 정하고 있는 취지, 국가기능의 총체적 극대화를 위하여 중앙정부와 지방자치단체는 서로 행정기능과 행정책임을 분담하면서 중앙행정의 효율성과 지방행정의 자주성을 조화시켜 국민과 주민의 복리증진이라는 공동목표를 추구하는 협력관계에 있다는 점에 비추어 보면, 감사원은 지방자치단체의 자치사무에 대해 합법성 감사뿐만 아니라 합목적성 감사도 실시할 수 있다.

### 해설

① (✕) 대통령과 국회의 소재지는 헌법적으로 중요하지만, 국무총리의 소재지는 헌법적으로 중요한 기본적 사항이라고 할 수 없고 국무총리가 서울에 소재하여야 한다는 규범에 대한 국민적 의식이 형성되었다고 할 수 없다. (헌재 2005.11.24. 2005헌마579 등)

② (○)

> **국가안전기획부는 위헌이 아니다.** (헌재 1994.4.28. 89헌마221)
> 헌법 제94조, 제95조 등의 규정취지에 비추어 정부의 구성단위로서 그 권한에 속하는 사항을 집행하는 모든 중앙정부기관이 곧 헌법 제86조 제2항 소정의 '행정각부'라고 볼 수도 없다. 국가가 정보기관을 대통령직속으로 하느냐 여부는 기본적으로 입법정책의 영역에 속하는 것으로서 당해 국가의 헌법이념에 위배되지 않는 한 위헌이라고 할 수 없는 것인데, 국가안전기획부법은 그 목적, 직무범위, 통제방법 등의 관점에서 헌법이 요구하는 최소한의 요건을 갖추고 있다고 보아야 할 것이므로, 국무총리의 관할을 받지 않는 대통령 직속기관인 국가안전기획부의 설치근거와 직무범위 등을 정한 행정조직법 제14조와 국가안전기획부법 제4조 및 제6조의 규정은 헌법에 위배된다고 할 수 없다.

③ (○) 계엄법 제4조

④ (○)

> **감사원의 지방자치단체의 자치사무에 대한 합목적성 감사의 근거가 되는 감사원법 관련 규정 자체는 청구인들의 지방자치권의 본질을 침해하지 않는다.** (헌재 2008.5.29. 2005헌라3 [기각])
> 국가재정지원에 상당 부분 의존하고 있는 우리 지방재정의 현실, 독립성이나 전문성이 보장되지 않은 지방자치단체 자체감사의 한계 등으로 인한 외부감사의 필요성까지 감안하면, 이 사건 관련 규정으로 인하여 지방자치단체의 인사권이나 자치행정의 자기책임적 판단이 말살될 정도로 지방자치권의 본질이 훼손되었다고 보기는 어렵다. 따라서 이 사건 관련 규정이 지방자치단체의 고유한 권한을 유명무실하게 할 정도로 지나친 제한을 함으로써 지방자치권의 본질적 내용을 침해하였다고는 볼 수 없다.

**정답 ①**

## 007

**대통령과 행정부에 대한 설명으로 옳지 않은 것은? (다툼이 있는 경우 판례에 의함)**

① 기본권을 제한하는 내용의 입법을 위임할 때에는 법규명령에 위임하는 것이 원칙이고, 고시와 같은 형식으로 입법위임을 할 때에는 법령이 전문적·기술적 사항이나 경미한 사항으로서 업무의 성질상 위임이 불가피한 사항에 한정된다.
② 입주자들이 국가나 사업주체의 관여 없이 자치활동의 일환으로 구성한 입주자대표회의는 사법상의 단체로서, 그 구성에 필요한 사항을 대통령령에 위임하도록 한 것은 법률유보원칙에 위반되지 않는다.
③ 대통령은 국무총리와 중앙행정기관의 장의 명령이나 처분이 위법 또는 부당하다고 인정하면 국무회의의 심의를 거쳐 이를 중지 또는 취소하여야 한다.
④ 국무총리는 대통령의 명을 받아 각 중앙행정기관의 장을 지휘·감독한다.

**해설**

① (O) 법률이 행정규칙에 위임할 때의 기준이다.
② (O)

> 아파트 입주자대표회의의 구성에 관한 사항을 대통령령에 위임하도록 한 구 주택법 제43조 제7항 제2호 중 '입주자대표회의의 구성' 부분은 법률유보원칙, 포괄위임입법금지원칙에 위반되지 아니한다. (헌재 2016.7.28. 2014헌바158 등)
> 입주자대표회의는 공법상의 단체가 아닌 사법상의 단체로서, 이러한 특정 단체의 구성원이 될 수 있는 자격을 제한하는 것이 재산권 혹은 참정권 등과 비교해 볼 때 국가적 차원에서 형식적 법률로 규율되어야 할 본질적 사항이라고 보기 어렵다. 또한 입주자대표회의 구성에 있어서 본질적인 부분은 입주자들이 국가나 사업주체의 관여 없이 자치활동의 일환으로 입주자대표회의를 구성할 수 있다는 것인데, 구 주택법 제43조 제3항은 입주자가 입주자대표회의를 구성할 수 있다고 규정하고 있어 이미 본질적인 부분이 입법되어 있으므로 입주자대표회의의 구성원인 동별 대표자가 될 수 있는 자격이 반드시 법률로 규율하여야 하는 사항이라고 볼 수 없다. 따라서 법률유보원칙에 위반되지 아니한다.

③ (X) ④ (O)

> **정부조직법 제18조(국무총리의 행정감독권)**
> ① 국무총리는 대통령의 명을 받아 각 중앙행정기관의 장을 지휘·감독한다.
> ② 국무총리는 중앙행정기관의 장의 명령이나 처분이 위법 또는 부당하다고 인정될 경우에는 대통령의 승인을 받아 이를 중지 또는 취소할 수 있다.

**정답** ③

## 008 재구성  20 국가7급·서울·지방7급

**대통령에 대한 설명으로 옳지 않은 것은?**

ㄱ. 대통령 선거에서 당선의 효력에 이의가 있는 경우, 후보자를 추천한 정당 또는 후보자는 당선인결정일부터 30일 이내에 그 사유에 따라 당선인을 피고로 하거나 그 당선인을 결정한 중앙선거관리위원회 위원장 또는 국회의장을 피고로 하여 대법원에 소를 제기할 수 있다.
ㄴ. 대통령은 헌법재판관, 대법관, 감사위원을 국회의 동의를 얻어 각각 임명한다.
ㄷ. 계엄사령관은 계엄의 시행에 관하여 국방부장관의 지휘·감독을 받는다. 다만, 전국을 계엄지역으로 하는 경우와 대통령이 직접 지휘·감독을 할 필요가 있는 경우에는 대통령의 지휘·감독을 받는다.
ㄹ. 대통령은 내란 또는 외환의 죄를 범한 경우를 제외하고는 재직 중 형사상 소추와 민사상 책임을 지지 않는다.

① ㄱ, ㄴ
② ㄱ, ㄷ
③ ㄴ, ㄹ
④ ㄷ, ㄹ

**해설**

ㄱ. (O) 공직선거법 제223조 제1항 [20 국가7급]
ㄴ. (X) 대법관 임명은 국회의 동의를 요하지만, 감사위원은 감사원장의 제청으로 대통령이 임명한다. 헌법재판관의 임명에도 국회의 동의를 요하지 않는다. [20 국가7급]
ㄷ. (O) 계엄법 제6조 제1항 [20 서울·지방7급]
ㄹ. (X) 형사상 소추만 면제된다. [20 서울·지방7급]

> **헌법 제84조**
> 대통령은 내란 또는 외환의 죄를 범한 경우를 제외하고는 재직 중 형사상의 소추를 받지 아니한다.

**정답** ③

**기출지문 OX**

❶ 대통령 선거에 관한 소송은 다른 쟁송에 우선하여 신속히 재판하여야 하며, 소가 제기된 날부터 180일 이내에 처리하여야 한다. 10 법원직 (O/X)
해설 공직선거법 제225조  **정답** O

❷ 피선거권 상실로 인한 당선효력의 상실은 대통령 선거에 따른 당선확정일을 기준으로 한다는 것이 지배적 견해이다. 09 국가7급 (O/X)
해설 피선거권의 상실로 인한 당선효력의 상실은 당선확정일을 기준으로 결정하여야 한다는 것이 아니라 선거일을 기준으로 한다는 것이 지배적인 견해이다.  **정답** X

## 009  20 변호사

**대통령에 대한 설명으로 옳지 않은 것은?**

① 헌법상 대통령은 국회에 출석하여 발언하거나 서한으로 의견을 표시할 수 있지만, 국회의 요구에 따라 국회에 출석·답변해야 할 의무는 없다.
② 대통령은 내우·외환·천재·지변 또는 중대한 재정·경제상의 위기가 현실적으로 발생하였거나 발생할 우려가 있어서 국가의 안전보장 또는 공공의 안녕질서를 유지하기 위하여 긴급한 조치가 필요하고 국회의 집회를 기다릴 여유가 없을 때에 한하여 법률의 효력을 가지는 명령을 발할 수 있다.
③ 대통령의 국법상 행위는 문서로써 하며, 이 문서에는 국무총리와 관계 국무위원이 부서한다. 군사에 관한 것도 또한 같다.
④ 대통령은 국회의 동의를 얻어 감사원장을 임명하고, 감사원장의 제청으로 국회의 동의를 거치지 아니하고 감사위원을 임명한다.

### 해설

① (O) 헌법 제81조
② (✗) 국가긴급권은 위험이 현실적으로 발생하여야 발동할 수 있는 것이지 발생 우려로는 발동할 수 없다.

> **헌법 제76조**
> ① 대통령은 내우·외환·천재·지변 또는 중대한 재정·경제상의 위기에 있어서 국가의 안전보장 또는 공공의 안녕질서를 유지하기 위하여 긴급한 조치가 필요하고 국회의 집회를 기다릴 여유가 없을 때에 한하여 최소한으로 필요한 재정·경제상의 처분을 하거나 이에 관하여 법률의 효력을 가지는 명령을 발할 수 있다.
> ② 대통령은 국가의 안위에 관계되는 중대한 교전상태에 있어서 국가를 보위하기 위하여 긴급한 조치가 필요하고 국회의 집회가 불가능한 때에 한하여 법률의 효력을 가지는 명령을 발할 수 있다.
> ③ 대통령은 제1항과 제2항의 처분 또는 명령을 한 때에는 지체 없이 국회에 보고하여 그 승인을 얻어야 한다.
> ④ 제3항의 승인을 얻지 못한 때에는 그 처분 또는 명령은 그때부터 효력을 상실한다. 이 경우 그 명령에 의하여 개정 또는 폐지되었던 법률은 그 명령이 승인을 얻지 못한 때부터 당연히 효력을 회복한다.

③ (O) 헌법 제82조
④ (O)

> **헌법 제98조**
> ① 감사원은 원장을 포함한 5인 이상 11인 이하의 감사위원으로 구성한다.
> ② 원장은 국회의 동의를 얻어 대통령이 임명하고, 그 임기는 4년으로 하며, 1차에 한하여 중임할 수 있다.
> ③ 감사위원은 원장의 제청으로 대통령이 임명하고, 그 임기는 4년으로 하며, 1차에 한하여 중임할 수 있다.

**정답 ②**

## 010 회독 ☐☐☐ 재구성                    20 입시

**대통령에 대한 설명으로 옳은 것은?**

① 헌법은 국군의 조직과 편성을 대통령령으로 정하도록 규정하고 있다.
② 헌법은 대통령 권한대행의 요건 중 '대통령이 사고로 인하여 직무를 수행할 수 없을 때'의 판단주체가 누구인지에 관하여 규정하고 있지 않다.
③ 대통령은 중대한 재정·경제상의 위기로 국가의 안전보장 유지를 위하여 긴급조치가 필요하고 국회의 집회가 불가능할 경우에만 최소한으로 필요한 재정·경제상의 처분을 할 수 있다.
④ 헌법은 대통령 자문기관으로 국가안전보장회의, 민주평화통일자문회의, 국민경제자문회의, 국가과학기술자문회의를 규정하고 있다.

### 해설

① (✗)

> **헌법 제74조**
> ① 대통령은 헌법과 법률이 정하는 바에 의하여 국군을 통수한다.
> ② 국군의 조직과 편성은 법률로 정한다.

② (○) 우리 헌법에는 규정이 없다. 프랑스는 헌법평의회가 결정한다.
③ (✗) 국회의 집회가 불가능할 때가 아니라 집회를 기다릴 여유가 없을 때이다.

> **헌법 제76조**
> ① 대통령은 내우·외환·천재·지변 또는 중대한 재정·경제상의 위기에 있어서 국가의 안전보장 또는 공공의 안녕질서를 유지하기 위하여 긴급한 조치가 필요하고 국회의 집회를 기다릴 여유가 없을 때에 한하여 최소한으로 필요한 재정·경제상의 처분을 하거나 이에 관하여 법률의 효력을 가지는 명령을 발할 수 있다.

④ (✗) 국가안전보장회의, 국가원로자문회의, 민주평화통일자문회의, 국민경제자문회의는 헌법에 규정되어 있지만, 국가과학기술자문회의는 헌법에 명문규정이 없다.

> **헌법 제127조**
> ① 국가는 과학기술의 혁신과 정보 및 인력의 개발을 통하여 국민경제의 발전에 노력하여야 한다.
> ② 국가는 국가표준제도를 확립한다.
> ③ 대통령은 제1항의 목적을 달성하기 위하여 필요한 자문기구를 둘 수 있다.

**정답** ②

### 기출지문 OX

❶ 국가안전보장에 관련되는 대외정책 군사정책과 국내정책의 수립에 관하여 국무회의의 심의에 앞서 대통령의 자문에 응하기 위하여 국가안전보장회의를 두며, 국가안전보장회의는 국무총리가 주재한다. 18 5급행시 ( O / ✗ )
   해설 국가안전보장회의는 필수적으로 두어야 하며 대통령이 주재한다. (헌법 제91조 제1항·제2항)  **정답** ✗

❷ 평화통일정책의 수립에 관한 대통령의 자문에 응하기 위해 민주평화통일자문회의를 두어야 하며, 그 조직·직무범위 기타 필요한 사항은 법률로 정한다. 15 국회8급 ( O / ✗ )
   해설 평화통일정책의 수립에 관한 대통령의 자문에 응하기 위해 민주평화통일자문회의를 둘 수 있다(임의적 설치).  **정답** ✗

❸ 국정의 중요한 사항에 관한 대통령의 자문에 응하기 위하여 국가원로로 구성되는 국가원로자문회의를 둔다. 14 국회8급 ( O / ✗ )
   해설 국가원로자문회의는 임의적 기구이므로 "둘 수 있다."라고 규정되어 있다. 국가안전보장회의는 필수적 기구이다.  **정답** ✗

## 011

**대통령에 대한 설명으로 옳지 않은 것만을 모두 고르면? (다툼이 있는 경우 판례에 의함)**

ㄱ. 대통령이 영전수여를 위해서는 국무회의의 심의를 거쳐야 하는 것은 아니다.
ㄴ. 대통령은 국회의 동의를 얻어 국무총리를 임명하며, 국무총리의 제청으로 국무위원을 임명한다.
ㄷ. 대통령은 국회의 동의를 얻어 대법원장을 임명하고, 대법관을 임명할 때에는 국회의 인사청문회를 거치는 것으로 국회 동의절차를 갈음한다.
ㄹ. 대통령은 9인의 헌법재판소 재판관 중 3인에 대해서만 임명권을 행사할 수 있고, 3인은 국회에서 선출하며, 3인은 대법원장이 지명한다.
ㅁ. 대통령은 국무회의의 의장으로서 회의를 소집하고 이를 주재하지만 대통령이 사고로 직무를 수행할 수 없는 경우에는 국무총리가 그 직무를 대행할 수 있고, 대통령이 해외 순방 중인 경우는 '사고'에 해당되므로, 대통령의 직무상 해외 순방 중 국무총리가 주재한 국무회의에서 이루어진 정당해산심판청구서 제출안에 대한 의결은 위법하지 아니하다.

① ㄱ, ㄴ, ㄷ
② ㄱ, ㄷ, ㄹ
③ ㄴ, ㄷ, ㅁ
④ ㄷ, ㄹ, ㅁ

### 해설

ㄱ. (✕) 영전수여는 국무회의의 심의를 거쳐야 한다. **(헌법 제89조 제8호)**

ㄴ. (○) 헌법 제86조 제1항, 제87조 제1항

ㄷ. (✕) 대법관 임명은 인사청문특별위원회를 거쳐야 하고, 그와 별도로 국회의 동의가 있어야 한다.

**헌법 제104조**
① 대법원장은 국회의 동의를 얻어 대통령이 임명한다.
② 대법관은 대법원장의 제청으로 국회의 동의를 얻어 대통령이 임명한다.
③ 대법원장과 대법관이 아닌 법관은 대법관회의의 동의를 얻어 대법원장이 임명한다.

ㄹ. (✕) 헌법재판소 재판관 중 3명은 국회에서 선출하고 3명은 대법원장이 지명하는데, 임명은 모두 대통령이 한다.

ㅁ. (○) 헌재 2014.12.19. 2013헌다1

**정답** ②

## 012

**대통령의 권한 행사에 대한 설명으로 옳지 않은 것만을 모두 고르면? (다툼이 있는 경우 판례에 의함)**

> ㄱ. 사면은 형의 선고의 효력 또는 공소권을 상실시키거나 형의 집행을 면제시키는 국가원수의 고유한 권한을 의미하며, 사법부의 판단을 변경하는 제도로서 권력분립의 원리에 대한 예외가 된다.
> ㄴ. 대통령이 국회 본회의에서 행한 시정연설에서 정책과 결부하지 않고 단순히 대통령의 신임 여부만을 묻는 국민투표를 실시하고자 한다고 밝힌 것은「헌법재판소법」제68조 제1항의 헌법소원의 대상이 되는 '공권력의 행사'에 해당한다.
> ㄷ. 헌법이 군령과 군정에 관한 권한을 모두 국군의 통수권이라는 이름으로 대통령에게 부여하는 것은 군령·군정일원주의를 정하여 문민통제를 실현하는 것이다.
> ㄹ. 대통령은 국회에서 의결한 법률안에 이의가 있을 때에는 15일 내에 이의서를 붙여 국회로 환부하고 재의를 요구할 수 있으나, 국회가 폐회 중인 때에는 먼저 임시국회의 소집을 요구하여야 한다.

① ㄱ, ㄴ
② ㄴ, ㄷ
③ ㄴ, ㄹ
④ ㄷ, ㄹ

### 해설

ㄱ. (O) 사면의 개념이다. [19 변호사]

ㄴ. (X) [19 변호사]

> **대통령의 재신임국민투표 제안은 공권력의 행사가 아니다.** (헌재 2003.11.27. 2003헌마694 등【각하】)
> 피청구인이 대통령으로서 국회 본회의의 시정연설에서 자신에 대한 신임국민투표를 실시하고자 한다고 밝혔다 하더라도, 그것이 공고와 같이 법적인 효력이 있는 행위가 아니라 단순한 정치적 제안의 피력에 불과하다고 인정되는 이상 이를 두고 헌법소원의 대상이 되는 '공권력의 행사'라고 할 수는 없으므로, 이에 대한 취소 또는 위헌확인을 구하는 청구인들의 심판청구는 모두 부적법하다.
> 신임국민투표의 제안은 탄핵사건에서 헌법의무를 위반한 것으로 보았다.

ㄷ. (O) 우리나라는 군령·군정통일주의를 취하고 있는데, 선지와 같은 기능을 수행한다. [18 국가7급]

ㄹ. (X) 국회가 폐회 중인 경우에도 임시회와 관계 없이 환부하여야 한다. [17 법원직]

> **헌법 제53조**
> ① 국회에서 의결된 법률안은 정부에 이송되어 15일 이내에 대통령이 공포한다.
> ② 법률안에 이의가 있을 때에는 대통령은 제1항의 기간 내에 이의서를 붙여 국회로 환부하고, 그 재의를 요구할 수 있다. 국회의 폐회 중에도 또한 같다.

**정답** ③

## 013  회독 ☐☐☐   19 서울7급(2월)

**대통령 당선인의 지위와 권한에 대한 설명으로 가장 옳지 않은 것은?**

① 대통령 당선인은 대통령 임기 시작 전에 국회의 인사청문절차를 거치게 하기 위하여 국무총리 및 국무위원 후보자를 지명할 수 있다.
② 대통령 선거 결과 대통령 당선인이 확정된 후 대통령 취임시까지 대통령 당선인의 법적 지위에 관한 헌법과 법률상의 규정이 없다.
③ 대통령직인수위원회는 정부의 조직·기능 및 예산현황의 파악, 새정부의 정책기조를 설정하기 위한 준비, 대통령의 취임행사 등 관련 업무의 준비, 그 밖의 대통령직 인수에 필요한 사항 등에 관한 업무를 담당한다.
④ 대통령직인수위원회는 위원장 1명, 부위원장 1명 및 24명 이내의 위원으로 구성하고 대통령 당선인이 임명한다.

**해설**

① (O) 대통령직 인수에 관한 법률 제5조 제1항
② (X) 대통령직 인수에 관한 법률이 제정되어 있다.
③ (O) 대통령직 인수에 관한 법률 제7조
④ (O) 대통령직 인수에 관한 법률 제8조 제1항·제2항

정답 ②

### 기출지문 OX

❶ 대통령직인수위원회는 대통령 당선이 결정된 날로부터 대통령 임기시작일 전날까지 존속한다. 17 국회8급   (O / X)

**해설**
**대통령직 인수에 관한 법률 제6조(대통령직인수위원회의 설치 및 존속기한)**
② 위원회는 대통령 임기시작일 이후 30일의 범위에서 존속한다.

정답 X

❷ 대통령직인수위원회 위원장은 명예직으로 한다. 17 국회8급   (O / X)

**해설** 대통령직 인수에 관한 법률 제8조 제2항

정답 O

❸ 징계로 해임처분을 받은 때로부터 4년이 지난 자는 대통령직인수위원회 부위원장이 될 수 있다. 17 국회8급   (O / X)

**해설** 대통령직 인수에 관한 법률 제10조에 "국가공무원법 제33조 각 호의 어느 하나에 해당하는 사람은 위원회의 위원장·부위원장·위원 및 직원이 될 수 없다."라고 규정하고 있고, 국가공무원법 제33조 제8호에 "징계로 해임처분을 받은 때부터 3년이 지나지 아니한 자는 공무원으로 임용할 수 없다."라고 규정하고 있으므로, 징계로 해임처분을 받은 때로부터 4년이 지난 자는 부위원장이 될 수 있다.

정답 O

### 🔔 선거일 법정주의와 선거일 공고주의

- **선거일 법정주의**: 공직선거법은 임기만료에 의한 선거와 국회의원 보궐선거에 대해서는 선거일 법정주의를 취한다.
- **선거일 공고주의**: 대통령의 궐위로 인한 선거 또는 재선거는 선거일 공고주의를 택하고 있다.

## 014 17 입시

**대통령의 궐위와 사고에 대한 설명으로 옳지 않은 것은?**

① 대통령이 헌법재판소의 탄핵결정으로 파면된 경우는 궐위에 해당한다.
② 대통령이 궐위된 때에는 60일 이내 후임자를 선거한다.
③ 대통령이 국회의 탄핵소추 의결로 권한 행사가 정지된 경우는 사고에 해당한다.
④ 대통령이 사고로 직무를 수행할 수 없을 때에는 국무총리가 1차적으로 권한을 대행한다.
⑤ 「정부조직법」은 대통령 권한대행의 직무범위를 "국가의 현상유지에 필요한 잠정적 조치에 한한다."라고 규정하고 있다.

**해설**

① (O) ③ (O) 국회가 소추하면 사고에 해당하고 탄핵이 결정되면 궐위에 해당한다.
② (O) 대통령 궐위시에는 권한대행이 60일을 초과할 수 없지만, 사고시에는 권한대행이 60일 이상 가능한 경우가 있다.
④ (O) 국무총리가 1순위 권한대행이라는 것은 헌법이 직접 규정하고 있으므로 정부조직법 개정으로 변경할 수 없다.
⑤ (X) 권한대행의 직무범위에 대해서는 명문규정이 없고 학설 대립만 있을 뿐이다.

**정답** ⑤

## 015 재구성 17 국가7급·국가7급(하)

**대통령에 대한 설명으로 옳은 것만을 모두 고르면? (다툼이 있는 경우 판례에 의함)**

> ㄱ. 국회가 재적의원 과반수의 찬성으로 계엄의 해제를 요구한 때에는 대통령은 이를 해제하여야 하는데, 이때 대통령은 계엄의 해제에 관하여 국무회의의 심의를 거쳐야 한다.
> ㄴ. 대통령이 임명하는 헌법재판소 재판관은 모두 국회 인사청문특별위원회의 인사청문을 거쳐야 한다.
> ㄷ. 대통령은 '국민 전체'에 대한 봉사자이므로 특정 정당, 자신이 속한 계급·종교·지역·사회단체, 자신과 친분 있는 세력의 특수한 이익 등으로부터 독립하여 국민 전체를 위하여 공정하고 균형 있게 업무를 수행할 의무가 있다.
> ㄹ. 헌법은 대통령이 사고로 인하여 직무를 수행할 수 없을 때 대통령 권한대행 개시 및 기간에 관한 결정권을 헌법재판소에 부여하고 있다.

① ㄱ, ㄴ
② ㄱ, ㄷ
③ ㄴ, ㄹ
④ ㄷ, ㄹ

**해설**

ㄱ. (O) 그 외 긴급명령 또는 긴급재정·경제명령도 국무회의의 심의사항이다. (헌법 제89조 제5호) [17 국가7급]
ㄴ. (X) 헌법재판소 재판관 중 국회에서 선출하는 3명은 인사청문특별위원회의 인사청문을 거치고, 그 외 6명은 상임위원회의 청문을 거쳐야 한다. [17 국가7급]
ㄷ. (O) 헌법 제7조 제1항은 국민주권주의와 대의민주주의를 바탕으로 공무원을 '국민 전체에 대한 봉사자'로 규정하고 공무원의 공익실현의무를 천명하고 있으며, 헌법 제69조는 대통령의 공익실현의무를 다시 한번 강조하고 있다. (헌재 2017.3.10. 2016헌나1) [17 국가7급(하)]
ㄹ. (X) 헌법은 대통령 궐위의 경우에 권한대행을 규정하고 있다. 그러나 사고의 경우를 판단할 수 있는 기관 등에 대한 규정이 없다(프랑스는 헌법평의회가 대통령의 사고를 판단할 수 있는 권한을 가진다). [17 국가7급(하)]

**정답** ②

## 016

**대통령의 권한에 대한 설명으로 옳은 것은? (다툼이 있는 경우 판례에 의함)**

① 대통령의 긴급재정·경제명령이 유효하게 성립하였다 하더라도 그 발동의 원인이 된 내우외환·천재지변 또는 중대한 재정·경제상의 위기가 사라진 경우에는 곧바로 그 효력이 상실된다.
② 유죄판결 확정 후에 형 선고의 효력을 상실케 하는 대통령의 특별사면이 있었다고 하더라도, 형 선고의 법률적 효과만 장래를 향하여 소멸될 뿐이고, 확정된 유죄판결에서 이루어진 사실인정과 그에 따른 유죄판단까지 없어지는 것은 아니다.
③ 징계를 받은 공무원에 대하여 일반사면령이 공포된 경우에는 사면에 의하여 징계의 효력이 상실될 뿐만 아니라, 징계처분의 기성의 효과에도 영향을 미치므로 위 사면사실로써 징계처분을 취소·변경할 수 있다.
④ 대통령의 부서 없는 국법상 행위의 효력과 관련하여 부서를 적법요건으로 보는 입장에서는 대통령의 부서 없는 국법상 행위는 무효가 된다고 본다.
⑤ 대통령의 영전수여권과 외교사절의 신임·접수권은 행정부 수반에게 주어진 고유권한이므로 국무회의의 심의사항이 아니다.

### 해설

① (✕) [16 지방7급]

> **헌법 제76조**
> ③ 대통령은 제1항과 제2항의 처분 또는 명령을 한 때에는 지체 없이 국회에 보고하여 그 승인을 얻어야 한다.
> ④ 제3항의 승인을 얻지 못한 때에는 그 처분 또는 명령은 그때부터 효력을 상실한다. 이 경우 그 명령에 의하여 개정 또는 폐지되었던 법률은 그 명령이 승인을 얻지 못한 때부터 당연히 효력을 회복한다.

② (O) 사면은 원칙적으로 형 선고의 효력을 상실시키는 효력은 없지만 예외가 인정된다. [16 지방7급]

> 유죄판결은 형 선고의 효력만 상실된 채로 여전히 존재하는 것으로 보아야 하고, 한편 형사소송법 제420조 각 호의 재심사유가 있는 피고인으로서는 재심을 통하여 특별사면에도 불구하고 여전히 남아 있는 불이익, 즉 유죄의 선고는 물론 형 선고가 있었다는 기왕의 경력 자체 등을 제거할 필요가 있다. … 따라서 특별사면으로 형 선고의 효력이 상실된 유죄의 확정판결도 형사소송법 제420조의 '유죄의 확정판결'에 해당하여 재심청구의 대상이 될 수 있다고 해석함이 타당하다. (대판 2015.5.21. 2011도1932 전원합의체)

③ (✕) 사면법 제5조에 의하면 형의 언도에 의한 기성의 효과는 사면·감형·복권으로 변경되지 않는다. 즉, 사면은 소급효가 인정되지 않는다. 따라서 일반사면이 있더라도 사면에 의해 징계처분의 기성의 효과에는 변화가 없다. [11 지방7급]

④ (✕) 부서가 없는 대통령의 국법상 행위의 효력에 대해 유효설과 무효설이 대립한다. 유효설에 의하면 부서제도는 대통령의 국법상 행위에 관한 유효요건이 아니라 적법요건으로 보아야 하므로 부서 없는 대통령의 행위도 당연히 무효가 되는 것은 아니고 위법행위가 되는 데 지나지 않으며 국회는 이를 탄핵소추의 사유로 할 수 있을 뿐이라고 한다(권영성). 한편, 무효설은 부서를 국법상 행위의 효력발생요건으로 본다. [11 지방7급]

⑤ (✕) 영전수여는 국무회의의 심의사항이다. (**헌법 제89조 제8호**) 외교사절의 신임·접수는 국무회의 심의사항이 아니다. 그리고 영전수여와 외교사절의 신임·접수권은 행정부 수반의 권한이 아니라 국가원수로서의 권한이다. [15 서울7급]

 정답 ②

## 017 16 법무사

**헌법에 따라 대통령이 임명권을 가지는 사람을 모두 열거한 것은?**

> ㄱ. 법관(대법원장이나 대법관이 아닌 법관을 말함)
> ㄴ. 감사원 감사위원
> ㄷ. 헌법재판관 중 국회에서 선출하는 3인의 재판관
> ㄹ. 중앙선거관리위원 중 대법원장이 지명하는 3인의 위원

① ㄱ, ㄴ, ㄷ, ㄹ  ② ㄴ, ㄷ, ㄹ  ③ ㄴ, ㄷ
④ ㄴ, ㄹ  ⑤ ㄷ, ㄹ

**해설**

ㄱ. (✕) 일반법관은 대법관회의의 동의를 거쳐 대법원장이 임명한다.
ㄴ. (○) 감사위원은 감사원장의 제청으로 대통령이 임명하고, 감사원장은 국회의 동의를 받아 대통령이 임명한다.
ㄷ. (○) 헌법재판관은 9명 모두 형식적으로 대통령이 임명한다.
ㄹ. (✕) 중앙선거관리위원 중 대법원장이 지명하는 3명의 위원은 대법원장이 임명한다.

**정답** ③

## 018 15 변호사

**각 괄호 안에 들어갈 용어를 바르게 나열한 것은?**

> 대통령 선거에 있어서는 중앙선거관리위원회가 유효투표의 다수를 얻은 자를 당선인으로 결정하고, 이를 ( A )에게 통지하여야 한다. 다만, 후보자가 1인인 때에는 그 득표수가 ( B )의 3분의 1 이상에 달하여야 당선인으로 결정하며 이렇게 당선인이 결정된 때에는 ( C )이 이를 공고한다.

| | A | B | C |
|---|---|---|---|
| ① | 국회의장 | 선거권자 총수 | 중앙선거관리위원회 위원장 |
| ② | 국회의장 | 선거권자 총수 | 국회의장 |
| ③ | 국회의장 | 유효투표 총수 | 국회의장 |
| ④ | 당선인 | 유효투표 총수 | 중앙선거관리위원회 위원장 |
| ⑤ | 당선인 | 선거권자 총수 | 국회의장 |

**해설**

① (○)

> **공직선거법 제187조(대통령 당선인의 결정·공고·통지)**
> ① 대통령 선거에 있어서는 중앙선거관리위원회가 유효투표의 다수를 얻은 자를 당선인으로 결정하고, 이를 (A) **국회의장**에게 통지하여야 한다. 다만, 후보자가 1인인 때에는 그 득표수가 (B) **선거권자 총수**의 3분의 1 이상에 달하여야 당선인으로 결정한다.
> ③ 제1항의 규정에 의하여 당선인이 결정된 때에는 (C) **중앙선거관리위원회 위원장**이, 제2항의 규정에 의하여 당선인이 결정된 때에는 국회의장이 이를 공고하고, 지체 없이 당선인에게 당선증을 교부하여야 한다.

**정답** ①

## 019

**우리 헌법상 대통령의 재직 중 형사상의 불소추특권에 대한 다음 기술 중 옳지 않은 것은?**

① 헌법 제84조는 "대통령은 내란 또는 외환의 죄를 범한 경우를 제외하고는 재직 중 형사상의 소추를 받지 아니한다."라고 하여, 대통령의 형사상 특권을 규정하고 있다. 이는 대통령의 형사상 특권은 사법권(재판권)이 미치지 아니하는 예외적인 경우를 규정한 것이다.

② 헌법재판소는 헌법 제84조에 의하여 대통령 재직 중에는 공소시효의 진행이 당연히 정지되지는 않는다고 결정하였다.

③ 헌법재판소는 1979년 12월 12일과 1980년 5월 18일을 전후하여 발생한 「헌정질서 파괴범죄의 공소시효 등에 관한 특례법」 제2조의 헌정질서 파괴행위에 의하여 국가의 소추권 행사에 장애사유가 존재한 기간은 공소시효의 진행이 정지된 것으로 보고 있는 「5·18민주화운동 등에 관한 특별법」 제2조가 헌법위반이 아니라고 결정하였다.

④ 헌법 제84조가 정하는 대통령의 형사상 불소추특권은 대통령이 내란 또는 외환의 죄에 해당하지 아니하는 죄를 범한 경우에는 재직 중에는 기소되어 법원의 재판을 받지 않는다는 의미이므로 형사상의 책임이 면제되는 것은 아니다.

⑤ 대통령이 권한을 행사하면서 사안을 올바로 이해하지 못하거나 판단을 잘못하여 국가와 국민에게 피해를 가져올 수도 있지만, 이러한 정책판단이나 정책집행상의 오류에 대해서는 법적인 책임이 면제된다.

**해설**

① (O)

② (×)

> 헌법 제84조의 규정취지와 함께 공소시효제도나 공소시효정지제도의 본질에 비추어 보면, 비록 헌법 제84조에는 "대통령은 내란 또는 외환의 죄를 범한 경우를 제외하고는 재직 중 형사상의 소추를 받지 아니한다."라고만 규정되어 있을 뿐 헌법이나 형사소송법 등의 법률에 대통령의 재직 중 공소시효의 진행이 정지된다고 명백히 규정되어 있지는 않다고 하더라도, 위 헌법규정은 바로 공소시효 진행의 소극적 사유가 되는 국가의 소추권 행사의 법률상 장애사유에 해당하므로, 대통령의 재직 중에는 공소시효의 진행이 당연히 정지되는 것으로 보아야 한다. (헌재 1995.1.20. 94헌마246)

③ (O) 헌법재판소는 합헌결정하였다. (헌재 1996.2.16. 96헌가2 등)

④ (O) 헌재 1995.1.20. 94헌마246

⑤ (O)

**정답** ②

## 020

**대통령의 국민투표부의권과 정치적 중립의무에 대한 설명으로 옳은 것만을 모두 고르면?**

> ㄱ. 대통령은 외교·국방·통일 기타 국가안위에 관한 중요정책이라 하더라도 국민투표에 부치지 않고 독자적으로 결정할 수도 있다.
> ㄴ. 대통령이 국민투표부의권을 행사한 경우 그 정책에 대한 결정은 국회의원 선거권자 과반수 투표와 투표자 과반수 찬성을 얻어야 한다는 것을 헌법에 명시적으로 밝히고 있다.
> ㄷ. 제3공화국 헌법에서 국민투표를 처음으로 규정한 이래 지금까지의 국민투표는 모두 헌법개정을 위한 국민투표였다.
> ㄹ. 정무직공무원의 정치운동을 허용하는 「국가공무원법」의 규정에 대하여 공무원의 중립의무를 규정한 「공직선거법」의 규정은 선거영역에서 특별법의 지위에 있다.

① ㄱ, ㄴ
② ㄱ, ㄹ
③ ㄴ, ㄷ
④ ㄷ, ㄹ

**해설**

ㄱ. (O) 헌법 제72조는 "대통령은 필요하다고 인정할 때에는 외교·국방·통일 기타 국가안위에 관한 중요정책을 국민투표에 붙일 수 있다."라고 규정하여 헌법 제72조의 국민투표는 재량으로 규정되어 있다. 따라서 외교·국방·통일 기타 국가안위에 관한 중요정책을 독자적으로 결정할 수 있는 것은 대통령의 권한이다. [14 지방7급]
ㄴ. (✕) 헌법 제72조의 국민투표에 대해서는 정족수에 관한 규정이 없다. [14 지방7급]
ㄷ. (✕) 1975년 2월에 정부신임을 묻는 국민투표를 시행한 적이 있다. [14 지방7급]
ㄹ. (O) 선거에 있어서 공직선거법이 국가공무원법보다 우선 적용된다는 의미이다. [09 지방7급]

**정답** ②

## 021 10 지방7급

**대통령의 권한에 대한 설명으로 옳은 것은?**

① 대통령은 비상계엄을 선포한 경우 법률이 정하는 바에 의하여 영장제도, 언론·출판·집회·결사의 자유, 정부나 국회의 권한에 관하여 특별한 조치를 할 수 있다.
② 대통령은 일반사면과 특별사면을 할 수 있으며 이들 경우에 국회의 동의를 얻어야 한다.
③ 대통령은 국가의 안위에 관계되는 긴급한 경우를 제외하고는 국회의 동의 없이 독자적으로 국군을 외국에 파견할 수 없다.
④ 대통령은 법률에서 구체적으로 범위를 정하여 위임받은 사항에 관하여 위임명령을 발할 수 있으며, 이 경우 법률에서 위임받은 사항에 관하여는 국민의 권리·의무에 관해서도 규율할 수 있다.

**해설**

① (✗)

> **헌법 제77조**
> ③ 비상계엄이 선포된 때에는 법률이 정하는 바에 의하여 영장제도, 언론·출판·집회·결사의 자유, 정부나 법원의 권한에 관하여 특별한 조치를 할 수 있다.
>
> **계엄법 제9조(계엄사령관의 특별조치권)**
> ① 비상계엄지역에서 계엄사령관은 군사상 필요할 때에는 체포·구금·압수·수색·거주·이전·언론·출판·집회·결사 또는 단체행동에 대하여 특별한 조치를 할 수 있다. 이 경우 계엄사령관은 그 조치 내용을 미리 공고하여야 한다.

② (✗) 특별사면은 국회의 동의가 필요 없다.
③ (✗) 국군의 해외파견은 언제나 국회의 동의가 필요하다.

> **헌법 제60조**
> ② 국회는 선전포고, 국군의 외국에의 파견 또는 외국군대의 대한민국 영역 안에서의 주류에 대한 동의권을 가진다.

④ (○)

**정답** ④

## 022  회독 ☐☐☐                                                    10 지방7급

**대통령의 권한 행사에 대한 통제방법에 대한 설명으로 옳지 않은 것은? (다툼이 있는 경우 헌법재판소 결정에 의함)**

① 대통령의 처분 또는 부작위가 다른 국가기관이나 지방자치단체의 권한을 침해한 경우에는 권한쟁의심판을 통하여 대통령의 권한 행사를 통제할 수 있다.
② 대통령의 특별사면권의 행사가 그 한계를 현저히 일탈하였다고 판단될 경우에 국민은 이러한 사면권 행사에 대하여 헌법소원심판을 통하여 통제할 수 있다.
③ 대통령이 제정한 행정입법은 법원의 위헌위법심사나 헌법재판소의 헌법소원심판에 의하여 통제할 수 있다.
④ 국민은 대통령이 제안한 헌법개정안과 대통령이 국민투표에 부의한 국가안위에 관한 중요정책에 대하여 국민투표로써 통제할 수 있다.

**해설**

① (O)
② (X)

> 대통령의 특별사면에 관하여 일반국민의 지위에서 사실상의 또는 간접적인 이해관계를 가진다고 할 수는 있으나 대통령의 청구외인들에 대한 특별사면으로 인하여 청구인들 자신의 법적 이익 또는 권리를 직접적으로 침해당한 피해자라고 볼 수 없으므로 이 사건 심판청구는 자기관련성, 직접성이 결여되어 부적법하다. (헌재 1998.9.30. 97헌마404【각하】)

③ (O)
④ (O)

정답 ②

**기출지문 OX**

❶ 대통령령이 헌법 또는 법률에 위배되는 경우 법원은 재판에 있어 이의 적용을 거부할 수 있다. 12 국가7급    (O / X)
   정답 O

❷ 대통령의 긴급재정·경제처분은 처분으로서의 효력을 갖는 데 지나지 않으므로 국회의 승인을 요하지는 않으나, 각급 법원에 의한 심사대상이 된다. 15 지방7급    (O / X)
   해설 대통령은 긴급재정·경제처분과 긴급재정·경제명령, 긴급명령은 모두 지체 없이 국회에 보고하여 그 승인을 얻어야 한다. 긴급재정·경제처분은 처분으로서의 효력을 가지므로 각급 법원에 의한 심사대상이 된다.    정답 X

❸ 법원은 대통령령이 헌법이나 법률에 위반되는지의 여부가 재판의 전제가 된 경우에 이를 심사함으로써 대통령의 권한 행사를 통제한다. 15 지방7급    (O / X)
   해설 대통령령 등의 법규명령은 재판의 전제성이 인정되면 법원의 심판대상이고 집행행위를 매개하지 않고 적용되면 헌법소원의 대상이 된다(이때는 항고소송의 대상이 되기도 한다).    정답 O

## 023 　회독 ☐☐☐ 　NEW　　　　　　　　　　　　　　　　23 서울·지방7급

**대통령의 헌법상 권한에 대한 설명으로 옳지 않은 것은?**

① 대통령은 법률에서 구체적으로 범위를 정하여 위임받은 사항과 법률을 집행하기 위하여 필요한 사항에 관하여 대통령령을 발할 수 있다.
② 대통령은 내우·외환·천재·지변 또는 중대한 재정·경제상의 위기에 있어서 국가의 안전보장 또는 공공의 안녕질서를 유지하기 위하여 긴급한 조치가 필요하고 국회의 집회를 기다릴 여유가 없을 때에 한하여 최소한으로 필요한 재정·경제상의 처분을 하거나 이에 관하여 법률의 효력을 가지는 명령을 발할 수 있다.
③ 대통령은 전시·사변 또는 이에 준하는 국가비상사태에 있어서 병력으로써 군사상의 필요에 응하거나 공공의 안녕질서를 유지할 필요가 있고 국회의 집회가 불가능한 때에 한하여 계엄을 선포할 수 있다.
④ 대통령은 국가의 안위에 관계되는 중대한 교전상태에 있어서 국가를 보위하기 위하여 긴급한 조치가 필요하고 국회의 집회가 불가능한 때에 한하여 법률의 효력을 가지는 명령을 발할 수 있다.

**해설**

① (O) 헌법 제75조
② (O) ④ (O)

> **헌법 제76조**
> ① 대통령은 내우·외환·천재·지변 또는 중대한 재정·경제상의 위기에 있어서 국가의 안전보장 또는 공공의 안녕질서를 유지하기 위하여 긴급한 조치가 필요하고 국회의 집회를 기다릴 여유가 없을 때에 한하여 최소한으로 필요한 재정·경제상의 처분을 하거나 이에 관하여 법률의 효력을 가지는 명령을 발할 수 있다.
> ② 대통령은 국가의 안위에 관계되는 중대한 교전상태에 있어서 국가를 보위하기 위하여 긴급한 조치가 필요하고 국회의 집회가 불가능한 때에 한하여 법률의 효력을 가지는 명령을 발할 수 있다.
> ③ 대통령은 제1항과 제2항의 처분 또는 명령을 한 때에는 지체 없이 국회에 보고하여 그 승인을 얻어야 한다.
> ④ 제3항의 승인을 얻지 못한 때에는 그 처분 또는 명령은 그때부터 효력을 상실한다. 이 경우 그 명령에 의하여 개정 또는 폐지되었던 법률은 그 명령이 승인을 얻지 못한 때부터 당연히 효력을 회복한다.
> ⑤ 대통령은 제3항과 제4항의 사유를 지체 없이 공포하여야 한다.

③ (✗) 계엄선포는 국회의 집회 여부와는 관계가 없다.

> **헌법 제77조**
> ① 대통령은 전시·사변 또는 이에 준하는 국가비상사태에 있어서 병력으로써 군사상의 필요에 응하거나 공공의 안녕질서를 유지할 필요가 있을 때에는 법률이 정하는 바에 의하여 계엄을 선포할 수 있다.

정답 ③

### 기출지문 OX

❶ 대통령이 계엄을 선포할 때에는 국무회의의 심의를 거쳐야 하나, 계엄을 변경하고자 할 때에는 국무회의의 심의를 거칠 필요가 없다. 18 지방7급 ( O / X )

해설 대통령이 계엄을 선포하거나 변경하고자 할 때에는 국무회의의 심의를 거쳐야 한다.   정답 X

❷ 대통령이 계엄을 선포하였을 때에는 지체 없이 국회에 통고하여야 하는데, 이때 국회가 폐회 중인 경우에는 대통령이 국회에 집회를 요구하지 않아도 된다. 18 지방7급 ( O / X )

해설
**계엄법 제4조(계엄선포의 통고)**
① 대통령이 계엄을 선포하였을 때에는 지체 없이 국회에 통고하여야 한다.
② 제1항의 경우에 국회가 폐회 중일 때에는 대통령은 지체 없이 국회에 집회를 요구하여야 한다.

정답 X

---

## 024  회독 ☐☐☐  재구성                                   22 변호사, 19 국가7급

**대통령의 국가긴급권에 대한 설명으로 옳은 것은? (다툼이 있는 경우 판례에 의함)**

① 긴급재정경제명령이 헌법상 소정의 요건과 한계에 부합하는 것이라면 그 자체로 목적의 정당성, 수단의 적정성, 피해의 최소성, 법익의 균형성이라는 기본권 제한의 한계로서의 과잉금지원칙을 준수하는 것이 된다.

② 긴급재정경제명령은 국가의 안전보장이나 공공의 안녕질서라는 소극적 목적뿐만 아니라 공공복지의 증진과 같은 적극적 목적을 위해서도 발할 수 있다.

③ 국가긴급권은 비상적인 위기상황을 극복하고 헌법질서를 수호하기 위해 헌법질서에 대한 예외를 허용하는 것이기 때문에 그 본질상 일시적·잠정적으로만 행사되어야 한다는 한계가 적용될 수 없다.

④ 대통령은 내우·외환·천재·지변 또는 중대한 재정·경제상의 위기에 있어서 국가의 안전보장 또는 공공의 안녕질서를 유지하기 위하여 긴급한 조치가 필요하고 국회의 집회를 기다릴 여유가 없을 때에 한하여 최소한으로 필요한 재정·경제상의 처분을 하거나 이에 관하여 법률의 효력을 가지는 명령을 발할 수 있으며, 이 경우 국회가 폐회 중일 때에는 대통령은 지체 없이 국회에 집회를 요구하여야 한다.

해설

① (O) [22 변호사]

**대통령이 발한 금융실명거래 및 비밀보장에 관한 긴급재정경제명령의 위헌확인 사건** (헌재 1996.2.29. 93헌마186[기각, 각하])
'긴급재정경제명령이 헌법 제76조 소정의 요건과 한계에 부합한다면, 그 자체로 목적의 정당성, 수단의 적절성, 침해의 최소성, 법익의 균형성이라는 기본권 제한의 한계로서의 과잉금지원칙을 준수하는 것이 되는 것'이라고 판시하였다.

② (X) 국가긴급권은 공공복리의 목적으로 적극적으로 행사할 수 없다. [22 변호사]

③ (X) 국가긴급권은 비상적인 위기상황을 극복하고 헌법질서를 수호하기 위해 헌법질서에 대한 예외를 허용하는 것이기 때문에 그 본질상 일시적·잠정적으로만 행사되어야 한다. [19 국가7급]

④ (X) "국회가 폐회 중일 때에는 대통령은 지체 없이 국회에 집회를 요구하여야 한다."라는 것은 계엄선포의 경우이다. [19 국가7급]

정답 ①

### 🔖 현행헌법의 국가긴급권

| 구분 | 긴급재정 · 경제처분권 · 경제명령권 | 긴급명령권 | 계엄선포권 |
|---|---|---|---|
| 상황 | 내우 · 외환, 천재 · 지변 기타 중대한 재정 · 경제상의 위기 | 중대한 교전상태 | 전시 · 사변 |
| 효력 | • 긴급재정 · 경제처분: 명령의 효력<br>• 긴급재정 · 경제명령: 법률의 효력 | • 법률의 효력<br>• 기본권 제한 가능<br>• 기존 법률 개정 · 폐지 가능 | 비상계엄시 영장제도, 언론 · 출판, 집회 · 결사의 자유, 정부나 법원의 권한에 대한 특별조치 가능 |
| 국회 | 국회의 집회를 기다릴 여유가 없어야 한다. | 국회의 집회가 불가능해야 한다. | 국회의 집회 여부와 관계 없다. |
| 통제 | 국회에 지체 없이 보고하고 승인을 얻어야 하며, 승인을 얻지 못하면 그때부터 효력을 상실한다. | | • 지체 없이 국회에 통고하여야 한다.<br>• 국회는 재적 과반수로 해제를 요구할 수 있고 대통령은 해제하여야 한다. |
| 국무회의 | 국무회의의 심의를 거쳐야 한다. | | |
| 목적 | 국가긴급권은 국가안전보장이나 질서유지와 같은 소극적 목적을 위해서는 가능하지만, 공공복리와 같은 적극적 목적을 위해서는 행사할 수 없다. | | |
| 계엄법 | • 계엄법에는 비상계엄시 거주 · 이전의 자유와 단체행동에 대해서도 특별한 조치를 할 수 있음을 규정하고 있다.<br>• 기본권에 대한 특별한 조치는 비상계엄하에서만 가능하고 경비계엄하에서는 할 수 없다. | | |

## 025

**국가긴급권에 대한 설명으로 옳지 않은 것은? (다툼이 있는 경우 판례에 의함)**

① 국가긴급권은 헌법보장의 한 수단이지만, 입헌주의 그 자체를 파괴하는 위험을 초래하게 된다.
② 긴급명령은 국회가 의결한 법률을 통하여 개정 · 폐지될 수 있다.
③ 사법기관인 법원이 고도의 정치적 · 군사적 성격을 띠는 대통령 계엄선포행위의 요건 구비나 그 선포의 당 · 부당을 심사하는 것은 적절하지 않다고 보아야 한다.
④ 대통령이 발한 긴급명령이 헌법이나 법률에 위반되는지 여부에 관하여는 대법원이 최종적으로 심사할 권한을 가진다.

**해설**

① (O) [14 서울7급]
② (O) 긴급명령은 법률과 동일한 효력이므로 다른 법률에 의하여 개정 · 폐지가 가능하다. 또한 긴급명령에 의해 기존의 법률을 개정 · 폐지하는 것도 가능하다. [14 서울7급]
③ (O) [14 서울7급]

> 대통령의 계엄선포행위는 고도의 정치적 · 군사적 성격을 띠는 행위라고 할 것이어서, 그 선포의 당 · 부당을 판단할 권한은 헌법상 계엄의 해제 요구권이 있는 국회만이 가지고 있다고 할 것이고 그 선포가 당연무효의 경우라면 모르되, 사법기관인 법원이 계엄선포의 요건 구비 여부나 선포의 당 · 부당을 심사하는 것은 사법권의 내재적인 본질적 한계를 넘어서는 것이 되어 적절한 바가 못된다. (대결 1979.12.7. 79초70)

④ (✗) 긴급명령은 법률의 효력을 가지므로 법원이 아니라 헌법재판소의 심판대상이다. [15 서울7급]

**정답** ④

## 026  재구성
10 · 08 국가7급, 09 국회8급

**국가긴급권에 대한 설명으로 옳지 않은 것은?**

① 비상계엄의 선포와 동시에 계엄사령관은 계엄지역 안의 모든 행정사무와 사법사무를 관장한다.
② 경비계엄이 선포된 때에는 법률이 정하는 바에 의하여 영장제도에 관하여 특별한 조치를 취할 수 있다.
③ 비상계엄지역에서 계엄사령관은 법률이 정하는 바에 따라 동원 또는 징발할 수 있으며, 작전상 부득이한 경우에는 국민의 재산을 파괴 또는 소각할 수 있다.
④ 국가긴급권은 국가비상사태시에 발동될 수 있는 권한이기 때문에 헌법장애상태에서는 발동될 수 없다.
⑤ 비상계엄지역 안에 법원이 없거나 당해 관할 법원과의 교통이 차단된 경우에는 모든 형사사건에 대한 재판은 군사법원이 이를 행한다.

**해설**

① (O) **계엄법 제7조 제1항** [10 국가7급]
   재판과 같은 순수한 사법작용은 그대로 유지된다. 따라서 영장 발부의 권한은 여전히 법원이 행사한다.
② (X) 영장제도에 관하여 특별한 조치를 취할 수 있는 것은 비상계엄이 선포된 경우이다. **(헌법 제77조 제3항)** 경비계엄으로는 기본권에 대한 특별한 조치를 할 수 없다. [10 국가7급]
③ (O) **계엄법 제9조 제2항·제3항** [08 국가7급]
④ (O) 헌법장애상태(헌법기관의 고장)란 대통령의 궐위와 같은 경우를 말한다. [08 국가7급]
⑤ (O) [09 국회8급]

**정답** ②

---

## 027  재구성
09 지방7급, 07 국가7급

**국가비상사태와 국가긴급권에 대한 설명으로 옳은 것은?**

① 긴급명령의 경우 동원되는 공권력은 병력이다.
② 긴급재정·경제명령은 지체 없이 국회에 보고하여 그 승인을 얻어야 하고, 만약 국회의 승인을 얻지 못한 때에는 소급하여 그 효력을 상실한다. 이 경우 그 명령에 의하여 개정 또는 폐지되었던 법률은 그 명령이 승인을 얻지 못한 때부터 당연히 효력을 회복한다.
③ 비상계엄이 선포된 때에는 군사상 필요 또는 공공의 안녕질서를 유지하기 위하여 사실상 군에 의한 통치를 일시적으로 가능하게 함으로써 헌법의 일부 규정에 대하여 특별한 조치를 할 수 있다.
④ 구법에 위임의 근거가 없더라도 사후에 법개정으로 위임의 근거가 부여되거나 또는 구법에 위임의 근거가 있더라도 법개정으로 근거가 없게 되는 경우에는 유효한 법규명령이 된다.

**해설**

① (X) 병력이 동원되는 경우는 계엄이다. **(헌법 제77조)** [07 국가7급]
② (X) 승인을 얻지 못하면 그때부터 효력을 상실한다. [09 지방7급]
③ (O) 선지에서 헌법의 일부 규정은 영장제도 등을 말한다. [09 지방7급]
④ (X) 구법에 위임의 근거가 없더라도 사후에 법개정으로 위임의 근거가 부여되면 그때부터 유효하지만, 구법에 위임의 근거가 있더라도 법개정으로 근거가 없게 되는 경우에는 원칙적으로 그 법규명령은 무효가 된다. [09 지방7급]

**정답** ③

## 028

**행정입법에 대한 설명으로 옳은 것은? (다툼이 있는 경우 판례에 의함)**

① 행정입법의 지체가 위법으로 되어 그에 대한 법적 통제가 가능하기 위하여는 우선 행정청에게 시행명령을 제정·개정할 법적 의무가 있어야 하고, 상당한 기간이 지났음에도 불구하고 명령제정·개정권이 행사되지 않아야 한다.
② 행정부에서 제정된 대통령령에서 규정한 내용이 정당한 것인지 여부와 위임의 적법성은 직접적인 관계가 있다.
③ 하위행정입법의 제정 없이 상위법령의 규정만으로 집행이 이루어질 수 있는 경우에도 하위행정입법을 하여야 할 헌법적 작위의무가 인정된다.
④ 헌법 제75조에 근거한 포괄위임금지원칙은 누구라도 당해 법률로부터 하위법규에 규정될 내용의 대강을 예측할 수 있어야 함을 의미하지만, 위임입법이 대법원규칙인 경우에는 수권법률에서 이 원칙을 준수하여야 하는 것은 아니다.

**해설**

① (○) 헌재 2010.5.4. 2010헌마249

② (×)
> 위임입법의 법리는 헌법의 근본원리인 권력분립주의와 의회주의 내지 법치주의에 바탕을 두는 것이기 때문에 행정부에서 제정된 대통령령에서 규정한 내용이 정당한 것인지 여부와 위임의 적법성은 직접적인 관계가 없다. 따라서 대통령령으로 규정한 내용이 헌법에 위반될 경우라도 그 대통령령의 규정이 위헌으로 되는 것은 별론으로 하고 그로 인하여 정당하고 적법하게 입법권을 위임한 수권법률조항까지 위헌으로 되는 것은 아니다. (헌재 2010.12.28. 2009헌바145 등)

③ (×) 하위행정입법의 제정 없이 상위법령의 규정만으로 집행이 이루어질 수 있는 경우에는 하위행정입법을 하여야 할 헌법적 작위의무가 인정되지 않는다.
④ (×) 대법원규칙도 포괄위임금지원칙을 준수하여야 한다.

**정답** ①

---

**기출지문 OX**

예측가능성을 위해 위임조항 자체에서 위임의 구체적 범위를 명백히 규정하여야 함에도 위임의 구체적 범위를 명백히 규정하고 있지 않다면 이는 포괄적인 백지위임에 해당한다. 24 법원직 ( O / × )

**해설**
> 법률규정 자체에 위임의 구체적 범위를 명확히 규정하고 있지 아니하여 외형상으로는 일반적·포괄적으로 위임한 것처럼 보이더라도, 그 법률의 전반적인 체계와 취지·목적, 당해 조항의 규정형식과 내용 및 관련 법규를 살펴 이에 대한 해석을 통하여 그 내재적인 위임의 범위나 한계를 객관적으로 분명히 확정될 수 있는 것이라면 이를 일반적·포괄적인 위임에 해당하는 것으로 볼 수는 없다. (대판 1996.3.21. 95누3640 전원합의체)

**정답** ×

## 029 21·14 변호사

포괄위임금지원칙에 대한 설명 중 옳은 것(O)과 옳지 않은 것(×)을 올바르게 조합한 것은? (다툼이 있는 경우 판례에 의함)

ㄱ. 행정각부의 장은 소관 사무에 관하여 법률이나 대통령령의 위임 또는 직권으로 부령을 발할 수 있는데, 법률이 부령에 입법을 위임하는 경우 대통령령에 위임하는 경우와 마찬가지로 '구체적으로 범위를 정하여' 하여야 한다.

ㄴ. 행정규칙은 법규명령과 같은 엄격한 제정 및 개정절차를 요하지 아니하므로 위임입법이 제한적으로 인정되지만, 위임이 불가피하게 인정되는 경우 법률의 위임은 반드시 구체적·개별적으로 한정된 사항에 대하여 행해져야 하는 것은 아니다.

ㄷ. 의료기기 판매업자의 「의료기기법」 위반행위에 대하여 보건복지부령이 정하는 기간 이내의 범위에서 업무정지를 명할 수 있도록 한 「의료기기법」 조항은 포괄위임금지원칙에 위반되지 않는다.

ㄹ. 「국가유공자 등 단체 설립에 관한 법률」의 조항이 상이군경회를 비롯한 각 국가유공자단체의 대의원 선출에 관한 사항을 정관에 위임하는 형식을 갖추었다 하더라도, 이는 본래 정관에서 자치적으로 규율하여야 할 사항을 정관규정사항으로 남겨둔 것에 불과하고, 헌법 또는 다른 법률에서 이를 법률규율사항으로 정한 바도 없기 때문에 그 위헌심사에는 헌법상 포괄위임입법금지원칙이 적용되지 않는다.

| | ㄱ | ㄴ | ㄷ | ㄹ |
|---|---|---|---|---|
| ① | O | O | × | × |
| ② | × | × | O | × |
| ③ | O | O | × | O |
| ④ | O | × | × | O |

### 해설

ㄱ. (O) 포괄위임금지원칙은 정관과 조례에는 적용되지 않지만 그 외의 행정입법에는 적용된다. [21 변호사]

ㄴ. (×) 행정규칙에 대한 위임도 구체적으로 범위를 정하여 위임하여야 한다. [21 변호사]

ㄷ. (×) [14 변호사]

> '보건복지부령이 정하는 기간 이내의 범위'는 업무정지기간의 범위에 관하여 아무런 규정을 두고 있지 아니하고, 나아가 의료기기법의 다른 규정이나 다른 관련 법률을 유기적·체계적으로 종합하여 보더라도 보건복지가족부령에 규정될 업무정지기간의 범위, 특히 상한이 어떠할지를 예측할 수 없으므로 헌법 제75조의 포괄위임금지원칙에 위배된다. (헌재 2011.9.29. 2010헌가93)

ㄹ. (O) 조례와 정관에는 포괄위임금지원칙이 적용되지 않는다. [14 변호사]

정답 ④

## 030 [20 국가7급·법원직]

**행정입법에 대한 설명으로 옳지 않은 것은? (다툼이 있는 경우 판례에 의함)**

① 국무총리는 소관 사무에 관하여 법률이나 대통령령의 위임으로 총리령을 발할 수 있을 뿐만 아니라 직권으로 총리령을 발할 수도 있다.
② 법률에 명시적인 위임규정이 없더라도 대법원규칙에는 법률에 저촉되지 않는 한 소송절차에 관한 행위나 권리를 제한하는 규정을 둘 수 있다. 따라서 수권법률에 대해서는 포괄위임금지원칙 위반 여부를 심사할 필요가 없다.
③ 위임입법에서 사용하고 있는 추상적 용어가 하위법령에 규정될 내용의 범위를 구체적으로 정해주기 위한 역할을 하는지, 아니면 그와는 별도로 독자적인 규율 내용을 정하기 위한 것인지 여부에 따라 별도로 명확성원칙 위반의 문제가 나타날 수도 있고, 그렇지 않을 수도 있게 된다.
④ 집행명령은 근거법령인 상위법령이 폐지되면 특별한 규정이 없는 이상 실효된다 할 것이나, 상위법령이 개정됨에 그친 경우에는 개정법령과 성질상 모순, 저촉되지 아니하고 개정된 상위법령의 시행에 필요한 사항을 규정하고 있는 이상 그 집행명령은 상위법령의 개정에도 불구하고 당연히 실효되지 아니하고 개정법령의 시행을 위한 집행명령이 제정, 발효될 때까지는 여전히 그 효력을 유지하는 것이라고 할 것이다.
⑤ 헌법 제75조는 일반적이고 포괄적인 위임입법이 허용되지 않음을 명백히 밝히고 있으나, 위임조항 자체에서 위임의 구체적 범위를 명확히 규정하고 있지 않더라도 당해 법률의 전반적 체계와 관련 규정에 비추어 위임조항의 내재적인 위임의 범위나 한계를 객관적으로 분명히 확정할 수 있다면 이를 일반적이고 포괄적인 백지위임에 해당하는 것으로 볼 수 없다.

### 해설

① (O) [20 법원직]

> **헌법 제95조**
> 국무총리 또는 행정각부의 장은 소관 사무에 관하여 법률이나 대통령령의 위임 또는 직권으로 총리령 또는 부령을 발할 수 있다.

② (X) 법률에 명시적인 위임규정이 없더라도 대법원규칙에는 법률에 저촉되지 않는 한 소송절차에 관한 행위나 권리를 제한하는 규정을 둘 수 있으나 수권법률에 대해서는 포괄위임금지원칙이 적용된다. [20 법원직]
③ (O) [20 국가7급]

> 일반적으로 법률에서 일부 내용을 하위법령에 위임하고 있는 경우 위임을 둘러싼 법률규정 자체에 대한 명확성의 문제는 포괄위임금지원칙의 문제가 될 것이다. 다만, 위임규정이 하위법령에 위임하고 있는 내용과는 무관하게 법률 자체에서 해당 부분을 완결적으로 정하고 있는 경우 포괄위임금지원칙과는 별도로 명확성원칙이 문제될 수 있는데, 위임입법에서 사용하고 있는 추상적 용어가 하위법령에 규정될 내용의 범위를 구체적으로 정해 주기 위한 역할을 하는지, 아니면 그와는 별도로 독자적인 규율 내용을 정하기 위한 것인지 여부에 따라 별도로 명확성원칙 위반의 문제가 나타날 수도 있고, 그렇지 않을 수도 있다. (헌재 2011.12.29. 2010헌바385 등)

④ (O) 집행명령은 상위법을 시행하기 위한 절차만을 정하기 때문이다. [20 국가7급]
⑤ (O) 헌재 2005.4.28. 2003헌가23 [20 국가7급]

정답  ②

## 031　　20 변호사

**위임입법에 관한 설명 중 옳지 않은 것은? (다툼이 있는 경우 판례에 의함)**

① 헌법이 인정하고 있는 위임입법의 형식은 예시적인 것으로 보아야 할 것이고, 법률이 입법사항을 고시와 같은 행정규칙의 형식으로 위임하더라도 그 행정규칙은 위임된 사항만을 규율할 수 있으므로, 국회입법원칙과 상치되지 않는다.

② 국가전문자격시험을 운영함에 있어 시험과목 및 시험실시에 관한 구체적인 사항을 어떻게 정할 것인가는 법률에서 반드시 직접 정하여야 하는 사항이라고 보기 어렵고, 전문자격시험에서 요구되는 기량을 갖추었는지 여부를 어떠한 방법으로 평가할 것인지 정하는 것뿐만 아니라 평가 그 자체도 전문적·기술적인 영역에 해당하므로, 시험과목 및 시험실시 등에 관한 사항을 대통령령에 위임할 필요성이 인정된다.

③ '식품접객영업자 등 대통령령으로 정하는 영업자'는 '영업의 위생관리와 질서유지, 국민의 보건위생 증진을 위하여 총리령으로 정하는 사항'을 지켜야 한다고 규정한 구 「식품위생법」 조항은 수범자와 준수사항을 모두 하위법령에 위임하면서도 위임될 내용에 대해 구체화하고 있지 아니하여 그 내용들을 전혀 예측할 수 없게 하고 있으므로 포괄위임금지원칙에 위반된다.

④ 상시 4명 이하의 근로자를 사용하는 사업 또는 사업장에 대하여 대통령령으로 정하는 바에 따라 「근로기준법」의 일부 규정을 적용할 수 있도록 위임한 「근로기준법」 조항은, 종전에는 「근로기준법」을 전혀 적용하지 않던 4인 이하 사업장에 대하여 「근로기준법」을 일부나마 적용하는 것으로 범위를 점차 확대해 나간 동법 시행령의 연혁 등을 종합적으로 고려하여 볼 때, 사용자의 부담이 그다지 문제되지 않으면서 동시에 근로자의 보호필요성의 측면에서 우선적으로 적용될 수 있는 「근로기준법」의 범위를 선별하여 적용할 것을 대통령령에 위임한 것으로 볼 수 있고, 그러한 「근로기준법」 조항들이 4인 이하 사업장에 적용되리라 예측할 수 있다.

⑤ 운전면허를 받은 사람이 자동차 등을 이용하여 살인 또는 강간 등 행정안전부령이 정하는 범죄행위를 한 때 운전면허를 취소하도록 하는 구 「도로교통법」 조항은 필요적 운전면허취소 대상범죄를 자동차 등을 이용하여 살인·강간 및 이에 준하는 범죄로 정하고 있으나, 위 조항에 의하더라도 하위법령에 규정될 자동차 등을 이용한 범죄행위의 유형을 충분히 예측할 수 없으므로 포괄위임금지원칙에 위배된다.

**해설**

① (O) 헌법재판소가 위임입법을 예시적으로 보는 이유는 기능적 권력분립에 입각해 있기 때문이다.
② (O) 헌재 2019.5.30. 2018헌마1208 등
③ (O)

> 식품 관련 영업은 식품산업의 발전 및 관련 정책의 변화에 따라 수시로 변화하는 특성이 있으므로 수범자인 영업자의 범위나 영업형태를 하위법령에 위임할 필요성이 있다. 식품 관련 영업자가 준수하여야 할 사항 역시 각 영업의 종류와 특성, 주된 업무태양에 따라 달라질 수밖에 없으므로 하위법령에 위임할 필요가 있다. 그러나 심판대상조항은 식품접객업자를 제외한 어떠한 영업자가 하위법령에서 수범자로 규정될 것인지에 대하여 아무런 기준을 정하고 있지 않다. 비록 수범자 부분이 다소 광범위하더라도 준수사항이 구체화되어 있다면 준수사항의 내용을 통해 수범자 부분을 예측하는 것이 가능할 수 있는데, '영업의 위생관리와 질서유지', '국민의 보건위생 증진'은 매우 추상적이고 포괄적인 개념이어서 이를 위하여 준수하여야 할 사항이 구체적으로 어떠한 것인지 그 행위태양이나 내용을 예측하기 어렵다. 또한 '영업의 위생관리와 국민의 보건위생 증진'은 식품위생법 전체의 입법목적과 크게 다를 바 없고, '질서유지'는 식품위생법의 입법목적에도 포함되어 있지 않은 일반적이고 추상적인 공익의 전체를 의미함에 불과하므로, 이러한 목적의 나열만으로는 식품 관련 영업자에게 행위기준을 제공해 주지 못한다. 결국 심판대상조항은 수범자와 준수사항을 모두 하위법령에 위임하면서도 위임될 내용에 대해 구체화하고 있지 아니하여 그 내용들을 전혀 예측할 수 없게 하고 있으므로, 포괄위임금지원칙에 위반된다. (헌재 2016.11.24. 2014헌가6 등)

④ (○) 헌재 2019.4.11. 2013헌바112 [합헌]

⑤ (×)

> **자동차 등을 이용한 범죄행위와 운전면허의 필요적 취소 사건** (헌재 2015.5.28. 2013헌가6)
> [1] 자동차 등을 이용한 범죄행위의 모든 유형이 기본권 제한의 본질적인 사항으로서 입법자가 반드시 법률로써 규율하여야 하는 사항이라고 볼 수 없고, 법률에서 운전면허의 필요적 취소사유인 살인, 강간 등 자동차 등을 이용한 범죄행위에 대한 예측 가능한 기준을 제시한 이상, 심판대상조항은 법률유보원칙에 위배되지 아니한다.
> [2] 관련 법조항 등을 유기적·체계적으로 종합하여 보면, 결국 심판대상조항에 의하여 하위법령에 규정될 자동차 등을 이용한 범죄행위의 유형은 '범죄의 실행행위수단으로 자동차 등을 이용하여 살인 또는 강간 등과 같이 고의로 국민의 생명과 재산에 큰 위험을 초래할 수 있는 중대한 범죄'가 될 것임을 충분히 예측할 수 있으므로, 심판대상조항은 포괄위임금지원칙에 위배되지 아니한다.
> [3] 심판대상조항 중 '자동차 등을 이용하여' 부분은 포섭될 수 있는 행위태양이 지나치게 넓을 뿐만 아니라, 하위법령에서 규정될 대상 범죄에 심판대상조항의 입법목적을 달성하기 위해 반드시 규제할 필요가 있는 범죄행위가 아닌 경우까지 포함될 우려가 있어 침해의 최소성원칙에 위배된다. 심판대상조항은 운전을 생업으로 하는 자에 대하여는 생계에 지장을 초래할 만큼 중대한 직업의 자유의 제약을 초래하고, 운전을 업으로 하지 않는 자에 대하여도 일상생활에 심대한 불편을 초래하여 일반적 행동의 자유를 제약하므로 법익의 균형성원칙에도 위배된다. 따라서 심판대상조항은 직업의 자유 및 일반적 행동의 자유를 침해한다.

정답  ⑤

### 📋 예상판례

❶ 중앙관서의 장이 경쟁의 공정한 집행 또는 계약의 적정한 이행을 해칠 염려가 있는 자 등에 대하여 2년 이내의 범위에서 대통령령이 정하는 바에 따라 입찰참가자격을 제한하도록 한 구 국가를 당사자로 하는 계약에 관한 법률 제27조 제1항은 법률유보원칙 및 포괄위임금지원칙에 위배되지 않고, 직업의 자유를 침해하지 않으며 평등원칙 및 자기책임원칙에도 위배되지 않는다. (헌재 2016.6.30. 2015헌바125 등)

❷ 컴퓨터용디스크 등의 증거조사방식에 관하여 필요한 사항을 대법원규칙으로 정하도록 한 형사소송법 제292조의3은 포괄위임금지원칙에 위반되지 않는다. (헌재 2016.6.30. 2013헌바27)
  [1] 대법원규칙으로 규율될 내용들은 소송에 관한 절차와 같이 법원의 전문적이고 기술적인 사무에 관한 것이 대부분일 것인바, 법원의 축적된 지식과 실제적 경험의 활용, 규칙의 현실적 적응성과 적시성의 확보라는 측면에서 수권법률에서의 위임의 구체성·명확성의 정도는 다른 규율영역에 비해 완화될 수 있을 것이다.
  [2] 기존의 문서나 물건과는 다른 형태의 다양한 증거가 발생되는 현실에서 정보저장매체의 특성을 반영하여 일일이 법률규정에서 증거조사방식을 규율하기란 사실상 매우 곤란하며, 컴퓨터용디스크 등에 대한 증거조사방식은 기술적이고 전문적이며 가변적인 사항에 해당한다. 그러므로 컴퓨터용디스크 등에 대한 증거의 조사방식에 관한 세부적인 사항을 국회가 제정하는 법률보다 탄력성이 있는 하위법규인 대법원규칙에 위임할 필요성이 인정된다.

❸ 화약류관리보안 책임자가 수행하여야 할 안전상의 감독업무를 대통령령에 위임하는 구 총포·도검·화약류 등 단속법 제31조 제1항 중 화약류관리보안 책임자에 관한 부분과 위 조항을 위반하여 안전상의 감독업무를 게을리한 자를 처벌하는 같은 법 제71조 제4호 중 화약류관리보안 책임자에 관한 부분은 포괄위임금지원칙에 위반된다고 할 수 없으므로, 헌법에 위반되지 않는다. (헌재 2017.11.30. 2016헌바245)

## 032

**헌법재판소가 위임입법의 한계를 일탈했다고 판시한 것만을 모두 고른 것은?**

ㄱ. 의료보험요양기관의 지정취소사유 등을 법률에서 직접 규정하지 아니하고 보건복지부령에 위임하고 있는 구 「공무원 및 사립학교 교직원 의료보험법」 제34조 제1항
ㄴ. 사업시행자에 의하여 개발된 토지 등의 처분계획의 내용ㆍ처분방법ㆍ절차ㆍ가격기준 등에 관하여 필요한 사항을 대통령령으로 정할 수 있도록 위임한 「산업입지 및 개발에 관한 법률」 제38조 제2항
ㄷ. 취득세의 과세표준이 되는 가액, 가격 또는 연부금액의 범위와 취득시기에 관하여 대통령령으로 정하도록 한 구 「지방세법」 제11조 제7항
ㄹ. 등록세 중과세의 대상이 되는 부동산등기의 지역적 범위에 관하여 대통령령으로 정하는 대도시라고 규정한 구 「지방세법」 제138조 제1항

① ㄱ
② ㄱ, ㄴ
③ ㄱ, ㄴ, ㄷ
④ ㄱ, ㄴ, ㄷ, ㄹ

### 해설

**ㄱ. (O)**

> 의료보험요양기관의 직업수행의 자유를 제한하는 그 지정취소의 경우, 국회는 그 취소의 사유에 관하여 국민들의 정당한 의료보험수급권의 보호ㆍ보험재정의 보호 및 의료보험 수급질서의 확립이라는 공공복리 내지 질서유지의 필요와 그 지정취소로 인하여 의료기관 등이 입게 될 불이익 등을 비교형량하여 일반국민이 그 기준을 대강이라도 예측할 수 있도록 법률로서 명확히 정하여야 하고, 하위법령에 위임하는 경우에도 그 구체적인 범위를 정하였어야 한다. 그럼에도 불구하고 이 사건 법률조항에서는 그 지정취소사유의 대강이라도 예측할 수 있게 규정하지 아니한 채 보건복지부장관에게 포괄적으로 백지위임하고 있으므로, 이는 헌법상 위임입법의 한계를 일탈한 것으로서 헌법 제75조 및 제95조에 위반되고, 나아가 우리 헌법상의 기본원리인 권력분립의 원리, 법치주의의 원리, 의회입법의 원칙 등에 위배된다고 할 것이다. (헌재 1998.5.28. 96헌가1 [위헌])

**ㄴ. (X)**

> 심판대상조항인 구 산업입지법 제39조의4 제2항은 "제1항에 따른 동의자 수의 산정방법과 그 밖에 필요한 사항은 대통령령으로 정한다."라고 규정하여 '제1항에 따른 동의자 수의 산정방법과 그 밖에 필요한 사항'이라는 부분에 한정하여 대통령령에 위임하고 있으며, '토지소유자 등의 동의'라는 조항의 제목 및 산업단지 재생사업의 추진절차 등을 고려했을 때 이는 재생사업지구의 지정절차에 있어 토지소유자 등의 동의와 관련하여 필요한 사항이 대통령령에 규정될 것이라고 충분히 예측할 수 있고, 이에는 동의와 관련한 사항뿐만 아니라 이러한 동의를 철회하는 방법도 포함될 것이라는 점 또한 어렵지 않게 예측할 수 있다. (헌재 2018.12.27. 2017헌바43 [합헌])

**ㄷ. (X)**

> 지방세법 제111조 제5항 제3호의 '취득가격'은 국민의 경제생활에 있어서 법적 안정성과 예측가능성을 해할 위험성이 있는 다의적인 불명확한 개념이라고 볼 수 없다. (헌재 1995.7.21. 92헌바40 [합헌])

**ㄹ. (X)**

> 구 지방세법 제138조 제1항 제3호는 법인의 신설, 전입 등으로 인한 등록세 중과세의 대상이 되는 부동산등기의 지역적 범위에 관하여 '대통령령으로 정하는 대도시'라고 규정하고 있는데, 인구와 경제력의 편중을 억제함으로써 지역 간의 균형발전 내지는 지역경제를 활성화하려는 입법취지에 비추어 보면 이 법률조항의 위임에 따라 대통령령에서 정하여질 '대도시'에는 우선, 단위도시 그 자체로 지역이 넓고 인구가 많으며 정치ㆍ경제생활의 중심지가 되는 도시가 해당될 것임은 물론, 나아가 그러한 특정의 대도시를 인근도시들이 둘러싸거나 또는 대도시에 이르지 못하는 여러 도시군이 집합체를 이룸으로써 대도시권역을 이루고 있는 경우도 포함될 것임을 어렵지 않게

예측할 수 있다. 그렇다면 이 법률조항은 중과세되는 부동산등기의 지역적 범위에 관한 기본사항을 정한 다음 단지 세부적, 기술적 사항만을 대통령령에 위임한 것이라고 할 것이므로 조세법률주의나 포괄위임입법금지원칙에 위반되지 아니한다. (헌재 2002.3.28. 2001헌바24 등【합헌】)

정답 ①

## 033

**위임입법에 대한 설명으로 옳은 것은? (다툼이 있는 경우 판례에 의함)**

① 헌법 제95조는 "국무총리 또는 행정각부의 장은 소관 사무에 관하여 법률이나 대통령령의 위임 또는 직권으로 총리령 또는 부령을 발할 수 있다."라고 규정하여 재위임의 근거를 마련하고 있지만, 헌법 제75조에서 정하고 있는 대통령령의 경우와는 달리 '구체적으로 범위를 정하여'라는 제한을 규정하고 있지 아니하므로 대통령령으로 위임받은 사항을 그대로 재위임할 수 있다.

② 범죄와 형벌에 관한 사항에 관해서는 위임입법의 근거와 한계에 관한 헌법 제75조가 적용될 수 없다.

③ 부령의 제정·개정절차가 대통령령에 비하여 보다 용이한 점을 고려할 때 재위임에 의한 부령의 경우에도 위임에 의한 대통령령에 가해지는 헌법상의 제한이 당연히 적용되어야 할 것이다.

④ 법률이 대통령령으로 위임하는 경우 규정될 내용 및 범위의 기본사항이 구체적이고 명확하게 규정되어 있지 않더라도 관련 분야의 평균인이 볼 때 당해 법률로부터 대통령령에 규정될 내용의 대강을 예측할 수 있으면 위임입법의 한계를 넘은 것이 아니다.

### 해설

① (✕) 총리령과 부령에 관한 헌법 제95조는 헌법 제75조에서 정하고 있는 대통령령의 경우와는 달리 '구체적으로 범위를 정하여'라는 제한을 규정하고 있지 않으나 위임받은 사항을 그대로 재위임할 수는 없다. [14 변호사]

② (✕) [15 지방7급]

> 범죄와 형벌에 관한 사항에 있어서도 위임입법의 근거와 한계에 관하여 정하고 있는 헌법 제75조가 적용되기 때문에 형벌법규가 구성요건의 일부를 하위법령에 위임하고 있고 이러한 위임형식의 위헌성이 문제되는 경우에는 죄형법정주의뿐만 아니라 위임입법의 한계, 즉 포괄위임입법금지원칙 역시 문제가 된다. (헌재 2010.5.27. 2009헌바183)

③ (○) 부령에 위임할 때도 포괄위임금지원칙이 적용된다는 의미이다. [19 지방7급]

④ (✕) [17 지방7급]

> 헌법 제75조도 "대통령령은 법률에서 범위를 정하여 위임받은 사항 … 에 관하여 대통령령을 발할 수 있다."라고 규정하여 위임입법의 근거와 아울러 그 범위와 한계를 제시하고 있는데, '법률에서 구체적으로 범위를 정하여 위임받은 사항'이라 함은 법률에 이미 대통령령으로 규정될 내용 및 범위의 기본사항이 구체적으로 규정되어 있어서 누구라도 당해 법률로부터 대통령령에 규정될 내용의 대강을 예측할 수 있어야 함을 의미한다. (헌재 1994.7.29. 93헌가12)

정답 ③

## 034 회독 ☐☐☐ 재구성 [18 5급행시, 17 변호사]

**행정입법에 대한 설명으로 옳지 않은 것만을 모두 고르면? (다툼이 있는 경우 판례에 의함)**

> ㄱ. 행정각부의 장은 소관 사무에 관하여 법률이나 대통령령의 위임으로 부령을 발할 수 있으나, 직권으로 부령을 발할 수는 없다.
> ㄴ. 국회 상임위원회는 소관 중앙행정기관의 장이 제출한 대통령령·총리령·부령 등 행정입법이 법률의 취지 또는 내용에 합치되지 아니한다고 판단되는 경우 소관 중앙행정기관의 장에게 수정·변경을 요구할 수 있다.
> ㄷ. 법령의 직접적인 위임에 따라 수임행정기관이 그 법령을 시행하는 데 필요한 구체적 사항을 정한 것이면, 그 제정형식이 고시, 훈령, 예규 등과 같은 행정규칙이더라도 그것이 상위법령의 위임한계를 벗어나지 아니하는 한, 상위법령과 결합하여 대외적인 구속력을 갖는 법규명령으로서 기능하고 있는 것으로 볼 수 있으므로 「헌법재판소법」 제68조 제1항에 의한 헌법소원의 대상이 되는 공권력 행사에 해당한다.
> ㄹ. 법령에서 행정처분의 요건 중 일부 사항을 부령으로 정할 것을 위임한 데 따라 시행규칙 등 부령에서 이를 정한 경우에 그 부령의 규정은 국민에 대해서도 구속력이 있는 법규명령에 해당한다고 할 것이지만, 법령의 위임이 없음에도 법령에 규정된 처분요건에 해당하는 사항을 부령에서 변경하여 규정한 경우에는 그 부령의 규정은 행정청 내부의 사무처리기준 등을 정한 것으로서 행정조직 내에서 적용되는 행정명령의 성격을 지닐 뿐 국민에 대한 대외적 구속력은 없다.

① ㄱ, ㄴ
② ㄱ, ㄷ
③ ㄴ, ㄷ
④ ㄷ, ㄹ

**해설**

ㄱ. (✗) [18 5급행시]

> **헌법 제95조**
> 국무총리 또는 행정각부의 장은 소관 사무에 관하여 <u>법률이나 대통령령의 위임 또는 직권으로 총리령 또는 부령을 발할 수 있다.</u>

ㄴ. (✗) 법률 위반을 통보하는 것이지 변경을 요구할 수 있는 것은 아니다. [18 5급행시]
ㄷ. (〇) 법령보충적 행정규칙이나 재량준칙도 집행행위를 매개하지 않으면 헌법소원의 대상이 된다. [17 변호사]
ㄹ. (〇) 대판 2013.9.12. 2011두10584 [17 변호사]

**정답** ①

## 035 회독 ☐☐☐ 재구성

16 변호사, 09 지방7급

**위임입법에 대한 설명으로 옳지 않은 것은? (다툼이 있는 경우 판례에 의함)**

① 위임명령은 법령의 위임에 의한 것이므로 그 법률이 소멸하면 위임명령의 효력도 상실되는 것이 원칙이다.
② 제1종 특수면허 없이 자동차를 운전한 경우 무면허운전죄로 처벌하면서 제1종 특수면허로 운전할 수 있는 차의 종류를 부령에 위임한 법률조항은 포괄위임금지원칙에 위배된다.
③ 일정한 권리에 관하여 법률이 규정한 존속기간을 뜻하는 제척기간은 권리관계를 조속히 확정시키기 위하여 권리의 행사에 중대한 제한을 가하는 것이므로 모법인 법률에 의한 위임이 없는 한 시행령이 함부로 제척기간을 규정할 수는 없다.
④ 구 「공직선거법」이 관련 조항에서 허용하는 수당·실비 기타 이익을 제공하는 행위 이외의 금품 제공 행위를 처벌하면서, 선거사무 관계자에게 지급이 허용되는 수당과 실비의 종류와 금액을 중앙선거관리위원회가 정하도록 규정하는 것은 그 내용이 예측 가능하여 포괄위임금지원칙에 위배되지 아니한다.

**해설**

① (○) [09 지방7급]
② (✕) [16 변호사]

> 도로교통법상 운전면허를 취득하여야 하는 자동차 및 건설기계의 종류는 매우 다양하고 어떤 운전면허로 어떤 자동차 또는 건설기계를 운전할 수 있도록 할지를 정하는 작업에는 전문적이고 기술적인 지식이 요구되므로, 제1종 특수면허로 운전할 수 있는 차의 종류를 하위법령에 위임할 필요성이 인정된다. 또한 자동차 운전자로서는 자동차관리법상 특수자동차의 일종인 트레일러와 레커의 용도와 조작방법 등의 특성을 감안할 때 이를 운전하기 위해서는 제1종 특수면허를 취득하여야 한다는 점도 충분히 예측할 수 있으므로, 심판대상조항이 포괄위임금지원칙에 위배된다고 할 수 없다. (헌재 2015.1.29. 2013헌바173)

③ (○) 제척기간이 경과되면 소를 제기하지 못하는 등 권리 행사에 제한이 크기 때문이다. [16 변호사]
④ (○) 헌재 2015.4.30. 2013헌바55 [16 변호사]

**정답** ②

## 036 회독 ☐☐☐

14 지방7급

**명확성원칙이나 포괄위임금지원칙에 대한 헌법재판소의 판례 내용으로 옳지 않은 것은?**

① '다량의 토사'를 유출하거나 버려서 상수원 또는 하천, 호소를 '현저히 오염'되게 하는 행위는 평소 하천이나 호소의 부유물질량의 증가 또는 변화를 보고 판단할 수 있어, '다량'이나 '현저히' 같은 표현 그 자체로만으로 불명확하다고 볼 수는 없다.
② 보험재정에 관한 사실관계는 매우 다양하고 수시로 변화될 것이 예상되기 때문에, 보험료 산정기준이 되는 보험료 부과점수나 보험료율을 탄력적으로 규율할 필요가 있으므로, '보험료 부과점수의 산정방법·기준 그 밖에 필요한 사항'을 대통령령에 위임하더라도 그 내용의 범위와 한계가 객관적으로 충분히 예측 가능하여 포괄위임금지원칙에 위반되지 않는다.
③ 광고가 금지되는 내용으로서 '대부조건 등'은 대부업자가 자신의 용역에 관한 대부계약을 소비자와 맺기에 앞서 내놓는 중요한 요구와 거래의 상대방 보호를 위해 대부업자에게 요구되는 중요한 사항으로서, 대부업자의 모든 광고가 아니라 대부계약에 대한 청약의 유인으로서의 광고를 금지하는 것이므로, 명확성원칙에 위배되지 않는다.
④ 교정시설의 장이 마약류사범에 대하여는 시설의 안전과 질서유지를 위하여 필요한 범위에서 다른 수용자와의 접촉을 차단하거나 계호를 엄중히 하는 등 법무부령으로 정하는 바에 따라 다른 수용자와 달리 관리할 수 있도록 한 것에서 '시설의 안전과 질서유지를 위하여 필요한 범위' 내에서 '다른 수용자와의 접촉을 차단하거나 계호를 엄중히 하는 등'의 규정은 마약류의 중독성 및 높은 재범률 등 마약류사범의 특성에 대한 전문적 이해를 필요로 하고, 규율되는 범위나 방법이 어느 정도인지를 누구라도 쉽게 예측할 수 있어 포괄위임금지원칙에 위배되지 않는다.

> **해설**

① (✗)
> 이 사건 벌칙규정이나 관련 법령 어디에도 '토사'의 의미나 '다량'의 정도, '현저히 오염'되었다고 판단할 만한 기준에 대하여 아무런 규정도 하지 않고 있으므로, 일반국민으로서는 자신의 행위가 처벌대상인지 여부를 예측하기 어렵고, 감독행정관청이나 법관의 자의적인 법해석과 집행을 초래할 우려가 매우 크므로 이 사건 벌칙규정은 죄형법정주의의 명확성원칙에 위배된다. (헌재 2013.7.25. 2011헌가26 등)

② (○) 헌재 2013.7.25. 2010헌바51
③ (○)
> **예상판례**
> 대부업자가 대부조건 등에 관하여 광고하는 경우 명칭, 대부이자율 등의 사항을 포함하지 않으면 과태료를 부과하도록 규정한 대부업 등의 등록 및 금융이용자 보호에 관한 법률 제21조 제1항 제8호 중 '제9조 제2항' 부분은 명확성원칙에 위배되지 않는다. (헌재 2013.7.25. 2012헌바67)

④ (○) 헌재 2013.7.25. 2012헌바63

**정답** ①

## 037 재구성

**행정입법에 대한 설명으로 옳지 않은 것은?**

① 법령의 규정이 특정 행정기관에게 법령 내용의 구체적 사항을 정할 수 있는 권한을 부여하면서 권한 행사의 절차나 방법을 특정하지 아니한 경우, 수임행정기관은 행정규칙이나 규정형식으로 법령 내용이 될 사항을 구체적으로 정할 수 있다.

② 행정규칙 등은 당해 법령의 위임한계를 벗어나지 않는 한 대외적 구속력이 있는 법규명령으로서 효력을 가질 수 있는데, 이는 행정규칙이 갖는 일반적 효력이 아니라 행정기관에 법령의 구체적 내용을 보충할 권한을 부여한 법령규정의 효력에 근거하여 예외적으로 인정되는 것이다.

③ 위임입법에 관한 헌법 제75조는 처벌법규에도 적용되는 것이지만 처벌법규의 위임은 특히 긴급한 필요가 있거나 미리 법률로써 자세히 정할 수 없는 부득이한 사정이 있는 경우에 한정되어야 하고, 이 경우에도 법률에서 범죄의 구성요건은 처벌대상인 행위가 어떠한 것일지를 예측할 수 있을 정도로 구체적으로 정하고 형벌의 종류 및 그 상한의 폭을 명백히 규정하여야 한다.

④ 하위법규인 대통령령의 내용이 합헌인 경우 그 수권법률도 합헌이고, 대통령령이 위헌일 경우 그 수권법률도 위헌이다.

### 해설

① (O) 위임된 권한의 범위 내이기 때문에 가능하다. 집행명령을 별도의 법적 근거 없이 제정할 수 있다는 것과 같은 맥락이다. [14 국가7급]

② (O) 법령보충적 행정규칙이 법규성을 가지는 이유이다. [14 국가7급]

③ (O) [13 변호사]

④ (X) 수권법률이 위헌이면 그에 종속되는 대통령령이 위헌이고, 수권법률이 합헌이더라도 이에 종속하는 대통령령은 합헌적으로 될 수 있고, 위헌적으로 될 수 있는 것이다. 위헌이냐 합헌이냐의 기준은 당해 대통령령이 기준으로 되는 것이 아니라 수권법률이 기준으로 되어야 한다. [09 국가7급]

**정답** ④

## 038 회독 ☐☐☐ 재구성　　　　　　　　　　　　　　　　　　　　　　　　13 국회9급·지방7급, 08·07 국가7급

**행정입법에 대한 설명으로 옳지 않은 것은? (다툼이 있는 경우 판례에 의함)**

① 행정규칙은 일반적으로 행정조직 내부에서만 효력을 가질 뿐 대외적인 구속력을 가지지 않으므로 원칙적으로 헌법소원의 대상이 되지 않는다.
② 시행령에 관해서는 국무회의의 심의 및 국무총리와 관계 국무위원의 부서를 통해서 일정한 통제가 이루어지고, 법원에 의한 위헌·위법 명령·규칙 심사의 대상이 되지만, 헌법재판소의 심판대상이 되지는 않는다.
③ 집행명령도 모법의 세칙을 정하고 있는 범위 내에서 법규의 성질을 가지므로 행정기관들뿐만 아니라 국민에 대해서도 효력을 가질 수 있다.
④ 집행명령은 법률을 집행하기 위하여 필요한 사항만 정할 수 있을 뿐이고, 그 법률에서 규정하지 않은 새로운 사항을 규정할 수 없다.
⑤ 국민의 권리와 의무에 관한 중요한 사항은 입법부에 의하여 법률의 형식으로 결정되어야 한다는 의회주의 원리는 입법부가 그 입법권한을 행정부 내지 사법부에 위임하는 것을 금지함을 내포하고 있다.

### 해설

① (O) [07 국가7급]
② (X) 시행령 중에서 대통령령만 국무회의 필수적 심의대상이다. 총리령·부령은 국무회의의 필수적 심의대상은 아니나, 국무회의의 심의가 가능하다. 법규명령(시행령)이 재판의 전제가 되지 않고 직접 기본권을 침해하는 경우에는 헌법소원의 대상이 된다. [07 국가7급]
③ (O) 집행명령도 법규명령의 일종이지만, 새로운 권리·의무에 관한 내용은 정할 수 없으며, 상위법의 수권이 필요 없다. [08 국가7급]
④ (O) [13 지방7급]
⑤ (O) [13 국회9급]

> 우리 헌법은 권력분립주의에 입각하여 국민의 권리와 의무에 관한 중요한 사항은 주권자인 국민에 의하여 선출된 대표자들로 구성되는 국회에 의하여 법률의 형식으로 결정하도록 하고 있다. 이러한 의회주의 내지 법치주의의 기본원리는 입법부가 그 입법의 권한을 행정부 내지 사법부에 위임하는 것을 금지함을 내포하고 있다. (헌재 2011.9.29. 2010헌가93)

정답 ②

### 📖 예상판례

❶ **산재보험 적용제외사업의 범위를 대통령령에 위임하는 산업재해보상보험법 제6조 단서는 헌법에 위반되지 아니한다.** (헌재 2018.1.28. 2016헌바466)
누구라도 심판대상조항으로부터 대통령령에 산재보험의 강제적용에 따른 부담을 감당하기 어렵거나 그 부담으로 인하여 사업수행에 적지 않은 지장을 받을 수 있는 소규모 사업 또는 낮은 재해발생률로 인하여 산재보험에 따른 부담에 비하여 효과가 미약하다고 볼 수 있는 사업이 산재보험 적용제외사업으로 규정될 것이라고 충분히 예측할 수 있다.

❷ **식품의약품안전처장이 공중위생상 필요한 경우 고시하는 축산물 가공방법의 기준을 준수하도록 규정한 축산물 위생관리법 제4조 제5항 전문 중 제4조 제2항 제1호 가운데 '축산물의 가공'에 관한 부분, 이러한 기준을 위반한 자를 처벌하는 같은 법 제45조 제4항 제1호 중 위 해당 부분은 헌법에 위반되지 않는다.** (헌재 2017.9.28. 2016헌바140)
축산물 가공방법의 기준에 관한 사항은 전문적·기술적 사항으로서, 심판대상조항이 이를 식품의약품안전처 고시에 위임하는 것은 불가피하므로, 심판대상조항이 축산물 가공방법의 기준을 식품의약품안전처고시에 위임한 것은 헌법에 위반되지 아니한다.

❸ **부당한 공동행위에 관하여 자진신고 또는 조사협조한 자에 대한 과징금 감면의 범위와 그 기준 등을 대통령령으로 정하도록 위임하고 있는 구 독점규제 및 공정거래에 관한 법률 제22조의2 제3항 중 '제1항의 규정에 의하여 과징금이 감경 또는 면제되는 자의 범위와 과징금의 감경 또는 면제의 기준·정도 등을 대통령령으로 정하도록 한 부분'은 헌법에 위반되지 아니한다.** (헌재 2017.10.26. 2017헌바58)

## 039 회독 ☐☐☐ 재구성                                    22 법원직, 21 서울·지방7급

**사면에 대한 설명으로 옳지 않은 것은? (다툼이 있는 경우 판례에 의함)**

① 일반사면은 헌법상 국무회의의 필수적 심의를 거친 후에 국회의 동의를 얻어 법률의 형식으로 행한다.
② 선고된 형 전부를 사면할 것인지 또는 일부만을 사면할 것인지를 결정하는 것은 사면권자의 전권사항에 속하는 것이다.
③ 유죄판결 확정 후 형 선고의 효력을 상실케 하는 특별사면이 있으면 재심을 청구할 수 있다.
④ 법무부장관은 사면심사위원회의 심사를 거쳐 대통령에게 특별사면을 상신한다.
⑤ 특별사면은 국가원수인 대통령이 형의 집행을 면제하거나 선고의 효력을 상실케 하는 시혜적 조치로서, 형의 전부 또는 일부에 대하여 하거나, 중한 형 또는 가벼운 형에 대하여만 할 수도 있다.

> **해설**

① (✗) 사면, 감형, 복권은 모두 국무회의 심의대상이며 일반사면은 국회의 동의까지 받아야 한다. 다만, 형식은 대통령령으로 한다. [22 법원직]

② (○) [22 법원직]

> 선고된 형의 전부를 사면할 것인지 또는 일부만을 사면할 것인지를 결정하는 것은 사면권자의 전권사항에 속하는 것이고, 징역형의 집행유예에 대한 사면이 병과된 벌금형에도 미치는 것으로 볼 것인지 여부는 사면의 내용에 대한 해석문제에 불과하다고 할 것이다. (헌재 2000.6.1. 97헌바74)

③ (○) [22 법원직]

> 유죄판결 확정 후에 형 선고의 효력을 상실하게 하는 특별사면이 있었다고 하더라도, 형 선고의 법률적 효과만 장래를 향하여 소멸될 뿐이고 확정된 유죄판결에서 이루어진 사실인정과 그에 따른 유죄판단까지 없어지는 것은 아니므로, 유죄판결은 형 선고의 효력만 상실된 채로 여전히 존재하는 것으로 보아야 하고, 한편 형사소송법 제420조 각 호의 재심사유가 있는 피고인으로서는 재심을 통하여 특별사면에도 불구하고 여전히 남아 있는 불이익, 즉 유죄의 선고는 물론 형 선고가 있었다는 기왕의 경력 자체 등을 제거할 필요가 있다. 따라서 특별사면으로 형 선고의 효력이 상실된 유죄의 확정판결도 형사소송법 제420조의 '유죄의 확정판결'에 해당하여 재심청구의 대상이 될 수 있다. (대판 2015.5.21. 2011도1932)

④ (○) [21 서울·지방7급]
   검찰총장은 대통령에게 직접 상신할 수 없고, 법무부장관에게 상신하여 줄 것을 신청할 수 있다.

⑤ (○) 특별사면의 내용으로 특별사면은 형의 선고를 받은 사람에게만 가능하고 형 선고 이전에는 할 수 없다. 일반사면은 형 선고 전 또는 선고 후에 가능하다. [21 서울·지방7급]

**정답** ①

## 040  회독 ☐☐☐  재구성                                    18 국회8급

**대통령의 사면권 행사에 대한 설명으로 옳은 것은 모두 몇 개인가?**

> ㄱ. 복권은 형의 집행이 끝나지 아니한 자 또는 집행이 면제되지 아니한 자에 대하여는 하지 아니한다.
> ㄴ. 협의의 사면이라 함은 「형사소송법」이나 그 밖의 형사법규의 절차에 의하지 아니하고, 형의 선고의 효과 또는 공소권을 소멸시키거나 형 집행을 면제시키는 국가원수의 특권을 의미한다. 넓은 의미의 사면은 협의의 사면은 물론이고 감형과 복권까지 포괄하는 개념이다.
> ㄷ. 일반사면이란 범죄의 종류를 지정하여, 이에 해당하는 모든 범죄인에 대하여 형의 선고의 효과를 전부 또는 일부 소멸시키거나, 형의 선고를 받지 아니한 자에 대해서는 공소권을 소멸시키는 것을 말한다.
> ㄹ. 특별사면이라 함은 이미 형의 선고를 받은 특정인에 대하여 형의 집행을 면제하는 것이다.

① 1개  ② 2개
③ 3개  ④ 4개

**해설**

ㄱ. (O) **사면법 제6조**
ㄴ. (O) 사면의 개념과 종류이다.
ㄷ. (O) 일반사면의 효과이다.
ㄹ. (O) 특별사면은 형 선고 이후에만 가능하다.

정답 ④

## 041 회독 □□□ 재구성　　　　　　　　　　　　　　　　　　　17·16 법원직, 12 변호사

**대통령의 사면, 복권, 감형에 대한 설명으로 옳지 않은 것은? (다툼이 있는 경우 판례에 의함)**

① 형의 집행유예를 선고받은 자에 대하여는 형 선고의 효력을 상실하게 하는 특별사면 또는 형을 변경하는 감형을 하거나 그 유예기간을 단축할 수 있다.
② 사면은 죄를 범한 자에 대한 것이므로 행정법규 위반에 대한 범칙 또는 과벌의 면제와 징계법규에 따른 징계 또는 징벌의 면제에 관하여는 사면에 관한 규정을 준용하지 않는다.
③ 헌법 제79조는 대통령의 사면권의 구체적 내용과 방법 등을 법률에 위임함으로써 사면의 종류, 대상, 범위 등에 관하여 입법자에게 광범위한 입법재량을 부여하고 있다. 따라서 특별사면의 대상을 '형'으로 규정할 것인지, '사람'으로 규정할 것인지는 입법재량사항에 속한다.
④ 확정판결의 죄에 대하여 일반사면이 있었더라도 일사부재리의 효력은 여전히 존속한다.

**해설**

① (○) 사면법 제7조 [17 법원직]
② (✕) 행정법규 위반에 대해서도 사면은 가능하다. [17 법원직]

> **사면법 제4조(사면규정의 적용)**
> 행정법규 위반에 대한 범칙 또는 과벌의 면제와 징계법규에 따른 징계 또는 징벌의 면제에 관하여는 이 법의 사면에 관한 규정을 준용한다.

③ (○) 헌재 2000.6.1. 97헌바74 [12 변호사]
④ (○) [16 법원직]

**정답** ②

### 🔷 일반사면과 특별사면

| 구분 | 일반사면 | 특별사면 |
|---|---|---|
| 개념 | 범죄의 종류를 지정하여, 이에 해당하는 모든 범죄인에 대하여 형의 선고의 효과를 전부 또는 일부 소멸시키거나, 형의 선고를 받지 아니한 자에 대하여 공소권을 소멸시키는 것 | 이미 형의 선고를 받은 특정인에 대하여 형의 집행을 면제하는 것 |
| 대상 | 죄를 범한 자 | 형의 선고를 받은 자(형을 선고받기 전에는 특별사면을 할 수 없다) |
| 효과 | • 형의 선고를 받기 전: 공소권 소멸<br>• 형의 선고를 받은 자: 형 선고의 효력 상실 | • 일반적 경우: 형 집행 면제<br>• 특별한 경우: 형 선고의 효력 상실 |
| 범위 | 죄의 종류를 정하여 행한다. | 사면대상자를 정하여 행한다. |
| 방식 | 대통령령으로 한다(국회의 동의 필요). | 대통령의 명으로 한다. |
| | 형의 선고에 따른 기성의 효과는 사면, 감형 및 복권으로 인하여 변경되지 아니한다. | |

## 042 회독 ☐☐☐     14 변호사

**사면에 관한 설명 중 옳지 않은 것은? (다툼이 있는 경우 판례에 의함)**

① 기소유예처분의 대상인 피의사실에 대하여 일반사면이 있는 경우 그 처분의 취소를 구하는 헌법소원의 경우에는 권리보호의 이익이 있다고 볼 수 없으므로 헌법소원심판청구는 적법하지 않다.

② 사립학교 교원에 대한 해임처분이 무효인 경우, 해임처분을 받아 복직되지 아니한 기간 동안 법률상 당연퇴직사유인 금고 이상의 형을 선고받았으나 그 후 특별사면에 의하여 형의 선고의 효력이 상실되었다 하더라도 당연퇴직으로 말미암아 상실된 교원의 지위가 다시 회복되는 것은 아니다.

③ 현역군인에 대하여 징계처분의 효력을 상실시키는 특별사면이 있었다고 하더라도 징계처분의 기초되는 비위사실이 현역복무 부적합사유에 해당하는 경우에는 이를 이유로 현역복무 부적합조사위원회에 회부하거나 전역심사위원회의 심의를 거쳐 전역명령을 할 수 있다.

④ 여러 개의 형이 병과된 사람에 대하여 그 병과형 중 일부의 집행을 면제하거나 그에 대한 형의 선고의 효력을 상실케 하는 특별사면이 있은 경우, 그 특별사면의 효력이 병과된 나머지 형에까지 미치는 것은 아니므로 징역형의 집행유예와 벌금형이 병과된 사람에 대하여 징역형의 집행유예의 효력을 상실케 하는 내용의 특별사면이 그 벌금형의 선고의 효력까지 상실케 하는 것은 아니다.

⑤ 금고 이상의 형의 선고를 받은 후 특별사면된 마주(馬主)에 대하여 경마 시행규정에서 정한 필요적 등록취소사유인 '금고 이상의 형의 선고를 받은 때'에 해당된다고 보아 마주등록을 취소할 수는 없지만, 그 기초되는 범죄사실을 들어 같은 규정에서 정한 임의적 등록취소사유인 '마주로서 품위를 손상시켰을 때'에 해당된다고 보아 마주등록을 취소할 수 있다.

> **해설**
>
> ① (✗) 일반사면은 일단 범죄를 인정하는 전제에서 사면하는 것이므로 기소유예가 헌법소원에서 취소된다면 사면보다 유리한 결정이 나올 수 있기 때문에 권리보호이익이 있다. (헌재 1996.10.1. 95헌마318)
> ② (O) 대판 1993.6.8. 93다852
> ③ (O) 대판 2012.1.12. 2011두18649
> ④ (O) 특별사면은 사면의 대상이 되는 범죄에만 효력이 미친다. (대결 1997.10.13. 96모33)
> ⑤ (O) 금고 이상의 형의 선고가 품위손상사유에 해당하므로 등록취소가 가능하다는 의미이다. (대판 2002.8.23. 2000다64298)
>
> **정답** ①

---

**기출지문 OX**

수형자 개인에게는 특별사면이나 감형을 요구할 수 있는 주관적 권리가 없으므로 대통령이나 법무부장관 등에게 수형자를 특별사면하거나 감형하여야 할 헌법에서 유래하는 작위의무 또는 법률상의 의무가 존재하지 아니한다. 24 변호사    ( O / ✗ )

> **해설** 헌재 1995.3.23. 93헌마12
>
> **정답** O

## 043 회독 ☐☐☐                                                      14 법원직

**헌법에서 명문으로 규정하고 있지 않은 것은?**

① 일반사면과 특별사면에 대한 국회의 동의권
② 조세법률주의
③ 군사법원의 상고심에 대한 대법원의 관할
④ 탄핵소추의 대상으로서의 감사위원

**해설**

① (✗) 헌법 제79조 제2항은 일반사면에 대한 국회의 동의권을 규정하고 있으나, 특별사면에 대한 국회의 동의권은 헌법에 규정되어 있지 아니하다. 한편, 모든 사면·감형·복권은 국무회의의 심사대상이다.
② (○) 헌법 제59조
③ (○) 헌법 제110조 제2항
④ (○) 헌법 제65조 제1항

**정답** ①


## 044 회독 ☐☐☐  재구성                                               13·09 국가7급

**특별사면에 대한 설명으로 옳지 않은 것은?**

① 특별사면은 형의 집행을 면제하는 것을 말하나, 특별한 사정이 있는 경우에는 이후 형 선고의 효력을 상실하게 할 수 있다.
② 특별사면은 검찰총장의 상신으로 대통령이 행한다.
③ 특별사면 상신의 적정성을 심사하기 위하여 법무부장관 소속으로 사면심사위원회를 둔다.
④ 형의 집행유예를 선고받은 자에 대해서도 형의 선고의 효력을 상실하게 하는 특별사면을 할 수 있다.

**해설**

① (○) 사면법 제5조 제1항 제2호 [13 국가7급]
② (✗) 특별사면은 법무부장관의 상신으로 대통령이 행한다. 검찰총장은 법무부장관에게 상신을 신청할 수 있다. [13 국가7급]

> **사면법 제10조(특별사면 등의 상신)**
> ① 법무부장관은 대통령에게 특별사면, 특정한 자에 대한 감형 및 복권을 상신한다.
> ② 법무부장관은 제1항에 따라 특별사면, 특정한 자에 대한 감형 및 복권을 상신할 때에는 제10조의2에 따른 사면심사위원회의 심사를 거쳐야 한다.
>
> **제11조(특별사면 등 상신의 신청)**
> 검찰총장은 직권으로 또는 형의 집행을 지휘한 검찰청 검사의 보고 또는 수형자가 수감되어 있는 교정시설의 장의 보고에 의하여 법무부장관에게 특별사면 또는 특정한 자에 대한 감형을 상신할 것을 신청할 수 있다.
>
> **제12조(특별사면 등의 제청)**
> ① 형의 집행을 지휘한 검찰청의 검사와 수형자가 수감되어 있는 교정시설의 장이 특별사면 또는 특정한 자에 대한 감형을 제청하려는 경우에는 제14조에 따른 서류를 첨부하고 제청사유를 기재한 보고서를 검찰총장에게 제출하여야 한다.

③ (○) 사면법 제10조의2 제1항 [13 국가7급]
④ (○) 사면법 제7조 [09 국가7급]

**정답** ②

> **기출지문 OX**
>
> ❶ 법무부장관이 대통령에게 특별사면을 상신할 때에는, 위원장 1명을 포함한 9명의 위원으로 구성된 사면심사위원회의 심사를 거쳐야 한다. 19 국회8급 (O/X)
>   해설 사면법 제10조 제2항, 제10조의2 제2항  정답 O
>
> ❷ 사면심사위원회는 위원장인 법무부장관을 포함한 9명의 위원으로 구성되며, 위원은 법무부장관이 임명하거나 위촉하되, 공무원이 아닌 위원 3명 이상을 위촉하여야 한다. 16 국가7급 (O/X)
>   해설
>   **사면법 제10조의2(사면심사위원회)**
>   ② 사면심사위원회는 위원장 1명을 포함한 9명의 위원으로 구성한다.
>   ③ 위원장은 법무부장관이 되고, 위원은 법무부장관이 임명하거나 위촉하되, 공무원이 아닌 위원을 4명 이상 위촉하여야 한다.
>   정답 X

## 045  10 국회8급

**사면제도에 관한 설명으로 옳지 않은 것을 모두 고르면?**

> ㄱ. 사면제도는 법만이 유일한 가치가 아니라는 것을 보여주며, 이를 통하여 법과 나란히 다른 가치가 법의 세계에 들어오는 통로가 되는 것으로서 법의 엄격성을 시정하는 기능을 한다.
> ㄴ. 사면은 구체적 타당성을 낳는 장치로 정의로운 법질서를 확보하기 위해서 가능한 한 적극적으로 행사되어야 한다.
> ㄷ. 특별사면시 형의 선고를 받지 않은 자에 대하여는 공소권이 상실된다.
> ㄹ. 일반사면, 죄 또는 형의 종류를 정하여 행하는 감형과 일반으로 행하는 복권은 대통령령으로 행한다.

① ㄱ, ㄴ  ② ㄴ, ㄷ
③ ㄴ, ㄹ  ④ ㄷ, ㄹ
⑤ ㄴ, ㄷ, ㄹ

**해설**

ㄱ. (O)
ㄴ. (X) 사면은 권력분립의 원리에 대한 예외로서 사법부의 판단을 변경하는 것이며, 평등권의 문제도 있으므로 가급적 자제하는 것이 타당하다. 또한 절차상 사법부의 의견을 존중하는 범위 내에서 이루어져야 하며, 사법권의 본질적인 내용을 침해해서는 안 된다.
ㄷ. (X)
> **사면법 제5조(사면 등의 효과)**
> ① 사면, 감형 및 복권의 효과는 다음 각 호와 같다.
>   1. 일반사면: 형 선고의 효력이 상실되며, 형을 선고받지 아니한 자에 대하여는 공소권이 상실된다. 다만, 특별한 규정이 있을 때에는 예외로 한다.
>   2. 특별사면: 형의 집행이 면제된다. 다만, 특별한 사정이 있을 때에는 이후 형 선고의 효력을 상실하게 할 수 있다.

ㄹ. (O)

정답 ②

## 제 2 절　정부

**046**　24 변호사

행정부에 관한 설명 중 옳은 것은? (다툼이 있는 경우 판례에 의함)

① 국무총리는 대통령의 명을 받아 각 중앙행정기관의 장을 지휘·감독하며, 중앙행정기관의 장의 명령이나 처분이 위법한 경우로 인정될 때에는 대통령의 승인을 얻지 않고 이를 중지 또는 취소할 수 있다.
② 국무총리가 사고로 직무를 수행할 수 없는 경우에는 교육부장관이 겸임하는 부총리, 기획재정부장관이 겸임하는 부총리의 순으로 직무를 대행하고, 국무총리와 부총리가 모두 사고로 직무를 수행할 수 없는 경우에는 대통령의 지명이 있으면 그 지명을 받은 국무위원이, 지명이 없는 경우에는 「정부조직법」 제26조 제1항에 규정된 순서에 따른 국무위원이 그 직무를 대행한다.
③ 대통령이 개성공단의 운영중단 결정과정에서 국무회의 심의를 거치지 않았더라도 그 결정에 헌법과 법률이 정한 절차를 위반한 하자가 있다거나, 적법절차원칙에 따라 필수적으로 요구되는 절차를 거치지 않은 흠결이 있다고 할 수 없다.
④ 헌법은 공무원의 직무감찰 등을 하기 위하여 대통령 소속하에 감사원을 두고 있다. 감사원의 직무감찰권의 범위에는 인사권자에 대하여 징계를 요구할 권한이 포함되고, 위법성이 감사의 기준이 되며 부당성은 기준이 되지 않는다.
⑤ 대통령의 임기가 만료되거나 궐위된 때 또는 대통령 당선자가 사망하거나 판결 기타의 사유로 그 자격을 상실한 때에는 일정 기간 이내에 후임자를 선거하여야 하며, 대통령이 사고로 인하여 직무를 수행할 수 없는 경우에도 마찬가지이다.

**해설**

① (✕)

> **정부조직법 제18조(국무총리의 행정감독권)**
> ① 국무총리는 대통령의 명을 받아 각 중앙행정기관의 장을 지휘·감독한다.
> ② 국무총리는 중앙행정기관의 장의 명령이나 처분이 위법 또는 부당하다고 인정될 경우에는 <u>대통령의 승인을 받아</u> 이를 중지 또는 취소할 수 있다.

② (✕)

> **정부조직법 제22조(국무총리의 직무대행)**
> 국무총리가 사고로 직무를 수행할 수 없는 경우에는 기획재정부장관이 겸임하는 부총리, 교육부장관이 겸임하는 부총리의 순으로 직무를 대행하고, 국무총리와 부총리가 모두 사고로 직무를 수행할 수 없는 경우에는 대통령의 지명이 있으면 그 지명을 받은 국무위원이, 지명이 없는 경우에는 제26조 제1항에 규정된 순서에 따른 국무위원이 그 직무를 대행한다.

③ (○) 헌재 2022.1.27. 2016헌마364
④ (✕) 감사원의 직무감찰은 위법성 감사뿐만 아니라, 합목적성 감사(부당성, 행정감찰)도 포함된다.
⑤ (✕) 대통령이 사고로 직무를 수행할 수 없을 때는 권한대행을 하게 된다.

**정답** ③

> **기출지문 OX**
>
> 국무총리가 사고로 직무를 수행할 수 없는 경우에는 「정부조직법」에 규정된 순서에 따른 국무위원이 그 직무를 대행한다.
> 13 국가7급 ( O / X )
>
> 해설 정부조직법 제22조에 따라 국무총리가 사고로 직무를 수행할 수 없는 경우에는 기획재정부장관(부총리) → 교육부장관(부총리) → 대통령의 지명을 받은 국무위원 순으로 그 직무를 대행한다. 지명이 없는 경우에는 같은 법 제26조 제1항에 규정된 순서에 따른 국무위원이 그 직무를 대행한다. 정답 X

## 047

**국무총리 및 국무위원에 대한 설명으로 옳은 것은?**

① 국무위원이 그 직무집행에 있어서 헌법이나 법률을 위배한 때에는 국회는 탄핵의 소추를 의결할 수 있다.
② 국무총리가 대통령에게 국무위원의 해임을 건의하는 경우 국회의 동의를 얻어야 한다.
③ 국무위원은 소관 사무에 관하여 대통령령이나 총리령의 위임 또는 직권으로 부령을 발할 수 있다.
④ 국무위원은 행정각부의 장 중에서 국무총리의 제청으로 대통령이 임명한다.

**해설**

① (O) 국무위원은 헌법이 정하는 탄핵대상이다.
② (X) 국무총리는 국무위원의 해임을 대통령에게 건의할 수 있지만, 국회의 동의를 요하지는 않는다.
③ (X)

> **헌법 제95조**
> 국무총리 또는 행정각부의 장은 소관 사무에 관하여 법률이나 대통령령의 위임 또는 직권으로 총리령 또는 부령을 발할 수 있다.

④ (X)

> **헌법 제94조**
> 행정각부의 장은 국무위원 중에서 국무총리의 제청으로 대통령이 임명한다.

정답 ①

## 048 회독 ☐☐☐ 재구성                    22 국가7급, 20 서울·지방7급

**국무총리에 대한 설명으로 옳은 것은? (다툼이 있는 경우 판례에 의함)**

① 국무총리가 사고로 직무를 수행할 수 없는 경우에는 교육부장관이 겸임하는 부총리, 기획재정부장관이 겸임하는 부총리 순으로 직무를 대행하고, 국무총리와 부총리가 모두 사고로 직무를 수행할 수 없는 경우에는 대통령의 지명이 있으면 그 지명을 받은 국무위원이 그 직무를 대행한다.
② 대통령 직속의 헌법기관이 별도로 규정되어 있다는 이유만을 들어 법률에 의하더라도 헌법에 열거된 헌법기관 이외에는 대통령 직속의 행정기관을 설치할 수 없다든가 또는 모든 행정기관은 헌법상 예외적으로 열거된 경우 등 이외에는 반드시 국무총리의 통할을 받아야 한다고는 말할 수 없다.
③ 국무총리는 국무회의의 부의장으로서 국무위원이다.
④ 헌법재판소는 국무총리는 대통령의 첫째 가는 보좌기관으로서 행정에 관하여 독자적인 권한을 가지고 대통령의 명을 받아 행정각부를 통할하는 기관으로서의 지위를 가진다고 보았다.

### 해설

① (✕) [20 서울·지방7급]

**🔹 권한대행**

| 대통령 | 국무총리 → 기획재정부장관(부총리) → 교육부장관(부총리) → 과학기술정보통신부장관 → 외교부장관 → 통일부장관 → 법무부장관 |
|---|---|
| 국무총리 | 기획재정부장관(부총리) → 교육부장관(부총리) → 대통령의 지명을 받은 국무위원, 지명을 받은 국무위원이 없는 경우에는 → 과학기술정보통신부장관 → 외교부장관 → 통일부장관 → 법무부장관 |
| 감사원장 | 감사위원으로 최장기간 재직한 감사위원 |
| 선관위원장 | 상임위원 또는 부위원장 |
| 대법원장 | 선임대법관 |
| 헌법재판소장 | 헌법재판소규칙이 정하는 재판관 (헌법재판소법 제12조 제4항) |

② (◯) 헌재 1994.4.28. 89헌마221 [22 국가7급]
③ (✕) 국무총리는 국무회의의 구성원으로서 부의장이지만 국무위원은 아니다. [20 서울·지방7급]
④ (✕) [20 서울·지방7급]

> **국무총리의 헌법상 지위** (헌재 1994.4.28. 89헌마221)
> 우리나라의 행정권은 헌법상 대통령에게 귀속되고, 국무총리는 단지 대통령의 첫째 가는 보좌기관으로서 행정에 관하여 독자적인 권한을 가지지 못하고 대통령의 명을 받아 행정각부를 통할하는 기관으로서의 지위만을 가지며, 행정권 행사에 대한 최후의 결정권자는 대통령이라고 해석하는 것이 타당하다고 할 것이다. 이와 같은 헌법상의 대통령과 국무총리의 지위에 비추어 보면 <u>국무총리의 통할을 받는 행정각부에 모든 행정기관이 포함된다고 볼 수 없다</u>고 할 것이다.

**정답** ②

## 049

**국무총리에 대한 설명으로 옳지 않은 것만을 모두 고르면? (다툼이 있는 경우 판례에 의함)**

ㄱ. 우리 헌법이 대통령중심제의 정부형태를 취하면서도 국무총리제도를 두게 된 주된 이유는 대통령의 강력한 권력을 견제하기 위함이다.
ㄴ. 인사혁신처, 법제처, 식품의약품안전처는 국무총리 소속 기관이다.
ㄷ. 국회에서 국무총리의 해임건의안이 발의되었을 때에는 국회의장은 그 해임건의안이 발의된 후 처음 개의하는 본회의에 그 사실을 보고하고, 본회의에 보고된 때부터 24시간 이후 48시간 이내에 기명투표로 표결한다.
ㄹ. 현행헌법상 국무총리는 국회의 동의를 얻어 대통령이 임명하도록 하고 있으나, 제헌헌법에서는 대통령이 임명하고 국회의 승인을 얻도록 하였다.

① ㄱ, ㄴ
② ㄱ, ㄷ
③ ㄴ, ㄹ
④ ㄷ, ㄹ

### 해설

ㄱ. (✗) [19 법무사]

> 국무총리의 지위가 대통령의 권한 행사에 다소의 견제적 기능을 할 수 있다고 보여지는 것이 있기는 하나, 우리 헌법이 대통령중심제의 정부형태를 취하면서도 국무총리제도를 두게 된 주된 이유가 부통령제를 두지 않았기 때문에 대통령 유고시에 그 권한대행자가 필요하고 또 대통령제의 기능과 능률을 높이기 위하여 대통령을 보좌하고 그 의견을 받들어 정부를 통할·조정하는 보좌기관이 필요하다는 데 있었던 점과 …. (헌재 1994.4.28. 89헌마221)

ㄴ. (O) 정부조직법 제22조의3, 제23조, 제25조 [19 국가7급]

ㄷ. (✗) [19 국가7급]

> **국회법 제12조(표결방법)**
> ⑦ 국무총리 또는 국무위원의 해임건의안이 발의되었을 때에는 의장은 그 해임건의안이 발의된 후 처음 개의하는 본회의에 그 사실을 보고하고, 본회의에 보고된 때부터 24시간 이후 72시간 이내에 무기명투표로 표결한다. 이 기간 내에 표결하지 아니한 해임건의안은 폐기된 것으로 본다.

ㄹ. (O) 현행헌법 제86조 제1항, 제헌헌법(1948년) 제69조 [09 국가7급]

정답 ②

## 050  회독 ☐☐☐  재구성                               15 국가7급, 13 서울7급, 10 법무사

**국무총리와 국무위원에 대한 설명으로 옳지 않은 것만을 모두 고르면? (다툼이 있는 경우 판례에 의함)**

> ㄱ. 국무위원은 대통령을 주로 정책적으로 보좌하며, 특별한 경우를 제외하고 행정각부의 장으로서 특정한 행정업무를 담당하는 이중적 지위에 있다.
> ㄴ. 국무위원은 임명권자가 해임할 수 있으며, 국무위원에 대한 해임건의권의 행사는 국회에 전속된다.
> ㄷ. 국무총리와 국무위원은 법률이나 대통령령의 위임 또는 직권으로 법규명령을 발할 수 있다.
> ㄹ. 국무위원이어야 행정각부의 장이 될 수 있다.
> ㅁ. 국무총리는 대통령의 명을 받아 상급 행정관청으로서 행정각부를 통할할 권한을 가지지만, 행정각부와 동등한 지위를 가지는 독임제 행정관청으로서 그 소관 사무를 처리하지는 않는다.

① ㄱ, ㄴ, ㄷ
② ㄱ, ㄷ, ㄹ
③ ㄴ, ㄷ, ㅁ
④ ㄷ, ㄹ, ㅁ

### 해설

ㄱ. (O) [15 국가7급]

ㄴ. (X) 국무총리도 대통령에게 국무위원의 해임을 건의할 수 있다. [15 국가7급]

ㄷ. (X) 법규명령을 발하는 것은 '국무위원'으로서의 지위가 아니라 '행정각부의 장'으로서의 지위이다. **(헌법 제95조)** [10 법무사]

🔹 **국무위원과 행정각부의 장**

| 구분 | 국무위원 | 행정각부의 장 |
|---|---|---|
| 개념 | 국무회의 구성원 | 집행기관인 중앙행정기관 |
| 사무의 한계 | 사무의 한계가 없다. | 소관 사무가 한정된다. |
| 지위 | 대통령의 보좌기관 | 집행권의 담당자인 행정기관 |
| 권한 | 국무회의 심의·표결권, 대통령의 권한대행권, 부서권 등 | 소관 사무의 집행권, 부령제정권 등 |

ㄹ. (O) [10 법무사]

> **헌법 제94조**
> 행정각부의 장은 국무위원 중에서 국무총리의 제청으로 대통령이 임명한다.

ㅁ. (X) 국무총리는 대통령의 명을 받아서 행정각부를 통할한다. 또한 국무총리는 독임제 행정관청으로서 소관 사무에 대한 직무를 처리한다. 국무총리는 특히 행정각부의 사무를 기획·조정하는 업무와 특정의 부에 속하게 할 수 없는 성질의 사무를 그 소관 사무로 한다. [13 서울7급]

**정답** ③

## 051

**국무회의에 대한 설명으로 옳은 것은?**

① 국무회의의 의결은 국가기관의 외부적 의사결정행위이므로 그 자체로 국민에 대하여 직접적인 법률효과를 발생시킨다.
② 국무회의는 대통령·국무총리를 포함한 15인 이상 30인 이하의 국무위원으로 구성한다.
③ '예산안·결산·국유재산처분의 기본계획·국가의 부담이 될 계약 기타 재정에 관한 중요사항'은 국무회의의 심의를 거쳐야 한다.
④ '정부에 제출 또는 회부된 정부의 정책에 관계되는 청원의 심사'는 국무회의의 심의사항이 아니다.

**해설**

① (✗) 국무회의는 심의기구이므로 국민에 대하여 직접 법률효과를 발생시키지는 않는다.

> 대통령이 국회에 파병동의안을 제출하기 전에 대통령을 보좌하기 위하여 파병정책을 심의, 의결한 국무회의의 의결은 국가기관의 내부적 의사결정행위에 불과하여 그 자체로 국민에 대하여 직접적인 법률효과를 발생시키는 행위가 아니므로 헌법재판소법 제68조 제1항에서 말하는 공권력의 행사에 해당하지 아니한다. (헌재 2003.12.18. 2003헌마225)

② (✗)

> **헌법 제88조**
> ② 국무회의는 대통령·국무총리와 15인 이상 30인 이하의 국무위원으로 구성한다.

③ (O) 헌법 제89조 제4호
④ (✗) 정부에 제출 또는 회부된 정부의 정책에 관계되는 청원의 심사도 국무회의의 심의사항이다. (헌법 제89조 제15호)

**정답** ③

## 052 재구성
21 5급행시, 19 국회8급, 10 법무사

**국무회의에 대한 설명으로 옳지 않은 것만을 모두 고르면?**

ㄱ. 국무회의는 구성원 3분의 2 이상의 출석으로 개의하고, 출석구성원 과반수의 찬성으로 의결한다.
ㄴ. 국무위원은 정무직으로 하며 의장에게 의안을 제출할 수 있으나, 국무회의 소집을 요구할 수는 없다.
ㄷ. 국무회의는 헌법상 필수기관이므로 이를 폐지하기 위해서는 헌법개정절차를 밟아야 한다.
ㄹ. 국정처리상황의 평가·분석은 국무회의의 심의를 거쳐야 한다.

① ㄱ, ㄴ
② ㄱ, ㄹ
③ ㄴ, ㄷ
④ ㄷ, ㄹ

**해설**

ㄱ. (✗) [19 국회8급]

> **국무회의 규정 제6조(의사정족수 및 의결정족수 등)**
> ① 국무회의는 구성원 과반수의 출석으로 개회하고, 출석 3분의 2 이상의 찬성으로 의결한다.

ㄴ. (✗) [21 5급행시]

> **정부조직법 제12조(국무회의)**
> ③ 국무위원은 정무직으로 하며 의장에게 의안을 제출하고 <u>국무회의의 소집을 요구할 수 있다.</u>

ㄷ. (○) [10 법무사]
ㄹ. (○) 헌법 제89조 제12호 [21 5급행시]

**정답** ①

## 053

**국무회의에 대한 설명으로 옳은 것은?**

① 국무회의와 국민경제자문회의는 헌법상 그 설치를 명문으로 규정하고 있는 필수적 헌법기관이다.
② 국회의 임시회 집회의 요구, 헌법개정안·국민투표안·조약안·법률안 및 대통령령안은 국무회의의 심의를 거쳐야 한다.
③ 국가원로자문회의의 의장은 직전대통령이 된다. 다만, 직전대통령이 없을 때에는 국무총리가 대행한다.
④ 국가안전보장회의는 국무총리가 주재한다.

**해설**

① (✕) 국민경제자문회의는 헌법상 그 설치를 명문으로 규정하고 있지만, 필수적 헌법기관이 아니라 임의적 기관이다. [19 5급행시]
② (◯) 헌법 제89조 제3호·제7호 [19 서울7급(2월)]
③ (✕) [19 서울7급(2월)]

> **헌법 제90조**
> ② 국가원로자문회의의 의장은 직전대통령이 된다. 다만, 직전대통령이 없을 때에는 대통령이 지명한다.

④ (✕) [19 서울7급(2월)]

> **헌법 제91조**
> ② 국가안전보장회의는 대통령이 주재한다.

**정답** ②

## 054

**국무회의에 대한 설명으로 옳지 않은 것은? (다툼이 있는 경우 판례에 의함)**

① 국무위원은 국정에 관하여 국무총리를 보좌하며, 국무회의의 구성원으로서 국정을 심의한다.
② 대통령이 올림픽경기에서 금메달을 딴 국가대표 선수에게 체육훈장을 수여하기 위해서는 국무회의의 심의를 거쳐야 한다.
③ 국무조정실장·인사혁신처장·법제처장·식품의약품안전처장 그 밖에 법률로 정하는 공무원은 필요한 경우 국무회의에 출석하여 발언할 수 있다.
④ 국군을 해외에 파병하기로 하는 정책에 관한 국무회의의 의결은 그 자체로 국민에 대하여 직접적인 법률효과를 발생시키는 행위가 아니므로 「헌법재판소법」 제68조 제1항에서 말하는 공권력의 행사에 해당하지 않는다.

**해설**

① (✗) 헌법 제87조 제2항 [13 법원직]
   국무회의의 구성원으로서의 국무위원은 업무에 제한이 없지만, 행정각부의 장으로서의 지위에서는 업무에 한계가 있다.
② (○) 헌법 제89조 제8호 [10 법무사]
③ (○) 정부조직법 제13조 제1항 [19 5급행시]
④ (○) [15 법원직]

> 파병은 대통령이 국회의 동의를 얻어 파병결정을 하고, 이에 따라 국방부장관 및 파견대상 군참모총장이 구체적·개별적인 명령을 발함으로써 비로소 해당 국민, 즉 파병군인 등에게 직접적인 법률효과를 발생시키는 것이고, 대통령이 국회에 파병동의안을 제출하기 전에 대통령을 보좌하기 위하여 파병정책을 심의·의결한 국무회의의 의결은 국가기관의 내부적 의사결정행위에 불과하여 그 자체로 국민에 대하여 직접적인 법률효과를 발생시키는 행위가 아니므로 헌법재판소법 제68조 제1항에서 말하는 공권력의 행사에 해당하지 아니한다. (헌재 2003.12.18. 2003헌마225)

**정답** ①

## 055   회독 ☐☐☐                                                        17 법무사

**헌법상 국무회의의 심의를 거쳐야 하는 사항이 아닌 것은 몇 개인가?**

> ㄱ. 정부에 제출 또는 회부된 정부의 정책에 관계되는 청원의 심사
> ㄴ. 각군참모총장, 국립대학교총장의 임명
> ㄷ. 조약의 체결·비준 및 외교사절의 신임·접수
> ㄹ. 사면·감형과 복권
> ㅁ. 군사에 관한 중요사항
> ㅂ. 국회의 임시회 집회의 요구
> ㅅ. 행정각부 간의 권한의 획정
> ㅇ. 정당해산의 제소

① 0개   ② 1개   ③ 2개   ④ 3개   ⑤ 4개

**해설**

ㄷ. (✗) 조약의 체결·비준 및 외교사절의 신임·접수는 국무회의의 심의를 거치지 않는다.

> **헌법 제89조**
> 다음 사항은 국무회의의 심의를 거쳐야 한다.
> 1. 국정의 기본계획과 정부의 일반정책
> 2. 선전·강화 기타 중요한 대외정책
> 3. 헌법개정안·국민투표안·조약안·법률안 및 대통령령안
> 4. 예산안·결산·국유재산처분의 기본계획·국가의 부담이 될 계약 기타 재정에 관한 중요사항
> 5. 대통령의 긴급명령·긴급재정경제처분 및 명령 또는 계엄과 그 해제
> 6. 군사에 관한 중요사항
> 7. 국회의 임시회 집회의 요구
> 8. 영전수여
> 9. 사면·감형과 복권
> 10. 행정각부간의 권한의 획정
> 11. 정부 안의 권한의 위임 또는 배정에 관한 기본계획
> 12. 국정처리상황의 평가·분석
> 13. 행정각부의 중요한 정책의 수립과 조정
> 14. 정당해산의 제소
> 15. 정부에 제출 또는 회부된 정부의 정책에 관계되는 청원의 심사
> 16. 검찰총장·합동참모의장·각군참모총장·국립대학교총장·대사 기타 법률이 정한 공무원과 국영기업체관리자의 임명
> 17. 기타 대통령·국무총리 또는 국무위원이 제출한 사항

**정답** ②

## 056　15 법무사

**헌법 제89조에 명시적으로 규정된 국무회의 필수적 심의대상이 아닌 것은 모두 몇 개인가?**

| ㄱ. 총리령안 | ㄴ. 부령안 |
| --- | --- |
| ㄷ. 국회의 임시회 집회의 요구 | ㄹ. 감형 |
| ㅁ. 대통령의 긴급재정·경제처분 | ㅂ. 영전수여 |
| ㅅ. 참모총장의 임명 | ㅇ. 대사의 임명 |

① 2개　　② 3개　　③ 4개　　④ 5개　　⑤ 6개

**[해설]**

ㄱ. (✕)　ㄴ. (✕)
ㄷ. (○)　ㄹ. (○)　ㅁ. (○)　ㅂ. (○)　ㅅ. (○)　ㅇ. (○)

**정답 ①**

---

## 057　14 국가7급

**국무회의에 대한 설명으로 옳지 않은 것은?**

① 식품의약품안전처장은 필요한 경우 국무회의에 출석하여 발언할 수 있으며, 소관 사무에 관하여 국무총리에게 의안의 제출을 건의할 수 있다.
② 서울특별시장과 과학기술혁신본부장, 통상교섭본부장은 국무회의에 배석한다.
③ 국무회의는 구성원 과반수의 출석으로 개의하고, 출석구성원 과반수의 찬성으로 의결하되, 구성원이 동영상 및 음성이 송·수신되는 장치가 갖추어진 서로 다른 장소에 출석하여 진행하는 원격영상회의 방식으로 할 수 있다.
④ 국무위원이 국무회의에 출석하지 못할 때에는 각부의 차관이 대리하여 출석하고, 대리출석한 차관은 관계 의안에 관하여 발언할 수 있으나 표결에는 참가할 수 없다.

**[해설]**

① (○) 국무위원이 아닌 자도 국무회의에 출석·발언 가능한 경우가 있다. 단, 표결하지는 못한다. 국가인권위원회 위원장도 출석 가능하다.
(정부조직법 제13조)
② (○) 국무회의 규정 제8조 제1항
③ (✕)

> **국무회의 규정 제6조(의사정족수 및 의결정족수 등)**
> ① 국무회의는 구성원 과반수의 출석으로 개의하고, 출석구성원 3분의 2 이상의 찬성으로 의결한다.

④ (○) 국무회의 규정 제7조

**정답 ③**

## 058 [22 국회8급]

**정부에 대한 설명으로 옳지 않은 것은? (다툼이 있는 경우 판례에 의함)**

① 고위공직자범죄수사처가 직제상 대통령 또는 국무총리 직속기관 내지 국무총리의 통할을 받는 행정각부에 속하지 않는다고 하더라도 대통령을 수반으로 하는 행정부에 소속된 행정기관으로 보는 것이 타당하다.

② 중앙행정기관이란 '국가의 행정사무를 담당하기 위하여 설치된 행정기관으로서 그 관할권의 범위가 전국에 미치는 행정기관'을 말하는데, 어떤 행정기관이 중앙행정기관에 해당하는지 여부는 기관 설치의 형식이 아니라 해당 기관이 실질적으로 수행하는 기능에 따라 결정되어야 한다.

③ 「정부조직법」은 국가행정기관의 설치와 조직에 관한 일반법이지만, 「고위공직자범죄수사처 설치 및 운영에 관한 법률」보다 상위의 법이라 할 수는 없다.

④ 대통령은 고위공직자범죄수사처장과 차장, 수사처검사의 임명권과 해임권 모두를 보유하고 있는데, 이들을 임명할 때 추천위원회나 인사위원회의 추천, 수사처장의 제청 등을 거치게 되어 있으므로 수사처 구성에 있어 대통령의 인사권은 형식적인 것이다.

**해설**

① (O) ② (O) ③ (O) ④ (X)

> [1] 헌법 제66조 제4항은 "행정권은 대통령을 수반으로 하는 정부에 속한다."라고 규정하고 있는데, 여기서의 '정부'란 입법부와 사법부에 대응하는 넓은 개념으로서의 집행부를 일컫는다고 할 것이다. 그리고 헌법 제86조 제2항은 대통령의 명을 받은 국무총리가 행정각부를 통할하도록 규정하고 있는데, 대통령과 행정부, 국무총리에 관한 헌법규정의 해석상 국무총리의 통할을 받는 '행정각부'에 모든 행정기관이 포함된다고 볼 수 없다. 즉, 정부의 구성단위로서 그 권한에 속하는 사항을 집행하는 중앙행정기관을 반드시 국무총리의 통할을 받는 '행정각부'의 형태로 설치하거나 '행정각부'에 속하는 기관으로 두어야 하는 것이 헌법상 강제되는 것은 아니므로, 법률로써 '행정각부'에 속하지 않는 독립된 형태의 행정기관을 설치하는 것이 헌법상 금지된다고 할 수 없다.
>
> [2] 수사처가 수행하는 수사와 공소제기 및 유지는 우리 헌법상 본질적으로 행정에 속하는 사무에 해당하는 점, 수사처의 구성에 대통령의 실질적인 인사권이 인정되고, 수사처장은 소관 사무와 관련된 안건이 상정될 경우 국무회의에 출석하여 발언할 수 있으며 그 소관 사무에 관하여 독자적으로 의안을 제출할 권한이 있는 것이 아니라 법무부장관에게 의안의 제출을 건의할 수 있는 점 등을 종합하면, 수사처는 직제상 대통령 또는 국무총리 직속기관 내지 국무총리의 통할을 받는 행정각부에 속하지 않는다고 하더라도 대통령을 수반으로 하는 행정부에 소속되고 그 관할권의 범위가 전국에 미치는 중앙행정기관으로 보는 것이 타당하다. (헌재 2021.1.28. 2020헌마264 등)

정답  ④

## 059 회독 ☐☐☐ 재구성  [20 법무사, 19 국가7급]

**행정부에 대한 설명으로 옳은 것은?**

① 각 행정기관에 배치할 공무원의 종류와 정원, 고위공무원단에 속하는 공무원으로 보는 직위와 고위공무원단에 속하는 공무원의 정원, 공무원 배치의 기준 및 절차 그 밖에 필요한 사항은 대통령령으로 정하나, 대통령비서실 및 국가안보실에 배치하는 정무직공무원의 경우에는 법률로 정한다.
② 헌법 제62조에 따르면 국무총리나 국무위원 외에 정부위원도 국회에 출석하여 답변할 수 있으며, 정부위원은 다른 정부위원으로 하여금 출석·답변하게 할 수 있다.
③ 군인은 현역을 면한 후가 아니면 국무총리 또는 국무위원으로 임명될 수 없다.
④ 행정각부의 장과는 달리 국무위원으로 임명되기 위해서는 국무총리의 제청이 필수적인 것은 아니다.

### 해설

① (✗) [19 국가7급]

**정부조직법 제8조(공무원의 정원 등)**
① 각 행정기관에 배치할 공무원의 종류와 정원, 고위공무원단에 속하는 공무원으로 보는 직위와 고위공무원단에 속하는 공무원의 정원, 공무원배치의 기준 및 절차 그 밖에 필요한 사항은 대통령령으로 정한다. 다만, 각 행정기관에 배치하는 정무직공무원(대통령비서실 및 국가안보실에 배치하는 정무직공무원은 제외한다)의 경우에는 법률로 정한다.

② (✗) [19 국가7급]

**헌법 제62조**
① 국무총리·국무위원 또는 정부위원은 국회나 그 위원회에 출석하여 국정처리상황을 보고하거나 의견을 진술하고 질문에 응답할 수 있다.
② 국회나 그 위원회의 요구가 있을 때에는 국무총리·국무위원 또는 정부위원은 출석·답변하여야 하며, 국무총리 또는 국무위원이 출석 요구를 받은 때에는 국무위원 또는 정부위원으로 하여금 출석·답변하게 할 수 있다.

③ (○) 헌법 제86조 제3항, 제87조 제4항 [20 법무사]
④ (✗) 대통령이 국무위원과 행정각부의 장을 임명하는 경우 모두 국무총리의 제청이 있어야 한다. [20 법무사]

**헌법 제87조**
① 국무위원은 국무총리의 제청으로 대통령이 임명한다.

**제94조**
행정각부의 장은 국무위원 중에서 국무총리의 제청으로 대통령이 임명한다.

정답 ③

## 060

**정부에 대한 설명으로 옳은 것은?**

① 대통령은 국무회의 의장으로서 회의를 소집하고 이를 주재한다.
② 국무위원은 군인의 경우 현역을 면한 후가 아니면 임명될 수 없으며, 국회의 해임의결에 의해 해임된다.
③ 현행헌법은 국가의 세입세출의 결산, 국가 및 법률이 정한 단체의 회계검사와 행정기관 및 공무원의 직무에 관한 감찰을 하기 위하여 대통령으로부터 독립한 감사원을 두고 있다.
④ 감사원의 직무감찰대상 공무원에는 국회 소속 공무원은 포함되나, 법원 및 헌법재판소에 소속한 공무원은 제외된다.

**해설**

① (O) 정부조직법 제12조 제1항 [20 법무사]
② (X) 국무위원(국무총리도 동일)은 군인의 경우 현역을 면한 후가 아니면 임명될 수 없다는 것은 맞다. 그러나 우리나라는 해임건의권이 있을 뿐 해임의결권은 없으며, 해임건의도 법적 구속력은 없다. 한편, 대통령은 현역을 면한 후가 아니면 임명될 수 없다는 규정은 존재하지 않는다. [10 지방7급]
③ (X) 감사원은 헌법상 대통령 소속이지만 업무상 독립되어 있다. [10 지방7급]
④ (X) 감사원의 직무감찰대상 공무원에는 국회 소속 공무원도 제외된다. 감사원의 직무감찰은 비위감찰과 행정감찰 둘 다 가능하다. [10 지방7급]

**정답** ①

## 061

**행정부의 조직과 권한에 대한 설명으로 옳은 것은?**

① 대통령의 궐위시 국무총리가 대통령의 권한을 대행하고, 국무총리도 궐위된 경우에는 법률이 정한 국무위원의 순서로 대통령 권한을 대행하지만, 국무총리가 사고로 직무를 수행할 수 없는 경우에는 대통령의 지명을 받은 국무위원이 우선적으로 국무총리의 직무를 대행한다.
② 행정각부 간의 권한의 획정은 국무회의 심의사항이다.
③ 행정입법인 명령은 법률 하위규범이라는 점에서 동일한 지위를 가지므로 그 발령기관에 따른 효력의 우열을 인정할 수 없다.
④ 감사원은 행정감찰권을 가지고 있으나, 법령 등의 제정·개정 또는 폐지를 위한 조치나 제도상 또는 행정상의 개선을 요구할 수는 없다.

### 해설

① (✗) [18 변호사]

> **정부조직법 제22조(국무총리의 직무대행)**
> 국무총리가 사고로 직무를 수행할 수 없는 경우에는 기획재정부장관이 겸임하는 부총리, 교육부장관이 겸임하는 부총리의 순으로 직무를 대행하고, 국무총리와 부총리가 모두 사고로 직무를 수행할 수 없는 경우에는 대통령의 지명이 있으면 그 지명을 받은 국무위원이, 지명이 없는 경우에는 제26조 제1항에 규정된 순서에 따른 국무위원이 그 직무를 대행한다.

② (O) 헌법 제89조 제10호 [08 국가7급]
③ (✗) 행정입법인 명령은 대통령령, 총리령, 부령이 있으며 대통령령은 총리령이나 부령에 대하여 효력상 우위에 있다. [08 국가7급]
④ (✗) [08 국가7급]

> **감사원법 제34조(개선 등의 요구)**
> ① 감사원은 감사 결과 법령상·제도상 또는 행정상 모순이 있거나 그 밖에 개선할 사항이 있다고 인정할 때에는 국무총리, 소속 장관, 감독기관의 장 또는 해당 기관의 장에게 법령 등의 제정·개정 또는 폐지를 위한 조치나 제도상 또는 행정상의 개선을 요구할 수 있다.

정답 ②

---

## 062   15 법무사

**다음 중 헌법에서 명문으로 규정하고 있지 않은 것은 모두 몇 개인가?**

> ㄱ. 자유선거의 원칙
> ㄴ. 국회의원의 양심에 따른 직무수행
> ㄷ. 법률의 효력발생시기
> ㄹ. 선거운동에서의 균등한 기회보장
> ㅁ. 국회의원의 겸직금지의무
> ㅂ. 국회 위원회의 국무총리 등에 대한 출석·답변 요구권
> ㅅ. 대법원장의 정치적 중립의무
> ㅇ. 국회의 정부위원에 대한 해임건의권

① 1개  ② 2개  ③ 3개
④ 4개  ⑤ 5개

### 해설

ㄱ. (✗) 보통·평등·직접·비밀선거의 원칙은 규정이 있지만, 자유선거의 원칙은 헌법에 규정이 없다.
ㄴ. (O) 헌법 제46조
ㄷ. (O) 헌법 제53조
ㄹ. (O) 헌법 제116조
ㅁ. (O) 헌법 제43조
ㅂ. (O) 헌법 제62조
ㅅ. (✗) 법원조직법에서 규정하고 있다.
ㅇ. (✗) 해임건의의 대상은 국무총리, 국무위원에 대해서만 규정하고 있다.

정답 ③

## 063  22 국가7급

**감사원에 대한 설명으로 옳지 않은 것은? (다툼이 있는 경우 판례에 의함)**

① 직무감찰의 범위를 정한 「감사원법」 조항에 의하면, 지방자치단체의 사무와 그에 소속한 지방공무원의 직무는 감사원의 감찰사항에 포함되며, 여기에는 공무원의 비위사실을 밝히기 위한 비위감찰권뿐만 아니라 공무원의 근무평정·행정관리의 적부심사분석과 그 개선 등에 관한 행정감찰권까지 포함된다.

② 감사원은 국무총리로부터 국가기밀에 속한다는 소명이 있는 사항이나 국방부장관으로부터 군기밀이거나 작전상 지장이 있다는 소명이 있는 사항은 감찰할 수 없다.

③ 감사원장이 60개 공공기관에 대하여 공공기관 선진화계획의 이행실태, 노사관계 선진화 추진실태 등을 점검하고 공공기관 감사책임자회의에서 자율시정하도록 개선방향을 제시한 행위는 그 자체로 일정한 법적 효과의 발생을 목적으로 하는 것이므로 그 법적 성질은 행정지도로서의 한계를 넘어 규제적·구속적 성격을 강하게 갖는다.

④ 감사원은 감사 결과 위법 또는 부당하다고 인정되는 사실이 있을 때에는 소속 장관, 감독기관의 장 또는 해당 기관의 장에게 시정·주의 등을 요구할 수 있다.

**해설**

① (○) 비위감찰은 위법성에 대한 감찰이고 행정감찰은 합목적성에 대한 감찰이다.
② (○) **감사원법 제24조 제4항**
③ (×)
> 이 사건 선진화계획은 그 법적 성격이 행정계획이라고 할 것인바, 국민의 기본권에 직접적인 영향을 미친다고 볼 수 없고, 장차 법령의 뒷받침에 의하여 그대로 실시될 것이 틀림없을 것으로 예상된다고 보기도 어려우므로, 헌법소원의 대상이 되는 공권력의 행사에 해당한다고 할 수 없다. (헌재 2011.12.29. 2009헌마330 등)

④ (○) 감사원은 직접 명령하거나 수사를 할 수는 없고, 해당 기관의 장에게 시정·주의 등을 요구할 수 있다. 감사원은 감사의 결과 범죄혐의가 있다고 인정할 때에는 이를 수사기관에 고발하여야 한다.

**정답** ③

## 064 22 서울·지방7급

**감사원의 권한과 운영에 대한 설명으로 옳지 않은 것은?**

① 원장이 궐위되거나 사고로 인하여 직무를 수행할 수 없을 때에는 감사위원으로 최장기간 재직한 감사위원이 그 권한을 대행하며, 재직기간이 같은 감사위원이 2명 이상인 경우에는 연장자가 그 권한을 대행한다.
② 감사원이 직권으로 재심의한 것에 대하여는 재심의를 청구할 수 없다.
③ 감사원은 필요하다고 인정하거나 국무총리의 요구가 있는 경우에는 국가 또는 지방자치단체가 자본금의 일부를 출자한 자의 회계를 검사할 수 있다.
④ 감사원은 세입·세출의 결산을 매년 검사하여 대통령과 차년도 국회에 그 결과를 보고하여야 한다.

**해설**

① (O) 감사원법 제4조 제3항
② (✕)

> **감사원법 제40조(재심의의 효력)**
> ① 청구에 따라 재심의한 사건에 대하여는 또다시 재심의를 청구할 수 없다. 다만, 감사원이 직권으로 재심의한 것에 대하여는 재심의를 청구할 수 있다.
> ② 감사원의 재심의 판결에 대하여는 감사원을 당사자로 하여 행정소송을 제기할 수 있다. 다만, 그 효력을 정지하는 가처분결정은 할 수 없다.

③ (O) 감사원법 제23조 제4호
④ (O) 헌법 제99조

**정답** ②

---

**기출지문 OX**

❶ 국가의 세입·세출의 결산, 국가 및 법률이 정한 단체의 회계검사와 행정기관 및 공무원의 직무에 관한 감찰을 하기 위하여 국무총리 소속하에 감사원을 둔다. 20 5급행시 ( O / ✕ )

> **해설**
> **헌법 제97조**
> 국가의 세입·세출의 결산, 국가 및 법률이 정한 단체의 회계검사와 행정기관 및 공무원의 직무에 관한 감찰을 하기 위하여 대통령 소속하에 감사원을 둔다.
> 감사원은 대통령 소속이지만, 업무에 대해서는 독립적이다.

**정답** ✕

❷ 감사원장과 감사위원은 모두 70세를 정년으로 한다. 20 5급행시 ( O / ✕ )

> **해설**
> **감사원법 제6조(임기 및 정년)**
> ② 감사위원의 정년은 65세로 한다. 다만, 원장인 감사위원의 정년은 70세로 한다.

**정답** ✕

## 065 회독 ☐☐☐ 재구성　　　　　　　　　　　　　　20 서울·지방7급, 19 입시

**감사원에 대한 설명으로 옳은 것은?**

① 감사위원회의는 재적 감사위원 과반수의 참석과 참석 감사위원 과반수의 찬성으로 의결한다.
② 감사원은 세입·세출의 결산을 매년 검사하여 대통령과 차기 국회에 그 결과를 보고하여야 한다.
③ 감사원은 국회·법원·헌법재판소에 소속된 공무원을 대상으로는 직무감찰을 할 수 없으나, 중앙선거관리위원회 소속 공무원을 대상으로는 직무감찰을 할 수 있다.
④ 헌법은 감사원이 법률에 저촉되지 않는 범위 안에서 감사에 관한 절차, 감사원의 내부규율과 감사사무 처리에 관한 규칙을 제정할 수 있도록 규정하고 있다.

### 해설

① (✗) [20 서울·지방7급]

> **감사원법 제11조(의장 및 의결)**
> ① 감사위원회의는 원장을 포함한 감사위원 전원으로 구성하며, 원장이 의장이 된다.
> ② 감사위원회의는 재적 감사위원 과반수의 찬성으로 의결한다.

② (✗) [19 입시]

> **헌법 제99조**
> 감사원은 세입·세출의 결산을 매년 검사하여 대통령과 차년도 국회에 그 결과를 보고하여야 한다.

③ (○) [19 입시]
④ (✗) 헌법에는 감사원규칙에 관한 규정이 없다. [19 입시]

**정답** ③

## 066

**감사원에 대한 설명으로 옳지 않은 것은?**

① 18세 이상의 국민은 공공기관의 사무처리가 법령 위반 또는 부패행위로 인하여 공익을 현저히 해하는 경우 대통령령으로 정하는 일정한 수 이상의 국민의 연서로 감사원에 감사를 청구할 수 있으나, 사적인 권리관계 또는 개인의 사생활에 관한 사항은 감사청구의 대상에서 제외된다.
② 감사원은 법령에 따라 국가 또는 지방자치단체가 위탁하거나 대행하게 한 사무에 대해서도 감찰한다.
③ 1948년 제헌헌법에서는 국가의 수입지출의 결산을 검사하는 기관으로 심계원을 두었다.
④ 감사원은 대통령에 소속하되, 직무에 관하여는 독립의 지위를 가진다. 감사원 소속 공무원의 임면, 조직 및 예산의 편성에 있어서는 감사원의 독립성이 최대한 존중되어야 한다.
⑤ 감사원은 감사원장과 7인의 감사위원으로 구성하며, 법률개정으로 감사위원의 수는 4인으로 축소하거나 12인으로 증원할 수 있다.

### 해설

① (O) 국민감사청구에 대한 설명이다. [18 변호사]

```
국민감사청구 ──────── 감사원에 감사청구 ──────── 기각되면 헌법소원 가능
(18세 이상 일정 수의 국민)

주민감사청구 ┬─ 시·도 → 주무부장관에게     주민소송(감사청구한 주민만 가능)
(18세 이상 일정 수의 주민) └─ 시·군·구 → 시·도지사에게    (주민감사 전치주의)

감사의뢰 ──────── 국민권익위원회는 감사원에, 시민고충처리위원회는 해당 지방자치단체에
```

② (O) [18 변호사]

> **감사원법 제24조(감찰사항)**
> ① 감사원은 다음 각 호의 사항을 감찰한다.
>   1. 정부조직법 및 그 밖의 법률에 따라 설치된 행정기관의 사무와 그에 소속한 공무원의 직무
>   2. 지방자치단체의 사무와 그에 소속한 지방공무원의 직무
>   3. 제22조 제1항 제3호 및 제23조 제7호에 규정된 자의 사무와 그에 소속한 임원 및 감사원의 검사대상이 되는 회계사무와 직접 또는 간접으로 관련이 있는 직원의 직무
>   4. 법령에 따라 국가 또는 지방자치단체가 위탁하거나 대행하게 한 사무와 그 밖의 법령에 따라 공무원의 신분을 가지거나 공무원에 준하는 자의 직무

③ (O) 건국헌법은 회계검사는 심계원이 공무원의 직무감찰은 감찰위원회가 했으나, 제5차 개정헌법에서 현재의 감사원으로 통합된 후 지금까지 계속되고 있다. [18 변호사]

④ (O) [18 변호사]

⑤ (✗) 헌법 제98조 제1항에서 "감사원은 원장을 포함한 5인 이상 11인 이하의 감사위원으로 구성한다."라고 규정하고 있으므로 법률개정으로 감사위원의 수는 4명으로 축소하거나 12명으로 증원할 수 없다. 감사원법 제3조에 따라 감사원은 감사원장을 포함한 7명의 감사위원으로 구성된다. [17 지방7급]

정답  ⑤

# 067

**감사원에 대한 설명으로 옳지 않은 것은?**

① 감사원은 대통령에 소속된 기관으로 국무총리의 통할을 받지 아니한다.
② 법률이 정하는 경우 국가기관이 아닌 경우에도 감사원의 회계검사를 받아야 한다.
③ 감사원 감사를 받는 사람이 불합리한 규제의 개선 등 공공의 이익을 위하여 업무를 적극적으로 처리한 결과에 대하여 그의 행위에 중대한 과실이 있더라도 「감사원법」에 따른 징계 요구 또는 문책 요구 등 책임을 묻지 아니한다.
④ 감사원의 변상판정처분에 대하여서는 행정소송을 제기할 수 없고, 재결에 해당하는 재심의 판정에 대하여서만 감사원을 당사자로 하여 행정소송을 제기할 수 있다.

### 해설

① (O) 헌법상 감사원은 대통령에 소속되어 있지만 업무에 있어서는 독립적이고 국무총리의 통할을 받지 아니한다. [18 법무사]
② (O) [18 법무사]

> **감사원법 제22조(필요적 검사사항)**
> ① 감사원은 다음 각 호의 사항을 검사한다.
>   1. 국가의 회계
>   2. 지방자치단체의 회계
>   3. 한국은행의 회계와 국가 또는 지방자치단체가 자본금의 2분의 1 이상을 출자한 법인의 회계
>   4. 다른 법률에 따라 감사원의 회계검사를 받도록 규정된 단체 등의 회계

③ (X) [18 5급행시]

> **감사원법 제34조의3(적극행정에 대한 면책)**
> ① 감사원 감사를 받는 사람이 불합리한 규제의 개선 등 공공의 이익을 위하여 업무를 적극적으로 처리한 결과에 대하여 그의 행위에 고의나 중대한 과실이 없는 경우에는 이 법에 따른 징계 요구 또는 문책 요구 등 책임을 묻지 아니한다.

④ (O) 감사원의 변상금 부과처분은 재결주의를 취하고 있다. [16 국회8급]

**정답** ③

## 068

**감사원에 대한 설명으로 옳은 것만을 모두 고르면?**

ㄱ. 감사원은 기능적인 측면은 물론이고 그 조직적인 면에서도 독립기관이라 할 수 있다.
ㄴ. 감사원은 국무회의나 국무총리에 대한 종속적 기관이 아니므로 그 권한 행사에 있어서는 오직 대통령만이 구체적 지시를 할 수 있다.
ㄷ. 감사원은 최고 회계검사기관으로서 공무원의 직무감찰권을 동시에 보유한다는 점에서 비교법적 특색이 있다.
ㄹ. 감사원은 변상책임의 유무에 관한 판정권을 갖는다.
ㅁ. 감사 결과 범죄혐의를 발견하여도 수사권이 없고 수사기관에 고발할 뿐이다.

① ㄱ, ㄴ, ㄷ
② ㄱ, ㄷ, ㄹ
③ ㄴ, ㄹ, ㅁ
④ ㄷ, ㄹ, ㅁ

### 해설

ㄱ. (X) 감사원은 조직적인 면에서는 대통령 소속이고, 기능적인 면에서 독립되어 있다. [18 서울7급]

ㄴ. (X) 감사원은 대통령의 지휘·감독을 받지 않는다. 다만, 국무총리는 감사를 요구할 수 있는 경우가 있다. [18 서울7급]

> **감사원법 제23조(선택적 검사사항)**
> 감사원은 필요하다고 인정하거나 국무총리의 요구가 있는 경우에는 다음 각 호의 사항을 검사할 수 있다.
> 1. 국가기관 또는 지방자치단체 외의 자가 국가 또는 지방자치단체를 위하여 취급하는 국가 또는 지방자치단체의 현금·물품 또는 유가증권의 출납
> 2. 국가 또는 지방자치단체가 직접 또는 간접으로 보조금·장려금·조성금 및 출연금 등을 교부하거나 대부금 등 재정 원조를 제공한 자의 회계
> 3. 제2호에 규정된 자가 그 보조금·장려금·조성금 및 출연금 등을 다시 교부한 자의 회계
> 4. 국가 또는 지방자치단체가 자본금의 일부를 출자한 자의 회계
> 5. ~ 10. 〈이하 각 호 생략〉

ㄷ. (O) 감사원은 회계검사권과 공무원에 대한 직무감찰권을 가진다. [08 법원직]

> **헌법 제97조**
> 국가의 세입·세출의 결산, 국가 및 법률이 정한 단체의 회계검사와 행정기관 및 공무원의 직무에 관한 감찰을 하기 위하여 대통령 소속하에 감사원을 둔다.

ㄹ. (O) 감사원법 제31조 [08 법원직]

ㅁ. (O) [08 법원직]

> **감사원법 제35조(고발)**
> 감사원은 감사 결과 범죄 혐의가 있다고 인정할 때에는 이를 수사기관에 고발하여야 한다.

**정답** ④

## 069

**감사원에 대한 설명으로 옳지 않은 것은?**

① 「감사원법」을 개정하여 감사원을 국회의 소속하에 둘 수 있다.
② 감사위원이 탄핵소추의 의결을 받았거나 형사재판에 계속되었을 때에는 그 탄핵의 결정 또는 재판이 확정될 때까지 그 권한 행사가 정지된다.
③ 감사원은 국무총리로부터 국가기밀에 속한다는 소명이 있는 사항에 대하여 감찰할 수 없다.
④ 감사원은 감사 결과 범죄혐의가 있다고 인정할 때에는 이를 수사기관에 고발하여야 한다.

**해설**

① (✕) 헌법 제97조에 감사원을 대통령 소속하에 둔다고 규정하고 있으므로, 감사원을 국회의 소속으로 하기 위해서는 헌법개정이 필요하다. [14 법원직]
② (○) 감사원법 제15조 제2항 [13 국가7급]
③ (○) 감사원법 제24조 제4항 [13 국회8급]
④ (○) 감사원법 제35조 [13 국회8급]

**정답** ①

---

**기출지문 OX**

❶ 국회의원 총선거 후 최초로 의장과 부의장을 선거할 때에는 출석의원 중 최다선 의원이, 최다선 의원이 2인 이상인 때에는 그 중 연장자가 의장의 직무를 대행한다. 18 법원직 ( O / ✕ )

**해설**
**국회법 제18조(의장 등 선거시의 의장 직무대행)**
의장 등의 선거에서 다음 각 호의 어느 하나에 해당할 때에는 출석의원 중 최다선 의원이, 최다선 의원이 2명 이상인 경우에는 그중 연장자가 의장의 직무를 대행한다.
  1. 국회의원 총선거 후 처음으로 의장과 부의장을 선거할 때
  2. 제15조 제2항에 따라 처음 선출된 의장 또는 부의장의 임기가 만료되는 경우 그 임기만료일 5일 전에 의장과 부의장의 선거가 실시되지 못하여 그 임기만료 후 의장과 부의장을 선거할 때
  3. 의장과 부의장이 모두 궐위되어 그 보궐선거를 할 때
  4. 의장 또는 부의장의 보궐선거에서 의장과 부의장이 모두 사고가 있을 때
  5. 의장과 부의장이 모두 사고가 있어 임시의장을 선거할 때

**정답** O

❷ 중앙선거관리위원회 위원장이 사고가 있을 때에는 상임위원이 그 직무를 대행하며 위원장·상임위원이 모두 사고가 있을 때에는 위원 중에서 임시위원장을 호선하여 위원장의 직무를 대행하게 한다. 18 법원직 ( O / ✕ )
**해설** 선거관리위원회법 제5조 제5항
**정답** O

## 070  회독 ☐☐☐    14 서울7급

**공직자의 선출 및 임명방식에 관한 설명 중 옳지 않은 것은?**

① 국무총리는 국회의 동의를 얻어 대통령이 임명하며, 인사청문특별위원회에서 인사청문회를 실시한다.
② 국무위원은 국무총리의 제청으로 대통령이 임명하며, 해당 상임위원회에서 인사청문회를 실시한다.
③ 감사원장은 국회의 동의를 얻어 대통령이 임명하며, 법제사법위원회에서 인사청문회를 한다.
④ 대법관은 대법원장의 제청으로 국회의 동의를 얻어 대통령이 임명하며, 인사청문특별위원회에서 인사청문회를 한다.
⑤ 헌법재판소장은 국회의 동의를 얻어 재판관 중에서 대통령이 임명하며, 인사청문특별위원회에서 인사청문회를 실시한다.

**해설**

① (O) ④ (O) ⑤ (O)

> **국회법 제46조의3(인사청문특별위원회)**
> ① 국회는 다음 각 호의 임명동의안 또는 의장이 각 교섭단체 대표의원과 협의하여 제출한 선출안 등을 심사하기 위하여 인사청문특별위원회를 둔다. 다만, 대통령직 인수에 관한 법률 제5조 제2항에 따라 대통령 당선인이 국무총리 후보자에 대한 인사청문의 실시를 요청하는 경우에 의장은 각 교섭단체 대표의원과 협의하여 그 인사청문을 실시하기 위한 인사청문특별위원회를 둔다.
> 1. 헌법에 따라 그 임명에 국회의 동의가 필요한 대법원장·헌법재판소장·국무총리·감사원장 및 대법관에 대한 임명동의안
> 2. 헌법에 따라 국회에서 선출하는 헌법재판소 재판관 및 중앙선거관리위원회 위원에 대한 선출안

② (O) 국회법 제65조의2 제2항 제1호
③ (X) 감사원장은 국회의 동의를 얻어 대통령이 임명하며, 인사청문특별위원회에서 인사청문회를 실시한다. **(국회법 제46조의3 제1항)**

**정답** ③

## 제3절 선거관리위원회

### 071  23 서울·지방7급

**선거관리위원회에 대한 설명으로 옳지 않은 것은?**

① 중앙선거관리위원회는 주민투표·주민소환 관계 법률의 제정·개정 등이 필요하다고 인정하는 경우에는 국회에 그 의견을 구두 또는 서면으로 제출할 수 있다.
② 각급 선거관리위원회는 선거인명부의 작성 등 선거사무와 국민투표사무에 관하여 관계 행정기관에 필요한 지시를 할 수 있으며, 지시를 받은 당해 행정기관은 이에 응하여야 한다.
③ 각급 선거관리위원회의 회의는 당해 위원장이 소집한다. 다만, 위원 3분의 1 이상의 요구가 있을 때에는 위원장은 회의를 소집하여야 하며 위원장이 회의소집을 거부할 때에는 회의소집을 요구한 3분의 1 이상의 위원이 직접 회의를 소집할 수 있다.
④ 각급 선거관리위원회는 위원 과반수의 출석으로 개의하고 출석위원 과반수의 찬성으로 의결하며, 위원장은 표결권을 가지고 가부동수인 때에는 결정권을 가진다.

**해설**

① (×)

> **선거관리위원회법 제17조(법령에 관한 의견표시등)**
> ① 행정기관이 선거(위탁선거를 포함한다. 이하 이 조에서 같다)·국민투표 및 정당 관계 법령을 제정·개정 또는 폐지하고자 할 때에는 미리 당해 법령안을 중앙선거관리위원회에 송부하여 그 의견을 구하여야 한다.
> ② 중앙선거관리위원회는 다음 각 호의 어느 하나에 해당하는 법률의 제정·개정 등이 필요하다고 인정하는 경우에는 국회에 그 의견을 서면으로 제출할 수 있다.
>   1. 선거·국민투표·정당 관계 법률
>   2. 주민투표·주민소환 관계 법률. 이 경우 선거관리위원회의 관리 범위에 한정한다.

② (○) 헌법 제115조
③ (○) 선거관리위원회법 제11조 제1항
④ (○) 선거관리위원회법 제10조

**정답** ①

## 072

**선거관리위원회에 대한 설명으로 옳은 것은? (다툼이 있는 경우 판례에 의함)**

① 법관과 법원공무원 이외의 공무원은 각급 선거관리위원회의 위원이 될 수 없다.
② 중앙선거관리위원회는 대통령이 임명하는 3인, 국회에서 선출하는 3인과 대법원장이 지명하는 3인의 위원으로 구성한다. 위원장은 국회의 동의를 얻어 위원 중에서 대통령이 임명한다.
③ 각급 선거관리위원회의 위원장·상임위원·부위원장이 모두 사고가 있을 때에는 위원 중에서 임시위원장을 호선하여 위원장의 직무를 대행하게 한다.
④ 각급 선거관리위원회 위원 직원의 선거범죄조사에 있어서 피조사자에게 자료제출의무를 부과하는 「공직선거법」 조항은 이 규정에 위반하여 허위의 자료를 제출한 경우 형사처벌을 규정하고 있는바, 이는 형벌에 의한 불이익이라는 심리적, 간접적 강제수단을 통하여 진실한 자료를 제출하도록 하는 강제처분을 수반하는 것으로 영장주의의 적용대상이다.

> [해설]

① (✕)

> **선거관리위원회법 제4조(위원의 임명 및 위촉)**
> ⑥ 법관과 법원공무원 및 교육공무원 이외의 공무원은 각급 선거관리위원회의 위원이 될 수 없다.

② (✕)

> **헌법 제114조**
> ② 중앙선거관리위원회는 대통령이 임명하는 3인, 국회에서 선출하는 3인과 대법원장이 지명하는 3인의 위원으로 구성한다. <u>위원장은 위원 중에서 호선한다.</u>

③ (○)

> **선거관리위원회법 제5조(위원장)**
> ⑤ 위원장이 사고가 있을 때에는 상임위원 또는 부위원장이 그 직무를 대행하며 위원장·상임위원·부위원장이 모두 사고가 있을 때에는 위원 중에서 임시위원장을 호선하여 위원장의 직무를 대행하게 한다.

④ (✕)

> 심판대상조항에 의한 자료제출 요구는 행정조사의 성격을 가지는 것으로 수사기관의 수사와 근본적으로 그 성격을 달리하며, 청구인에 대하여 직접적으로 어떠한 물리적 강제력을 행사하는 강제처분을 수반하는 것이 아니므로 영장주의의 적용대상이 아니다. (헌재 2019.9.26. 2016헌바381)

**정답** ③

## 073 회독 ☐☐☐   22 법원직

**선거관리위원회에 관한 다음 설명 중 가장 옳지 않은 것은?**

① 중앙선거관리위원회 위원장이 중앙선거관리위원회 전체회의의 심의를 거쳐 대통령의 위법사실을 확인한 후 그 재발방지를 촉구하는 내용으로 대통령에게 선거중립의무 준수요청조치를 한 것은 단순한 권고적 행위가 아니라 헌법소원의 대상이 되는 공권력 행사에 해당한다.
② 정당등록신청을 받은 관할 선거관리위원회는 형식적 요건을 구비하는 한 이를 거부하지 못하나, 형식적 요건을 구비하지 못한 때에는 상당한 기간을 정하여 보완을 명하고, 2회 이상 보완을 명하여도 응하지 않는 경우에는 그 신청을 각하할 수 있다.
③ 선거관리위원회가 선거인명부 작성 등 선거사무와 국민투표사무에 관하여 관계 행정기관에 지시하는 것은 비구속적인 행정행위에 해당하므로 행정기관이 이에 따라야 할 의무는 원칙적으로 인정되지 않는다.
④ 헌법은 선거관리위원회 위원이 탄핵 또는 금고 이상의 형의 선고에 의하지 아니하고는 파면되지 않도록 위원의 신분보장에 관하여 직접 규정하고 있다.

**해설**

① (O)
> 중앙선거관리위원회 위원장이 재발방지를 촉구하는 내용의 이 사건 조치를 청구인인 대통령에 대하여 직접 발령한 것이 단순한 권고적·비권력적 행위라기보다는 경고의 성격이 있으므로 헌법소원의 대상이다. (헌재 2008.1.17. 2007헌마700)

② (O) 정당법 제15조

③ (×)
> **헌법 제115조**
> ① 각급 선거관리위원회는 선거인명부의 작성 등 선거사무와 국민투표사무에 관하여 관계 행정기관에 필요한 지시를 할 수 있다.
> ② 제1항의 지시를 받은 당해 행정기관은 이에 응하여야 한다.

④ (O) 헌법 제114조 제5항

정답 ③

## 074

**선거관리위원회에 대한 설명으로 옳지 않은 것은?**

① 선거와 국민투표의 공정한 관리 및 정당에 관한 사무를 처리하기 위하여 선거관리위원회를 둔다.
② 중앙선거관리위원회는 법령의 범위 안에서 선거관리·국민투표관리 또는 정당사무에 관한 규칙을 제정할 수 있으며, 법률에 저촉되지 아니하는 범위 안에서 내부규율에 관한 규칙을 제정할 수 있다.
③ 헌법은 탄핵소추의 대상자로서 대통령·국무총리·국무위원·행정각부의 장·헌법재판소 재판관·법관·중앙선거관리위원회 위원장·감사원장·감사위원·기타 법률이 정한 공무원으로 규정하고 있고, 「선거관리위원회법」에서 중앙선거관리위원회 및 각급 선거관리위원회 위원을 탄핵소추의 대상으로 포함하고 있다.
④ 대통령 선거 및 국회의원 선거에 있어서 선거의 효력에 관하여 이의가 있는 선거인·후보자를 추천한 정당 또는 후보자가 대법원에 소를 제기할 때의 피고는 당해 선거구선거관리위원회 위원장이다.

### 해설

① (○) 헌법 제114조 제1항 [20 5급행시]
② (○) 헌법 제114조 제6항 [20 5급행시]
③ (×) 헌법상 탄핵대상자는 대통령·국무총리·국무위원·행정각부의 장·헌법재판소 재판관·법관·중앙선거관리위원회 위원·감사원장·감사위원이고, 선거관리위원회법상 탄핵대상자는 시·군·구 선거관리위원회 위원이다. [20 서울·지방7급]
④ (○) 공직선거법 제222조 제1항 [20 서울·지방7급]

**정답** ③

## 075  회독 ☐☐☐  재구성    20·18 법무사, 18 국가7급

**선거관리에 대한 설명으로 옳지 않은 것은? (다툼이 있는 경우 판례에 의함)**

① 중앙선거관리위원회 위원의 임기는 5년으로 한다.
② 선거에 관한 경비는 법률이 정하는 경우를 제외하고는 정당 또는 후보자에게 부담시킬 수 없다.
③ 각급 선거관리위원회의 의결을 거쳐 행하는 사항에 대하여는 원칙적으로 행정절차에 관한 규정이 적용되지 않는바, 이는 권력분립의 원리와 선거관리위원회 의결절차의 합리성을 고려한 것이다.
④ 행정기관이 선거·국민투표 및 정당 관계 법령을 제정·개정 또는 폐지하고자 할 때에는 미리 당해 법령안을 중앙선거관리위원회에 송부하여 그 의견을 구하여야 한다.

### 해설

① (X) [20 법무사] ② (O) [20 법무사]

> **헌법 제114조**
> ① 선거와 국민투표의 공정한 관리 및 정당에 관한 사무를 처리하기 위하여 선거관리위원회를 둔다.
> ② 중앙선거관리위원회는 대통령이 임명하는 3인, 국회에서 선출하는 3인과 대법원장이 지명하는 3인의 위원으로 구성한다. 위원장은 위원 중에서 호선한다.
> ③ 위원의 임기는 6년으로 한다.
> ④ 위원은 정당에 가입하거나 정치에 관여할 수 없다.
> ⑤ 위원은 탄핵 또는 금고 이상의 형의 선고에 의하지 아니하고는 파면되지 아니한다.
> ⑥ 중앙선거관리위원회는 법령의 범위 안에서 선거관리·국민투표관리 또는 정당사무에 관한 규칙을 제정할 수 있으며, 법률에 저촉되지 아니하는 범위 안에서 내부규율에 관한 규칙을 제정할 수 있다.
> ⑦ 각급 선거관리위원회의 조직·직무범위 기타 필요한 사항은 법률로 정한다.
>
> **제116조**
> ① 선거운동은 각급 선거관리위원회의 관리하에 법률이 정하는 범위 안에서 하되, 균등한 기회가 보장되어야 한다.
> ② 선거에 관한 경비는 법률이 정하는 경우를 제외하고는 정당 또는 후보자에게 부담시킬 수 없다.

③ (O) 선거관리위원회의 의결에 대해서는 적법절차원칙이 적용되지 않는다. [18 국가7급]

> 각급 선거관리위원회의 의결을 거쳐 행하는 사항에 대하여는 원칙적으로 행정절차에 관한 규정이 적용되지 않는바, 이는 권력분립의 원리와 선거관리위원회 의결절차의 합리성을 고려한 것으로 보인다. 또한 선거운동의 특성상 선거법 위반행위인지 여부와 그에 대한 조치는 가능하면 신속하게 결정되어야 할 뿐 아니라, 이와 같이 선거관리의 특성, 이 사건 조치가 규율하는 행위의 성격, 위 조치의 제재효과 및 기본권 침해의 정도 등을 종합하여 볼 때, 청구인에게 위 조치 전에 의견진술의 기회를 부여하지 않은 것이 적법절차원칙에 어긋나서 청구인의 기본권을 침해한다고 볼 수 없다. (헌재 2008.1.17. 2007헌마700【기각】)

④ (O) 선거관리위원회법 제17조 제1항 [18 법무사]

**정답** ①

## 076

**선거관리위원회에 대한 설명으로 옳지 않은 것은?**

① 선거관리위원회의 종류에는 중앙선거관리위원회, 특별시·광역시·도 선거관리위원회, 구·시·군 선거관리위원회 및 읍·면·동 선거관리위원회가 있다.
② 국회의원 선거구획정위원회는 중앙선거관리위원회에 두되, 직무에 관하여 독립의 지위를 가진다.
③ 헌법상 중앙선거관리위원회 위원은 정당에 가입하거나 정치에 관여할 수 없고, 다른 공직을 겸직할 수 없다.
④ 공직선거에 관한 사무처리예규는 개표관리 및 투표용지의 유·무효를 가리는 업무에 종사하는 각급 선거관리위원회 직원 등에 대한 업무처리지침 내지 사무처리준칙에 불과할 뿐 국민이나 법원을 구속하는 효력이 없는 행정규칙이므로 헌법소원의 대상이 되지 않는다.
⑤ 구·시·군 선거관리위원회 위원의 임기는 3년으로 하되, 한 차례만 연임할 수 있다.

### 해설

① (O) [18 5급행시]

**선거관리위원회법 제2조(설치)**
① 선거관리위원회의 종류와 위원회별 위원의 정수는 다음과 같다.
 1. 중앙선거관리위원회 9인
 2. 특별시·광역시·도 선거관리위원회 9인
 3. 구·시·군 선거관리위원회 9인
 4. 읍·면·동 선거관리위원회 7인

② (O) [18 5급행시]
③ (X) 정당에 가입해서는 안 된다는 규정은 헌법에 있지만 공직겸직금지는 규정이 없고, 선거관리위원회 위원은 법관 등의 겸직이 가능하다. [18 법무사]
④ (O) 내부적 효력만 인정되므로 헌법소원의 대상이 아니다. [19 지방7급]
⑤ (O) [19 지방7급]

**선거관리위원회법 제8조(위원의 임기)**
각급 선거관리위원회 위원의 임기는 6년으로 한다. 다만, 구·시·군 선거관리위원회 위원의 임기는 3년으로 하되, 한 차례만 연임할 수 있다.

**정답** ③

---

### 기출지문 OX

국회의원 선거구획정의 위헌 여부는 국민의 기본권과 직접적인 관련이 없기 때문에 헌법재판소의 심판대상이 아니다. [13 변호사]

( O / X )

**해설** 선거구획정의 문제는 헌법재판의 대상이 된다.

**정답** X

# 077

**선거관리위원회에 대한 설명으로 옳은 것은? (다툼이 있는 경우 판례에 의함)**

① 선거운동은 각급 선거관리위원회의 관리하에 법률이 정하는 범위 안에서 하되, 균등한 기회가 보장되어야 하며, 선거에 관한 경비는 정당에게 부담시킬 수 있으나 후보자에게는 부담시킬 수 없다.
② 「정치자금법」 제27조(보조금의 배분)의 규정에 따라 보조금의 배분대상이 되는 정당이 당내경선사무 중 경선운동, 투표 및 개표에 관한 사무의 관리를 당해 선거의 관할 선거구 선거관리위원회에 위탁하는 경우 모든 수탁관리비용은 당해 정당이 부담한다.
③ 중앙선거관리위원회 위원은 국회의 탄핵소추대상이 되나, 구·시·군 선거관리위원회 위원은 국회의 탄핵소추대상이 되지 아니한다.
④ 정부는 중앙선거관리위원회의 예산을 편성함에 있어 중앙선거관리위원회 위원장의 의견을 최대한 존중하여야 하며, 국가재정상황 등에 따라 조정이 필요한 때에는 중앙선거관리위원회 위원장과 미리 협의하여야 한다.

## 해설

① (✗)

> **헌법 제116조**
> ① 선거운동은 각급 선거관리위원회의 관리하에 법률이 정하는 범위 안에서 하되, 균등한 기회가 보장되어야 한다.
> ② 선거에 관한 경비는 법률이 정하는 경우를 제외하고는 정당 또는 후보자에게 부담시킬 수 없다.

② (✗)

> **공직선거법 제57조의4(당내경선사무의 위탁)**
> ① 정치자금법 제27조(보조금의 배분)의 규정에 따라 보조금의 배분대상이 되는 정당은 당내경선사무 중 경선운동, 투표 및 개표에 관한 사무의 관리를 당해 선거의 관할 선거구 선거관리위원회에 위탁할 수 있다.
> ② 관할 선거구 선거관리위원회가 제1항에 따라 당내경선의 투표 및 개표에 관한 사무를 수탁관리하는 경우에는 그 비용은 국가가 부담한다. 다만, 투표 및 개표참관인의 수당은 당해 정당이 부담한다.

③ (✗)

> **선거관리위원회법 제9조(위원의 해임사유)**
> 각급 선거관리위원회의 위원은 다음 각 호의 1에 해당할 때가 아니면 해임·해촉 또는 파면되지 아니한다.
> 1. 정당에 가입하거나 정치에 관여한 때
> 2. 탄핵결정으로 파면된 때
> 3. 금고 이상의 형의 선고를 받은 때
> 4. 정당추천위원으로서 그 추천정당의 요구가 있거나 추천정당이 국회에 교섭단체를 구성할 수 없게 된 때와 국회의원 선거권이 없음이 발견된 때
> 5. 시·도 선거관리위원회의 상임위원인 위원으로서 국가공무원법 제33조 각 호의 1에 해당하거나 상임위원으로서의 근무상한에 달하였을 때

④ (○)

> **국가재정법 제40조(독립기관의 예산)**
> ① 정부는 독립기관의 예산을 편성할 때 해당 독립기관의 장의 의견을 최대한 존중하여야 하며, 국가재정상황 등에 따라 조정이 필요한 때에는 해당 독립기관의 장과 미리 협의하여야 한다.
> ② 정부는 제1항의 규정에 따른 협의에도 불구하고 독립기관의 세출예산요구액을 감액하고자 할 때에는 국무회의에서 해당 독립기관의 장의 의견을 들어야 하며, 정부가 독립기관의 세출예산요구액을 감액한 때에는 그 규모 및 이유, 감액에 대한 독립기관의 장의 의견을 국회에 제출하여야 한다.

정답 ④

---

## 078  재구성   [18 법무사·지방7급]

**국가기관의 의결에 대한 설명으로 옳은 것만을 모두 고르면?**

> ㄱ. 감사위원회의는 감사원장을 포함한 감사위원 전원으로 구성하며, 감사위원회의는 재적 감사위원 과반수의 찬성으로 의결한다.
> ㄴ. 대법관회의는 대법관 전원의 3분의 2 이상의 출석과 출석인원 과반수 찬성으로 의결한다. 의장은 의결에서 표결권을 가지며, 가부동수일 때에는 결정권을 가진다.
> ㄷ. 헌법재판소 재판관회의는 재판관 전원으로 구성하며, 재판관회의는 재판관 전원의 3분의 2를 초과하는 인원의 출석과 출석인원 과반수의 찬성으로 의결한다.
> ㄹ. 중앙선거관리위원회 위원은 현행범인이 아니면 체포·구속·소추되지 아니한다.

① ㄱ, ㄴ, ㄷ
② ㄱ, ㄷ, ㄹ
③ ㄴ, ㄷ, ㄹ
④ ㄱ, ㄴ, ㄷ, ㄹ

**해설**

ㄱ. (○) 감사원법 제11조 [18 지방7급]
ㄴ. (○) 법원조직법 제16조 제2항·제3항 [18 지방7급]
ㄷ. (○) 헌법재판소법 제16조 [18 지방7급]
   헌법재판소장은 가부동수일 때 결정권이 없다.
ㄹ. (✕) 선지에 해당하는 조문은 없다. [18 법무사]

정답 ①

## 기출지문 OX

❶ 「공직선거관리규칙」은 중앙선거관리위원회가 헌법 제114조 제6항 소정의 규칙 제정권에 의하여 「공직선거법」에서 위임된 사항과 대통령·국회의원·지방의회의원 및 지방자치단체의 장의 선거의 관리에 필요한 세부사항을 규정함을 목적으로 하여 제정된 법규명령이다. 16 국회8급 ( O / × )

정답 O

❷ 각급 선거관리위원회가 선거사무를 위하여 인원·장비의 지원 등이 필요한 경우, 지시 또는 협조 요구를 받은 행정기관이나 협조 요구를 받은 공공단체 및 개표 사무종사원을 위촉받은 「은행법」 제2조의 은행은 우선적으로 그에 응하여야 한다. 16 국회8급 ( O / × )

해설
> **헌법 제115조**
> ① 각급 선거관리위원회는 선거인명부의 작성 등 선거사무와 국민투표사무에 관하여 관계 행정기관에 필요한 지시를 할 수 있다.
> ② 제1항의 지시를 받은 당해 행정기관은 이에 응하여야 한다.
>
> **제116조**
> ① 선거운동은 각급 선거관리위원회의 관리하에 법률이 정하는 범위 안에서 하되, 균등한 기회가 보장되어야 한다.
> ② 선거에 관한 경비는 법률이 정하는 경우를 제외하고는 정당 또는 후보자에게 부담시킬 수 없다.

정답 O

❸ 시·도 선거관리위원회의 위원은 국회의원의 선거권이 있고 정당원이 아닌 자 중에서 국회에 교섭단체를 구성한 정당이 추천한 사람과 당해 지역을 관할하는 지방법원장이 추천하는 법관 2인을 포함한 3인과 교육자 또는 학식과 덕망이 있는 자 중에서 3인을 중앙선거관리위원회가 위촉한다. 14 지방7급 ( O / × )
해설 선거관리위원회법 제4조 제2항

정답 O

❹ 각급 선거관리위원회 위원 중 상임위원이 아닌 위원은 명예직으로 한다. 07 국가7급 ( O / × )
해설 선거관리위원회법 제12조 제1항

정답 O

## 079 회독

**현행헌법 조항과 다른 것은?**

> ㄱ. 법관은 탄핵 또는 금고 이상의 형의 선고에 의하지 아니하고는 파면되지 아니하며, 징계처분에 의하지 아니하고는 정직·감봉 기타 불리한 처분을 받지 아니한다.
> ㄴ. 헌법재판소 재판관은 탄핵 또는 금고 이상의 형의 선고에 의하지 아니하고는 파면되지 아니한다.
> ㄷ. 중앙선거관리위원회 위원은 탄핵 또는 금고 이상의 형의 선고에 의하지 아니하고는 파면되지 아니하며, 징계처분에 의하지 아니하고는 정직·감봉 기타 불리한 처분을 받지 아니한다.
> ㄹ. 감사위원은 탄핵 또는 금고 이상의 형의 선고에 의하지 아니하고는 파면되지 아니하며, 징계처분에 의하지 아니하고는 정직·감봉 기타 불리한 처분을 받지 아니한다.

① ㄱ, ㄴ, ㄷ, ㄹ
② ㄴ, ㄷ, ㄹ
③ ㄷ, ㄹ
④ ㄹ

**해설**

ㄱ. (O) 헌법 제106조 제1항
ㄴ. (O) 헌법 제112조 제3항
ㄷ. (✗) 징계처분에 의하지 아니하고는 정직·감봉 기타 불리한 처분을 받지 아니한다는 규정은 없다.

> **헌법 제114조**
> ⑤ 위원은 탄핵 또는 금고 이상의 형의 선고에 의하지 아니하고는 파면되지 아니한다.

ㄹ. (✗) 감사위원의 신분보장에 대해서 헌법상 명문규정이 없다. 단, 감사원법에는 신분보장에 관한 규정이 있다.

**정답** ③

## 제4절 지방자치제도

### 080

**지방자치제도에 대한 설명으로 옳지 않은 것은?**

① 국가기본도에 표시된 해상경계선은 그 자체로 불문법상 해상경계선으로 인정되는 것은 아니나, 관할 행정청이 국가기본도에 표시된 해상경계선을 기준으로 하여 과거부터 현재에 이르기까지 반복적으로 처분을 내리고, 지방자치단체가 허가, 면허 및 단속 등의 업무를 지속적으로 수행하여 왔다면 국가기본도상의 해상경계선은 여전히 지방자치단체 관할 경계에 관하여 불문법으로서 그 기준이 될 수 있다.

② 헌법이 감사원을 독립된 외부감사기관으로 정하고 있는 취지, 중앙정부와 지방자치단체는 서로 행정기능과 행정책임을 분담하면서 중앙행정의 효율성과 지방행정의 자주성을 조화시켜 국민과 주민의 복리증진이라는 공동목표를 추구하는 협력관계에 있다는 점을 고려하면 지방자치단체의 자치사무에 대한 합목적성 감사의 근거가 되는 「감사원법」 조항은 지방자치권의 본질적 내용을 침해하였다고는 볼 수 없다.

③ 연간 감사계획에 포함되지 아니하고 사전조사가 수행되지 아니한 감사의 경우 「지방자치법」에 따른 감사의 절차와 방법 등에 관한 관련 법령에서 감사대상이나 내용을 통보할 것을 요구하는 명시적인 규정이 없어, 광역지방자치단체가 기초지방자치단체의 자치사무에 대한 감사에 착수하기 위해서는 감사대상을 특정하여야 하나, 특정된 감사대상을 사전에 통보할 것까지 요구된다고 볼 수는 없다.

④ 감사과정에서 사전에 감사대상으로 특정되지 아니한 사항에 관하여 위법사실이 발견된 경우, 당초 특정된 감사대상과 관련성이 인정되는 것으로서 당해 절차에서 함께 감사를 진행하더라도 감사대상 지방자치단체가 절차적인 불이익을 받을 우려가 없고, 해당 감사대상을 적발하기 위한 목적으로 감사가 진행된 것으로 볼 수 없는 사항이라 하더라도, 감사내상을 확상하거나 추가하는 것은 허용되지 않는다.

**해설**

① (O)

> 지방자치단체 사이의 불문법상 해상경계가 성립하기 위해서는 관계 지방자치단체·주민들 사이에 해상경계에 관한 일정한 관행이 존재하고, 그 해상경계에 관한 관행이 장기간 반복되어야 하며, 그 해상경계에 관한 관행을 법규범이라고 인식하는 관계 지방자치단체·주민들의 법적 확신이 있어야 한다. 국가기본도에 표시된 해상경계선은 그 자체로 불문법상 해상경계선으로 인정되는 것은 아니나, 관할 행정청이 국가기본도에 표시된 해상경계선을 기준으로 하여 과거부터 현재에 이르기까지 반복적으로 처분을 내리고, 지방자치단체가 허가, 면허 및 단속 등의 업무를 지속적으로 수행하여 왔다면 국가기본도상의 해상경계선은 여전히 지방자치단체 관할 경계에 관하여 불문법으로서 그 기준이 될 수 있다. **(헌재 2021.2.25. 2015헌라7)**

② (O) 지방자치단체의 자치사무에 대한 감사원의 합목적성 감사는 지방자치권의 본질을 침해하는 것이 아니다. **(헌재 2008.5.29. 2005헌라3 【기각】)**

> 감사원에 의한 고유사무의 통제는 합법성 통제와 합목적성 통제가 모두 가능하다.

③ (O) ④ (×)

> 지방자치법에 따른 감사의 절차와 방법 등에 관한 사항을 규정하는 '지방자치단체에 대한 행정감사규정'(이하 '행정감사규정'이라 한다) 등 관련 법령에서 이 사건 감사와 같이 연간 감사계획에 포함되지 아니한 감사의 경우 감사대상이나 내용을 통보할 것을 요구하는 명시적인 규정을 발견할 수 없는바, 광역지방자치단체가 자치사무에 대한 감사에 착수하기 위해서는 감사대상을 특정하여야 하나, 특정된 감사대상을 사전에 통보할 것까지 요구된다고 볼 수는 없다. 따라서 피청구인이 조사개시 통보를 하면서 내부적으로 특정한 감사대상을 통보하지 않았다고 하더라도, 그러한 사정만으로는 이 사건 감사가 위법하다고 할 수 없다.
> 지방자치단체의 자치사무에 대한 무분별한 감사권의 행사는 헌법상 보장된 지방자치권을 침해할 가능성이 크므로, 원칙적으로 감사 과정에서 사전에 감사대상으로 특정되지 아니한 사항에 관하여 위법사실이 발견되었다고 하더라도 감사대상을 확장하거나 추가하는 것은 허용되지 않는다. 다만, 자치사무의 합법성 통제라는 감사의 목적이나 감사의 효율성 측면을 고려할 때, 당초 특정된 감사대상과 관련성이 인정되는 것으로서 당해 절차에서 함께 감사를 진행하더라도 감사대상 지방자치단체가 절차적인 불이익을 받을 우려가 없고, 해당 감사대상을 적발하기 위한 목적으로 감사가 진행된 것으로 볼 수 없는 사항에 대하여는 감사대상의 확장 내지 추가가 허용된다. (헌재 2023.3.23. 2020헌라5)

정답 ④

### 기출지문 OX

❶ 법령에서 조례로 정하도록 위임한 사항은 그 법령의 하위법령에서 그 위임의 내용과 범위를 제한하거나 직접 규정할 수 없다. 23 변호사 ( O / × )
  해설 지방자치법 제28조 제2항
정답 O

❷ 조례안의 일부가 법령에 위반되어 위법한 경우에는 그 조례안에 대한 재의결 전부 효력이 부인된다. 13 법원직 ( O / × )
  해설 조례안의 일부 규정이 법령에 위반된 이상, 그 나머지 규정이 법령에 위반되지 아니한다고 하더라도 조례안에 대한 재의결은 그 전체의 효력을 부정할 수밖에 없다. (대판 2000.12.12. 99추61)
정답 O

## 081 회독 ☐☐☐  23 경찰간부

기초지방자치단체 A의 자치사무에 대한 광역지방자치단체 B, 행정안전부 및 감사원의 감사에 대한 설명으로 가장 적절하지 않은 것은? (다툼이 있는 경우 헌법재판소 판례에 의함)

① A의 자치사무에 대한 B의 감사과정에서 사전에 감사대상으로 특정되지 않은 사항에 관하여 위법사실이 발견된 경우, 당초 특정된 감사대상과 관련성이 있어 함께 감사를 진행해도 A가 절차적인 불이익을 받을 우려가 없고, 해당 감사대상을 적발하기 위한 목적으로 감사가 진행된 것으로 볼 수 없는 사항에 대하여는 감사대상의 확장 내지 추가가 허용된다.
② B가 A의 자치사무에 대한 감사에 착수하기 위해서는 감사대상을 특정하고, 특정된 감사대상을 A에게 사전통보해야 한다.
③ A의 자치사무에 대한 행정안전부 감사는 합법성 감사로 제한되어야 하고, 포괄적·사전적 일반감사나 법령 위반사항을 적발하기 위한 감사는 허용되지 않는다.
④ A의 자치사무에 대한 감사원의 감사는 합법성 감사에 한정되지 않고, 합목적성 감사가 가능하여 사전적·포괄적 감사가 인정된다.

### 해설

① (○)
> 지방자치단체의 자치사무에 대한 무분별한 감사권의 행사는 헌법상 보장된 지방자치권을 침해할 가능성이 크므로, 원칙적으로 감사과정에서 사전에 감사대상으로 특정되지 아니한 사항에 관하여 위법사실이 발견되었다고 하더라도 감사대상을 확장하거나 추가하는 것은 허용되지 않는다. 다만, 자치사무의 합법성 통제라는 감사의 목적이나 감사의 효율성 측면을 고려할 때, 당초 특정된 감사대상과 관련성이 인정되는 것으로서 당해 절차에서 함께 감사를 진행하더라도 감사대상 지방자치단체가 절차적인 불이익을 받을 우려가 없고, 해당 감사대상을 적발하기 위한 목적으로 감사가 진행된 것으로 볼 수 없는 사항에 대하여는 감사대상의 확장 내지 추가가 허용된다. (헌재 2023.3.23. 2020헌라5)

② (✕)
> 광역지방자치단체가 자치사무에 대한 감사에 착수하기 위해서는 감사대상을 특정하여야 하나, 특정된 감사대상을 사전에 통보할 것까지 요구된다고 볼 수는 없다. (헌재 2023.3.23. 2020헌라5)

③ (○)
> 중앙행정기관이 구 지방자치법 제158조 단서규정상의 감사에 착수하기 위해서는 자치사무에 관하여 특정한 법령 위반행위가 확인되었거나 위법행위가 있었으리라는 합리적 의심이 가능한 경우이어야 하고, 또한 그 감사대상을 특정해야 한다. 따라서 전반기 또는 후반기 감사와 같은 포괄적·사전적 일반감사나 위법사항을 특정하지 않고 개시하는 감사 또는 법령 위반사항을 적발하기 위한 감사는 모두 허용될 수 없다. (헌재 2009.5.28. 2006헌라6)

④ (○)
> 지방자치단체의 자치사무에 대한 감사원의 사전적·포괄적 합목적성 감사가 인정되므로 국가의 중복감사의 필요성이 없는 점 등을 종합하여 보면, 중앙행정기관의 지방자치단체의 자치사무에 대한 구 지방자치법 제158조 단서 규정의 감사권은 사전적·일반적인 포괄감사권이 아니라 그 대상과 범위가 한정적인 제한된 감사권이라고 해석함이 마땅하다. (헌재 2009.5.28. 2006헌라6)

정답 ②

## 082

**지방자치에 대한 설명으로 옳지 않은 것은? (다툼이 있는 경우 판례에 의함)**

① 헌법 제117조 제1항은 "지방자치단체는 주민의 복리에 관한 사무를 처리하고 재산을 관리하며, 법령의 범위 안에서 자치에 관한 규정을 제정할 수 있다."라고 하여 지방자치제도의 보장과 지방자치단체의 자치권을 규정하고 있는데, 헌법 제117조 제1항에서 규정하는 '법령'에는 법규명령으로서 기능하는 행정규칙이 포함된다.

② 헌법 제118조 제2항에서 지방자치단체의 장의 '선임방법'에 관한 사항은 법률로 정한다고 규정하고 있으므로 지방자치단체의 장 선거권은 다른 공직선거권과 달리 헌법상 보장되는 기본권으로 볼 수 없다.

③ 헌법이 규정하는 지방자치단체의 자치권 가운데에는 자치에 관한 규정을 스스로 제정할 수 있는 자치입법권은 물론이고 그 밖에 그 소속 공무원에 대한 인사와 처우를 스스로 결정하고 이에 관련된 예산을 스스로 편성하여 집행하는 권한이 성질상 당연히 포함된다.

④ 지방자치단체의 구역은 주민·자치권과 함께 자치단체의 구성요소이며 자치권이 미치는 관할 구역의 범위에는 육지는 물론 바다도 포함되므로 공유수면에 대해서도 지방자치단체의 자치권한이 존재한다고 보아야 한다.

**해설**

① (O) 법령보충적 행정규칙도 조례보다 상위의 효력이므로 조례가 이를 위반하면 안 된다는 것이다.

② (X)

> **지방자치단체의 장 선거권은 헌법상 보장되는 기본권이다.** (헌재 2016.10.27. 2014헌마797)
> 지방자치단체의 장에 대해서는 헌법 제118조 제2항에서 " … 지방자치단체의 장의 '선임방법' … 관한 사항은 법률로 정한다."라고만 규정하여 지방의회의원의 '선거'와는 문언상 구별하고 있으므로, 지방자치단체의 장 선거권이 헌법상 보장되는 기본권인지 여부가 문제된다. 주민자치제를 본질로 하는 민주적 지방자치제도가 안정적으로 뿌리내린 현 시점에서 지방자치단체의 장 선거권을 지방의회의원 선거권, 더 나아가 국회의원 선거권 및 대통령 선거권과 구별하여 하나는 법률상의 권리로, 나머지는 헌법상의 권리로 이원화하는 것은 허용될 수 없다. 그러므로 지방자치단체의 장 선거권 역시 다른 선거권과 마찬가지로 헌법 제24조에 의해 보호되는 헌법상의 권리로 인정하여야 할 것이다.

③ (O) 자치권의 내용이다.

④ (O) 지방자치단체는 영토고권이 없지만, 육지와 공유수면에 대한 관할권은 인정된다. (헌재 2004.9.23. 2000헌라2)

**정답** ②

## 083  22 입시

**지방자치에 대한 설명으로 옳은 것은? (다툼이 있는 경우 판례에 의함)**

① 지방자치단체의 폐치·분합에 관한 것은 지방자치단체의 자치행정권 중 지역고권의 보장문제이기 때문에 국민의 기본권 침해를 요건으로 하는 헌법소원의 대상이 될 수 없다.
② 「지방자치법」에 규정된 국민의 조례제정·개폐청구권 및 주민투표권은 헌법상 보장된 지방자치제도의 본질적 내용을 이룬다.
③ 헌법상 지방자치제도 보장의 핵심영역 내지 본질적 부분은 특정 지방자치단체의 존속을 보장하는 것이 아니라 지방자치단체에 의한 자치행정을 일반적으로 보장하는 것이다.
④ 「지방자치법」상 주민은 그 지방자치단체의 장 및 비례대표의원을 포함한 지방의회의원을 소환할 권리를 가진다.

**해설**

① (✕)
> 지방자치단체의 폐치·분합에 관한 것은 지방자치단체의 자치행정권 중 지역고권의 보장문제이나, 대상지역 주민들은 그로 인하여 인간다운 생활공간에서 살 권리, 평등권, 정당한 청문권, 거주·이전의 자유, 선거권, 공무담임권, 인간다운 생활을 할 권리, 사회보장·사회복지수급권 및 환경권 등을 침해받게 될 수도 있다는 점에서 기본권과도 관련이 있어 헌법소원의 대상이 될 수 있다. (헌재 1994.12.29. 94헌마201)

② (✕)
> 지방자치법이 주민에게 주민투표권, 조례의 제정 및 개폐청구권, 감사청구권 등을 부여함으로써 주민이 지방자치사무에 직접 참여할 수 있는 길을 일부 열어 놓고 있지만 이러한 제도는 어디까지나 입법에 의하여 채택된 것일 뿐 헌법에 의하여 보장되고 있는 것은 아니므로 주민투표권은 법률이 보장하는 권리일 뿐 헌법이 보장하는 기본권 또는 헌법상 제도적으로 보장되는 주관적 공권으로 볼 수 없다. (헌재 2005.12.22. 2004헌마530)

③ (○) 따라서 지방자치단체의 폐치·분합이 가능하다.
④ (✕) 비례대표지방의회의원은 주민소환의 대상이 아니며 주민소환권은 기본권이 아니다.

**정답** ③

## 084 회독 ☐☐☐ 재구성                             22 법원직, 20 입시

**지방자치제도에 대한 설명으로 옳지 않은 것은? (다툼이 있는 경우 판례에 의함)**

① 헌법 제8장의 지방자치제도는 제도보장을 의미하는 것으로 지방자치단체의 자치권의 범위나 내용은 지방자치제도의 본질을 침해하지 않는 범위 내에서 입법권자가 광범위한 입법형성권을 가진다.
② 지방자치단체의 장이 금고 이상의 형을 선고받고 그 형이 확정되지 아니한 경우 부단체장이 그 권한을 대행하도록 하였더라도 지방자치단체의 장의 공무담임권을 침해한 것으로 볼 수 없다.
③ 주민소환은 대표자에 대한 신임을 묻는 것으로서 그 속성은 재선거와 다를 바 없으므로 선거와 마찬가지로 그 사유를 묻지 않는 것이 제도의 취지에 부합한다.
④ 지방자치단체 주민으로서의 자치권 또는 주민권은 헌법에 의하여 직접 보장된 개인의 주관적 공권이 아니어서, 그 침해만을 이유로 하여 국가사무인 고속철도의 역의 명칭 결정의 취소를 구하는 헌법소원심판을 청구할 수 없다.

### 해설

① (O) 헌재 2009.5.28. 2006헌라6 [22 법원직]
② (×) 공무담임권과 평등권을 침해하고, 무죄추정원칙도 위반한다. (헌재 2010.9.2. 2010헌마418) [22 법원직]
    지방자치단체장이 구금되었을 때 권한대행을 하는 것은 합헌이다.
③ (O) [20 입시]

> **주민소환청구사유** (헌재 2009.3.26. 2007헌마843[기각] ; 헌재 2011.3.31. 2008헌마355)
> [1] 주민소환의 청구사유에 제한을 두지 않은 것은 주민소환제를 기본적으로 정치적인 절차로 설계함으로써 위법행위를 한 공직자뿐만 아니라 정책적으로 실패하거나 무능하고 부패한 공직자까지도 그 대상으로 삼아 공직에서의 해임이 가능하도록 하여 책임정치 혹은 책임행정의 실현을 기하려는 데 그 입법목적이 있다. 주민소환에 관한 법률 제7조 제1항 제2호 중 시장에 대한 부분이 주민소환의 청구사유에 관하여 아무런 규정을 두지 아니한 것이 과잉금지원칙을 위반하여 청구인의 공무담임권을 침해하는 것은 아니다.
> [2] 주민소환투표가 발의되어 공고되었다는 이유만으로 곧바로 주민소환투표대상자의 권한 행사를 정지되도록 한 주민소환에 관한 법률 제21조 제1항이 과잉금지원칙에 위반하여 청구인의 공무담임권을 침해하거나 평등권을 침해하지 아니한다.
> [3] 주민소환투표권자 총수의 3분의 1 이상의 투표와 유효투표총수 과반수의 찬성만으로 주민소환이 확정되도록 한 주민소환에 관한 법률 제22조 제1항이 과잉금지원칙에 위반하여 청구인의 공무담임권을 침해하거나 평등권을 침해하지 아니한다.
> [4] 주민소환투표의 청구제한기간을 정함에 있어 주민소환투표가 실시된 때부터 1년 이내가 아니라면 동일한 대상에 대하여 동일한 사유로 중복된 주민소환투표청구를 가능하도록 규정한 주민소환에 관한 법률 제8조는 청구인의 공무담임권을 침해하지 아니한다.

④ (O) [20 입시]

> **아산시와 건설교통부장관(현 국토교통부장관)의 권한쟁의** (헌재 2006.3.30. 2003헌라2)
> 지방자치제도의 보장은 지방자치단체에 의한 자치행정을 일반적으로 보장한다는 것뿐이고, 마치 국가가 영토고권을 가지는 것과 마찬가지로 지방자치단체에게 자신의 관할 구역 내에 속하는 영토·영해·영공을 자유로이 관리하고 관할 구역 내의 사람과 물건을 독점적·배타적으로 지배할 수 있는 권리가 부여되어 있다고 할 수는 없다. 청구인이 주장하는 지방자치단체의 영토고권은 우리나라 헌법과 법률상 인정되지 아니한다. 따라서 이 사건 결정이 청구인의 영토고권을 침해한다는 주장은 가지고 있지도 않은 권한을 침해받았다는 것에 불과하여 본안에 들어가 따져볼 필요가 없다.

**정답** ②

> **기출지문 OX**
>
> 주민소환투표가 발의되어 공고되었다는 이유만으로 곧바로 주민소환투표 대상자의 권한 행사가 정지되도록 한 것은 주민소환투표 대상자의 공무담임권을 침해하는 것이 아니다. 12 국가7급 ( O / × )
> 해설 헌재 2009.3.26. 2007헌마843【기각】  정답 O

## 085  회독 ☐☐☐  재구성                                    22 변호사

지방자치단체 구역에 대한 설명으로 옳은 것(O)과 옳지 않은 것(×)을 올바르게 조합한 것은? (다툼이 있는 경우 판례에 의함)

> ㄱ. 공유수면에 대한 명시적인 법령상의 규정이나 불문법상 해상경계선이 존재하지 않는다면, 주민·구역·자치권을 구성요소로 하는 지방자치단체의 본질에 비추어 지방자치단체의 관할 구역에 경계가 없는 부분이 있다는 것은 상정할 수 없으므로, 헌법재판소가 권한쟁의심판을 통하여 형평의 원칙에 따라 합리적이고 공평하게 해상경계선을 획정하여야 한다.
> ㄴ. 공유수면의 관할 귀속과 매립지의 관할 귀속은 그 성질상 달리 보아야 하므로 매립공사를 거쳐 종전에 존재하지 않았던 토지가 새로이 생겨난 경우, 공유수면의 관할권을 가지고 있던 지방자치단체이든 그 외의 경쟁 지방자치단체이든 새로 생긴 매립지에 대하여는 중립적이고 동등한 지위에 있다.
> ㄷ. 관할 행정청이 국가기본도에 표시된 해상경계선을 기준으로 하여 과거부터 현재에 이르기까지 반복적으로 처분을 내리고, 지방자치단체가 허가, 면허 및 단속 등의 업무를 지속적으로 수행하여 왔다고 하더라도 국가기본도상의 해상경계선은 지방자치단체 관할 경계에 관하여 불문법으로서 그 기준이 될 수 없다.

① ㄱ(O), ㄴ(O), ㄷ(×)  ② ㄱ(O), ㄴ(×), ㄷ(O)
③ ㄱ(×), ㄴ(O), ㄷ(O)  ④ ㄱ(×), ㄴ(O), ㄷ(×)

**해설**

ㄱ. (O) ㄴ. (O) ㄷ. (×)

> [1] 공유수면에 대한 지방자치단체의 관할 구역 경계획정은 명시적인 법령상의 규정이 존재한다면 그에 따르고, 명시적인 법령상의 규정이 존재하지 않는다면 불문법상 해상경계에 따라야 한다. 불문법상 해상경계마저 존재하지 않는다면, 주민·구역·자치권을 구성요소로 하는 지방자치단체의 본질에 비추어 지방자치단체의 관할 구역에 경계가 없는 부분이 있다는 것은 상정할 수 없으므로, 권한쟁의심판권을 가지고 있는 헌법재판소가 형평의 원칙에 따라 합리적이고 공평하게 해상경계선을 획정하여야 한다.
> [2] 국가기본도에 표시된 해상경계선은 그 자체로 불문법상 해상경계선으로 인정되는 것은 아니나, 관할 행정청이 국가기본도에 표시된 해상경계선을 기준으로 하여 과거부터 현재에 이르기까지 반복적으로 처분을 내리고, 지방자치단체가 허가, 면허 및 단속 등의 업무를 지속적으로 수행하여 왔다면 국가기본도상의 해상경계선은 여전히 지방자치단체 관할 경계에 관하여 불문법으로서 그 기준이 될 수 있다. (헌재 2021.2.25. 2015헌라7)

정답 ①

## 086

**지방자치에 대한 설명으로 옳지 않은 것은? (다툼이 있는 경우 판례에 의함)**

① 지방자치단체는 주민의 복리에 관한 사무를 처리하고 재산을 관리하며, 법령의 범위 안에서 자치에 관한 규정을 제정할 수 있다.
② 헌법 제117조와 제118조에 의하여 제도적으로 보장되는 지방자치는 지방자치의 본질적 내용인 핵심영역이 어떠한 경우라도 입법 기타 중앙정부의 침해로부터 보호되어야 한다는 것을 의미한다.
③ 수도권지역에서 공장신설 등의 총허용량을 정한 뒤 이를 초과하는 부분의 신설 등을 제한하는 '공장총량제'는 지방자치제도의 본질적 내용을 침해한다.
④ 지방교육도 정치적 중립성이 보장되어야 하기 때문에 교육감이 되려는 자는 선거 실시 예정일로부터 약 2년 전에 정당원 자격을 포기함으로써 당해 선거의 후보자가 될 수 있다.

### 해설

① (O) 헌법 제117조 제1항 [21 5급행시]

  '복리에 관한 사무 부분'은 자치사무에 대한 헌법적 근거가 있다고 해석한다. 위임사무에 대해서는 헌법에 근거가 없다.

② (O) [21 5급행시]

> 헌법 제117조와 제118조에 의하여 제도적으로 보장되는 지방자치는 국민주권의 기본원리에서 출발하여 주권의 지역적 주체로서의 주민에 의한 자기통치의 실현으로 요약할 수 있고, 이러한 지방자치의 본질적 내용인 핵심영역은 어떠한 경우라도 입법 기타 중앙정부의 침해로부터 보호되어야 한다는 것을 의미한다. (헌재 2014.6.26. 2013헌바122)

③ (X) 공장총량제를 규정한 수도권정비계획법 제18조는 지방자치의 본질적 내용을 침해하지 않는다. (헌재 2001.11.29. 2000헌바78) [09 지방7급]
④ (O) 합헌이다. (헌재 2008.6.26. 2007헌마1175) 다만, 지금은 지방교육자치에 관한 법률이 개정되어 1년으로 규정되어 있다. [09 지방7급]

**정답** ③

## 087 회독 ☐☐☐

21 서울·지방7급

**지방자치에 대한 설명으로 옳은 것만을 모두 고르면? (다툼이 있는 경우 판례에 의함)**

ㄱ. 헌법상 지방자치제도 보장의 핵심영역 내지 본질적 부분이 지방자치단체에 의한 자치행정을 보장하는 것이므로, 현행법에 따른 지방자치단체의 중층구조를 계속하여 존속하도록 할지 여부는 입법자의 입법형성권의 범위에 포함되지 않는다.

ㄴ. 권한쟁의가 「지방교육자치에 관한 법률」 제2조에 따른 교육·학예에 관한 지방자치단체의 사무에 관한 것인 경우에는 교육감이 국가기관과 지방자치단체 간의 권한쟁의심판 및 지방자치단체 상호 간의 권한쟁의심판의 당사자가 된다.

ㄷ. 지방의회의원과 지방자치단체장을 선출하는 지방선거는 지방자치단체의 기관을 구성하고 그 기관의 각종 행위에 정당성을 부여하는 행위라 할 것이므로, 지방선거사무는 지방자치단체의 존립을 위한 자치사무에 해당한다 할 것이다.

ㄹ. 법령에 위반되거나 재판 중인 사항을 포함하여 주민에게 과도한 부담을 주거나 중대한 영향을 미치는 지방자치단체의 주요 결정사항으로서 그 지방자치단체의 조례로 정하는 사항은 주민투표에 부칠 수 있다.

① ㄷ    ② ㄱ, ㄹ    ③ ㄴ, ㄷ    ④ ㄴ, ㄹ

### 해설

ㄱ. (✕)

> 헌법 제117조 제2항은 지방자치단체의 종류를 법률로 정하도록 규정하고 있을 뿐 지방자치단체의 종류 및 구조를 명시하고 있지 않으므로 이에 관한 사항은 기본적으로 입법자에게 위임된 것으로 볼 수 있다. 헌법상 지방자치제도 보장의 핵심영역 내지 본질적 부분이 특정 지방자치단체의 존속을 보장하는 것이 아니며 지방자치단체에 의한 자치행정을 일반적으로 보장하는 것이므로, 현행법에 따른 지방자치단체의 중층구조 또는 지방자치단체로서 특별시·광역시 및 도와 함께 시·군 및 구를 계속하여 존속하도록 할지 여부는 결국 입법자의 입법형성권의 범위에 들어가는 것으로 보아야 한다. 같은 이유로 일정 구역에 한하여 당해 지역 내의 지방자치단체인 시·군을 모두 폐지하여 중층구조를 단층화하는 것 역시 입법자의 선택범위에 들어가는 것이다. (헌재 2006.4.27. 2005헌마1190)

ㄴ. (○) 헌법재판소법 제62조 제2항

ㄷ. (○) 헌재 2008.6.26. 2005헌라7

ㄹ. (✕)

> **주민투표법 제7조(주민투표의 대상)**
> ① 주민에게 과도한 부담을 주거나 중대한 영향을 미치는 지방자치단체의 주요 결정사항으로서 그 지방자치단체의 조례로 정하는 사항은 주민투표에 부칠 수 있다.
> ② 제1항에도 불구하고 다음 각 호의 어느 하나에 해당하는 사항은 주민투표에 부칠 수 없다.
>   1. 법령에 위반되거나 재판 중인 사항
>   2. 국가 또는 다른 지방자치단체의 권한 또는 사무에 속하는 사항
>   3. 지방자치단체가 수행하는 다음 각 목의 어느 하나에 해당하는 사무의 처리에 관한 사항
>     가. 예산 편성·의결 및 집행    나. 회계·계약 및 재산관리
>   3의2. 지방세·사용료·수수료·분담금 등 각종 공과금의 부과 또는 감면에 관한 사항
>   4. 행정기구의 설치·변경에 관한 사항과 공무원의 인사·정원 등 신분과 보수에 관한 사항
>   5. 다른 법률에 의하여 주민대표가 직접 의사결정주체로서 참여할 수 있는 공공시설의 설치에 관한 사항. 다만, 제9조 제5항의 규정에 의하여 지방의회가 주민투표의 실시를 청구하는 경우에는 그러하지 아니하다.
>   6. 동일한 사항(그 사항과 취지가 동일한 경우를 포함한다)에 대하여 주민투표가 실시된 후 2년이 경과되지 아니한 사항

**정답** ③

## 088

**지방자치에 대한 설명으로 옳지 않은 것은? (다툼이 있는 경우 판례에 의함)**

① 주민소환제는 주민의 참여를 적극 보장하고, 이로써 주민자치를 실현하여 지방자치에도 부합하므로, 이 점에서는 위헌의 문제가 발생할 소지가 없고, 제도적인 형성에 있어서도 입법자에게 광범위한 입법재량이 인정된다.
② 지방자치단체는 법령의 범위 안에서 그 사무에 관하여 조례를 제정할 수 있으나, 주민의 권리 제한 또는 의무 부과에 관한 사항이나 벌칙을 정할 때에는 법률의 위임이 있어야 한다.
③ 지방자치단체는 법인으로 한다.
④ 광역자치단체의 명칭 변경은 법률에 의하여야 하나, 기초자치단체의 명칭 변경은 기초자치단체의 조례나 주민투표에 의하여 할 수 있다.

**해설**

① (○) 헌재 2009.3.26. 2007헌마843 [12 국가7급]
② (○) 지방자치법 제28조 제1항 [20 5급행시]
③ (○) 지방자치법 제3조 제1항 [20 5급행시]
④ (✕) [20 5급행시]

> **지방자치법 제5조(지방자치단체의 명칭과 구역)**
> ① 지방자치단체의 명칭과 구역은 종전과 같이 하고, 명칭과 구역을 바꾸거나 지방자치단체를 폐지하거나 설치하거나 나누거나 합칠 때에는 법률로 정한다.
> ② 제1항에도 불구하고 지방자치단체의 구역변경 중 관할 구역 경계변경(이하 '경계변경'이라 한다)과 지방자치단체의 한자 명칭의 변경은 대통령령으로 정한다. 이 경우 경계변경의 절차는 제6조에서 정한 절차에 따른다.

**정답** ④

## 089

**다음 설명 중 가장 옳지 않은 것은? (다툼이 있는 경우 대법원 판례 및 헌법재판소 결정에 의함. 이하 같음)**

① 구 「지방자치법」 제9조 제1항과 제15조 등의 관련 규정에 의하면 지방자치단체는 원칙적으로 그 고유사무인 자치사무와 법령에 의하여 위임된 단체위임사무에 관하여 이른바 자치조례를 제정할 수 있는 외에, 개별법령에서 특별히 위임하고 있을 경우에는 그러한 사무에 속하지 아니하는 기관위임사무에 관하여도 그 위임의 범위 내에서 이른바 위임조례를 제정할 수 있다.

② 조례가 규정하고 있는 사항이 자치사무나 단체위임사무에 관한 것이라면 이는 자치조례로서 구 「지방자치법」 제15조가 규정하고 있는 '법령의 범위 안'이라는 사항적 한계가 적용될 뿐, 위임조례와 같이 국가법에 적용되는 일반적인 위임입법의 한계가 적용될 여지는 없다.

③ 구 「지방자치법」 제15조에서 말하는 '법령의 범위 안'이라는 의미는 '법령에 위반되지 아니하는 범위 안'이라는 의미로 풀이되는 것으로서, 특정 사항에 관하여 국가 법령이 이미 존재할 경우에도 그 규정의 취지가 반드시 전국에 걸쳐 일률적인 규율을 하려는 것이 아니라 각 지방자치단체가 그 지방의 실정에 맞게 별도로 규율하는 것을 용인하고 있다고 해석될 때에는 조례가 국가 법령에서 정하지 아니하는 사항을 규정하고 있다고 하더라도 이를 들어 법령에 위반되는 것이라고 할 수가 없다.

④ 지방의회가 조례로 정한 특정한 사항에 관하여는 일정한 기간 내에 반드시 주민투표를 실시하도록 규정한 조례안은 지방자치단체의 장의 고유권한을 침해하는 규정이다.

⑤ 조례가 집행행위의 개입 없이도 그 자체로서 직접 국민의 구체적인 권리·의무나 법적 이익에 영향을 미치는 등의 법률상 효과를 발생하는 경우 그 조례는 항고소송의 대상이 되는 행정처분에 해당하고, 이러한 조례에 대한 무효확인소송을 제기함에 있어서 피고적격이 있는 처분 등을 행한 행정청은 행정주체인 지방자치단체이다.

**해설**

① (O) 자치사무와 단체위임사무에 관하여는 이른바 자치조례를 제정할 수 있다. 기관위임사무에 대해서는 원칙적으로 조례를 정할 수 없으나, 개별법령에서 특별히 위임하고 있을 경우에는 기관위임사무에 관하여도 그 위임의 범위 내에서 위임조례를 제정할 수 있다.

② (O) '법령의 범위 안'이란 법률우위원칙에 위배되지 않으면 별도의 법적 근거, 즉 법률유보의 원칙은 적용되지 않는다는 의미이다. (대판 2000.11.24. 2000추29)

③ (O) 대판 2000.11.24. 2000추29

④ (O)

> 지방자치법은 지방의회와 지방자치단체의 장에게 독자적 권한을 부여하고 상호견제와 균형을 이루도록 하고 있으므로, 법률에 특별한 규정이 없는 한 조례로써 견제의 범위를 넘어서 고유권한을 침해하는 규정을 둘 수 없다고 할 것인바, 지방자치법 제13조의2 제1항에 의하면, 주민투표의 대상이 되는 사항이라고 하더라도 주민투표의 시행 여부는 지방자치단체의 장의 임의적 재량에 맡겨져 있음이 분명하므로, 지방자치단체의 장의 재량으로서 투표 실시 여부를 결정할 수 있도록 한 법규정에 반하여 지방의회가 조례로 정한 특정한 사항에 관하여는 일정한 기간 내에 반드시 투표를 실시하도록 규정한 조례안은 지방자치단체의 장의 고유권한을 침해하는 규정이다. (대판 2002.4.26. 2002추23)

⑤ (×)

> 조례가 집행행위의 개입 없이도 그 자체로서 직접 국민의 구체적인 권리·의무나 법적 이익에 영향을 미치는 등의 법률상 효과를 발생하는 경우 그 조례는 항고소송의 대상이 되는 행정처분에 해당하고, 이러한 조례에 대한 무효확인소송을 제기함에 있어서 행정소송법 제38조 제1항, 제13조에 의하여 피고적격이 있는 처분 등을 행한 행정청은 행정주체인 지방자치단체 또는 지방자치단체의 내부적 의결기관으로서 지방자치단체의 의사를 외부에 표시할 권한이 없는 지방의회가 아니라, 구 지방자치법 제19조 제2항, 제92조에 의하여 지방자치단체의 집행기관으로서 조례로서의 효력을 발생시키는 공포권이 있는 지방자치단체의 장이다. (대판 1996.9.20. 95누8003)
>
>  이 경우에 조례는 헌법소원의 대상이 될 수도 있다.

정답 ⑤

## 090 회독 □□□ 재구성  19 법원직, 16 지방7급

**기관위임사무에 대한 설명으로 옳지 않은 것은? (다툼이 있는 경우 판례에 의함)**

① 기관위임사무에 관한 사항은 원칙적으로 조례의 제정범위에 속하지 않는다.
② 조례에 대한 법률의 위임은 기관위임사무를 대상으로 하는 경우에도 반드시 구체적으로 범위를 정하여 할 필요가 없으며 포괄적인 것으로 족하다.
③ 지방자치단체의 장이 기관위임사무인 국가사무를 처리하는 경우에 국가는 그 사무의 처리에 관하여 지방자치단체의 장을 상대로 항고소송을 제기할 수 없다.
④ 법령상 지방자치단체의 장이 처리하도록 하고 있는 사무가 자치사무인지, 기관위임사무인지 판단함에 있어서 법령의 규정형식과 취지를 우선 고려하여야 할 것이지만, 그 외에도 그 사무의 성질이 전국적으로 통일적인 처리가 요구되는 것인지 여부, 경비부담과 최종적 책임귀속의 주체 등도 아울러 고려하여 판단하여야 한다.

### 해설

① (O) [19 법원직] ② (×) 기관위임사무에 대해서는 원칙적으로 조례를 정할 수 없는데, 법률에서 구체적으로 범위를 정하여 위임하는 경우에는 가능하다. 자치사무와 조례의 차이점이다. [19 법원직]
③ (O) 항고소송의 경우도 지방자치단체(국가 포함)는 기관위임사무에 대해서는 제기할 수 없고, 건축사무와 같은 자치사무에 대해서는 제기할 수 있다. [19 법원직]
④ (O) [16 지방7급]

> 법령상 지방자치단체의 장이 처리하도록 규정하고 있는 사무가 자치사무인지, 기관위임사무에 해당하는지 여부를 판단함에 있어서는 그에 관한 법령의 규정형식과 취지를 우선 고려하여야 할 것이지만, 그 외에도 그 사무의 성질이 전국적으로 통일적 처리가 요구되는 사무인지 여부나 그에 관한 경비부담과 최종적인 책임귀속의 주체 등도 아울러 고려하여 판단하여야 할 것이다. (대판 2001.11.27. 2001추57)

정답 ②

## 091

**지방자치에 대한 설명으로 옳은 것만을 모두 고르면? (다툼이 있는 경우 판례에 의함)**

ㄱ. 지방교육자치는 지방자치권 행사의 일환으로서 보장되는 것이므로, 중앙권력에 대한 지방적 자치로서의 속성을 지니고 있지만, 동시에 그것은 헌법 제31조 제4항이 보장하고 있는 교육의 자주성·전문성·정치적 중립성을 구현하기 위한 것이므로, 정치권력에 대한 문화적 자치로서의 속성도 아울러 지니고 있다.

ㄴ. 지방자치단체의 장 선거에서 후보자 등록 마감시간까지 후보자 1인만이 등록한 경우 투표를 실시하지 않고 그 후보자를 당선인으로 결정하도록 하는 「공직선거법」상 조항은 그 지방자치단체에 거주하는 주민의 선거권을 침해한다.

ㄷ. 지방자치단체의 장이 「의료법」에 따른 의료기관에 60일 이상 계속하여 입원한 경우 부단체장이 그 권한을 대행한다.

ㄹ. 국가사무로서의 성격을 가지고 있는 기관위임사무의 집행권한의 존부 및 범위에 관하여 지방자치단체가 청구한 권한쟁의심판청구는 지방자치단체의 권한에 속하지 아니하는 사무에 관한 심판청구로서 그 청구가 부적법하다.

① ㄱ, ㄴ
② ㄷ, ㄹ
③ ㄱ, ㄴ, ㄹ
④ ㄱ, ㄷ, ㄹ

### 해설

ㄱ. (O) 지방교육자치는 일반적인 행정보다 강한 정치적 중립성이 요구된다.

ㄴ. (X) 후보자가 1명일 때 선거를 하지 않는 것은 헌법에 위반되지 않는다. (헌재 2016.10.27. 2014헌마797)

ㄷ. (O)

> **지방자치법 제124조(지방자치단체의 장의 권한대행 등)**
> ① 지방자치단체의 장이 다음 각 호의 어느 하나에 해당되면 부지사·부시장·부군수·부구청장(이하 이 조에서 '부단체장'이라 한다)이 그 권한을 대행한다.
> 1. 궐위된 경우
> 2. 공소제기된 후 구금상태에 있는 경우
> 3. 의료법에 따른 의료기관에 60일 이상 계속하여 입원한 경우
> ② 지방자치단체의 장이 그 직을 가지고 그 지방자치단체의 장 선거에 입후보하면 예비후보자 또는 후보자로 등록한 날부터 선거일까지 부단체장이 그 지방자치단체의 장의 권한을 대행한다.
> ③ 지방자치단체의 장이 출장·휴가 등 일시적 사유로 직무를 수행할 수 없으면 부단체장이 그 직무를 대리한다.
> ④ 제1항부터 제3항까지의 경우에 부지사나 부시장이 2명 이상인 시·도에서는 대통령령으로 정하는 순서에 따라 그 권한을 대행하거나 직무를 대리한다.
> ⑤ 제1항부터 제3항까지의 규정에 따라 권한을 대행하거나 직무를 대리할 부단체장이 부득이한 사유로 직무를 수행할 수 없으면 그 지방자치단체의 규칙에 정해진 직제 순서에 따른 공무원이 그 권한을 대행하거나 직무를 대리한다.

ㄹ. (O) 지방자치단체는 자치사무에 관하여 권한쟁의심판을 할 수 있다.

**정답** ④

## 092

**지방자치에 대한 설명으로 옳지 않은 것만을 모두 고르면? (다툼이 있는 경우 판례에 의함)**

ㄱ. 지방자치의 제도적 보장의 본질적 내용은 자치단체의 보장, 자치기능의 보장 및 자치사무의 보장이다.
ㄴ. 중앙정부와 지방자치단체 간에 권력을 수직적으로 분배하는 문제는 서로 조화가 이루어져야 하고, 이 조화를 도모하는 과정에서 입법 또는 중앙정부에 의한 지방자치의 본질의 훼손은 어떠한 경우라도 허용되어서는 안 된다.
ㄷ. 주민소환제 자체는 지방자치의 본질적인 내용이라고 할 수 있으므로 이를 보장하지 않는 것은 위헌이고, 어떤 특정한 내용의 주민소환제를 보장해야 한다는 헌법적 요구가 있다고 볼 수 있다.
ㄹ. 지방자치단체의 장이 그 직을 가지고 그 지방자치단체의 장 선거에 입후보하더라도 선거일까지 그 지방자치단체의 장의 권한을 그대로 행사한다.

① ㄱ, ㄴ
② ㄱ, ㄹ
③ ㄴ, ㄷ
④ ㄷ, ㄹ

### 해설

ㄱ. (O) 지방자치의 내용이다. [19 국회8급]

ㄴ. (O) [19 국회8급]

> 지방자치제도의 헌법적 보장은 국민주권의 기본원리에서 출발하여 주권의 지역적 주체인 주민에 의한 자기통치의 실현으로 요약 할 수 있으므로, 이러한 지방자치의 본질적 내용인 핵심영역은 입법 기타 중앙정부의 침해로부터 보호되어야 함은 헌법상의 요청인 것이다. 중앙정부와 지방자치단체 간에 권력을 수직적으로 분배하는 문제는 서로 조화가 이루어져야 하고, 이 조화를 도모하는 과정에서 입법 또는 중앙정부에 의한 지방자치의 본질의 훼손은 어떠한 경우라도 허용되어서는 안 된다. (헌재 2003.1.30. 2001헌가4)

ㄷ. (✗) [12 국가7급]

> 주민소환제 자체는 지방자치의 본질적인 내용이라고 할 수 없으므로 이를 보장하지 않는 것은 위헌이라거나 어떤 특정한 내용의 주민소환제를 보장해야 한다는 헌법적인 요구가 있다고 볼 수 없다. (헌재 2009.3.26. 2007헌마843)

ㄹ. (✗) [18 5급행시]

> **지방자치법 제124조(지방자치단체의 장의 권한대행 등)**
> ② 지방자치단체의 장이 그 직을 가지고 그 지방자치단체의 장 선거에 입후보하면 예비후보자 또는 후보자로 등록한 날부터 선거일까지 부단체장이 그 지방자치단체의 장의 권한을 대행한다.

**정답** ④

## 093 19 5급행시

**지방자치에 대한 설명으로 옳지 않은 것은?**

① 시의 부시장, 군의 부군수, 자치구의 부구청장은 일반직지방공무원으로 보하되, 그 직급은 대통령령으로 정하며 시장·군수·구청장이 임명한다.
② 지방의회의 의장이나 부의장이 법령을 위반하거나 정당한 사유 없이 직무를 수행하지 아니하면 지방의회는 불신임을 의결할 수 있다.
③ 지방의회는 새로운 재정부담을 수반하는 조례나 안건을 의결하려면 미리 지방자치단체의 장의 의견을 들어야 한다.
④ 행정안전부장관은 지방자치단체의 자치사무에 관하여 보고를 받거나 서류·장부 또는 회계를 감사할 수 있으며, 이 경우 감사는 자치사무의 합목적성 및 법령 위반사항에 대하여 실시한다.

### 해설

① (O) 지방자치법 제123조 제4항
② (O) 지방자치법 제62조 제1항
③ (O) 지방자치법 제148조
④ (X)

> **지방자치법 제190조(지방자치단체의 자치사무에 대한 감사)**
> ① 행정안전부장관이나 시·도지사는 지방자치단체의 자치사무에 관하여 보고를 받거나 서류·장부 또는 회계를 감사할 수 있다. 이 경우 감사는 <u>법령 위반사항에 대해서만 한다</u>.
> ② 행정안전부장관 또는 시·도지사는 제1항에 따라 감사를 하기 전에 해당 사무의 처리가 법령에 위반되는지 등을 확인하여야 한다.

**정답** ④

## 094

**지방자치제도와 권력분립원칙의 관계에 대한 설명으로 가장 옳지 않은 것은?**

① 지방자치제도는 중앙정부와 지방자치단체 간에 권력을 기능적으로 나누어 가짐으로써 권력분립의 실현에도 기여한다.
② 헌법상 권력분립의 원리는 지방의회와 지방자치단체의 장 사이에서도 상호견제와 균형의 원리로서 실현되고 있다.
③ 지방의회 사무직원의 임용권을 지방자치단체의 장에게 부여하는 것은 지방의회와 지방자치단체의 장 사이의 상호견제와 균형의 원리에 위배된다.
④ 현대사회에서 고전적 의미의 3권분립은 그 의미가 약화되고 통치권을 행사하는 여러 권한과 기능들의 실질적인 분산과 상호 간의 조화를 도모하는 기능적 권력분립이 중요한 의미를 갖게 되었다.

**해설**

① (O) 지방자치의 기능이다.

② (O)

> 중앙·지방 간 권력의 수직적 분배라고 하는 지방자치제의 권력분립적 속성상 중앙정부와 국회 사이의 구성 및 관여와는 다른 방법으로 국민주권·민주주의원리가 구현될 수 있다. 따라서 지방의회와 지방자치단체의 장 사이에서의 권력분립제도에 따른 상호견제와 균형은 현재 우리 사회 내 지방자치의 수준과 특성을 감안하여 국민주권·민주주의원리가 최대한 구현될 수 있도록 하는 효율적이고도 발전적인 방식이 되어야 한다. (헌재 2014.1.28. 2012헌바216)

③ (X)

> 지방자치단체의 장에게 지방의회 사무직원의 임용권을 부여하고 있는 심판대상조항은 지방자치법 제101조, 제105조 등에서 규정하고 있는 지방자치단체의 장의 일반적 권한의 구체화로서 우리 지방자치의 현황과 실상에 근거하여 지방의회 사무직원의 인력수급 및 운영방법을 최대한 효율적으로 규율하고 있다고 할 것이다. 심판대상조항에 따른 지방의회의장의 추천권이 적극적이고 실질적으로 발휘된다면 지방의회 사무직원의 임용권이 지방자치단체의 장에게 있다고 하더라도 그것이 곧바로 지방의회와 집행기관 사이의 상호견제와 균형의 원리를 침해할 우려로 확대된다거나 또는 지방자치제도의 본질적 내용을 침해한다고 볼 수는 없다. (헌재 2014.1.28. 2012헌바216)

④ (O)

**정답** ③

## 095

**지방자치제도에 대한 설명으로 옳은 것은? (다툼이 있는 경우 판례에 의함)**

① 행정혁신을 위해 현행 2단계(특별시, 광역시 등과 시, 군, 구)의 지방자치단체를 1단계로 조정하려면 헌법개정이 필수적이다.
② 법률에 의한 지방자치단체의 폐치와 분합은 헌법소원의 대상이 되지만, 반드시 주민투표에 의한 주민의사확인절차를 거쳐야 하는 것은 아니다.
③ 지방자치단체의 장의 계속 재임을 3기로 제한함에 있어 폐지나 통합되는 지방자치단체의 장으로 재임한 것까지 포함시키는 것은 해당 기본권 주체의 공무담임권과 평등권을 침해한 것이다.
④ 지방자치단체는 중앙정부의 하급행정기관으로서 자치사무에 관한 한 중앙행정기관과 지방자치단체의 관계는 상하의 감독관계에 있다.

### 해설

① (✗) 법률개정만으로 가능하다. [18 법무사]

> 헌법 제117조 제2항은 지방자치단체의 종류를 법률로 정하도록 규정하고 있을 뿐 지방자치단체의 종류 및 구조를 명시하고 있지 않으므로 이에 관한 사항은 기본적으로 입법자에게 위임된 것으로 볼 수 있다. 헌법상 지방자치제도 보장의 핵심영역 내지 본질적 부분이 특정 지방자치단체의 존속을 보장하는 것이 아니며 지방자치단체에 의한 자치행정을 일반적으로 보장하는 것이므로, 현행법에 따른 지방자치단체의 중층구조 또는 지방자치단체로서 특별시·광역시 및 도와 함께 시·군 및 구를 계속하여 존속하도록 할지 여부는 결국 입법자의 입법형성권의 범위에 들어가는 것으로 보아야 한다. 같은 이유로 일정 구역에 한하여 당해 지역 내의 지방자치단체인 시·군을 모두 폐지하여 중층구조를 단층화하는 것 역시 입법자의 선택범위에 들어가는 것이다. (헌재 2006.4.27. 2005헌마1190)

② (○) [17 국회8급]

> 지방자치단체의 폐치·분합은 지방자치단체의 자치권의 침해문제와 더불어 그 주민의 헌법상 보장된 기본권의 침해문제도 발생시킬 수 있다. 지방자치단체의 폐치·분합을 규정한 법률이 제정과정에서 주민투표를 실시하지 아니하였다고 하여 적법절차원칙을 위반하였다고 할 수 없다. (헌재 1995.3.23. 94헌마175)

③ (✗) [17 국회8급]

> 우리 헌법 어디에도 지방자치단체의 폐지·통합시 새로 설치되는 지방자치단체의 장으로 선출된 자에 대하여 폐지되는 지방자치단체장으로 재임한 기간을 포함하여 계속 재임을 3기로 제한하도록 입법자에게 입법위임을 하는 규정을 찾아볼 수 없으며, 달리 헌법해석상 그러한 법령을 제정하여야 할 입법자의 의무가 발생하였다고 볼 여지 또한 없다. 따라서 이 사건 입법부작위에 대한 심판청구는 진정입법부작위에 대하여 헌법소원을 제기할 수 있는 경우에 해당하지 아니한다. (헌재 2010.6.24. 2010헌마167)

④ (✗) [12 국회9급]

> 지방자치법 개정을 통하여 자치사무에 대한 감사를 축소한 경위 등을 살펴보면, 자치사무에 관한 한 중앙행정기관과 지방자치단체의 관계가 상하의 감독관계에서 상호보완적 지도·지원의 관계로 변화되었다. (헌재 2009.5.28. 2006헌라6)

**정답** ②

## 096  회독 ☐☐☐  재구성                                    17 5급행시, 16 지방7급

**지방자치제도에 대한 설명으로 옳지 않은 것은? (다툼이 있는 경우 판례에 의함)**

① 「지방자치법」상의 지방자치단체 외에 특정한 목적을 수행하기 위하여 필요하면 따로 특별지방자치단체를 설치할 수 있다.
② 지방자치단체의 장의 선임방법 기타 지방자치단체의 조직과 운영에 관한 사항은 법률로 정하나, 지방의회의 조직·권한·의원 선거에 관한 사항은 조례로 정한다.
③ 지방자치단체의 영향력하에 있는 지방공사의 직원이 지방의회에 진출할 수 있도록 하는 것은 권력분립 내지는 정치적 중립성 보장의 원칙에 위배되고, 결과적으로 주민의 이익과 지역의 균형된 발전을 목적으로 하는 지방자치의 제도적 취지에도 어긋난다.
④ 지방의회는 지방의회의원 개인을 중심으로 한 구조이며 사무직원은 지방의회의원을 보조하는 지위를 가지는데, 이러한 인적 구조 아래서 지방의회 사무직원의 임용권의 귀속 및 운영 문제를 지방자치제도의 본질적인 내용이라고 볼 수는 없다.

### 해설

① (O) 지방자치법 제2조 제3항 [17 5급행시]

② (X) [17 5급행시]

> **헌법 제118조**
> ② 지방의회의 조직·권한·의원 선거와 지방자치단체의 장의 선임방법 기타 지방자치단체의 조직과 운영에 관한 사항은 법률로 정한다.

③ (O) [16 지방7급]

> 지방자치단체의 영향력하에 있는 지방공사의 직원이 지방의회에 진출할 수 있도록 하는 것은 권력분립 내지는 정치적 중립성 보장의 원칙에 위배되고, 결과적으로 주민의 이익과 지역의 균형된 발전을 목적으로 하는 지방자치의 제도적 취지에도 어긋난다. 이러한 위험성을 배제하기 위해서 입법자가 지방공사의 직원직과 지방의회의원직의 겸직을 금지하는 규정을 마련하여 청구인들과 같은 지방공사 직원의 공무담임권을 제한한 것은 공공복리를 위하여 필요한 불가피한 것으로서 헌법적으로 정당화될 수 있다. (헌재 2004.12.16. 2002헌마333 등)

④ (O) [16 지방7급]

> 지방자치단체의 장에게 지방의회 사무직원의 임용권을 부여하고 있는 심판대상조항은 지방자치법 제101조, 제105조 등에서 규정하고 있는 지방자치단체의 장의 일반적 권한의 구체화로서 우리 지방자치의 현황과 실상에 근거하여 지방의회 사무직원의 인력수급 및 운영방법을 최대한 효율적으로 규율하고 있다고 할 것이다. 심판대상조항에 따른 지방의회 의장의 추천권이 적극적이고 실질적으로 발휘된다면 지방의회 사무직원의 임용권이 지방자치단체의 장에게 있다고 하더라도 그것이 곧바로 지방의회와 집행기관 사이의 상호견제와 균형의 원리를 침해할 우려로 확대된다거나 또는 지방자치제도의 본질적 내용을 침해한다고 볼 수는 없다. (헌재 2014.1.28. 2012헌바216)

**정답** ②

## 097  17 변호사·서울7급, 10 법원직

**지방자치에 대한 설명으로 옳지 않은 것은? (다툼이 있는 경우 판례에 의함)**

① 최초의 지방의회가 구성된 것은 제1공화국 기간이었던 1950년이었고, 지방의회를 조국통일이 이루어질 때까지 구성하지 아니한다는 것을 헌법 부칙에 규정한 것은 1980년 제8차 개정헌법에서였다.
② 지방의회의원과 그 지방의회의장 간의 권한쟁의는 헌법 및 「헌법재판소법」에 의하여 헌법재판소가 관장하는 지방자치단체 상호 간의 권한쟁의심판에 해당하지 않는다.
③ 학기당 2시간 정도의 인권교육의 편성·실시는 구 「지방자치법」 제9조 제2항 제5호가 지방자치단체의 사무로 예시한 교육에 관한 사무로서 초등학교·중학교·고등학교 등의 운영·지도에 관한 사무에 속한다.
④ 지방자치단체는 법령의 범위 안에서 그 사무에 관하여 조례를 제정할 수 있는데, 이때 법령의 범위 안에서는 법령에 위반되지 않는 범위 내에서를 말하고, 지방자치단체가 제정한 조례가 법령에 위반되는 경우에는 효력이 없다.

**해설**

① (×) 1952년에 최초로 각급 지방의회가 설치되었다. 지방의회를 조국통일이 이루어질 때까지 구성하지 아니한다는 것을 헌법 부칙에 규정한 것은 제7차 개정헌법이다. [17 변호사]
② (○) [17 서울7급]

> 지방자치단체의 의결기관인 지방의회를 구성하는 지방의회의원과 그 지방의회의 대표자인 지방의회의장 간의 권한쟁의심판은 헌법 및 헌법재판소법에 의하여 헌법재판소가 관장하는 지방자치단체 상호 간의 권한쟁의심판의 범위에 속한다고 볼 수 없으므로 부적법하다. (헌재 2010.4.29. 2009헌라11)

③ (○) 대판 2015.5.14. 2013추98 [17 서울7급]
④ (○) [10 법원직]

**정답** ①

## 098 재구성 17 변호사, 16 서울7급, 15 국회8급

**지방자치제도에 대한 설명으로 옳지 않은 것은? (다툼이 있는 경우 판례에 의함)**

① 지방자치단체장은 선거로 취임하는 공무원이지만 그 신분이나 직무수행상 다른 일반공무원과 차이가 없고, 해당 지방자치단체를 통합·대표하고 국가사무를 위임받아 처리하는 등 일반직공무원에 비하여 중요한 업무를 수행하므로 헌법 제7조 제2항에 따라 신분보장이 필요하고 정치적 중립성이 요구되는 공무원에 해당한다.
② 교육감 소속 교육장 등에 대한 징계의결 요구 내지 그 신청사무는 징계사무의 일부로서 대통령, 교육부 장관으로부터 교육감에게 위임된 국가위임사무이다.
③ 지방자치단체의 권한에 부정적인 영향을 주어서 법적으로 문제되는 경우에는 사실행위나 내부적인 행위도 권한쟁의심판의 대상이 되는 처분에 해당한다.
④ 주민투표에 관한 「지방자치법」상 규정이 그 구체적 절차와 사항에 관하여는 따로 법률로 정하도록 하였더라도 국회에 이를 입법하여야 할 헌법상 의무가 발생하였다고 할 수 없고, 주민투표에 대한 입법부작위를 다투는 헌법소원심판은 허용되지 아니한다.

해설

① (X) 지방자치단체장에 대해서는 헌법 제7조 제2항의 신분보장이 인정되지 않는다. [17 변호사]
② (O) 교육에 관한 사무는 전국적인 통일이 요구되므로 대부분 국가위임사무로 되어 있다. [15 국회8급]
③ (O) 권한쟁의심판은 헌법뿐만 아니라 법률에 의해 부여된 권한을 침해하거나 침해할 우려가 있는 경우에도 인정된다. [15 국회8급]
④ (O) 주민투표권은 헌법상 기본권이 아니기 때문이다. [16 서울7급]

정답 ①

## 099  15·13 법원직, 11 국가7급

**지방자치제도에 대한 설명으로 옳지 않은 것은? (다툼이 있는 경우 판례에 의함)**

① 지방자치단체의 수를 조정하기 위한 통폐합은 가능하지만, 모든 지방자치단체를 폐지하는 것은 지방자치제도의 성격상 금지된다.
② 헌법상 제도적으로 보장된 자치권 가운데에는 자치사무의 수행에 있어 다른 행정주체(특히 중앙행정기관)로부터 합법성에 관하여 명령·지시를 받지 않는 권한도 포함된다고 볼 수 있다.
③ 헌법상의 주민자치의 범위는 법률에 의하여 형성되고, 핵심영역이 아닌 한 법률에 의하여 제한될 수 있는 것이다.
④ 지방자치단체의 조례가 국내법령과 동일한 효력을 갖는 조약에 위반되는 경우에는 그 효력이 없다.

해설

① (O) [11 국가7급]
② (X) [13 법원직]

> 헌법상 제도적으로 보장된 자치권 가운데에는 소속 공무원에 대한 인사와 처우를 스스로 결정하고 자치사무의 수행에 있어 다른 행정주체(특히 국가)로부터 합목적성에 관하여 명령·지시를 받지 않는 권한도 포함된다고 볼 수 있다. 다만, 지방자치의 본질상 자치행정에 대한 국가의 관여는 가능한 한 배제하는 것이 바람직하지만, 지방자치도 국가적 법질서의 테두리 안에서만 인정되는 것이고, 지방행정도 중앙행정과 마찬가지로 국가행정의 일부이므로, 지방자치단체가 어느 정도 국가적 감독, 통제를 받는 것은 불가피하다. 즉, 지방자치단체의 존재 자체를 부인하거나 각종 권한을 말살하는 것과 같이 그 본질적 내용을 침해하지 않는 한 법률에 의한 통제는 가능하다. (헌재 2008.5.29. 2005헌라3)

③ (O) [11 국가7급]
④ (O) GATT 조약에 위반되는 조례는 무효이다. [15 법원직]

정답 ②

## 100　회독 ☐☐☐　재구성　　13 서울7급, 11·08 법원직

**지방자치제도에 대한 설명으로 옳은 것은? (다툼이 있는 경우 판례에 의함)**

① 헌법 제117조 제1항은 자치사무와 단체위임사무를 처리할 권한을 지방자치단체에게 직접 부여하고 있다.
② 중앙행정기관장 또는 시·도지사는 지방자치단체의 사무에 관하여 조언·권고·지도를 할 수 있다.
③ 지방자치단체는 국가와는 별개의 법인격을 가지며 자율적으로 지방의 고유사무를 처리하기 때문에 고유사무에 관해서는 국가적 감독과 통제를 받지 않는다.
④ 지방자치단체의 헌법상의 권능에는 자치입법권과 자치행정권 외에도 자치사법권이 포함된다.

**해설**

① (✗) 헌법 제117조 제1항에서는 지방자치단체에게 지방자치사무에 대해서만 처리할 권한을 부여하고 있고, 단체위임사무에 대해서는 규정이 없다. [08 법원직]
② (○) [13 서울7급]

> **지방자치법 제184조(지방자치단체의 사무에 대한 지도와 지원)**
> ① 중앙행정기관의 장이나 시·도지사는 지방자치단체의 사무에 관하여 조언 또는 권고하거나 지도할 수 있으며, 이를 위하여 필요하면 지방자치단체에 자료 제출을 요구할 수 있다.

③ (✗) 고유사무에 대해서도 합법성 통제를 받지만, 합목적성 통제는 받지 않는 것이 원칙이다. 다만, 감사원에 의한 감사는 합목적성 감사가 가능하다. 헌법재판소는 행정안전부장관의 지방자치단체에 대한 포괄적 감사가 지방자치단체의 권한을 침해한다고 판시하였다. [11 법원직]
④ (✗) 지방자치단체의 자치권에는 자치입법권, 자치행정권, 자치재정권이 포함되지만, 사법권은 국가작용이므로 자치단체가 행사할 수는 없다. (헌재 2006.2.23. 2004헌바50) [11 법원직]

**정답** ②

## 101　회독 ☐☐☐　재구성　　13 서울7급·지방7급

**지방자치제도에 대한 설명으로 옳지 않은 것만을 모두 고르면? (다툼이 있는 경우 판례에 의함)**

> ㄱ. 헌법은 지역주민들이 자신들이 선출한 자치단체의 장과 지방의회를 통하여 자치사무를 처리할 수 있는 대의제 또는 대표제 지방자치를 보장하고 있지 않다.
> ㄴ. 지방선거사무는 지방자치단체의 존립을 위한 자치사무에 해당한다.
> ㄷ. 주무부장관이 지방자치단체사무에 관한 시·도지사의 명령이나 처분에 대하여 시정명령을 할 수 있는 것은 그 명령이나 처분이 위법한 경우에 한한다.
> ㄹ. 대통령은 법률안에 대해서만 재의를 요구할 수 있으나, 지방자치단체의 장은 조례안뿐만 아니라 지방의회의 의결사항에 대해서도 재의를 요구할 수 있다.
> ㅁ. 지방자치단체의 장은 주민에게 과도한 부담을 주거나 중대한 영향을 미치는 지방자치단체의 주요 사항에 대해서는 주민투표에 부쳐야 한다.

① ㄱ, ㄴ, ㄹ　　　　② ㄱ, ㄷ, ㅁ
③ ㄴ, ㄷ, ㄹ　　　　④ ㄷ, ㄹ, ㅁ

해설

ㄱ. (✗) [14 지방7급]

> 헌법 제117조 및 제118조가 보장하고 있는 본질적인 내용은 자치단체의 보장, 자치기능의 보장 및 자치사무의 보장으로 어디까지나 지방자치단체의 자치권으로 헌법은 지역주민들이 자신들이 선출한 자치단체의 장과 지방의회를 통하여 자치사무를 처리할 수 있는 대의제 또는 대표제 지방자치를 보장하고 있을 뿐이지 주민투표에 대하여는 어떠한 규정도 두고 있지 않다. (헌재 2001.6.28. 2000헌마735)

ㄴ. (O) 지방의회의원과 지방자치단체장을 선출하는 지방선거는 지방자치단체의 기관을 구성하고 그 기관의 각종 행위에 정당성을 부여하는 행위라 할 것이므로 지방선거사무는 지방자치단체의 존립을 위한 자치사무에 해당한다. (헌재 2008.6.26. 2005헌라7) 한편, 주민투표사무는 자치사무인지 기관위임사무인지에 대해 상반된 측면이 있다고 본다. [13 서울7급]

| 국가정책에 관한 주민투표 | • 투표 결과에 대한 구속력이 없고 자문의 성격만 가진다.<br>• 중앙행정기관이 실시를 요구하기 전에 주민들이 요구할 권리를 가지는 것은 아니다. |
|---|---|
| 지방사무에 관한 주민투표 | 투표 결과에 구속력이 있다. |

ㄷ. (✗) [13 서울7급]

> **지방자치법 제188조(위법·부당한 명령이나 처분의 시정)**
> ① 지방자치단체의 사무에 관한 지방자치단체의 장(제103조 제2항에 따른 사무의 경우에는 지방의회의 의장을 말한다. 이하 이 조에서 같다)의 명령이나 처분이 법령에 위반되거나 현저히 부당하여 공익을 해친다고 인정되면 시·도에 대해서는 주무부장관이, 시·군 및 자치구에 대해서는 시·도지사가 기간을 정하여 서면으로 시정할 것을 명하고, 그 기간에 이행하지 아니하면 이를 취소하거나 정지할 수 있다.
> ⑤ 제1항부터 제4항까지의 규정에 따른 <u>자치사무에 관한 명령이나 처분에 대한 주무부장관 또는 시·도지사의 시정명령, 취소 또는 정지는 법령을 위반한 것에 한정한다</u>.

  위임사무에 관한 시정명령은 위법하거나 부당한 경우 모두 가능하다. 다만, 대법원에 제소하는 것은 위법한 경우에 한정된다.

ㄹ. (O) [13 지방7급]

| 대통령 | • 재의 요구는 법률안에 한정된다.<br>• 재의 요구의 사유는 제한이 없다. |
|---|---|
| 지방자치단체장 | • 지방의회의 모든 의결에 대해서 재의를 요구할 수 있다.<br>• 조례에 대한 재의 요구는 사유에 제한이 없다.<br>• 그 외의 의결에 대한 재의는 월권, 법령 위반, 공익의 현저한 침해, 예산상 집행할 수 없는 경비 포함 등의 사유로 요구할 수 있다.<br>• 재의결에 대한 대법원에의 제소는 법령 위반사유에 한정된다. |

ㅁ. (✗) 의무가 아닌 재량사항이다. [13 지방7급]

> **지방자치법 제18조(주민투표)**
> ① 지방자치단체의 장은 주민에게 과도한 부담을 주거나 중대한 영향을 미치는 지방자치단체의 주요 결정사항 등에 대하여 주민투표에 부칠 수 있다.

정답 ②

# 제 5 절  군사제도

군인은 현역을 면한 후가 아니면 국무총리, 국무위원이 될 수 없다. (헌법 제86조, 제87조)
대통령에 대해서는 그러한 조문이 없다.

# CHAPTER 06 사법부(법원)

## 001 NEW                                             23 국가7급

**사법권에 대한 설명으로 옳지 않은 것은?**

① 국회의원의 자격심사, 징계, 제명은 법원에의 제소가 금지된다.
② 비상계엄하의 군인·군무원의 범죄에 대한 군사재판은 사형을 선고한 경우에도 단심으로 할 수 있다.
③ 「공유수면 관리 및 매립에 관한 법률」에 따른 매립지가 속할 지방자치단체를 정하는 행정안전부장관의 결정에 대하여 이의가 있는 경우 관계 지방자치단체의 장은 그 결과를 통보받은 날부터 15일 이내에 대법원에 소송을 제기할 수 있다.
④ 상급법원 재판에서의 판단은 해당 사건에 관하여 하급심을 기속한다.

### 해설

① (O)

> **헌법 제64조**
> ① 국회는 법률에 저촉되지 아니하는 범위 안에서 의사와 내부규율에 관한 규칙을 제정할 수 있다.
> ② 국회는 의원의 자격을 심사하며, 의원을 징계할 수 있다.
> ③ 의원을 제명하려면 국회재적의원 3분의 2 이상의 찬성이 있어야 한다.
> ④ 제2항과 제3항의 처분에 대하여는 법원에 제소할 수 없다.

② (✗)

> **헌법 제110조**
> ① 군사재판을 관할하기 위하여 특별법원으로서 군사법원을 둘 수 있다.
> ② 군사법원의 상고심은 대법원에서 관할한다.
> ③ 군사법원의 조직·권한 및 재판관의 자격은 법률로 정한다.
> ④ 비상계엄하의 군사재판은 군인·군무원의 범죄나 군사에 관한 간첩죄의 경우와 초병·초소·유독음식물공급·포로에 관한 죄 중 법률이 정한 경우에 한하여 단심으로 할 수 있다. 다만, 사형을 선고한 경우에는 그러하지 아니하다.

③ (O) 지방자치법 제5조
④ (O) 다만, 동종사건이나 유사사건에는 하급심을 기속하지 않는다.

**정답** ②

## 002  회독 ☐☐☐  NEW                                                    23 서울·지방7급

**법원에 대한 설명으로 옳은 것은?**

① 대법원의 심판권은 대법관 전원의 3분의 2 이상의 합의체에서 행사하나, 명령 또는 규칙이 법률에 위반된다고 인정하는 경우에 한해 대법관 3명 이상으로 구성된 부에서 먼저 사건을 심리하여 의견이 일치한 경우에 한정하여 그 부에서 재판할 수 있다.
② 고등법원·특허법원·지방법원·가정법원·행정법원 및 군사법원과 대법원규칙으로 정하는 지원에 사법행정에 관한 자문기관으로 판사로 구성된 판사회의를 두며, 판사회의의 조직과 운영에 필요한 사항은 「법원조직법」으로 정한다.
③ 대법원에 두는 양형위원회는 위원장 1명을 포함한 14명의 위원으로 구성하되, 위원장이 아닌 위원 중 1명은 상임위원으로 한다.
④ 대법원장과 대법관이 아닌 법관은 대법관회의의 동의를 얻어 대법원장이 임명한다.

### 해설

① (✕) 명령 또는 규칙이 법률에 위반된다고 인정하는 경우에는 처음부터 전원합의체에서 심사한다.
② (✕) 군사법원은 법원조직법상의 법원이 아니므로 법원조직법이 적용되지 아니한다.

> **법원조직법 제9조의2(판사회의)**
> ① 고등법원·특허법원·지방법원·가정법원·행정법원 및 회생법원과 대법원규칙으로 정하는 지원에 사법행정에 관한 자문기관으로 판사회의를 둔다.

③ (✕)

> **법원조직법 제81조의3(위원회의 구성)**
> ① 위원회는 위원장 1명을 포함한 13명의 위원으로 구성하되, 위원장이 아닌 위원 중 1명은 상임위원으로 한다.

④ (○) 헌법 제104조 제3항

정답  ④

### 기출지문 OX

❶ 형사재판에 있어서 사법권 독립은 법관이 실제 재판에 있어서 소송당사자인 검사와 피고인으로부터 부당한 간섭을 받지 않은 채 독립하여야 할 것을 요구하는 것으로, 심판기관인 법원과 소추기관인 검찰청의 분리까지 요구하는 것은 아니다.
24 5급행시                                                                                    ( ○ / ✕ )

> **해설**
> 헌법 제101조, 제103조, 제106조는 사법권 독립을 보장하고 있는바, 형사재판에 있어서 사법권 독립은 심판기관인 법원과 소추기관인 검찰청의 분리를 요구함과 동시에 법관이 실제 재판에 있어서 소송당사자인 검사와 피고인으로부터 부당한 간섭을 받지 않은 채 독립하여야 할 것을 요구한다. (헌재 1995.11.30. 92헌마44)

정답 ✕

❷ 헌법은 군사재판을 관할하기 위하여 필수적으로 군사법원을 두도록 하고 있으며, 군사법원의 상고심은 대법원에서 관할한다. 24 5급행시 ( ○ / × )

> **해설**
> **헌법 제110조**
> ① 군사재판을 관할하기 위하여 특별법원으로서 군사법원을 둘 수 있다.

정답 ×

## 003  회독 ☐☐☐  23 변호사

**법원에 관한 설명 중 옳은 것을 모두 고른 것은? (다툼이 있는 경우 헌법재판소 판례에 의함)**

ㄱ. 법관정년제 자체는 헌법에서 명시적으로 규정하고 있는 것으로서 위헌 판단의 대상이 되지 아니하므로, 법관의 정년 연령을 규정한 법률의 구체적인 내용도 위헌 판단의 대상으로 삼을 수 없다.
ㄴ. 특정 사안에서 법관으로 하여금 증거조사에 의한 사실판단 없이 최초의 공판기일에 공소사실과 검사의 의견만을 듣고 결심하여 형을 선고하도록 규정한 법률조항은 입법에 의해서 사법의 본질적인 중요 부분을 대체하는 것이므로 권력분립원칙에 위배된다.
ㄷ. 법관이 중대한 신체상 또는 정신상의 장해로 직무를 수행할 수 없을 때에는, 대법관인 경우에는 대법원장의 제청으로 대통령이 퇴직을 명할 수 있고, 판사인 경우에는 인사위원회의 심의를 거쳐 대법원장이 퇴직을 명할 수 있다.
ㄹ. 헌법재판소에 의한 위헌심사의 대상이 되는 법률이란 국회의 의결을 거친 이른바 형식적 의미의 법률을 의미하므로, 1972년 유신헌법상 긴급조치의 위헌 여부에 대한 심사권은 최종적으로 대법원에 속한다.

① ㄱ
② ㄴ
③ ㄱ, ㄹ
④ ㄴ, ㄷ
⑤ ㄴ, ㄷ, ㄹ

> **해설**
> ㄱ. (✗) 법관정년제 자체는 헌법에서 명시적으로 규정하고 있는 것으로서 위헌 판단의 대상이 되지 않지만, 법관의 정년 연령을 규정한 법원조직법의 내용은 위헌 판단의 대상으로 삼을 수 있다.
> ㄴ. (○) 헌재 1996.1.25. 95헌가5【위헌】
> ㄷ. (○) 법원조직법 제47조
> ㄹ. (✗) 대법원은 1972년 유신헌법상 긴급조치의 효력을 법률이 아닌 명령의 효력으로 보아 위헌 여부에 대한 심사권은 최종적으로 대법원에 속한다고 보지만, 헌법재판소는 긴급조치의 효력을 법률로 보아 헌법재판소만 심사 가능하다고 본다.

정답 ④

## 004

**법원의 사무에 관한 다음 설명 중 가장 옳은 것은? (법원조직법의 규정에 의함)**

① 법원행정처장은 사법행정사무를 총괄하며, 사법행정사무에 관하여 관계 공무원을 지휘·감독한다.
② 법관 외의 법원공무원은 법원행정처장이 임명한다.
③ 대법원과 각급 법원에 사법보좌관을 둘 수 있고, 지방법원 및 그 지원에 집행관을 둔다.
④ 집행관은 소속 지방법원장의 추천으로 관할 고등법원장이 임면한다.

### 해설

① (✗)

> **법원조직법 제9조(사법행정사무)**
> ① 대법원장은 사법행정사무를 총괄하며, 사법행정사무에 관하여 관계 공무원을 지휘·감독한다.

② (✗)

> **법원조직법 제53조(법원 직원)**
> 법관 외의 법원공무원은 대법원장이 임명하며, 그 수는 대법원규칙으로 정한다.

③ (O) ④ (✗)

> **법원조직법 제54조(사법보좌관)**
> ① 대법원과 각급 법원에 사법보좌관을 둘 수 있다.
>
> **제55조(집행관)**
> ① 지방법원 및 그 지원에 집행관을 두며, 집행관은 법률에서 정하는 바에 따라 소속 지방법원장이 임면한다.

**정답** ③

## 005

**사법권에 대한 설명으로 옳지 않은 것은?**

① 명령·규칙 또는 처분이 헌법이나 법률에 위반되는 여부가 재판의 전제가 된 경우에는 대법원은 이를 최종적으로 심사할 권한을 가진다.
② 헌법 제64조에서 국회의원의 징계와 제명에 대해 법원에 제소할 수 없도록 규정한 것은 사법권의 실정 헌법상 한계로서 국회의 자율성 존중이라는 권력분립적 고려에 기초한 것이다.
③ 비상계엄하의 군사재판은 군인·군무원의 범죄나 군사에 관한 간첩죄의 경우와 초병·초소·유독음식물공급·포로에 관한 죄 중 법률이 정한 경우에 한하여 군사법원이 단심으로 재판할 수 있으나, 사형을 선고한 경우에는 그러하지 아니하다.
④ 법관은 대통령비서실에 파견되거나 대통령비서실의 직위를 겸임할 수 있다.

**해설**

① (O) 재판의 전제가 된 경우는 대법원이 최종적으로 심사하지만, 재판의 전제가 아니면 헌법소원도 가능하다.
② (O)
③ (O) 헌법 제110조 제4항
④ (×)

> **법원조직법 제50조의2(법관의 파견금지 등)**
> ① 법관은 대통령비서실에 파견되거나 대통령비서실의 직위를 겸임할 수 없다.
> ② 법관으로서 퇴직 후 2년이 지나지 아니한 사람은 대통령비서실의 직위에 임용될 수 없다.

**정답** ④

## 006

**사법권에 대한 설명으로 옳지 않은 것은? (다툼이 있는 경우 판례에 의함)**

① 안마사 자격인정을 받지 아니한 자는 안마시술소 또는 안마원을 개설할 수 없도록 하고 이를 위반한 자를 처벌하는 구 「의료법」 조항은 벌금형과 징역형을 모두 규정하면서 그 하한에는 제한을 두지 않고 그 상한만 5년 이하의 징역형 또는 2천만 원 이하의 벌금형으로 제한하고 있어 법관의 양형재량권을 침해한다고 볼 수 있다.

② 정신적인 장애로 항거불능 또는 항거곤란상태에 있음을 이용하여 사람을 간음한 사람을 무기징역 또는 7년 이상의 징역에 처하도록 규정한 「성폭력범죄의 처벌 등에 관한 특례법」 조항은 별도의 법률상 감경사유가 없는 한 법관이 작량감경을 하더라도 집행유예를 선고할 수 없게 되어 있지만 범죄의 죄질 및 행위자의 책임에 비하여 지나치게 가혹하다고 할 수 없어 책임과 형벌의 비례원칙에 반하지 않는다.

③ 약식절차에서 피고인이 정식재판을 청구한 경우 약식명령보다 더 중한 형을 선고할 수 없도록 한 「형사소송법」 조항에 의하여 법관의 양형결정권이 침해된다고 볼 수 없다.

④ 근무성적이 현저히 불량하여 판사로서 정상적인 직무를 수행할 수 없는 경우에 연임발령을 하지 않도록 규정한 구 「법원조직법」 조항은 사법의 독립을 침해한다고 볼 수 없다.

**해설**

① (✕)

> 시각장애인들에 대한 실질적인 보호를 위하여 비안마사들의 안마시술소 개설행위를 실효적으로 규제하는 것이 필요하고, 이 사건 처벌조항은 벌금형과 징역형을 모두 규정하고 있으나, 그 하한에는 제한을 두지 않고 그 상한만 5년 이하의 징역형 또는 2천만 원 이하의 벌금형으로 제한하여 법관의 양형재량권을 폭넓게 인정하고 있으며, 죄질에 따라 벌금형이나 선고유예까지 선고할 수 있으므로, 이러한 법정형이 위와 같은 입법목적에 비추어 지나치게 가혹한 형벌이라고 보기 어렵다. 따라서 이 사건 처벌조항이 책임과 형벌 사이의 비례원칙에 위반되어 헌법에 위반된다고 볼 수 없다. (**헌재 2017.12.28. 2017헌가15**)

② (○) 헌재 2016.11.24. 2015헌바136

③ (○) 헌재 2005.3.31. 2004헌가27 등

④ (○)

> 판사의 근무성적은 공정한 기준에 따를 경우 판사의 사법운영능력을 판단함에 있어 다른 요소에 비하여 보다 객관적인 기준으로 작용할 수 있고, 이를 통해 국민의 재판청구권의 실질적 보장에도 기여할 수 있다. 나아가 연임심사에 반영되는 판사의 근무성적에 대한 평가는 10년이라는 장기간 동안 반복적으로 실시되어 누적된 것이므로, 특정 가치관을 가진 판사를 연임에서 배제하는 수단으로 남용될 가능성이 크다고 볼 수 없다. 근무성적평정을 실제로 운용함에 있어서는 재판의 독립성을 해칠 우려가 있는 사항을 평정사항에서 제외하는 등 평정사항을 한정하고 있으며, 연임심사과정에서 해당 판사에게 의견진술권 및 자료제출권이 보장되고, 연임하지 않기로 한 결정에 불복하여 행정소송을 제기할 수 있는 점 등을 고려할 때, 판사의 신분보장과 관련한 예측가능성이나 절차상의 보장이 현저히 미흡하다고 볼 수도 없으므로, 이 사건 연임결격조항은 사법의 독립을 침해한다고 볼 수 없다. (**헌재 2016.9.29. 2015헌바331**)

**정답** ①

## 007 회독 ☐☐☐ 재구성     22·20 5급행시, 19 서울7급(2월)

**대법원에 대한 설명으로 옳은 것만을 모두 고르면?**

ㄱ. 대법관회의는 대법관 전원의 3분의 2 이상의 출석과 출석인원 과반수의 찬성으로 의결한다.
ㄴ. 대법원장의 임기는 6년으로 중임할 수 없지만, 대법관의 임기는 6년으로 법률이 정하는 바에 의하여 연임할 수 있다.
ㄷ. 대통령, 국회의원, 지방자치단체의 장 및 지방의회의원 선거에 있어서 당선의 효력에 이의가 있는 선거인은 대법원에 소를 제기할 수 있다.
ㄹ. 법관징계위원회의 징계 등 처분에 대하여 불복하려는 경우에는 징계 등 처분이 있음을 안 날부터 14일 이내에 전심절차를 거치지 아니하고 대법원에 징계 등 처분의 취소를 청구하여야 한다.
ㅁ. 대법원장과 대법관이 아닌 법관은 인사위원회의 동의를 얻어 대법원장이 임명한다.

① ㄱ, ㄴ, ㄷ     ② ㄱ, ㄴ, ㄹ     ③ ㄴ, ㄷ, ㅁ     ④ ㄷ, ㄹ, ㅁ

**해설**

ㄱ. (O) 법원조직법 제16조 제2항 [22 5급행시]
ㄴ. (O) 헌법 제105조 [20 5급행시]
ㄷ. (X) 대통령, 국회의원 선거에 대해서는 소청을 거치지 않고 바로 대법원에 선거소송을 제기할 수 있다. 시·도지사, 비례대표시·도의원 선거는 선거소청을 거친 후 대법원에 선거소송을 제기할 수 있다. 그 외의 지방선거는 선거소청을 거친 후 고등법원에 선거소송을 제기할 수 있다. 이에 불복할 때는 대법원에 상고가 가능하다. [20 5급행시]
ㄹ. (O) 대법원 단심재판이다. (법관징계법 제27조 제1항) [19 서울7급(2월)]
ㅁ. (X) [19 서울7급(2월)]

> **헌법 제104조**
> ③ 대법원장과 대법관이 아닌 법관은 대법관회의의 동의를 얻어 대법원장이 임명한다.

정답 ②

---

**기출지문 OX**

❶ 법관에 대한 대법원장의 징계처분 취소청구소송을 대법원에 의한 단심재판에 의하도록 규정하고 있는 구 「법관징계법」조항은 독립적으로 사법권을 행사하는 법관이라는 지위의 특수성과 법관에 대한 징계절차의 특수성을 감안하여 재판의 신속을 도모하기 위한 것으로 그 합리성을 인정할 수 있고, 사실확정도 대법원의 권한에 속하여 법관에 의한 사실확정의 기회가 박탈되었다고 볼 수 없으므로, 헌법 제27조 제1항의 재판청구권을 침해하지 아니한다. 21 서울·지방7급    (O/X)

해설 헌재 2012.2.23. 2009헌바34
법관 징계에 대해서는 전심절차를 거치지 않고 대법원의 단심으로 재판한다.    정답 O

❷ 헌법이 대법원을 최고법원으로 규정하였다고 하여 대법원이 곧바로 모든 사건을 상고심으로서 관할하여야 한다는 결론이 당연히 도출되는 것은 아니다. 21 서울·지방7급    (O/X)

해설 모든 사건에 있어서 대법원의 재판을 받을 권리가 인정되는 것은 아니다.    정답 O

## 008 회독 ☐☐☐ 재구성
21 서울·지방7급, 18 국회8급

**법원에 대한 설명으로 옳지 않은 것만을 모두 고르면?**

> ㄱ. 법관의 정년을 연장하기 위하여는 헌법을 개정하여야 한다.
> ㄴ. 대법관이 중대한 심신상의 장해로 직무를 수행할 수 없을 때에는 대법원장의 허가를 얻어 퇴직할 수 있다.
> ㄷ. 법관은 재직 중 대법원장의 허가가 없더라도 보수를 받지 않는다면 국가기관 외의 법인·단체에 임원으로 취임할 수 있다.
> ㄹ. 금고 이상의 형을 선고받은 사람은 법관으로 임용할 수 없다.

① ㄱ, ㄷ
② ㄴ, ㄹ
③ ㄱ, ㄴ, ㄷ
④ ㄱ, ㄴ, ㄹ

### 해설

ㄱ. (✗) 법관의 정년은 법원조직법상 규정이기 때문에 헌법을 개정하지 않아도 된다. 대법원장과 대법관의 정년은 70세이고, 일반법관의 정년은 65세이다. [21 서울·지방7급]

ㄴ. (✗) [18 국회8급]

> **법원조직법 제47조(심신상의 장해로 인한 퇴직)**
> 법관이 중대한 신체상 또는 정신상의 장해로 직무를 수행할 수 없을 때에는, 대법관인 경우에는 대법원장의 제청으로 대통령이 퇴직을 명할 수 있고, 판사인 경우에는 인사위원회의 심의를 거쳐 대법원장이 퇴직을 명할 수 있다.

ㄷ. (✗) [21 서울·지방7급]

> **법원조직법 제49조(금지사항)**
> 법관은 재직 중 다음 각 호의 행위를 할 수 없다.
> 1. 국회 또는 지방의회의 의원이 되는 일
> 2. 행정부서의 공무원이 되는 일
> 3. 정치운동에 관여하는 일
> 4. 대법원장의 허가 없이 보수를 받는 직무에 종사하는 일
> 5. 금전상의 이익을 목적으로 하는 업무에 종사하는 일
> 6. 대법원장의 허가를 받지 아니하고 보수의 유무에 상관없이 국가기관 외의 법인·단체 등의 고문, 임원, 직원 등의 직위에 취임하는 일
> 7. 그 밖에 대법원규칙으로 정하는 일

ㄹ. (○) [21 서울·지방7급]

> **법원조직법 제43조(결격사유)**
> ① 다음 각 호의 어느 하나에 해당하는 사람은 법관으로 임용할 수 없다.
> 1. 다른 법령에 따라 공무원으로 임용하지 못하는 사람
> 2. 금고 이상의 형을 선고받은 사람
> 3. 탄핵으로 파면된 후 5년이 지나지 아니한 사람
> 4. 대통령비서실 소속의 공무원으로서 퇴직 후 3년이 지나지 아니한 사람
> 5. 정당법 제22조에 따른 정당의 당원 또는 당원의 신분을 상실한 날부터 3년이 경과되지 아니한 사람
> 6. 공직선거법 제2조에 따른 선거에 후보자(예비후보자를 포함한다)로 등록한 날부터 5년이 경과되지 아니한 사람
> 7. 공직선거법 제2조에 따른 대통령 선거에서 후보자의 당선을 위하여 자문이나 고문의 역할을 한 날부터 3년이 경과되지 아니한 사람

**정답** ③

## 009

**법원에 대한 설명으로 옳은 것은?**

① 대법원은 대법원장 1명과 대법관 14명으로 구성한다.
② 재판의 심리와 판결은 공개한다. 다만, 국가의 안전보장 또는 안녕질서를 방해하거나 선량한 풍속을 해할 염려가 있을 때에는 법원의 결정으로 심리와 판결을 공개하지 아니할 수 있다.
③ 대법원장이 궐위되거나 부득이한 사유로 직무를 수행할 수 없을 때에는 수석대법관, 선임대법관이 그 권한을 대행한다.
④ 대법원의 심판은 대법관 전원의 3분의 2 이상으로 구성되고 대법원장이 재판장이 되는 합의체에서 행한다. 그러나 대법원의 업무부담으로 인하여 대부분 사건의 경우에는 대법관 3인 이상으로 구성된 부에서 재판한다.

### 해설

① (X) [21 국가7급]

> **법원조직법 제4조(대법관)**
> ① 대법원에 대법관을 둔다.
> ② 대법관의 수는 대법원장을 포함하여 14명으로 한다.

② (X) 판결은 언제나 공개하여야 하고, 심리는 비공개가 가능하다. [21 국가7급]

> **법원조직법 제57조(재판의 공개)**
> ① 재판의 심리와 판결은 공개한다. 다만, 심리는 국가의 안전보장, 안녕질서 또는 선량한 풍속을 해칠 우려가 있는 경우에는 결정으로 공개하지 아니할 수 있다.

③ (X) [21 국가7급]

> **법원조직법 제13조(대법원장)**
> ③ 대법원장이 궐위되거나 부득이한 사유로 직무를 수행할 수 없을 때에는 선임대법관이 그 권한을 대행한다.

④ (O) 법원조직법 제7조 제1항 [12 국회9급]

**정답** ④

### 🔹 대법원 심판권(법원조직법 제7조 제1항)

| 원칙 | 대법원의 심판권은 대법관 전원의 3분의 2 이상의 합의체에서 이를 행하며, 대법원장이 재판장이 된다. |
|---|---|
| 반드시 전원합의체에서 심판하는 경우 | • 명령 또는 규칙이 헌법에 위반함을 인정하는 경우<br>• 명령 또는 규칙이 법률에 위반함을 인정하는 경우<br>• 종전에 대법원에서 판시한 헌법·법률·명령 또는 규칙의 해석 적용에 관한 의견을 변경할 필요가 있음을 인정하는 경우(판례 변경)<br>• 부에서 재판함이 적당하지 아니함을 인정하는 경우 |
| 부에서 재판하는 경우 | 대법관 3명 이상으로 구성된 부에서 먼저 사건을 심리하여 의견이 일치하면 부에서 재판할 수 있다.<br>🔸 불일치하면 전원합의체에서 심판한다. |

> **기출지문 OX**
>
> ❶ 대법원의 심판권은 대법관 전원의 3분의 2 이상의 합의체에서 행하며, 심판의 합의는 공개하지 아니한다. 08 국가7급 ( O / × )
>  해설  대법원뿐만 아니라 모든 법원의 합의는 공개하지 않는다. 정답 O
>
> ❷ 명령 또는 규칙이 법률에 위반한 경우에는 대법관 전원의 3분의 2 이상의 합의체에서 심판하도록 규정한 「법원조직법」 제7조 제1항 제2호에서 말하는 명령 또는 규칙이라 함은 국가와 국민에 대하여 일반적 구속력을 가지는 이른바 법규로서의 성질을 가지는 명령 또는 규칙을 의미하므로 행정기관 내부의 행정사무처리기준을 정한 것에 불과한 훈령은 여기서 말하는 명령 또는 규칙이라 볼 수 없다. 14 국가7급 ( O / × )
>  해설  법원이나 헌법재판소의 심판대상이 되는 명령은 법규성을 가지는 것에 한정된다. 정답 O

## 010  회독 ☐☐☐  재구성    21 국회8급

**법원에 대한 설명으로 옳지 않은 것은?**

① 법관으로서 퇴직 후 2년이 지나지 아니한 사람은 대통령비서실의 직위에 임용될 수 없다.
② 법관 외의 법원공무원은 대법원장이 임명하며, 그 수는 대법원규칙으로 정한다.
③ 대법관은 대법원장의 제청으로 국회의 동의를 받아 대통령이 임명하는데, 대법원장은 대법관후보추천위원회가 추천하는 대법관 후보자 중에서 제청하여야 한다.
④ 대법원장은 다른 국가기관으로부터 법관의 파견근무요청을 받은 경우에 업무의 성질상 법관을 파견하는 것이 타당하다고 인정되고 해당 법관이 파견근무에 동의하는 경우에는 그 기간을 정하여 이를 허가할 수 있다.

**해설**

① (O) 법원조직법 제50조의2 제2항
② (O) 법원조직법 제53조
③ (×)

> **법원조직법 제41조의2(대법관 후보추천위원회)**
> ⑦ 대법원장은 대법관 후보자를 제청하는 경우에는 추천위원회의 추천 내용을 존중한다.
>   존중만 하면 되고 따라야 하는 것은 아니다.

④ (O) 법원조직법 제50조

**정답** ③

## 011  회독 ☐☐☐                                                                                21 변호사

**법원에 관한 설명 중 옳은 것은? (다툼이 있는 경우 판례에 의함)**

① 헌법은 "대법원은 법령에 저촉되지 아니하는 범위 안에서 소송에 관한 절차, 법원의 내부규율과 사무처리에 관한 규칙을 제정할 수 있다."라고 규정하고 있다.
② 대법관후보추천위원회는 선임대법관·법원행정처장·대한변호사협회장 등으로 구성되는데, 사법부의 독립을 위하여 행정부 소속 공무원은 대법관후보추천위원회의 위원이 될 수 없다.
③ 단독판사와 합의부의 심판권을 어떻게 분배할 것인지 등에 관한 문제는 기본적으로 입법형성권을 가진 입법자가 사법정책을 고려하여 결정할 사항으로, 입법자는 국민의 권리가 효율적으로 보호되고 재판제도가 적정하게 운용되도록 법원조직에 따른 재판사무범위를 배분·확정하여야 한다.
④ 「범죄인 인도법」은 법원의 인도심사결정시 그 성질에 반하지 않는 한도에서 관련 「형사소송법」 규정을 준용하고 있으며 인도대상이 된 자에게 변호인의 조력을 받을 수 있게 하고 의견진술기회를 부여하고 있으므로, 법원에 의한 범죄인 인도심사는 전형적인 사법절차의 대상에 해당되고 그 심사절차는 성질상 국가형벌권의 확정을 목적으로 하는 형사절차와 동일하다고 할 수 있다.
⑤ 명령이 법률에 위반되는 여부가 재판의 전제가 된 경우에는 대법원이 이를 최종적으로 심사할 권한을 가지고, 명령이 헌법에 위반되는 여부가 재판의 전제가 된 경우에는 헌법재판소가 이를 최종적으로 심사할 권한을 가진다.

### 해설

① (✕) 헌법 제108조
② (✕) 법무부장관의 관여가 인정된다.

> **법원조직법 제41조의2(대법관후보추천위원회)**
> ① 「대법원장이 제청할 대법관 후보자의 추천을 위하여 대법원에 대법관후보추천위원회를 둔다.
> ② 추천위원회는 대법원장이 대법관 후보자를 제청할 때마다 위원장 1명을 포함한 10명의 위원으로 구성한다.
> ③ 위원은 다음 각 호에 해당하는 사람을 대법원장이 임명하거나 위촉한다.
>   1. 선임대법관                      2. 법원행정처장
>   3. 법무부장관                      4. 대한변호사협회장
>   5. 사단법인 한국법학교수회 회장    6. 사단법인 법학전문대학원협의회 이사장
>   7. 대법관이 아닌 법관 1명
>   8. 학식과 덕망이 있고 각계 전문 분야에서 경험이 풍부한 사람으로서 변호사 자격을 가지지 아니한 사람 3명. 이 경우 1명 이상은 여성이어야 한다.
> ⑦ 대법원장은 대법관 후보자를 제청하는 경우에는 추천위원회의 추천 내용을 존중한다.

③ (〇)
④ (✕)

> 범죄인 인도심사를 서울고등법원의 전속관할로 하고 대법원에의 상소를 허용하지 않는 것이 재판청구권을 침해하는 것은 아니다. (헌재 2003.1.30. 2001헌바95[합헌])
> 법원에 의한 범죄인 인도심사는 국가형벌권의 확정을 목적으로 하는 형사절차와 같은 전형적인 사법절차의 대상에 해당되는 것은 아니며, 법률(범죄인 인도법)에 의하여 인정된 특별한 절차라고 볼 것이다. … 범죄인 인도 여부에 관한 법원의 결정은 법원이 범죄인을 해당 국가에 인도하여야 할 것인지 아닌지를 판단하는 것일 뿐 그 자체가 형사처벌이라거나 그에 준하는 처벌로 보기 어렵다. 그렇다면 애초에 재판청구권의 보호대상이 되지 않는 사항에 대하여 법원의 심사를 인정한 경우, 이에 대하여 상소할 수 없다고 해서 재판청구권이 새로이 제한될 수 있다고는 통상 보기 어려울 것이다.

⑤ (✗)

> **헌법 제107조**
> ① 법률이 헌법에 위반되는 여부가 재판의 전제가 된 경우에는 법원은 헌법재판소에 제청하여 그 심판에 의하여 재판한다.
> ② 명령·규칙 또는 처분이 헌법이나 법률에 위반되는 여부가 재판의 전제가 된 경우에는 대법원은 이를 최종적으로 심사할 권한을 가진다.
> ③ 재판의 전심절차로서 행정심판을 할 수 있다. 행정심판의 절차는 법률로 정하되, 사법절차가 준용되어야 한다.

정답 ③

## 012

**사법권에 대한 설명으로 옳지 않은 것은? (다툼이 있는 경우 판례에 의함)**

① 남북정상회담의 개최과정에서 통일부장관의 협력사업승인을 얻지 아니한 채 북한측에 사업권의 대가 명목으로 송금한 행위는 사법심사의 대상이 된다.
② 「법무사법」 제4조 제2항이 대법원규칙으로 정하도록 위임한 이른바 '법무사시험의 실시에 관하여 필요한 사항'이란 시험과목·합격기준·시험 실시방법·시험 실시시기·실시횟수 등 시험 실시에 관한 구체적인 방법과 절차를 말하는 것이지 시험의 실시 여부까지도 대법원규칙으로 정하라는 말은 아니다.
③ 헌법재판소는 위헌법률심판제청서, 탄핵소추의결서, 정당해산·권한쟁의·헌법소원에 관한 청구서를 접수한 날로부터 180일 이내에 종국결정을 선고하여야 한다.
④ 법원의 근무성적평정에 관한 사항을 대법원규칙으로 위임한 것은 포괄위임입법금지의 원칙에 위반된다.

**해설**

① (O) 남북정상회담 자체는 사법심사의 대상이 되지 않지만, 선지의 경우는 심사의 대상이 된다.
② (O) 시험의 실시를 대법원규칙으로 정하는 것은 직업의 자유를 침해하는 것이다.
③ (O) 훈시규정이어서 반드시 지키지는 않아도 된다.
④ (✗)

> **판사의 근무성적평정에 관한 사항을 대법원규칙으로 정하도록 위임한 구 법원조직법 제44조의2 제2항은 포괄위임금지원칙에 위배되지 않는다.** (헌재 2016.9.29. 2015헌바331)
> [1] 청구인은 이 사건 근무평정조항이 근무성적평정의 내용 및 절차를 하위법규인 대법원규칙에 백지위임하고 있으므로 포괄위임금지원칙에 위반될 뿐만 아니라, 헌법상 재판의 독립과 법관의 신분보장규정에도 반한다고 주장한다. 그런데 이 사건 근무평정조항은 판사의 근무성적평정에 관한 사항을 대법원규칙에 위임하는 수권조항으로, 법률조항 자체에서 근무성적평정의 내용이나 법관의 신분변동에 영향을 주는 사항을 직접 규정하지 않고 있으므로 사법의 독립이나 법관의 신분보장을 직접 제한하는 조항이라고 볼 수 없다. 또한 백지위임에 해당하여 재판의 독립을 침해한다는 주장은 포괄위임금지원칙 위배 여부에서 함께 판단될 수 있다. 따라서 이 사건 근무평정조항이 포괄위임금지원칙에 위배되는지 여부를 중심으로 판단하기로 한다.
> [2] 근무성적이 현저히 불량하여 판사로서 정상적인 직무를 수행할 수 없는 경우에 연임발령을 하지 않도록 규정한 구 법원조직법 제45조의2 제2항 제2호는 명확성원칙에 위배되지 않는다. 또한 이 사건 연임결격조항은 사법의 독립을 침해하지 않는다.

정답 ④

## 013

**사법권에 대한 설명으로 옳은 것만을 모두 고르면? (다툼이 있는 경우 판례에 의함)**

ㄱ. 필요적 병과를 규정한 법률이 법관의 양형결정권을 침해한 것인지 여부를 판단함에 있어, 비례의 원칙상 수긍할 수 있을 정도의 합리성이 있다면 위헌이라고 할 수 없다.

ㄴ. 피해자를 치사하고 도주하거나 도주 후에 피해자가 사망한 때에는 사형·무기 또는 10년 이상의 징역에 처하도록 하는 규정은 뺑소니 운전자에 대한 일반예방적 관점에서 헌법에 위반된다고 할 수 없다.

ㄷ. 항소법원에 기록 송부시 검사를 거치도록 하는 것은 법관의 재판상 독립에 영향을 주는 것으로서 신속·공정한 재판을 받을 권리를 침해하여 위헌이다.

ㄹ. 수뢰액이 5천만 원 이상인 때에는 무기 또는 10년 이상의 징역에 처하도록 한 「특정범죄 가중처벌 등에 관한 법률」 조항은 별도의 법률상 감경사유가 없는 한 집행유예의 선고를 할 수 없도록 그 법정형의 하한을 높였다고 하더라도 법관의 양형결정권을 침해하였다거나 법관독립의 원칙에 위배된다고 할 수 없다.

ㅁ. 금고 이상의 형의 선고를 받아 집행을 종료한 후 또는 집행이 면제된 후로부터 5년을 경과하지 아니한 자에 대해서는 집행유예를 하지 못하도록 규정하고 있는 「형법」 제62조 제1항 단서는 정당한 재판을 받을 권리 및 법관의 양심에 따른 재판권을 침해한다.

① ㄱ, ㄴ, ㄷ
② ㄱ, ㄷ, ㄹ
③ ㄴ, ㄹ, ㅁ
④ ㄷ, ㄹ, ㅁ

### 해설

ㄱ. (O) [11 국회8급]

ㄴ. (X) [11 국회8급]

> 과실로 사람을 치상하게 한 자가 구호행위를 하지 아니하고 도주하거나 고의로 유기함으로써 치사의 결과에 이르게 한 경우에 살인죄와 비교하여 그 법정형을 더 무겁게 한 것은 형벌체계상의 정당성과 균형을 상실한 것으로서 헌법 제10조의 인간으로서의 존엄과 가치를 보장한 국가의 의무와 헌법 제11조의 평등의 원칙 및 헌법 제37조의 과잉입법금지의 원칙에 반한다. (헌재 1992.4.28. 90헌바24)

ㄷ. (O) [11 국회8급]

ㄹ. (O) [20 변호사]

> [1] 가중처벌조항은 형법의 규정만으로는 공무원 등의 수뢰행위를 예방하고 척결하기에 미흡하다는 고려에 따라 도입된 것이다. 뇌물죄의 병폐는 수뢰액이 많을수록 가중되므로 수뢰액이 많은 사람을 엄하게 처벌할 필요성이 있고, 공무원 등이 그 직무에 관하여 5천만 원 이상을 수수·요구 또는 약속한 경우 그 죄질과 범정이 무겁고 비난가능성이 크므로, 7년 이상의 징역형이라는 중한 법정형을 정하여 작량감경을 하더라도 집행유예를 선고할 수 없게 한 데에는 합리적 이유가 있다. 그리고 비록 수뢰액의 다과가 뇌물죄의 경중을 가늠하는 유일한 기준은 아니라 할지라도 가장 중요한 기준이 되므로, 수뢰액만으로 가중처벌조건을 정한 데에는 합리적인 이유가 있다. 따라서 가중처벌조항이 책임과 형벌 간 비례원칙이나 평등원칙에 위배된다고 볼 수 없다.
>
> [2] 벌금병과조항은 징역형 위주의 처벌규정만으로는 공무원 등의 수뢰행위를 효율적으로 근절하기 어렵다는 취지에서 입법되었다. 수뢰액이 증가하면 범죄에 대한 비난가능성도 높아지므로 수뢰액을 기준으로 벌금액을 산정하는 것은 책임주의에 반하지 않다. 법관은 구체적 사안에 따라 벌금형까지 참작하여 전체적 형량을 조절할 수 있고, 벌금형에 대한 작량감경이나 선고유예판결도 가능하다. 벌금병과조항은 뇌물 또는 뇌물에 공할 금품을 몰수·추징당한 사람과 그렇지 않은 사람을 구별하지 않고 벌금형을 필요적으로 병과하지만, 수뢰죄 성립 이후에 뇌물을 몰수·추징당했다는 사정은 양형절차에서 반영될 수 있으므로 합리성이 결여되었다고 볼 수 없다. 따라서 벌금병과조항이 책임과 형벌 간 비례원칙이나 평등원칙에 위배된다고 볼 수 없다. (헌재 2017.7.27. 2015헌바301)

ㅁ. (✗) [17 국회8급]

> 금고 이상의 형의 선고를 받아 집행을 종료한 후 또는 집행이 면제된 후로부터 5년을 경과하지 아니한 자에 대해서는 집행유예를 하지 못하도록 규정하고 있는 형법 제62조 제1항 단서가 헌법에 위반되거나 기본권을 침해하지 않는다. (헌재 2005.6.30. 2003헌바49 등)

정답 ②

## 014 회독 ☐☐☐ 재구성    20 국가7급, 17 입시

**법원에 대한 설명으로 옳은 것은?**

① 종전에 대법원에서 판시한 헌법·법률·명령 또는 규칙의 해석 적용에 관한 의견을 변경할 필요가 있음을 인정하는 경우, 대법관 3인 이상으로 구성된 부에서 먼저 사건을 심리하여 의견이 일치한 때에는 그 부에서 재판할 수 있다.
② 헌법 제101조 제2항의 각급 법원에는 고등법원, 특허법원, 지방법원, 가정법원, 행정법원, 회생법원 및 군사법원이 포함된다.
③ 법관의 인사에 관한 중요사항을 심의하기 위하여 대법원에 법관인사위원회를 두며, 법관인사위원회의 위원장은 위원 중에서 대법원장이 임명하거나 위촉한다.
④ 법관은 형사재판, 민사재판, 행정재판 등 모든 재판에 있어 형식적 의미의 법률뿐만 아니라 관습법 및 조리와 같은 불문법에 따라 심판하여야 한다.

**해설**

① (✗) 판례변경은 부에서 할 수 없고 전원합의체에서 하여야 한다. [20 국가7급]
② (✗) 군사법원은 군사법원법상 별도의 법원이다. [20 국가7급]
③ (○) [20 국가7급]
④ (✗) 형사재판에서는 관습법과 같은 불문법에 의하여 재판할 수 없다. [17 입시]

정답 ③

## 015

**법원에 대한 설명으로 옳지 않은 것만을 모두 고르면?**

ㄱ. 임기가 끝난 판사는 인사위원회의 심의를 거치고 대법관회의의 동의를 받아 대법원장의 연임발령으로 연임한다.
ㄴ. 법관은 탄핵 또는 금고 이상의 형의 선고에 의하지 아니하고는 정직·감봉 기타 불리한 처분을 받지 아니한다.
ㄷ. 군사법원의 상고심은 고등법원에서 관할한다.
ㄹ. 헌법재판소는 헌법 제110조 제1항에서 "특별법원으로서 군사법원을 둘 수 있다."라는 의미를 군사법원을 일반법원과 조직·권한 및 재판관의 자격을 달리하여 특별법원으로 설치할 수 있다는 뜻으로 해석한다.
ㅁ. 비상계엄이 선포된 때에는 법률이 정하는 바에 의하여 법원의 권한에 관하여 특별한 조치를 할 수 있으며, 비상계엄하의 군사재판은 군인·군무원의 범죄에 한하여 단심으로 할 수 있다.

① ㄱ, ㄴ, ㄷ
② ㄱ, ㄴ, ㄹ
③ ㄴ, ㄷ, ㅁ
④ ㄷ, ㄹ, ㅁ

### 해설

ㄱ. (O) 법원조직법 제45조의2 제1항 [20 서울·지방7급]

ㄴ. (X) [20 국회8급]

> **헌법 제106조**
> ① 법관은 탄핵 또는 금고 이상의 형의 선고에 의하지 아니하고는 파면되지 아니하며, 징계처분에 의하지 아니하고는 정직·감봉 기타 불리한 처분을 받지 아니한다.

ㄷ. (X) [20 국회8급]

> **헌법 제110조**
> ② 군사법원의 상고심은 대법원에서 관할한다.

ㄹ. (O) 군사법원은 특별법원이다. [20 서울·지방7급]

ㅁ. (X) 비상계엄하에서는 일반국민에 대해서도 단심재판이 가능하다. [20 서울·지방7급]

> **헌법 제110조**
> ① 군사재판을 관할하기 위하여 특별법원으로서 군사법원을 둘 수 있다.
> ② 군사법원의 상고심은 대법원에서 관할한다.
> ③ 군사법원의 조직·권한 및 재판관의 자격은 법률로 정한다.
> ④ 비상계엄하의 군사재판은 군인·군무원의 범죄나 군사에 관한 간첩죄의 경우와 초병·초소·유독음식물공급·포로에 관한 죄 중 법률이 정한 경우에 한하여 단심으로 할 수 있다. 다만, 사형을 선고한 경우에는 그러하지 아니하다.

**정답** ③

기출지문 OX

❶ 부보금융기관 파산시 법원으로 하여금 예금보험공사나 그 임직원을 의무적으로 파산관재인으로 선임하도록 하고, 예금보험공사가 파산관재인으로 선임된 경우 「파산법」상의 파산관재인에 대한 법원의 해임권과 허가권 등 법원의 감독을 배제하는 법조항은 법원의 사법권 내지 사법권 독립을 침해하는 것이다. 19 변호사  (O/X)

> 해설 **파산관재인의 선임에 법원의 관여를 배제한 것은 헌법에 위반되지 아니한다.** (헌재 2001.3.15. 2001헌가1 등 【합헌】)
> 부보금융기관 파산시 법원으로 하여금 예금보험공사나 그 임직원을 의무적으로 파산관재인으로 선임하도록 하고, 예금보험공사가 파산관재인으로 선임된 경우 파산법상의 파산관재인에 대한 법원의 해임권, 감사위원의 동의권, 법원의 허가권 적용을 배제하고, 부보금융기관의 파산절차가 진행 중인 경우 추가로 예금보험공사 또는 그 임직원을 파산관재인으로 선임하도록 한 공적자금관리특별법 제20조 및 부칙 제3조는 … '파산관재인의 선임 및 직무감독에 관한 사항'은 대립당사자 간의 법적 분쟁을 사법적 절차를 통하여 해결하는 전형적인 사법권의 본질에 속하는 사항이 아니며, 따라서 입법자에 의한 개입 여지가 넓으므로, 그러한 입법형성권 행사가 자의적이거나 비합리적이 아닌 한 사법권을 침해한다고 할 수 없다.

정답 X

❷ 회사정리절차의 개시와 진행 여부에 관한 법관의 판단을 금융기관 내지 성업공사(현 한국자산관리공사) 등 이해당사자의 의사에 실질적으로 종속시키는 법조항은 사법권을 형해화하는 것이고 사법권의 독립을 위협할 소지가 있다. 19 변호사  (O/X)

> 해설 **회사정리절차에 대한 금융기관의 담보권 실행은 헌법에 위반된다.** (헌재 1990.6.25. 89헌가98 등 【위헌】)
> 법원이 도산위기에 있는 회사를 살리기 위해 회사정리계획 인가결정을 한 후에도 금융기관의 연체대출금에 관한 특별조치법상의 특례규정에 의하여 금융기관의 담보권 실행을 허용함으로써 금융기관의 자의적인 담보권 실행으로 금융기관에 사실상 회사정리권이 주어진 결과가 되는 것은 재판을 통해 회사정리절차를 주도할 권한을 가진 사법권이 완전히 형해화되어 버린다.

정답 O

❸ 강도상해죄의 법정형의 하한을 '7년 이상의 징역'으로 정하고 있는 「형법」 조항은 법정형의 하한을 살인죄의 그것보다 높였다고 해서 사법권의 독립 및 법관의 양형판단권을 침해하는 것은 아니다. 19 변호사  (O/X)

> 해설 헌재 2001.4.26. 99헌바43 【합헌】

정답 O

## 016  회독 ☐☐☐  재구성

20 입시, 17 국회8급·서울7급, 11 지방7급

**법원에 대한 설명으로 옳지 않은 것은?**

① 법원의 예산은 법원행정처가 아닌 정부가 편성하여 국회에 제출한다.
② 일반법관의 임명은 법관인사위원회의 심의를 거치고, 대법관회의의 동의를 받아 대법원장이 임명한다.
③ 대통령의 대법관 임명은 국무회의의 심의사항으로 헌법상 명시되어 있다.
④ 대법원장이 궐위되거나 사고로 인하여 직무를 수행할 수 없을 때에는 선임대법관이 그 권한을 대행하며, 대법원장이 행한 처분에 대한 행정소송의 피고는 법원행정처장으로 한다.

해설
① (O) 모든 국가기관의 예산은 정부가 편성하여 국회에 제출한다. [20 입시]
② (O) 법관 임명을 대법원장이 단독으로 하지는 못한다. 다만, 보직권의 행사는 단독으로 한다. [17 서울7급]
③ (X) 대법관 임명은 국무회의 심의사항이 아니다. [17 국회8급]
④ (O) 법원조직법 제13조 제3항, 제70조 [11 지방7급]

정답 ③

### 핵심노트

**법규명령에 대한 사법적 통제(구체적 규범통제만 인정, 추상적 규범통제는 인정되지 않는다)**

| 구분 | 대상 | 재판의 전제성 | 심판기관 | 효력 |
|---|---|---|---|---|
| 법원의 통제 | • 법규명령<br>• 재량준칙<br>• 법령보충적 행정규칙<br>• 조례<br>• 조약(명령의 효력을 가지는 조약)<br>• 행정규칙은 심사 불가 | • 전제성 有: 법원만 가능<br>• 전제성 無: 항고소송 가능 | 모든 법원이 심사할 수 있다. 단, 최종판단은 대법원이 한다. | 개별적 효력<br>→ 대법원이 행정안전부장관에 통보<br>→ 관보 게재 |
| 헌법재판소의 통제 | 위와 동일하나, 조약은 명령의 효력을 가지는 조약과 법률의 효력을 가지는 조약 둘 다 가능 | • 전제성 有: 헌법재판소는 불가<br>• 전제성 無: 헌법재판소도 가능 | 헌법재판소 | 일반적 효력 |

### 기출지문 OX

❶ 명령·규칙심사의 대상이 되는 명령은 국민에 대하여 일반적 구속력을 가지는 법규명령을 의미한다. 20 법원직 ( O / × )

해설 순수한 행정규칙을 제외한 법령보충적 행정규칙 등 법규명령이 심판의 대상이 된다. 정답 O

❷ 변리사 제1·2차시험을 종전의 '상대평가제'에서 '절대평가제'로 전환하는 내용의 「변리사법 시행령」 조항을 즉시 시행함으로 인한 수험생들의 신뢰이익 침해는 공익적 목적을 고려하더라도 정당화될 수 없을 정도로 과도하므로, 위 조항을 즉시 2002년의 변리사 제1차시험에 대하여 시행하도록 그 시행시기를 정한 개정 시행령 부칙 부분은 헌법에 위반되어 무효이다.
20 법원직 ( O / × )

해설 '절대평가제'에서 '상대평가제'로 변경한 것이 헌법에 위반(신뢰보호원칙 위반)되어 무효이다. (대판 2006.11.16. 2003두12899 전원합의체) 정답 ×

## 017 재구성

**사법권에 대한 설명으로 옳지 않은 것은? (다툼이 있는 경우 판례에 의함)**

① 사법권의 독립은 재판상의 독립, 즉 법관이 재판을 함에 있어서 오직 헌법과 법률에 의하여 그 양심에 따라 할 뿐, 어떠한 외부적인 압력이나 간섭도 받지 않는다는 것뿐만 아니라, 재판의 독립을 위해 법관의 신분보장도 차질 없이 이루어져야 함을 의미한다.
② 사법의 본질은 법 또는 권리에 관한 다툼이 있거나 법이 침해된 경우에 독립적인 법원이 원칙적으로 직접 조사한 증거를 통한 객관적 사실인정을 바탕으로 법을 해석·적용하여 유권적인 판단을 내리는 작용이다.
③ 심리불속행재판은 상고각하의 형식판단과 상고이유를 심리한 결과 이유 없다고 인정되는 경우에 내려지는 상고기각의 실체판단과의 중간적 지위를 가진 재판이다.
④ 작량감경을 하여도 집행유예를 선고할 수 없도록 법정형을 정한 것은 법관의 양형결정권을 침해하여 법관독립의 원칙에 위배된다.
⑤ 대법원장은 법관을 사건의 심판 외의 직(재판연구관을 포함한다)에 보하거나 그 직을 겸임하게 할 수 있다.

### 해설

① (O) 물적 독립과 인적 독립을 말한다. [19 지방7급]
② (O) 사법작용의 개념이다. [19 지방7급]
③ (O) [19 지방7급]

> 심리불속행의 판단대상은 상고인이 주장한 상고이유가 법률상의 상고이유를 실질적으로 포함하고 있는가 여부이고, 그 원칙적인 판단 기준은 민사소송법 제423조의 규정이라 할 것이므로, 판결에 영향을 미친 헌법·법률·명령 또는 규칙의 위반이 있음을 이유로 하는 상고가 아닌 경우에는 심리를 속행하지 아니하게 된다. … 심리불속행재판은 상고제기의 절차가 적법히 이루어졌는지를 검토하여 부적법한 경우에 선고되는 상고각하의 재판과는 달리, 상고제기의 절차가 적법함을 전제로 하여 상고장에 기재된 상고이유가 법률상의 상고이유를 실질적으로 포함하고 있는가를 판단하는 것으로서 그 범위에서 실체판단의 성격을 가진다고 할 것이다. 결론적으로 심리불속행재판은 상고각하의 형식판단과 상고이유를 심리한 결과 이유 없다고 인정되는 경우에 내려지는 상고기각의 실체판단과의 중간적 지위를 가진 재판이라 할 것이다. (헌재 2007.7.26. 2006헌마551 등)

④ (X) 작량감경을 해도 집행유예를 선고할 수 없도록 법정형을 정한 것은 그 자체만으로 위헌이거나 합헌이 아니라 범죄의 종류 등에 따라 다르다. 집행유예를 하지 못하는 것이 위헌이 된 경우로는 도주운전죄와 마약을 단순소지한 경우 등이 있다. [19 5급행시]
⑤ (O) 법원조직법 제52조 제1항 [19 5급행시]

**정답** ④

### 기출지문 OX

법관의 인적 독립이란 소송당사자나 타 국가기관 등 외부작용으로부터의 심판의 독립을 의미한다. 07 국가7급 ( O / X )
해설 물적 독립은 재판의 독립으로서 타 국가기관으로부터의 독립을 말하고, 인적 독립이란 법관의 신분상 독립을 말한다. 정답 X

## 018  19 국회8급

**사법부에 대한 설명으로 옳지 않은 것을 모두 고르면? (다툼이 있는 경우 판례에 의함)**

> ㄱ. 대법원의 최고법원성을 존중하면서 민사, 가사, 행정 등 소송사건에 있어서 상고심재판을 받을 수 있는 객관적 기준을 정함에 있어 개별적 사건에서의 권리구제보다 법령해석의 통일을 더 우위에 두는 것은 그 합리성이 있다고 할 수 없으므로 헌법에 위반된다.
> ㄴ. 대법원 판례 위반을 대법원의 심리불속행의 예외사유로 규정하고 있는 법률조항은 법규범성이 없는 대법원 판례를 재판규범으로 삼아 상고심재판을 배척하고 있는 것으로서 헌법에 위반된다.
> ㄷ. 법원이 형사재판의 양형에 있어 법률에 기속되는 것은 법률에 따라 심판한다고 하는 헌법규정에 따른 것으로 헌법이 요구하는 법치국가원리의 당연한 귀결이며, 법관의 양형판단재량권 특히 집행유예 여부에 관한 재량권은 어떠한 경우에도 제한될 수 없다고 볼 성질의 것은 아니다.

① ㄱ
② ㄱ, ㄴ
③ ㄴ, ㄷ
④ ㄱ, ㄴ, ㄷ

**해설**

ㄱ. (X)
> 헌법이 대법원을 최고법원으로 규정하였다고 하여 대법원이 곧바로 모든 사건을 상고심으로서 관할하여야 한다는 결론이 당연히 도출되는 것은 아니며, '헌법과 법률이 정하는 법관에 의하여 법률에 의한 재판을 받을 권리'가 사건의 경중을 가리지 않고 모든 사건에 대하여 대법원을 구성하는 법관에 의한 재판을 받을 권리를 의미한다거나 또는 상고심재판을 받을 권리를 의미하는 것이라고 할 수는 없다. 또한 심급제도는 사법에 의한 권리보호에 관하여 한정된 법 발견자원의 합리적인 분배의 문제인 동시에 재판의 적정과 신속이라는 서로 상반되는 두 가지의 요청을 어떻게 조화시키느냐의 문제로 돌아가므로, 원칙적으로 입법자의 형성의 자유에 속하는 사항이다. 심리불속행제도와 관련된 특례법 제4조 제1항은 비록 국민의 재판청구권을 제약하고 있기는 하지만 위 심급제도와 대법원의 기능에 비추어 볼 때 헌법이 요구하는 대법원의 최고법원성을 존중하면서 민사, 가사, 행정 등 소송사건에 있어서 상고심재판을 받을 수 있는 객관적 기준을 정함에 있어 개별적 사건에서의 권리구제보다 법령해석의 통일을 더 우위에 둔 규정으로서 그 합리성이 있다고 할 것이므로 헌법에 위반되지 아니한다. (헌재 2012.5.31. 2010헌마625 등)

ㄴ. (X)
> 모든 법률은 법관의 해석·적용작용을 통해서 실현되며, 대법원 판결의 효력과 대법원 판례변경에 관한 법원조직법의 관계 규정 등에 근거한 법률상의 이유 및 법생활상에 있어서의 사실상의 구속력에 기하여 개별적 사건에서의 권리구제보다 법령해석의 통일을 더 우위에 둔 입법자의 판단에 따라 상고심재판을 받을 수 있는 객관적인 기준으로서 이 사건 법률조항 제3호에서 대법원 판례 위반 여부를 한 요소로 삼은 것은 그 합리성이 인정될 뿐만 아니라, 판례의 법원성을 인정하지 않는 대륙법계의 국가라는 이유로 실체법이 아닌 절차법인 이 사건 법률조항의 일부로 편입하여 대법원 판례 위반을 심리불속행의 예외사유의 하나로 규정할 수 없는 것이 아니고, 또한 이로 인하여 새로운 권리침해가 발생하는 것도 아니므로 헌법에 위반되지 아니한다. (헌재 2002.6.27. 2002헌마18)

ㄷ. (O) 범죄의 종류에 따라 법관이 집행유예를 하지 못하는 경우도 있다는 의미이다.

**정답** ②

## 019

**사법권에 대한 설명으로 옳지 않은 것은?**

① 대법원장은 대법관회의의 의장으로서 의결에 있어서 표결권을 가지며, 가부동수인 때에는 결정권을 가진다.
② 대법원은 군사법원운영위원회의 의결을 거쳐 군사법원의 재판에 관한 내부규율과 사무처리에 관한 사항을 군사법원규칙으로 정하는데, 군사법원운영위원회는 재적위원 3분의 2 이상의 출석으로 개의하고 출석위원 과반수의 찬성으로 의결한다.
③ 현행헌법은 행정심판에 관하여 규정을 두고 있지 않으나, 재판의 전심절차로서 행정심판을 할 수 있으며, 행정심판의 절차에는 사법절차가 준용되어야 한다.
④ 대법원장과 대법관의 임기는 6년, 판사의 임기는 10년으로 하며, 대법원장과 대법관의 정년은 각각 70세, 판사의 정년은 65세로 한다.

### 해설

① (O) 법원조직법 제16조 제1항·제3항
   전원합의체 재판에서는 대법원장도 대법관의 신분으로, 판결에 대해서 다른 대법관과 동일하다.
② (O) 군사법원법 제4조, 제4조의2 제3항
③ (X)

> **헌법 제107조**
> ① 법률이 헌법에 위반되는 여부가 재판의 전제가 된 경우에는 법원은 헌법재판소에 제청하여 그 심판에 의하여 재판한다.
> ② 명령·규칙 또는 처분이 헌법이나 법률에 위반되는 여부가 재판의 전제가 된 경우에는 대법원은 이를 최종적으로 심사할 권한을 가진다.
> ③ 재판의 전심절차로서 행정심판을 할 수 있다. 행정심판의 절차는 법률로 정하되, 사법절차가 준용되어야 한다.

④ (O)

**정답** ③

## 020 회독 ☐☐☐ 재구성

19 법원직, 09 국회8급

**사법부에 대한 설명으로 옳은 것만을 모두 고르면?**

> ㄱ. 법관의 정년은 법률로 정한다고만 규정할 뿐 대법원장, 대법관의 정년도 명시적으로 정하지 않고 있다.
> ㄴ. 대법원장은 법원의 조직, 인사, 운영, 그 밖의 법원업무에 관련된 법률의 제정 또는 개정이 필요하다고 인정하는 경우에는 국회에 출석하여 발언할 수 있다.
> ㄷ. 법관의 인사에 관한 기본계획의 수립 및 인사운영을 위하여 대법원장의 자문기관으로 법관인사위원회를 둔다.
> ㄹ. 법관징계에 관한 사항은 대법원장이 대법원규칙으로 정한다.

① ㄱ, ㄴ
② ㄱ, ㄷ
③ ㄴ, ㄹ
④ ㄷ, ㄹ

### 해설

ㄱ. (O) 법관, 대법관, 대법원장의 임기는 헌법이 직접 규정하고 있다. [19 법원직]
ㄴ. (✗) [09 국회8급]

> **법원조직법 제9조(사법행정사무)**
> ③ 대법원장은 법원의 조직, 인사, 운영, 재판절차, 등기, 가족관계등록, 그 밖의 법원업무에 관련된 법률의 제정 또는 개정이 필요하다고 인정하는 경우에는 국회에 서면으로 그 의견을 제출할 수 있다.

ㄷ. (O) 법원조직법 제25조의2 제1항 [09 국회8급]
ㄹ. (✗) 현행법관의 징계에 관한 사항을 규정한 법관징계법이 있다. [09 국회8급]

> **법원조직법 제48조(징계)**
> ② 법관 징계에 관한 사항은 따로 법률로 정한다.

정답 ②

## 021 18.5급행시

**헌법재판소와 대법원의 구성에 대한 설명으로 옳지 않은 것은?**

① 헌법재판소장과 대법원장은 모두 국회의 동의를 얻어 대통령이 임명한다.
② 대법관의 수를 개정하기 위해서는 법률개정으로 가능하나, 헌법재판소 재판관의 수를 개정하기 위해서는 헌법을 개정하여야 한다.
③ 대법관을 역임한 자는 헌법재판소 재판관이 될 수는 있으나, 헌법재판소 재판관을 역임한 자가 대법관이 되는 것은 불가능하다.
④ 헌법재판소 재판관과 대법관은 법률이 정하는 바에 의하여 연임할 수 있다.

**해설**

① (O) 헌법 제104조 제1항, 제111조 제4항
② (O) 대법관 수는 법원조직법이 14명으로 규정하고 있고, 헌법재판소 재판관은 헌법에서 9명으로 규정하고 있다.
③ (×)

> **헌법재판소법 제5조(재판관의 자격)**
> ① 재판관은 다음 각 호의 어느 하나에 해당하는 직에 15년 이상 있던 40세 이상인 사람 중에서 임명한다. 다만, 다음 각 호 중 둘 이상의 직에 있던 사람의 재직기간은 합산한다.
>   1. 판사, 검사, 변호사
>   2. 변호사 자격이 있는 사람으로서 국가기관, 국영·공영 기업체, 공공기관의 운영에 관한 법률 제4조에 따른 공공기관 또는 그 밖의 법인에서 법률에 관한 사무에 종사한 사람
>   3. 변호사 자격이 있는 사람으로서 공인된 대학의 법률학 조교수 이상의 직에 있던 사람
> ② 다음 각 호의 어느 하나에 해당하는 사람은 재판관으로 임명할 수 없다.
>   1. 다른 법령에 따라 공무원으로 임용하지 못하는 사람
>   2. 금고 이상의 형을 선고받은 사람
>   3. 탄핵에 의하여 파면된 후 5년이 지나지 아니한 사람
>   4. 정당법 제22조에 따른 정당의 당원 또는 당원의 신분을 상실한 날부터 3년이 경과되지 아니한 사람
>   5. 공직선거법 제2조에 따른 선거에 후보자(예비후보자를 포함한다)로 등록한 날부터 5년이 경과되지 아니한 사람
>   6. 공직선거법 제2조에 따른 대통령 선거에서 후보자의 당선을 위하여 자문이나 고문의 역할을 한 날부터 3년이 경과되지 아니한 사람
>
> **법원조직법 제42조(임용자격)**
> ① 대법원장과 대법관은 20년 이상 다음 각 호의 직에 있던 45세 이상의 사람 중에서 임용한다.
>   1. 판사·검사·변호사
>   2. 변호사 자격이 있는 사람으로서 국가기관, 지방자치단체, 공공기관의 운영에 관한 법률 제4조에 따른 공공기관, 그 밖의 법인에서 법률에 관한 사무에 종사한 사람
>   3. 변호사 자격이 있는 사람으로서 공인된 대학의 법률학 조교수 이상으로 재직한 사람

④ (O) 둘 다 임기 6년에 연임이 가능하다. 대법원장은 임기 6년에 중임이 불가능하며, 헌법재판소장의 임기에 대해서는 규정이 없다.

정답 ③

## 022　회독 ☐☐☐　　18 서울7급

**대법원과 헌법재판소 구성에 관한 대통령의 권한에 대한 설명으로 가장 옳은 것은?**

① 대법원장은 국회의 동의를 얻어 대법관 중에서 대통령이 임명한다.
② 대법관은 대법원장의 제청으로 국회의 동의 없이 대통령이 임명한다.
③ 헌법재판소의 장은 국회의 동의를 얻어 재판관 중에서 대통령이 임명한다.
④ 헌법재판소 재판관은 헌법재판소장의 제청으로 대통령이 임명한다.

**해설**

① (X) ② (X) 대법원장도 대법관(14명) 중의 한 명이지만 순서상 대통령은 국회의 동의를 얻어 대법원장을 먼저 임명하고, 대법원장의 제청으로 국회의 동의를 얻어 대법관을 임명한다.

> **헌법 제104조**
> ① 대법원장은 국회의 동의를 얻어 대통령이 임명한다.
> ② 대법관은 대법원장의 제청으로 국회의 동의를 얻어 대통령이 임명한다.

③ (O) ④ (X)

> **헌법 제111조**
> ② 헌법재판소는 법관의 자격을 가진 9인의 재판관으로 구성하며, 재판관은 대통령이 임명한다.
> ③ 제2항의 재판관 중 3인은 국회에서 선출하는 자를, 3인은 대법원장이 지명하는 자를 임명한다.
> ④ 헌법재판소의 장은 국회의 동의를 얻어 재판관 중에서 대통령이 임명한다.

**정답 ③**

## 023

**법원과 법관에 대한 설명으로 옳지 않은 것은? (다툼이 있는 경우 판례에 의함)**

① 「민사소송법」 제109조 제1항은 헌법 제108조에서 열거하고 있는 사항은 물론, 열거하고 있지 않은 사항에 대해서도 이를 대법원규칙에서 정하도록 위임할 수 있으므로, 소송비용에 관한 사항이 소송절차에 관련된 사항인지와 관계없이 이를 대법원규칙에 위임하였다 하여 헌법 제108조를 위반한다고 볼 수는 없다.

② 법원이 양형기준을 벗어난 판결을 하는 경우에는 판결서에 양형의 이유를 기재하여야 하나, 약식절차 또는 즉결심판절차에 의하여 심판하는 경우에는 그러하지 아니하다.

③ 공개된 법정의 법관의 면전에서 모든 증거자료가 조사·진술되어야 하는 요청은 공정한 재판을 받을 권리로부터 파생된다.

④ 입헌적 법치주의국가의 기본원칙은 어떠한 국가행위나 국가작용도 헌법과 법률에 근거하여 그 테두리 안에서 합헌적·합법적으로 행하여질 것을 요구하고, 이러한 합헌성과 합법성의 판단은 본질적으로 사법의 권능에 속하는 것이므로, 유신헌법 제53조 제4항에 근거하여 이루어진 긴급조치는 위헌법률심판의 대상이 된다.

### 해설

① (O) 헌재 2016.6.30. 2013헌바370 등 [17 국가7급(하)]

② (O) 법원조직법 제81조의7(양형기준의 효력 등)의 내용이다. [17 국가7급(하)]

③ (O) [18 지방7급]

> 공정한 재판을 받을 권리 속에는 신속하고 공개된 법정의 법관의 면전에서 모든 증거자료가 조사·진술되고 이에 대하여 피고인이 공격·방어할 수 있는 기회가 보장되는 재판, 즉 원칙적으로 당사자주의와 구두변론주의가 보장되어 당사자가 공소사실에 대한 답변과 입증 및 반증하는 등 공격·방어권이 충분히 보장되는 재판을 받을 권리가 포함되어 있다. (헌재 1996.12.26. 94헌바1)

④ (X) 유신헌법 제53조 제4항에 근거하여 이루어진 긴급조치의 성질에 대해 대법원은 명령의 효력을 가지므로 법원의 심판대상이 된다고 보았지만, 헌법재판소는 법률의 효력을 가지므로 헌법재판소의 심판대상이라고 보았다. [20 법원직]

**정답** ④

## 024  회독 ☐☐☐  재구성                                    18 변호사·서울7급, 17 입시

**사법권의 독립에 대한 설명으로 옳은 것은? (다툼이 있는 경우 판례에 의함)**

① 형사재판에 있어서 사법권의 독립은 심판기관인 법원과 소추기관인 검찰청의 분리를 요구함과 동시에 법관이 실제 재판에 있어서 소송당사자인 검사와 피고인으로부터 부당한 간섭을 받지 않은 채 독립하여야 할 것을 요구한다.
② 법원예산편성권은 법원이 가지고 있으며, 법원의 예산을 편성함에 있어서는 사법부의 독립과 자율성을 존중하여야 한다.
③ 법원의 조직 및 법관의 자격을 법률로 정하는 것은 입법부가 사법부를 임의로 통제할 수 있게 하는 것을 의미하므로 사법부의 독립을 침해하는 것이다.
④ 상급법원의 재판에 있어서의 판단은 하급심을 기속하는 것이므로 하급심은 사실판단이나 법률판단에 있어서 상급심의 선례를 존중할 법적 의무가 있다.

**해설**

① (○) 재판의 독립은 소송당사자로부터의 독립도 포함한다. [18 변호사]
② (✕) 법원예산편성권은 정부가 가지고 있으며, 법원의 예산을 편성함에 있어서는 사법부의 독립과 자율성을 존중하여야 한다. **(법원조직법 제82조 제2항)** [17 입시]
③ (✕) 권력분립원칙상 사법권의 독립을 침해하지 않는다. [18 서울7급]
④ (✕) 상급법원의 재판에 있어서의 판단은 당해 사건에 한하여 하급심을 기속한다. 따라서 당해 사건이 아니면 하급심은 사실판단이나 법률판단에 있어서 상급심의 선례를 존중할 법적 의무가 있는 것은 아니다. [18 서울7급]

정답

## 025  회독 ☐☐☐  재구성                                    17 지방7급, 08 법원직

**법원에 대한 설명으로 옳지 않은 것은?**

① 대법원 재판서에는 합의에 관여한 모든 대법관의 의견을 표시하여야 한다.
② 비공개결정은 이유를 밝혀 선고하고, 헌법과 법률의 규정에 위반하여 비공개 재판을 한 경우에는 상고이유가 된다.
③ 재판공개의 대상에는 가사비송절차, 소송법상 결정·명령도 포함된다.
④ 누구든지 법정 안에서는 재판장의 허가 없이 녹화·촬영·중계방송 등의 행위를 하지 못한다.

**해설**

① (○) **법원조직법 제15조** [17 지방7급]
② (○) **법원조직법 제57조 제1항·제2항** [08 법원직]
③ (✕) 재판공개의 대상은 재판의 심리와 판결의 선고이다. 따라서 가사비송절차, 소송법상 결정·명령은 포함되지 않는다. 가사비송사건의 경우 비송사건절차법 제13조에 비공개로 할 수 있다고 규정하고 있으며 소년보호사건도 비공개로 한다. [17 지방7급]
④ (○) **법원조직법 제59조** [08 법원직]

정답

## 026 회독 ☐☐☐ 재구성     17·14 국가7급, 16 서울7급, 14 지방7급

**법원에 대한 설명으로 옳은 것은? (다툼이 있는 경우 판례에 의함)**

① 법관의 정년을 설정함에 있어서는 헌법상 설정된 법관의 성격과 그 업무의 특수성에 합치되어야 하나, 관료제도를 근간으로 하는 계층구조적인 일반행정공무원과 달리 보아야 할 이유는 없다.
② 특별한 사정이 없는 한 우리나라의 영토 내에서 행하여진 외국의 사법적인 행위에 대하여는 당해 국가를 피고로 하여 우리나라의 법원이 재판권을 행사할 수 있다.
③ 대법원장의 판사보직권 행사에 대해서는 소청심사와 행정소송을 거칠 필요 없이 헌법소원심판청구가 가능하다.
④ 비상계엄 시행 중 군사법원에 계속 중인 재판사건의 관할은 비상계엄해제와 동시에 일반법원에 속하게 되지만, 대통령이 필요하다고 인정할 때에는 군사법원의 재판권을 3개월의 범위에서 연기할 수 있다.

**해설**

① (✕) [17 국가7급]

> 법관의 정년을 설정함에 있어서, 입법자는 위와 같은 헌법상 설정된 법관의 성격과 그 업무의 특수성에 합치되어야 하고, 관료제도를 근간으로 하는 계층구조적인 일반행정공무원과 달리 보아야 함은 당연하므로, 고위법관과 일반법관을 차등하여 정년을 설정함은 일응 문제가 있어 보이나, 사법도 심급제도를 염두에 두고 있다는 점과 위에서 살펴본 몇 가지 이유를 감안하여 볼 때, 일반법관의 정년을 대법원장이나 대법관보다 낮은 63세로, 대법관의 정년을 대법원장보다 낮은 65세로 설정한 것이 위헌이라고 단정할 만큼 불합리하다고 보기는 어렵다고 할 것이다. 그리고 외국의 경우, 법관을 종신직으로 하고 있는 나라도 있지만, 법관의 정년을 규정하고 있는 나라에서는 대개 65세 내지 70세 전후로 설정되어 있으며, 특히 법관의 정년 연령이 2원적으로 설정되어 있는 경우에는 대체로 고위법관의 정년 연령이 고령으로 규정되어 있다는 것을 알 수 있다. 그렇다면, 이 사건 법률조항이 법관의 정년을 직위에 따라 순차적으로 낮게 차등하게 설정한 것은 법관 업무의 성격과 특수성, 평균수명, 조직체 내의 질서 등을 고려하여 정한 것으로 그 차별에 합리적인 이유가 있다고 할 것이므로, 청구인의 평등권을 침해하였다고 볼 수 없다. 다만, 이 사건 법률조항의 위헌 여부와 별도로, 향후 국회는 의학의 발달로 인하여 평균수명이 연장되고 있고 활동연령도 높아가고 있는 추세에 맞추고, 법관 업무의 특수성을 고려하여, 일반법관의 경우에도 풍부한 경험과 숙련된 실무를 익힌 법관을 확보함으로써, 개개의 심급마다 재판의 질을 향상시켜 사법부의 권위를 유지하기 위하여 정년 연령을 상향조정하는 문제를 검토할 필요는 충분히 있다고 본다. (헌재 2002.10.31. 2001헌마557)

② (○) [16 서울7급]

> 우리나라 영토 내에서 행하여진 외국의 사법적 행위가 주권적 활동에 속하는 것이거나 이와 밀접한 관련이 있어서 이에 대한 재판권 행사가 외국의 주권적 활동에 대한 부당한 간섭이 될 우려가 있다는 등의 특별한 사정이 없는 한, 외국의 사법적 행위에 대하여는 해당 국가를 피고로 하여 우리나라 법원이 재판권을 행사할 수 있다. (대판 2011.12.13. 2009다16766)

③ (✕) [14 지방7급]

> 법관인 청구인은 위 각 법률조항이 정한 절차에 따라 인사처분에 대하여 그 구제를 청구할 수 있고, 그 절차에서 구제를 받지 못한 때에는 국가공무원법 제16조, 법원조직법 제70조, 행정소송법 제1조의 규정에 미루어 다시 행정소송을 제기하여 그 구제를 청구할 수 있음에도 불구하고, 청구인이 위와 같은 구제절차를 거치지 아니한 채 제기한 헌법소원심판청구는 부적법한 심판청구라고 아니할 수 없다. (헌재 1993.12.23. 92헌마247)

④ (✕) [14 국가7급]

> **계엄법 제12조(행정·사법 사무의 평상화)**
> ② 비상계엄 시행 중 제10조에 따라 군사법원에 계속 중인 재판사건의 관할은 비상계엄 해제와 동시에 일반법원에 속한다. 다만, 대통령이 필요하다고 인정할 때에는 군사법원의 재판권을 <u>1개월의 범위</u>에서 연기할 수 있다.

**정답** ②

## 027

**법원에 대한 설명으로 옳지 않은 것은? (다툼이 있는 경우 판례에 의함)**

① 대법원에는 법률이 정하는 바에 의하여 대법관이 아닌 법관을 둘 수 있으나, 재판연구관을 언제나 판사로 보하여야 하는 것은 아니다.
② 헌법재판소는 판사임용요건으로서 10년 이상의 법조경력을 요구하는 개정 「법원조직법」 제42조 제2항에 관한 경과조치규정인 부칙 제2조가 법 개정 당시 이미 사법연수원에 입소한 사람들에게 적용되는 것은 신뢰보호의 원칙에 반하여 공무담임권을 침해한다고 보아 한정위헌결정을 하였다.
③ 「1980년 해직공무원의 보상 등에 관한 특별조치법」 제2조 제2항 제1호의 '차관급 상당 이상의 보수를 받은 자'에 법관을 포함시켜 법관을 보상대상에서 제외한 것은 헌법 제106조 제1항의 법관의 신분보장규정에 위반되지 아니한다.
④ 법관으로서의 양심이라 함은 공정성과 합리성에 바탕한 법해석을 직무로 하는 자의 법리적·객관적 양심을 말한다.

### 해설

① (O) [17 법원직]

> **법원조직법 제24조(재판연구관)**
> ③ 재판연구관은 판사로 보하거나 3년 이내의 기간을 정하여 판사가 아닌 사람 중에서 임명할 수 있다.

② (O) [17 법원직]

> 이 사건 심판대상조항을 이 사건 법원조직법 개정 당시 이미 사법연수원에 입소한 사람들에게도 반드시 시급히 적용해야 할 정도로 긴요하다고는 보기 어렵고, 종전 규정의 적용을 받게 된 사법연수원 2년차들과 개정 규정의 적용을 받게 된 사법연수원 1년차들인 청구인들 사이에 위 공익의 실현 관점에서 이들을 달리 볼 만한 합리적인 이유를 찾기도 어려우므로, 이 사건 심판대상조항이 개정법 제42조 제2항을 법 개정 당시 이미 사법연수원에 입소한 사람들에게 적용되도록 한 것은 신뢰보호원칙에 반한다고 할 것이다. (헌재 2012.11.29. 2011헌마786)

> **비교판례**
> 10년 미만의 법조경력을 가진 사람의 판사임용을 위한 최소 법조경력요건을 단계적으로 2013년부터 2017년까지는 3년, 2018년부터 2021년까지는 5년, 2022년부터 2025년까지는 7년으로 정한 법원조직법 부칙 제2조는 청구인들의 공무담임권을 침해하지 않는다. (헌재 2016.5.26. 2014헌마427)

③ (X) [12 국회8급]

> 1980년 해직공무원의 보상 등에 관한 특별조치법 제2조 제2항 제1호의 '차관급 상당 이상의 보수를 받은 자'에 법관을 포함시켜 법관을 보상대상에서 제외한 것은 법관의 신분을 직접 가중적으로 보장하고 있는 헌법 제106조 제1항의 법관의 신분보장규정에 위반되고, 직업공무원으로서 그 신분이 보장되고 있는 일반직 공무원과 비교하더라도 그 처우가 차별되고 있는 것이어서 헌법 제11조의 평등권의 보장규정에 위반된다. (헌재 1992.11.12. 91헌가2)

④ (O) 법관의 개인적 양심과 직업적 양심이 충돌할 때 직업적 양심을 우선시켜야 한다. [10 국가7급]

**정답** ③

## 028

**다음 중 그 구성원의 임명절차에서 대법원장이 지명권을 행사하는 국가기관이 아닌 것은?**

① 중앙선거관리위원회  
② 국가인권위원회  
③ 국민권익위원회  
④ 헌법재판소

**해설**

① (O) ④ (O) 대통령이 지명하는 3명, 국회가 지명하는 3명, 대법원장이 지명하는 3명으로 구성된다. 다만, 헌법재판관은 9명 모두 형식적으로 대통령이 임명하고 중앙선거관리위원회는 임명도 별도로 한다.

② (O)

> **국가인권위원회법 제5조(위원회의 구성)**
> ① 위원회는 위원장 1명과 상임위원 3명을 포함한 11명의 인권위원(이하 '위원'이라 한다)으로 구성한다.
> ② 위원은 다음 각 호의 사람을 대통령이 임명한다.
>   1. 국회가 선출하는 4명(상임위원 2명을 포함한다)
>   2. 대통령이 지명하는 4명(상임위원 1명을 포함한다)
>   3. 대법원장이 지명하는 3명
> ⑦ 위원은 특정 성이 10분의 6을 초과하지 아니하도록 하여야 한다.

③ (X)

> **부패방지 및 국민권익위원회의 설치와 운영에 관한 법률 제13조(위원회의 구성)**
> ③ 위원장 및 부위원장은 국무총리의 제청으로 대통령이 임명하고, 상임위원은 위원장의 제청으로 대통령이 임명하며, 상임이 아닌 위원은 대통령이 임명 또는 위촉한다. 이 경우 상임이 아닌 위원 중 3명은 국회가, 3명은 대법원장이 각각 추천하는 자를 임명 또는 위촉한다.

**정답** ③

## 029  17 법무사

**법원의 조직에 대한 설명으로 가장 옳은 것은?**

① 행정법원의 심판권은 판사 3명으로 구성된 합의부에서 행사한다. 다만, 단독판사가 심판할 것으로 행정법원 합의부가 결정한 사건의 심판권은 단독판사가 행사한다.
② 대통령령이 헌법에 위반되는지 여부가 재판의 전제가 된 경우에는 법원은 헌법재판소에 제청하여 그 심판에 의하여 재판한다.
③ 단심제인 대통령 선거 무효소송에 있어서 대법원이 해당 선거가 무효라고 판결하기 위해서는 관여 대법관의 3분의 2 이상의 찬성이 필요하다.
④ 판사의 임명 및 연임 동의를 위해서는 대법관회의에서 대법관 전원의 3분의 2 이상의 출석과 출석인원 전원의 찬성으로 의결되어야 한다.

**해설**

① (O)

> **법원조직법 제7조(심판권의 행사)**
> ③ 고등법원·특허법원 및 행정법원의 심판권은 판사 3명으로 구성된 합의부에서 행사한다. 다만, 행정법원의 경우 단독판사가 심판할 것으로 행정법원 합의부가 결정한 사건의 심판권은 단독판사가 행사한다.

② (X) 법률이 헌법에 위반되는 여부가 재판의 전제가 된 경우에는 법원은 헌법재판소에 제청하여 그 심판에 의하여 재판하지만, 명령이나 규칙이 헌법에 위반되는 여부가 재판의 전제가 된 경우에는 법원이 직접 재판하고 최종판단은 대법원이 한다. **(헌법 제107조 제1항·제2항)**
③ (X) 대법원의 심판권은 대법관 전원의 3분의 2 이상의 합의체에서 행사하며, 대법원장이 재판장이 된다. 다만, 대법관 3명 이상으로 구성된 부에서 먼저 사건을 심리하여 의견이 일치한 경우에 한정하여 일정한 예외의 경우를 제외하고 그 부에서 재판할 수 있다. 전원합의체는 대법관의 3분의 2 이상의 출석으로 심리하지만, 결정은 출석 과반수의 찬성으로 의결한다. **(법원조직법 제7조 제1항, 제66조)**
④ (X)

> **법원조직법 제16조(대법관회의의 구성과 의결방법)**
> ② 대법관회의는 대법관 전원의 3분의 2 이상의 출석과 출석인원 과반수의 찬성으로 의결한다.

**정답** ①

## 030

**법원의 위헌법률심판제청에 대한 설명으로 옳은 것은? (다툼이 있는 경우 헌법재판소 결정에 의함)**

① 하급심법원이 위헌법률심판제청을 할 때에는 반드시 대법원을 경유하여야 하며, 대법원은 반드시 위헌 여부에 관한 판단을 헌법재판소에 제시하여야 한다.
② 심판제청의 대상은 형식적 의미의 법률에 한하므로 조약과 긴급명령은 포함되지 아니한다.
③ 폐지된 법률은 위헌심사의 대상이 되지 아니한다.
④ 군사법원도 위헌법률심판제청권을 가진다.
⑤ 법원이 헌법재판소에 위헌법률심판제청을 하면 당해 소송에 관한 일체의 절차가 정지된다.

### 해설

① (X) 하급심법원이 위헌법률심판을 제청할 때에는 반드시 대법원을 경유하여야 한다. 다만, 대법원을 경유하는 것은 형식적 절차에 불과하므로 대법원이 반드시 위헌 여부에 관한 판단을 헌법재판소에 제시하여야 하는 것은 아니다. 과거 제4공화국과 제5공화국에서는 대법원의 불송부결정권을 인정한 경우가 있다.
② (X) 위헌제청의 대상은 법률 또는 법률과 동일한 효력을 가지는 것(예 조약과 긴급명령, 관습법)을 모두 포함한다.
③ (X) 폐지된 법률은 원칙적으로 위헌심사의 대상이 아니지만, 예외적으로 현재에도 기본권의 침해가 있는 경우에는 심사의 대상이 된다.
④ (O) 군사법원을 포함한 모든 법원은 위헌법률심판제청권을 가진다.
⑤ (X) 종국결정을 제외한 다른 절차(예 증거조사)는 진행할 수 있다.

**정답** ④

### 조문정리

**법관징계법 제7조의2(징계부가금)**
① 제7조에 따라 징계청구권자가 징계를 청구하는 경우 그 징계사유가 다음 각 호의 어느 하나에 해당하는 경우에는 해당 징계 외에 다음 각 호의 행위로 취득하거나 제공한 금전 또는 재산상 이득(금전이 아닌 재산상 이득의 경우에는 금전으로 환산한 금액을 말한다)의 5배 내의 징계부가금 부과 의결을 위원회에 청구하여야 한다.
  1. 금전, 물품, 부동산, 향응 또는 그 밖에 대법원규칙으로 정하는 재산상 이익을 취득하거나 제공한 경우
  2. 다음 각 목에 해당하는 것을 횡령, 배임, 절도, 사기 또는 유용한 경우
     〈각 목 생략〉

**제7조의3(재징계 등의 청구)**
① 징계청구권자는 다음 각 호의 어느 하나에 해당하는 사유로 대법원에서 징계 및 징계부가금 부과(이하 '징계 등'이라 한다) 처분의 무효 또는 취소판결을 받은 경우에는 다시 징계 등을 청구하여야 한다. 다만, 제3호의 사유로 무효 또는 취소판결을 받은 감봉·견책처분에 대해서는 징계 등을 청구하지 아니할 수 있다.
  1. 법령의 적용, 증거 및 사실조사에 명백한 흠이 있는 경우
  2. 위원회의 구성 또는 징계 등 의결에 절차상의 흠이 있는 경우
  3. 징계양정 및 징계부가금이 과다한 경우

**제7조의4(퇴직 희망 법관의 징계사유 확인 등)**
① 대법원장은 법관이 퇴직을 희망하는 경우에는 제2조에 따른 징계사유가 있는지 여부를 확인하여야 한다.
② 제1항에 따른 확인 결과 정직에 해당하는 징계사유가 있는 경우 징계청구권자는 지체 없이 징계 등을 청구하여야 한다.
③ 위원회는 제2항에 따라 징계 등이 청구된 경우 다른 징계사건에 우선하여 징계 등을 의결하여야 한다.

> **중요조문**
>
> **법원조직법 제62조의2(외국어 변론 및 전담재판부의 설치)**
> ① 특허법원이 심판권을 가지는 사건 및 민사소송법 제24조 제2항 및 제3항에 따른 소의 제1심사건을 담당하는 법원은 제62조에도 불구하고 당사자의 동의를 받아 당사자가 법정에서 외국어로 변론하는 것을 허가할 수 있다. 이 경우 민사소송법 제143조 제1항 및 제277조는 적용하지 아니한다.
> ② 특허법원장 및 민사소송법 제24조 제2항에서 정한 지방법원의 장은 제1항에 따른 허가가 있는 사건(이하 '국제사건'이라 한다)을 특정한 재판부(이하 '국제재판부'라 한다)로 하여금 전담하게 할 수 있다.

## 031   회독 ☐☐☐   재구성                               16·15 변호사

**법원에 대한 설명으로 옳지 않은 것은? (다툼이 있는 경우 판례에 의함)**

① 「형법」 조항이 집행유예의 요건을 '3년 이하의 징역 또는 금고의 형을 선고할 경우'로 한정하고 있는 것은 법관의 양형판단권을 근본적으로 제한하거나 사법권의 본질을 침해하지 아니한다.
② 사법부의 독립성 및 전문성 요청을 감안하여 헌법은 대법원이 법률에 저촉되지 아니하는 범위 안에서 법관의 임기와 정년, 소송에 관한 절차, 법원의 내부규율과 사무처리에 관한 규칙을 제정하도록 명문으로 규정하고 있다.
③ 군사법원의 조직·권한 및 재판관의 자격을 일반법원과 달리 정할 수 있다고 하여도 그것은 사법권의 독립 등 헌법의 근본원리에 위반되거나 기본권의 본질적 내용을 침해하여서는 아니 되는 헌법적 한계가 있다.
④ 어떤 국세가 「국세기본법」상 당해세 중 우선징수권이 인정되는 '당해 재산의 소유 그 자체를 과세의 대상으로 하여 부과하는 국세와 가산금'에 해당하는지에 관한 구체적·세부적 판단문제는 개별법령의 해석·적용의 권한을 가진 법원의 영역에 속하므로, 헌법재판소가 가려서 답변할 성질의 것이 아니다.

**해설**

① (O) 헌재 1997.8.21. 93헌바60 [15 변호사]
② (X) 헌법은 대법원이 법률에 저촉되지 아니하는 범위 안에서 소송에 관한 절차, 법원의 내부규율과 사무처리에 관한 규칙을 제정하도록 명문으로 규정하고 있지만, 법관의 임기는 헌법이 규정하고 정년에 대해서는 법률로 규정하도록 하고 있다. [16 변호사]
③ (O) 군사법원의 한계에 관한 설명이다. [16 변호사]
④ (O) 사실관계가 법률의 해석에 포섭되는지를 판단하는 것은 법원의 전권사항이다. [16 변호사]

**정답** ②

## 032 회독 ☐☐☐ 재구성      13 국가7급, 11 지방7급

**법원에 대한 설명으로 옳은 것은?**

① 고등법원·특허법원 및 행정법원의 심판권은 반드시 판사 3인으로 구성된 합의부에서 이를 행한다.
② 사법보좌관은 법관의 감독을 받아 업무를 수행하며, 사법보좌관의 처분에 대하여는 대법원규칙이 정하는 바에 따라 법관에 대하여 이의신청을 할 수 있다.
③ 대통령이 대법관을 임명하려면 국회인사청문특별위원회 재적위원 3분의 2 이상의 찬성을 얻어야 한다.
④ 형을 정할 때 국민의 건전한 상식을 반영하고 국민이 신뢰할 수 있는 공정하고 객관적인 양형을 실현하기 위하여 각급 법원에 양형위원회를 둔다.

**해설**

① (✗) [13 국가7급]

> **법원조직법 제7조(심판권의 행사)**
> ③ 고등법원·특허법원 및 행정법원의 심판권은 판사 3명으로 구성된 합의부에서 이를 행사한다. 다만, 행정법원의 경우 단독판사가 심판할 것으로 행정법원 합의부가 결정한 사건의 심판권은 단독판사가 이를 행사한다.

② (○) 법원조직법 제54조 제3항 [13 국가7급]
③ (✗) 대법관은 대법원장의 제청으로 국회의 동의를 얻어 대통령이 임명한다. 인사청문은 의견을 제시하는 절차이므로 국회인사청문특별위원회의 찬성을 얻어 대법관을 임명하는 것은 아니다. 인사청문회의 의견은 대통령을 구속하지 못한다. [11 지방7급]
④ (✗) 대법원에 양형위원회를 둔다. (**법원조직법 제81조의2 제1항**) [11 지방7급]

**정답** ②

---

## 033 회독 ☐☐☐      12 국회8급

**헌법에 임기가 6년으로 명시되어 있지 않은 국가기관을 모두 고르면?**

| ㄱ. 감사원장 | ㄴ. 법관 | ㄷ. 대법관 |
| ㄹ. 대법원장 | ㅁ. 헌법재판소 재판관 | ㅂ. 헌법재판소장 |
| ㅅ. 중앙선거관리위원회 위원 | | |

① ㄱ, ㄴ, ㄷ      ② ㄱ, ㄴ, ㅂ      ③ ㄱ, ㄷ, ㅂ
④ ㄴ, ㄹ, ㅅ      ⑤ ㅁ, ㅂ, ㅅ

**해설**

ㄱ. (✗) 감사원장의 임기는 4년이다. (**헌법 제98조 제2항**) – 1차에 한하여 중임 가능, 감사위원도 동일
ㄴ. (✗) 법관의 임기는 10년이다. (**헌법 제105조 제3항**) – 연임 가능
ㄷ. (○) 대법관의 임기는 6년이다. (**헌법 제105조 제2항**) – 연임 가능
ㄹ. (○) 대법원장의 임기는 6년이다. (**헌법 제105조 제1항**) – 중임 불가
ㅁ. (○) 헌법재판소 재판관의 임기는 6년이다. (**헌법 제112조 제1항**) – 연임 가능
ㅂ. (✗) 헌법재판소장의 임기는 헌법에 규정되어 있지 않다.
ㅅ. (○) 중앙선거관리위원회 위원의 임기는 6년이다. (**헌법 제114조 제3항**)

**정답** ②

## 034 회독 ☐☐☐ 재구성                                    12 변호사

**대법원과 헌법재판소의 관할에 대한 설명으로 중 옳지 않은 것은?**

① 「헌법재판소법」 제68조 제1항은 법원의 재판을 헌법소원의 대상에서 제외하고 있으나, 법원이 헌법재판소가 위헌으로 결정하여 그 효력을 전부 또는 일부 상실한 법률을 적용함으로써 국민의 기본권을 침해한 재판의 경우에도 헌법소원이 허용되지 않는 것이라고 동 조항을 해석한다면 그러한 한도 내에서 헌법에 위반된다.

② 헌법재판소는, 행정처분의 취소를 구하는 행정소송을 제기하였으나 그 기각의 판결이 확정된 경우 당해 행정처분 자체의 위헌성을 주장하면서 그 취소를 구하는 헌법소원심판청구는 당해 법원의 재판이 예외적으로 헌법소원심판의 대상이 되어 그 재판 자체가 취소되는 경우를 제외하고는 허용되지 아니한다고 판시하였다.

③ 대법원은, 유신헌법에 근거한 긴급조치는 사전적으로는 물론 사후적으로도 국회의 동의 내지 승인 등을 얻도록 하는 조치가 취하여진 바가 없어 국회의 입법권 행사라는 실질을 전혀 가지지 못한 것이기 때문에 헌법재판소의 위헌심판대상이 되는 '법률'에 해당한다고 할 수 없고, 따라서 그 위헌 여부에 대한 심사권은 최종적으로 대법원에 속한다고 판시하였다.

④ 헌법재판소는, 대법원이 사법권의 독립을 위하여 규칙제정권을 가지므로 헌법재판소가 대법원규칙에 대하여 그 위헌 여부를 심사할 수 없다고 판시하였다.

**해설**

① (O)
② (O) 원행정처분에 대한 헌법소원을 원칙적으로 인정하지 않는 헌법재판소의 판시사항이다.
③ (O)

🔹 **긴급조치에 대한 대법원과 헌법재판소의 견해 차이**

| 구분 | 대법원 | 헌법재판소 |
| --- | --- | --- |
| 긴급조치의 효력 | 명령의 효력 | 법률의 효력 |
| 심사기준 | 유신헌법, 현행헌법 | 현행헌법 |
| 결론 | 위헌 | 위헌 |

④ (✕) 헌법재판소는 대법원규칙인 법무사법 시행규칙에 대해 위헌결정을 하면서 대법원규칙에 대한 헌법소원을 인정하였다. 즉, 명령·규칙 등이 재판의 전제가 되면 대법원이 최종적으로 심판하고 재판의 전제 없이 기본권을 침해하면 헌법재판소가 직접 심판할 수 있다는 의미이다. 헌법소원의 대상인 공권력에는 원칙적으로 입법, 행정, 사법의 모든 국가권력이 포함되기 때문이다.

**정답** ④

## 035  회독 ☐☐☐   11 법원직

**법원에 속하는 권한이 아닌 것은?**

① 선거소송심판권
② 지방자치단체장의 자치사무에 관한 명령이나 처분을 주무부장관이 취소하는 경우 이를 다투는 소송
③ 지방자치단체 상호 간의 권한 다툼
④ 재판의 전제가 되는 명령·규칙에 대한 위헌심사권

> **해설**

① (O) 선거소송은 광의의 헌법재판에 해당하지만, 헌법재판소의 관할이 아니라 법원의 관할이다. 선거소송 중 대법원이 1심으로 관할하는 것은 대통령 선거, 국회의원 선거, 시·도지사 선거, 비례대표광역의원 선거이다. **(공직선거법 제222조, 제223조)**

② (O)

> **지방자치법 제188조(위법·부당한 명령이나 처분의 시정)**
> ⑥ 지방자치단체의 장은 제1항, 제3항 또는 제4항에 따른 자치사무에 관한 명령이나 처분의 취소 또는 정지에 대하여 이의가 있으면 그 취소처분 또는 정지처분을 통보받은 날부터 15일 이내에 대법원에 소를 제기할 수 있다.

③ (X) 헌법 제111조 제1항 제4호에 따르면 지방자치단체 상호 간의 권한 다툼은 헌법재판소의 권한쟁의심판의 대상이 된다.
④ (O) 명령·규칙 또는 처분이 헌법이나 법률에 위반되는 여부가 재판의 전제가 된 경우에 법원은 이를 심사하며, 대법원은 최종적인 심사권한을 가지는데, **(헌법 제107조 제2항)** 명령·규칙이 직접 기본권을 침해하면 헌법재판소도 심판할 수 있다.

 정답 ③


## 036  회독 ☐☐☐   10 법원직

**법원에 관한 설명으로 가장 잘못된 것은?**

① 미국 연방대법원이 누리는 권위는 Marbury v. Madison(1803) 사건 이래 쌓아올린 위헌법률심사권에 기초하는데, 이는 헌법상 사법기관·재판기관이 이원적 구조임을 전제로 하는 것이다.
② 군사법원은 현행헌법이 명문으로 인정하고 있는 유일한 특별법원이다.
③ 서울가정법원, 서울행정법원, 특허법원은 법률로써 설치된 특수법원이다.
④ 헌법 제101조 제1항·제2항에 비추어 본다면 모든 재판은 법관에 의한 것이어야 하고 또한 대법원을 최종심으로 하는 것이어야 한다.

> **해설**

① (X) 미국 연방대법원은 Marbury v. Madison 사건을 계기로 대법원이 위헌법률심판에 대한 권한을 가지게 되는데, 이것은 헌법상 사법기관과 재판기관이 일원적 구조를 이루고 있다는 의미이다. 헌법변천의 일례이다.
② (O) **헌법 제110조**
③ (O) 특수법원은 헌법과 법률이 정한 법관이 재판하고, 대법원에 상고가 인정되는 법원으로서 단지 관할이 특수한 사항에 한정되는 법원을 말한다. 따라서 특수법원은 법률만으로도 설치가 가능하다. 이에 비해 예외법원은 헌법에 명문규정이 있어야 하는바, 군사법원은 예외법원으로서의 성격을 가진다.
④ (O) 모든 재판은 법률이 정하는 법관이 하여야 하고, 그 최종심은 대법원을 정점으로 하여야 한다.

 정답 ①

## 037 [10 법무사]

**현행법상 대법원이 단심으로 처리하는 사건인 것만을 모두 고르면?**

> ㄱ. 시·도지사 선거소송, 시·도지사 당선소송
> ㄴ. 법관의 징계처분에 대한 징계처분 취소청구
> ㄷ. 해양사고사건에 관한 중앙해양안전심판원의 재결에 대한 소송
> ㄹ. 공정거래위원회의 처분에 대한 불복의 소
> ㅁ. 국회의원 선거소송, 국회의원 당선소송

① ㄱ, ㄴ, ㅁ  ② ㄱ, ㄷ, ㄹ  ③ ㄴ, ㄷ, ㅁ  ④ ㄷ, ㄹ, ㅁ

### 해설

ㄱ. (O) ㅁ. (O) 공직선거법 제222조, 제223조

ㄴ. (O)

> **법관징계법 제27조(불복절차)**
> ① 피청구인이 징계 등 처분에 대하여 불복하려는 경우에는 징계 등 처분이 있음을 안 날부터 14일 이내에 전심절차를 거치지 아니하고 대법원에 징계처분의 취소를 청구하여야 한다.
> ② 대법원은 제1항의 취소청구사건을 단심으로 재판한다.

ㄷ. (X)

> **해양사고의 조사 및 심판에 관한 법률 제74조(관할과 제소기간 및 그 제한)**
> 중앙심판원의 재결에 대한 소송은 중앙심판원의 소재지를 관할하는 고등법원에 전속한다.

**단심제와 2심제**

| 단심제<br>(대법원이 1심으로 재판) | 대통령, 국회의원, 시·도지사, 비례대표시·도의원 등의 선거소송(대법원의 전속관할), 비상계엄하의 군사재판, 법관의 징계에 대한 재판, 기관소송 |
|---|---|
| 2심제<br>(고등법원을 거쳐 대법원이 판단) | 특허소송[제1심 특허법원(고등법원급) → 제2심 대법원], 지방의회의원 선거(비례대표시·도의원은 제외), 자치구·시·군의 장의 선거에 관련된 선거소송의 제1심은 고등법원의 관할로 하고, 제2심은 대법원이 관할 |

ㄹ. (X)

> **독점규제 및 공정거래에 관한 법률 제100조(불복의 소의 전속관할)**
> 제99조에 따른 불복의 소는 서울고등법원을 전속관할로 한다.

**정답** ①

### 기출지문 OX

❶ 법정질서위반자는 법원의 감치처분에 대하여 불복할 수 없다. 08 국가7급 (O/X)
   해설 법원조직법 제61조 제5항에 따라 법정질서위반자는 법원의 감치처분에 대하여 불복할 수 있다. **정답** X

❷ 국민참여재판에서 배심원은 법원의 증거능력에 관한 심리에 관여할 수 없다. 08 국가7급 (O/X)
   해설 국민의 형사재판 참여에 관한 법률 제44조
   배심원이 법원의 증거능력에 관한 심리에 관여할 수 없게 한 이유는 생각건대 증거능력의 문제가 실무에서 매우 어렵고 법리적인 부분이기 때문이다. 실제 형사재판에서도 증거능력에 관한 부분은 매우 조심스러운 점이 있다. **정답** O

❸ 「상고심절차에 관한 특례법」 제4조 등의 심리불속행제도는 상고허가제로서 위헌이다. 08 국가7급 (O/X)

해설 상고심절차에 관한 특례법 제4조의 심리불속행제도는 상고허가제로서 헌법에 위반되지 아니한다. (헌재 1997.10.30. 97헌바37 등)

정답 X

## 예상판례

### 법관의 양형결정권을 침해한 사례

단순매수나 단순판매목적 소지의 마약사범에 대하여도 사형·무기 또는 10년 이상의 징역에 처하도록 하는 규정은 지나치게 과도한 형벌로서 책임과 형벌 간의 비례성원칙에 어긋나고 법관의 양형선택·판단권을 지나치게 제한하는 것이다. (헌재 2003.11.27. 2002헌바24【위헌】)
위 특정범죄 가중처벌 등에 관한 법률 조항은 단순매수나 단순판매목적 소지의 마약사범에 대하여도 사형·무기 또는 10년 이상의 징역에 처하도록 규정하고 있어, 예컨대 단 한 차례 극히 소량의 마약을 매수하거나 소지하고 있었던 경우 실무상 작량감경을 하더라도 별도의 법률상 감경사유가 없는 한 집행유예를 선고할 수 없도록 법관의 양형선택과 판단권을 극도로 제한하고 있고 또한 범죄자의 귀책사유에 알맞은 형벌을 선고할 수 없도록 법관의 양형결정권을 원천적으로 제한하고 있어 매우 부당하다.

### 법관의 양형결정권을 침해하지 않은 사례

❶ 허위신고에 의한 밀수입행위에 대해 징역형과 별도로 '수입한 물품원가의 2배에 상당하는 벌금형'을 필요적으로 병과하도록 하는 규정은 헌법에 위반되지 않는다. (헌재 2008.4.24. 2007헌가20【합헌】)
재정범에 대하여 벌금형을 부과하는 경우 그 성질상 범죄자의 정상 등을 고려하지 않고 그 의무 위반사실만을 이유로 획일적으로 처벌할 필요성이 있다. 이 사건 법률조항과 같이 벌금형의 법정형을 수입한 물품원가의 2배로 고정시킴으로써 법관으로 하여금 벌금형을 선고함에 있어 벌금액수에 선택의 여지가 없도록 양형재량을 축소하였다고 하더라도, 이 사건 법률조항 외의 총체적인 양형을 고려하면 이 사건 법률조항이 현저히 자의적으로 법관의 양형재량을 침해했다고 볼 수 없다.

❷ 조세범에 대한 벌금액을 체납액 상당액으로 정액화하고 있는 조세범 처벌법【합헌】

❸ 주거침입강간죄의 가중처벌【합헌】

❹ 속칭 '키스방'을 운영하면서 미성년자를 고용하여 성교를 하게 한 행위를 살인죄보다 무겁게 처벌하는 것은 헌법에 위반되지 않는다. (헌재 2011.10.25. 2011헌가1【합헌】)
이 사건 법률조항이 정하고 있는 7년 이상의 유기징역형이 책임과 형벌 간의 비례원칙에 어긋나는 과잉형벌이라고 보기 어렵다.

## 기출지문 OX

甲은 법관으로 임용된 이래 서울 등 이른바 재경지역 법원에 근무하다가 법원 내부의 확립된 인사원칙의 하나인 경향교류원칙에 따라 A광역시 지방법원 판사로 전보발령되어 근무하던 중, 정기인사를 앞두고 그동안 자신이 대법원 양형위원회의 양형기준을 벗어난 판결을 여러 차례 선고한 것에 대한 문책성 인사가 이루어질 것이라는 소문을 들었다.

「법원조직법」은 법관의 인적 독립보장을 위해서 甲의 의사에 반하여 전보발령처분을 할 수 없도록 명시적으로 규정하고 있다.
17 변호사 (O/X)

해설 법원조직법에는 법관 파견근무의 경우에는 동의를 받아야 한다는 조문이 있지만, 전보발령에 대하여는 그러한 규정이 없다.

> **법원조직법 제50조(파견근무)**
> 대법원장은 다른 국가기관으로부터 법관의 파견근무 요청을 받은 경우에 업무의 성질상 법관을 파견하는 것이 타당하다고 인정되고 해당 법관이 파견근무에 동의하는 경우에는 그 기간을 정하여 이를 허가할 수 있다.

정답 X

# CHAPTER 07 헌법재판소와 헌법소송

## 제 1 절  헌법재판소 일반론

### 001  24 국회8급

**헌법재판의 심판절차에 대한 설명으로 옳지 않은 것은?**

① 해당 법률 또는 법률의 조항에 대하여 종전에 합헌으로 결정한 사건이 있는 경우에 위헌으로 결정된 형벌에 관한 법률 또는 법률의 조항은 그 위헌결정이 있는 날의 다음 날로 소급하여 효력을 상실한다.
② 「헌법재판소법」 제68조 제1항에 따른 헌법소원의 심판은 그 사유가 있음을 안 날부터 90일 이내에, 그 사유가 있는 날부터 1년 이내에 청구하여야 한다. 다만, 다른 법률에 따른 구제절차를 거친 헌법소원의 심판은 그 최종결정을 통지받은 날부터 30일 이내에 청구하여야 한다.
③ 헌법재판소에의 심판청구는 심판절차별로 정하여진 청구서를 헌법재판소에 제출함으로써 한다. 다만, 위헌법률심판에서는 법원의 제청서, 탄핵심판에서는 국회의 소추의결서의 정본으로 청구서를 갈음한다.
④ 헌법재판소는 위헌법률심판의 결정일부터 14일 이내에 결정서 정본을 제청한 법원에 송달한다. 이 경우에 위헌법률심판을 제청한 법원이 대법원이 아닌 경우에는 대법원을 거쳐야 한다.
⑤ 재판부는 결정으로 재판·소추 또는 범죄수사가 진행 중인 사건의 기록에 대하여 송부를 요구할 수 있다.

**해설**

① (✗)

> **헌법재판소법 제47조(위헌결정의 효력)**
> ① 법률의 위헌결정은 법원과 그 밖의 국가기관 및 지방자치단체를 기속(羈束)한다.
> ② 위헌으로 결정된 법률 또는 법률의 조항은 그 결정이 있는 날부터 효력을 상실한다.
> ③ 제2항에도 불구하고 형벌에 관한 법률 또는 법률의 조항은 소급하여 그 효력을 상실한다. 다만, 해당 법률 또는 법률의 조항에 대하여 종전에 합헌으로 결정한 사건이 있는 경우에는 그 결정이 있는 날의 다음 날로 소급하여 효력을 상실한다.
> ④ 제3항의 경우에 위헌으로 결정된 법률 또는 법률의 조항에 근거한 유죄의 확정판결에 대하여는 재심을 청구할 수 있다.

② (O) 헌법재판소법 제69조
③ (O) 헌법재판소법 제26조 제1항

④ (O)

> **헌법재판소법 제73조(각하 및 심판회부 결정의 통지)**
> ① 지정재판부는 헌법소원을 각하하거나 심판회부결정을 한 때에는 그 결정일부터 14일 이내에 청구인 또는 그 대리인 및 피청구인에게 그 사실을 통지하여야 한다. 제72조 제4항 후단의 경우에도 또한 같다.
> ② 헌법재판소장은 헌법소원이 제72조 제4항에 따라 재판부의 심판에 회부된 때에는 다음 각 호의 자에게 지체 없이 그 사실을 통지하여야 한다.
>   1. 법무부장관
>   2. 제68조 제2항에 따른 헌법소원심판에서는 청구인이 아닌 당해 사건의 당사자

⑤ (×)

> **헌법재판소법 제32조(자료제출 요구 등)**
> 재판부는 결정으로 다른 국가기관 또는 공공단체의 기관에 심판에 필요한 사실을 조회하거나, 기록의 송부나 자료의 제출을 요구할 수 있다. 다만, 재판·소추 또는 범죄수사가 진행 중인 사건의 기록에 대하여는 송부를 요구할 수 없다.

**정답** ①, ⑤(복수정답으로 인정)

## 002  23 국가7급

**헌법재판소의 일반심판절차에 대한 설명으로 옳지 않은 것은?**

① 당사자는 동일한 사건에 대하여 2명 이상의 재판관을 기피할 수 없다.
② 위헌법률의 심판과 헌법소원에 관한 심판은 구두변론에 의하고, 탄핵의 심판, 정당해산의 심판 및 권한쟁의의 심판은 서면심리에 의한다.
③ 법률의 위헌결정, 탄핵의 결정, 정당해산의 결정 또는 헌법소원에 관한 인용결정을 하는 경우에는 재판관 6명 이상의 찬성이 있어야 한다.
④ 헌법재판소의 심판절차에 관하여 「헌법재판소법」에 특별한 규정이 있는 경우를 제외하고는 헌법재판의 성질에 반하지 아니하는 한도에서 민사소송에 관한 법령을 준용하며, 탄핵심판의 경우에는 형사소송에 관한 법령을 준용하고, 권한쟁의심판 및 헌법소원심판의 경우에는 「행정소송법」을 함께 준용한다.

### 해설

① (O) 2명 이상 기피할 수 없으니까 1명만 기피할 수 있다. **(헌법재판소법 제24조 제4항)**

② (✕)

> **헌법재판소법 제30조(심리의 방식)**
> ① 탄핵의 심판, 정당해산의 심판 및 권한쟁의의 심판은 구두변론에 의한다.
> ② 위헌법률의 심판과 헌법소원에 관한 심판은 서면심리에 의한다. 다만, 재판부는 필요하다고 인정하는 경우에는 변론을 열어 당사자, 이해관계인, 그 밖의 참고인의 진술을 들을 수 있다.
> ③ 재판부가 변론을 열 때에는 기일을 정하여 당사자와 관계인을 소환하여야 한다.

③ (O)

> **헌법재판소법 제23조(심판정족수)**
> ① 재판부는 재판관 7명 이상의 출석으로 사건을 심리한다.
> ② 재판부는 종국심리에 관여한 재판관 과반수의 찬성으로 사건에 관한 결정을 한다. 다만, 다음 각 호의 어느 하나에 해당하는 경우에는 재판관 6명 이상의 찬성이 있어야 한다.
>   1. 법률의 위헌결정, 탄핵의 결정, 정당해산의 결정 또는 헌법소원에 관한 인용결정을 하는 경우
>   2. 종전에 헌법재판소가 판시한 헌법 또는 법률의 해석 적용에 관한 의견을 변경하는 경우

④ (O)

> **헌법재판소법 제40조(준용규정)**
> ① 헌법재판소의 심판절차에 관하여는 이 법에 특별한 규정이 있는 경우를 제외하고는 헌법재판의 성질에 반하지 아니하는 한도에서 민사소송에 관한 법령을 준용한다. 이 경우 탄핵심판의 경우에는 형사소송에 관한 법령을 준용하고, 권한쟁의심판 및 헌법소원심판의 경우에는 「행정소송법」을 함께 준용한다.
> ② 제1항 후단의 경우에 형사소송에 관한 법령 또는 「행정소송법」이 민사소송에 관한 법령에 저촉될 때에는 민사소송에 관한 법령은 준용하지 아니한다.

**정답** ②

## 003 [23 국가7급]

**헌법재판에 대한 설명으로 옳지 않은 것은? (다툼이 있는 경우 헌법재판소 결정에 의함)**

① 한정위헌결정의 기속력을 부인하여 청구인들의 재심청구를 기각한 법원의 재판은 '법률에 대한 위헌결정의 기속력에 반하는 재판'으로 이에 대한 헌법소원이 허용될 뿐 아니라 헌법상 보장된 재판청구권을 침해하였으므로 「헌법재판소법」 제75조 제3항에 따라 취소되어야 한다.

② 법률에 대한 헌법재판소의 한정위헌결정 이전에 그 법률을 적용하여 확정된 유죄판결은 '헌법재판소가 위헌으로 결정한 법령을 적용하여 국민의 기본권을 침해한 재판'에는 해당하지 않지만, '위헌결정의 기속력에 반하는 재판'이므로 그 판결을 대상으로 한 헌법소원 심판청구는 적법하다.

③ 「헌법재판소법」 제68조 제1항의 헌법소원은 행정처분에 대하여도 청구할 수 있는 것이나, 그것이 법원의 재판을 거쳐 확정된 행정처분인 경우에는 당해 행정처분을 심판의 대상으로 삼았던 법원의 재판이 예외적으로 헌법소원심판의 대상이 되어 그 재판 자체가 취소되는 경우에 한하여 심판이 가능한 것이고, 이와 달리 법원의 재판이 취소될 수 없는 경우에는 당해 행정처분 역시 헌법소원심판청구의 대상이 되지 아니한다.

④ 헌법소원심판청구인이 심판대상 법률조항의 특정한 해석이나 적용 부분의 위헌성을 주장하는 한정위헌청구는 원칙적으로 적법하지만, 한정위헌청구의 형식을 취하고 있으면서도 실제로는 개별적·구체적 사건에서의 법률조항의 단순한 포섭·적용에 관한 문제를 다투거나 의미 있는 헌법문제를 주장하지 않으면서 법원의 법률해석이나 재판결과를 다투는 심판청구는 부적법하다.

> **해설**

① (O)

> 구 조세감면규제법 부칙 제23조에 대한 헌법재판소의 한정위헌결정의 기속력을 부인한 법원의 재판(재심기각판결 및 재심상고기각판결)은 청구인의 재판청구권을 침해한 것이므로 이를 취소한다. (헌재 2022.7.21. 2013헌마242【인용(취소)】)

② (X) 위헌결정 이전에 해당 법률을 적용하여 한 재판은 위헌결정의 기속력과 관계가 없다.

③ (O) 원행정처분은 원칙적으로 헌법소원의 대상이 아니지만, 예외적으로 그 재판이 헌법소원에 의해 취소되면 원행정처분도 헌법소원의 대상이 된다.

④ (O)

> 구체적 규범통제절차에서 법률조항에 대한 특정적 해석이나 적용부분의 위헌성을 다투는 한정위헌청구가 원칙적으로 적법하다고 하더라도, 재판소원을 금지하고 있는 헌법재판소법 제68조 제1항의 취지에 비추어 한정위헌청구의 형식을 취하고 있으면서도 실제로는 당해 사건 재판의 기초가 되는 사실관계의 인정이나 평가 또는 개별적·구체적 사건에서의 법률조항의 단순한 포섭·적용에 관한 문제를 다투거나 의미 있는 헌법문제를 주장하지 않으면서 법원의 법률해석이나 재판결과를 다투는 경우 등은 모두 현행의 규범통제제도에 어긋나는 것으로서 허용될 수 없는 것이다. (헌재 2018.2.20. 2018헌마78)

정답

## 004  22 국가7급

**헌법재판소의 조직 및 심판절차에 대한 설명으로 옳은 것은?**

① 「헌법재판소법」은 정당해산심판과 헌법소원심판에 대해서만 명문으로 가처분규정을 두고 있다.
② 변론기일에 출석하여 본안에 관한 진술을 한 때에도 재판관에게 공정한 심판을 기대하기 어려운 사정이 있는 경우라면 당사자는 기피신청을 할 수 있다.
③ 위헌법률의 심판과 권한쟁의에 관한 심판은 서면심리에 의한다. 다만, 재판부는 필요하다고 인정하는 경우에는 변론을 열어 당사자, 이해관계인, 그 밖의 참고인의 진술을 들을 수 있다.
④ 헌법소원심판에서 헌법재판소가 국선대리인을 선정하지 아니한다는 결정을 한 때에는 지체 없이 그 사실을 신청인에게 통지하여야 한다. 이 경우 신청인이 선임신청을 한 날부터 그 통지를 받은 날까지의 기간은 「헌법재판소법」 제69조의 청구기간에 산입하지 아니한다.

**해설**

① (✕) 헌법재판소법은 정당해산심판과 권한쟁의심판에 대해서만 명문으로 가처분규정을 두고 있다. 헌법소원에 대한 가처분은 명문규정은 없지만 판례에 의해 사안별로 인정된다.

② (✕)

> **헌법재판소법 제24조(제척 · 기피 및 회피)**
> ③ 재판관에게 공정한 심판을 기대하기 어려운 사정이 있는 경우 당사자는 기피신청을 할 수 있다. 다만, 변론기일에 출석하여 본안에 관한 진술을 한 때에는 그러하지 아니하다.

③ (✕)

> **헌법재판소법 제30조(심리의 방식)**
> ① 탄핵의 심판, 정당해산의 심판 및 권한쟁의의 심판은 구두변론에 의한다.
> ② 위헌법률의 심판과 헌법소원에 관한 심판은 서면심리에 의한다. 다만, 재판부는 필요하다고 인정하는 경우에는 변론을 열어 당사자, 이해관계인, 그 밖의 참고인의 진술을 들을 수 있다.
> ③ 재판부가 변론을 열 때에는 기일을 정하여 당사자와 관계인을 소환하여야 한다.

④ (○) 헌법재판소법 제70조 제4항

**정답** ④

## 005 회독 □□□  20 5급행시

**헌법재판소에 대한 설명으로 옳은 것은?**

① 헌법재판소 재판관은 탄핵 또는 금고 이상의 형의 선고에 의하지 아니하고는 파면되지 아니한다.
② 헌법재판소장은 지정재판부를 두어 위헌법률심판의 사전심사를 담당하게 할 수 있다.
③ 헌법재판소 재판관은 헌법재판소장의 제청으로 대통령이 임명한다.
④ 헌법재판소 재판관 중 국회에서 선출되는 3인은 정당에 가입을 할 수 있다.

**해설**

① (O) 헌법 제112조 제3항
　　법관의 경우처럼 징계처분에 의하지 않고서 불이익을 받지 않는다는 규정은 없다.
② (✕) 지정재판부의 사전심사는 위헌법률심판이 아니라 헌법소원의 경우이다.

　**헌법재판소법 제72조(사전심사)**
　① 헌법재판소장은 헌법재판소에 재판관 3명으로 구성되는 지정재판부를 두어 헌법소원심판의 사전심사를 담당하게 할 수 있다.

③ (✕) 대법관 임명에는 대법원장의 제청이 필요하지만, 헌법재판소 재판관은 '헌법재판소장의 제청'이 필요 없다.

　**헌법 제111조**
　② 헌법재판소는 법관의 자격을 가진 9인의 재판관으로 구성하며, 재판관은 대통령이 임명한다.
　③ 제2항의 재판관 중 3인은 국회에서 선출하는 자를, 3인은 대법원장이 지명하는 자를 임명한다.

④ (✕)

　**헌법 제112조**
　② 헌법재판소 재판관은 정당에 가입하거나 정치에 관여할 수 없다.

**정답** ①

---

**기출지문 OX**

❶ 헌법재판소장의 임기는 6년으로 중임할 수 없으나, 헌법재판관의 임기는 6년으로 법률이 정하는 바에 의하여 연임할 수 있다. 15 국회8급　(O / ✕)
　해설 헌법재판소장의 임기, 중임에 대해서는 규정이 없다. 헌법재판소 재판관의 임기는 6년으로 법률이 정하는 바에 의하여 연임할 수 있다.　**정답** ✕

❷ 헌법재판소 재판관이 중대한 심신상의 장해로 직무를 수행할 수 없을 때에는 법률이 정하는 바에 의하여 퇴직하게 할 수 있다. 14 국회8급　(O / ✕)
　해설 법관이 중대한 심신상의 장해로 직무를 수행할 수 없을 때에는 법률이 정하는 바에 의하여 퇴직하게 할 수 있으나, (헌법 제106조 제2항) 헌법재판소 재판관에 대하여는 헌법에 규정이 없다.　**정답** ✕

❸ 헌법재판소장이 궐위되거나 사고로 말미암아 직무를 수행할 수 없을 때에는 다른 재판관이 연장자 순으로 대행한다. 18 국가7급　(O / ✕)

　해설
　**헌법재판소법 제12조(헌법재판소장)**
　④ 헌법재판소장이 궐위되거나 부득이한 사유로 직무를 수행할 수 없을 때에는 다른 재판관이 헌법재판소규칙이 정하는 순서에 따라 그 권한을 대행한다.

**정답** ✕

## 006

**헌법재판소에 대한 설명으로 옳지 않은 것은?**

① 헌법재판소 재판관이 되기 위해서는 법관의 자격을 갖추어야 한다.
② 헌법재판소 재판관 후보자가 헌법재판소장 후보자를 겸하는 경우에는 인사청문특별위원회의 인사청문회를 연다.
③ 헌법재판소 재판관은 직무에 흠결이 있으면 징계에 의해 파면될 수 있다.
④ 종전에 헌법재판소가 판시한 헌법·법률의 해석 적용에 관한 의견을 변경하려면 6인 이상의 재판관이 찬성하여야 한다.
⑤ 헌법재판소는 법률에 저촉되지 아니하는 범위 안에서 심판에 관한 절차, 내부규율과 사무처리에 관한 규칙을 제정할 수 있다.

**해설**

① (O)

> **헌법 제111조**
> ② 헌법재판소는 법관의 자격을 가진 9인의 재판관으로 구성하며, 재판관은 대통령이 임명한다.
>
> **헌법재판소법 제5조(재판관의 자격)**
> ① 재판관은 다음 각 호의 어느 하나에 해당하는 직에 15년 이상 있던 40세 이상인 사람 중에서 임명한다. 다만, 다음 각 호 중 둘 이상의 직에 있던 사람의 재직기간은 합산한다.
>   1. 판사, 검사, 변호사
>   2. 변호사 자격이 있는 사람으로서 국가기관, 국영·공영 기업체, 공공기관의 운영에 관한 법률 제4조에 따른 공공기관 또는 그 밖의 법인에서 법률에 관한 사무에 종사한 사람
>   3. 변호사 자격이 있는 사람으로서 공인된 대학의 법률학 조교수 이상의 직에 있던 사람

② (O) 헌법재판소장은 국회의 동의를 받아 대통령이 임명하므로 인사청문특별위원회의 청문을 거쳐야 한다.

③ (X)

> **헌법 제112조**
> ③ 헌법재판소 재판관은 탄핵 또는 금고 이상의 형의 선고에 의하지 아니하고는 파면되지 아니한다.

④ (O)

> **헌법재판소법 제23조(심판정족수)**
> ① 재판부는 재판관 7명 이상의 출석으로 사건을 심리한다.
> ② 재판부는 종국심리에 관여한 재판관 과반수의 찬성으로 사건에 관한 결정을 한다. 다만, 다음 각 호의 어느 하나에 해당하는 경우에는 재판관 6명 이상의 찬성이 있어야 한다.
>   1. 법률의 위헌결정, 탄핵의 결정, 정당해산의 결정 또는 헌법소원에 관한 인용결정을 하는 경우
>   2. 종전에 헌법재판소가 판시한 헌법 또는 법률의 해석 적용에 관한 의견을 변경하는 경우

⑤ (O) 헌법 제113조 제2항

**정답** ③

## 007 헌법재판소에 대한 설명으로 옳지 않은 것은?

① 헌법재판관은 대통령, 국회, 대법원장이 각 3인씩을 임명하고, 헌법재판소장은 국회의 동의를 얻어 재판관 중에서 대통령이 임명한다.
② 헌법재판소의 심판의 변론과 결정의 선고는 공개한다. 다만, 국가의 안전보장, 안녕질서 또는 선량한 풍속을 해칠 우려가 있는 경우에는 결정으로 변론을 공개하지 아니할 수 있다.
③ 재판부는 재판관 7명 이상의 출석으로 사건을 심리한다.
④ 「헌법재판소법」 제68조 제2항에 따른 헌법소원이 인용된 경우에는 당해 사건이 법원에서 이미 확정되었더라도 당사자는 재심을 청구할 수 있다.

### 해설

① (✗) 헌법재판소 재판관을 지명하는 것은 선지와 같지만, 9명 모두 대통령이 임명한다. [19 법원직]
② (○) [19 법원직]

> **헌법재판소법 제34조(심판의 공개)**
> ① 심판의 변론과 결정의 선고는 공개한다. 다만, 서면심리와 평의는 공개하지 아니한다.
> ② 헌법재판소의 심판에 관하여는 법원조직법 제57조 제1항 단서와 같은 조 제2항 및 제3항을 준용한다.
>
> **법원조직법 제57조(재판의 공개)**
> ① 재판의 심리와 판결은 공개한다. 다만, 심리는 국가의 안전보장, 안녕질서 또는 선량한 풍속을 해칠 우려가 있는 경우에는 결정으로 공개하지 아니할 수 있다.

③ (○) 헌법재판소법 제23조 제1항 [19 법원직]
④ (○) 헌법재판소법 제75조 제7항 [13 변호사]

> 헌법재판소법 제68조 제2항의 헌법소원은 당해 사건이 정지되지 않기 때문에 당해 사건에 한해서는 민사·형사를 가리지 않고 재심이 허용된다.

**정답** ①

## 008  18 국회8급

우리나라 헌법재판제도에 따른 심판과 각 관할 기관의 변천사를 도표로 나타낸 것이다. 이 중 내용이 옳지 않은 것을 모두 고르면?

| 구분 | 위헌법률심판 | 탄핵심판 | 위헌정당해산심판 | 권한쟁의심판 | 헌법소원심판 |
|---|---|---|---|---|---|
| ㄱ. 제헌헌법 | 헌법위원회 | 탄핵재판소 | × | 대법원 | 헌법위원회 |
| ㄴ. 제3차 개정헌법 | 헌법재판소 | | | | × |
| ㄷ. 제5차 개정헌법 | 대법원 | 탄핵심판위원회 | 대법원 | | × |
| ㄹ. 제7차 개정헌법 | 헌법위원회 | | | × | × |
| ㅁ. 제8차 개정헌법 | 헌법위원회 | | | × | × |
| ㅂ. 제9차 개정헌법 | 헌법재판소 | | | | |

① ㄱ, ㄷ
② ㄱ, ㄹ
③ ㄴ, ㄷ
④ ㄴ, ㅂ
⑤ ㄹ, ㅁ

**해설**

ㄱ. (✗) 건국헌법에서는 권한쟁의심판과 헌법소원심판이 인정되지 않았다.
ㄴ. (○) 제3차 개정헌법에서 헌법재판소는 권한쟁의심판에 관한 규정을 두었으나, 헌법소원심판에 관한 규정은 없었다. 헌법소원심판은 현행 헌법에서 처음 규정되었다.
ㄷ. (✗) 제5차 개정헌법에서도 권한쟁의심판은 없었다.
ㄹ. (○) ㅁ. (○) 이때는 대법원에 불송부결정권이 있었다
ㅂ. (○)

**정답** ①

---

**기출지문 OX**

1948년 제헌헌법의 헌법위원회는 부통령을 위원장으로 하고 대법관 5인과 국회의원 5인의 위원으로 구성되었으며, 그 권한은 법률의 위헌 여부에 대한 결정에 한정되어 있었다. 17 국가7급(하)   ( ○ / ✗ )

**해설** 건국헌법(1948년)상 헌법위원회에 대한 내용이다.

> **제헌헌법 제81조**
> 법률이 헌법에 위반되는 여부가 재판의 전제가 되는 때에는 법원은 헌법위원회에 제청하여 그 결정에 의하여 재판한다. 헌법위원회는 부통령을 위원장으로 하고 대법관 5인과 국회의원 5인의 위원으로 구성한다. 헌법위원회에서 위헌결정을 할 때에는 위원 3분의 2 이상의 찬성이 있어야 한다.

**정답** ○

## 009

**헌법재판소 결정에 대한 설명으로 옳은 것은? (다툼이 있는 경우 판례에 의함)**

① 권한쟁의심판에서 국가기관 또는 지방자치단체의 처분을 취소하는 결정은 그 처분의 상대방인 제3자에 대하여 이미 생긴 효력에 영향을 미친다.
② 모든 심리와 평의는 공개가 원칙이나, 국가안전보장, 안녕질서 또는 선량한 풍속을 해칠 우려가 있는 경우에는 결정으로 공개하지 아니할 수 있다.
③ 정당해산심판절차에서 재심을 허용함으로써 얻을 수 있는 구체적 타당성의 이익보다 재심을 허용하지 아니함으로써 얻을 수 있는 법적 안정성의 이익이 더 크므로 정당해산결정에 대한 재심은 허용되지 않는다.
④ 정당해산을 명하는 결정서는 피청구인 외에 국회, 정부 및 중앙선거관리위원회에도 송달하여야 한다.

### 해설

① (×)

> **헌법재판소법 제67조(결정의 효력)**
> ① 헌법재판소의 권한쟁의심판의 결정은 모든 국가기관과 지방자치단체를 기속한다.
> ② 국가기관 또는 지방자치단체의 처분을 취소하는 결정은 그 처분의 상대방에 대하여 이미 생긴 효력에 영향을 미치지 아니한다.

② (×)

> **헌법재판소법 제34조(심판의 공개)**
> ① 심판의 변론과 결정의 선고는 공개한다. 다만, 서면심리와 평의는 공개하지 아니한다.

③ (×)

> 정당해산심판은 원칙적으로 해당 정당에게만 그 효력이 미치며, 정당해산결정은 대체정당이나 유사정당의 설립까지 금지하는 효력을 가지므로 오류가 드러난 결정을 바로잡지 못한다면 장래 세대의 정치적 의사결정에까지 부당한 제약을 초래할 수 있다. 따라서 정당해산심판절차에서는 재심을 허용하지 아니함으로써 얻을 수 있는 법적 안정성의 이익보다 재심을 허용함으로써 얻을 수 있는 구체적 타당성의 이익이 더 크므로 재심을 허용하여야 한다. 한편, 이 재심절차에서는 원칙적으로 민사소송법의 재심에 관한 규정이 준용된다. (헌재 2016.5.26. 2015헌아20)

④ (○)

> **헌법재판소법 제58조(청구 등의 통지)**
> ① 헌법재판소장은 정당해산심판의 청구가 있는 때, 가처분결정을 한 때 및 그 심판이 종료한 때에는 그 사실을 국회와 중앙선거관리위원회에 통지하여야 한다.
> ② 정당해산을 명하는 결정서는 피청구인 외에 국회, 정부 및 중앙선거관리위원회에도 송달하여야 한다.

**정답** ④

## 010 회독 ☐☐☐

22 서울·지방7급

**헌법재판에 대한 설명으로 옳은 것은?**

① 재판부는 결정으로 다른 국가기관 또는 공공단체의 기관에 심판에 필요한 사실을 조회하거나 기록의 송부나 자료의 제출을 요구할 수 있으나, 재판·소추 또는 범죄수사가 진행 중인 사건의 기록에 대하여는 송부를 요구할 수 없다.
② 위헌으로 결정된 형벌에 관한 법률 또는 법률의 조항은 소급하여 그 효력을 상실하나, 해당 법률 또는 법률의 조항에 대하여 종전에 합헌으로 결정한 사건이 있는 경우에는 그 결정이 있는 날로 소급하여 효력을 상실한다.
③ 헌법재판소는 심판사건을 접수한 날부터 180일 이내에 종국결정의 선고를 하여야 하나, 재판관 1명의 궐위로 8명의 출석이 가능한 경우에는 그 궐위된 기간은 심판기간에 산입하지 아니한다.
④ 각종 심판절차에서 당사자인 국가기관 또는 지방자치단체는 변호사의 자격이 있는 소속 직원을 대리인으로 선임하여 심판을 수행하게 할 수 없다.

### 해설

① (○) 헌법재판소법 제32조

② (✕)

> **헌법재판소법 제47조(위헌결정의 효력)**
> ① 법률의 위헌결정은 법원과 그 밖의 국가기관 및 지방자치단체를 기속한다.
> ② 위헌으로 결정된 법률 또는 법률의 조항은 그 결정이 있는 날부터 효력을 상실한다.
> ③ 제2항에도 불구하고 형벌에 관한 법률 또는 법률의 조항은 소급하여 그 효력을 상실한다. 다만, 해당 법률 또는 법률의 조항에 대하여 종전에 합헌으로 결정한 사건이 있는 경우에는 <u>그 결정이 있는 날의 다음 날로 소급하여 효력을 상실한다.</u>

③ (✕)

> **헌법재판소법 제38조(심판기간)**
> 헌법재판소는 심판사건을 접수한 날부터 180일 이내에 종국결정의 선고를 하여야 한다. 다만, 재판관의 궐위로 <u>7명의 출석이 불가능한</u> 경우에는 그 궐위된 기간은 심판기간에 산입하지 아니한다.

④ (✕)

> **헌법재판소법 제25조(대표자·대리인)**
> ① 각종 심판절차에서 정부가 당사자(참가인을 포함한다. 이하 같다)인 경우에는 법무부장관이 이를 대표한다.
> ② 각종 심판절차에서 당사자인 국가기관 또는 지방자치단체는 변호사 또는 변호사의 자격이 있는 소속 직원을 대리인으로 선임하여 심판을 수행하게 할 수 있다.
> ③ 각종 심판절차에서 당사자인 사인(私人)은 변호사를 대리인으로 선임하지 아니하면 심판청구를 하거나 심판 수행을 하지 못한다. 다만, 그가 변호사의 자격이 있는 경우에는 그러하지 아니하다.

**정답** ①

## 011　회독 ☐☐☐　　　　　　　　　　　　　　　　　　　　　　　　　　22 국회8급

**헌법재판소의 결정정족수가 같은 것만을 〈보기〉에서 모두 고르면?**

**보기**
ㄱ. 권한쟁의심판의 인용결정
ㄴ. 탄핵의 결정
ㄷ. 종전에 헌법재판소가 판시한 헌법 또는 법률의 해석 적용에 관한 의견 변경
ㄹ. 헌법소원에 관한 인용결정
ㅁ. 심판청구에 대한 각하결정

① ㄱ, ㄴ, ㄷ
② ㄱ, ㄹ, ㅁ
③ ㄴ, ㄷ, ㄹ
④ ㄴ, ㄹ, ㅁ
⑤ ㄷ, ㄹ, ㅁ

**해설**

ㄱ. 권한쟁의심판은 재판관 과반수로 결정한다.
ㄴ, ㄷ, ㄹ. 위헌법률심판, 탄핵심판, 정당해산심판, 헌법소원, 종전에 헌법재판소가 판시한 헌법 또는 법률의 해석 적용에 관한 의견 변경은 재판관 6명 이상의 찬성으로 결정한다.
ㅁ. 심판청구에 대한 각하결정은 재판관 과반수로 결정한다.

**정답** ③

## 012

**헌법재판에 대한 설명으로 옳은 것만을 〈보기〉에서 모두 고르면?**

**보기**
ㄱ. 헌법재판소장이 필요하다고 인정하는 경우에는 변론 또는 종국결정을 심판정 외의 장소에서 할 수 있다.
ㄴ. 탄핵심판, 위헌법률심판 및 권한쟁의의 심판은 구두변론을 거쳐야 한다.
ㄷ. 재판관회의는 재판관 전원의 3분의 2를 초과하는 인원의 출석과 출석인원 과반수의 찬성으로 의결한다.
ㄹ. 「헌법재판소법」은 헌법소원심판에 대해서만 국선대리인제도를 규정하고 있다.

① ㄱ, ㄴ
② ㄱ, ㄷ
③ ㄷ, ㄹ
④ ㄱ, ㄷ, ㄹ

**해설**

ㄱ. (O)

> **헌법재판소법 제33조(심판의 장소)**
> 심판의 변론과 종국결정의 선고는 심판정에서 한다. 다만, 헌법재판소장이 필요하다고 인정하는 경우에는 심판정 외의 장소에서 변론 또는 종국결정의 선고를 할 수 있다.

ㄴ. (X) 탄핵심판 및 권한쟁의심판은 구두변론을 거쳐야 한다. (헌법재판소법 제30조 제1항)
ㄷ. (O) 헌법재판소법 제16조 제2항
ㄹ. (O)

> **헌법재판소법 제70조(국선대리인)**
> ① 헌법소원심판을 청구하려는 자가 변호사를 대리인으로 선임할 자력이 없는 경우에는 헌법재판소에 국선대리인을 선임하여 줄 것을 신청할 수 있다. 이 경우 제69조에 따른 청구기간은 국선대리인의 선임신청이 있는 날을 기준으로 정한다.

**정답** ④

## 013

**헌법재판소 및 위헌법률심사에 대한 설명으로 옳지 않은 것은? (다툼이 있는 경우 판례에 의함)**

① 헌법재판소는 발족 이래 오늘에 이르기까지 예외 없이 주문합의제를 취해 왔다.
② 법률의 위헌 여부가 재판의 전제가 된 경우 법원은 헌법재판소에 제청하여 그 심판에 의하여 재판을 하는데, 여기서 말하는 재판에는 본안에 관한 재판 외에 소송절차에 관한 재판도 포함된다.
③ 「헌법재판소법」 제68조 제2항의 헌법소원은 법률의 위헌 여부 심판의 제청신청을 하여 그 신청이 기각된 때에 청구할 수 있다.
④ 개별적, 구체적 사건에서 법률조항의 단순한 포섭, 적용에 관한 문제를 다투는 것도 적법한 헌법소원심판청구에 해당한다.

**해설**

① (○) 헌재 1994.6.30. 92헌바23 [17 국회8급]

② (○) [21 법무사]

> 여기서 '재판'이라 함은 원칙적으로 그 형식 여하와 본안에 관한 재판이거나 소송절차에 관한 것이거나를 불문하며, 판결과 결정 그리고 명령이 여기에 포함된다. (헌재 1994.2.24. 91헌가3)

③ (○) 그 결정을 통지받는 날로부터 30일 내에 변호사를 선임하여 청구할 수 있다. (**헌법재판소법 제69조 제2항**) [21 법무사]

④ (✕) [21 법무사]

> 재판소원을 금지하는 헌법재판소법 제68조 제1항의 취지에 비추어, 개별·구체적 사건에서 단순히 법률조항의 포섭이나 적용의 문제를 다투거나 의미있는 헌법문제에 대한 주장 없이 단지 재판 결과를 다투는 헌법소원심판청구는 여전히 허용되지 않는다. (헌재 2012.12.27. 2011헌바117)

**정답** ④

## 014 회독 ☐☐☐ 재구성   19 법원직, 13 국회8급, 11 지방7급

**헌법재판에 대한 설명으로 옳지 않은 것은?**

① 변호사 강제주의는 헌법소원뿐만 아니라 탄핵심판의 경우에도 적용된다.
② 탄핵심판, 정당해산심판의 경우에는 청구기간의 제한이 없으나, 권한쟁의심판, 헌법소원심판의 경우에는 청구기간의 제한이 있다.
③ 헌법재판소는 헌법소원심판의 청구인에게 헌법재판소규칙으로 정하는 공탁금의 납부를 명할 수 있다.
④ 헌법재판소는 당사자의 신청을 기다려 증거조사를 하고, 직권으로 증거조사를 할 수는 없다.

### 해설

① (O) 헌법재판에서 변호사 강제주의는 사인이 당사자가 되는 경우에 적용된다. 따라서 위헌법률심판과 권한쟁의심판에는 변호사 강제주의가 적용되지 않는다. [13 국회8급]
② (O) [19 법원직]

> **헌법재판소법 제63조(청구기간)**
> ① 권한쟁의의 심판은 그 사유가 있음을 안 날부터 60일 이내에, 그 사유가 있은 날부터 180일 이내에 청구하여야 한다.
> ② 제1항의 기간은 불변기간으로 한다.
>
> **제69조(청구기간)**
> ① 제68조 제1항에 따른 헌법소원의 심판은 그 사유가 있음을 안 날부터 90일 이내에, 그 사유가 있는 날부터 1년 이내에 청구하여야 한다. 다만, 다른 법률에 따른 구제절차를 거친 헌법소원의 심판은 그 최종결정을 통지받은 날부터 30일 이내에 청구하여야 한다.
> ② 제68조 제2항에 따른 헌법소원심판은 위헌 여부 심판의 제청신청을 기각하는 결정을 통지받은 날부터 30일 이내에 청구하여야 한다.

③ (O) 헌법재판소법 제37조 제2항 [11 지방7급]
④ (X) [19 법원직]

> **헌법재판소법 제31조(증거조사)**
> ① 재판부는 사건의 심리를 위하여 필요하다고 인정하는 경우에는 직권 또는 당사자의 신청에 의하여 다음 각 호의 증거조사를 할 수 있다.
>   1. 당사자 또는 증인을 신문하는 일
>   2. 당사자 또는 관계인이 소지하는 문서·장부·물건 또는 그 밖의 증거자료의 제출을 요구하고 영치하는 일
>   3. 특별한 학식과 경험을 가진 자에게 감정을 명하는 일
>   4. 필요한 물건·사람·장소 또는 그 밖의 사물의 성상이나 상황을 검증하는 일
> ② 재판장은 필요하다고 인정하는 경우에는 재판관 중 1명을 지정하여 제1항의 증거조사를 하게 할 수 있다.

정답 ④

## 015　19 국회8급

**헌법재판소의 심판절차에 대한 설명으로 옳지 않은 것은? (다툼이 있는 경우 판례에 의함)**

① 헌법소원심판의 청구 후 30일이 지날 때까지 지정재판부의 각하결정이 없는 때에는 심판에 회부하는 결정이 있는 것으로 본다.
② 헌법소원심판은 인용결정이 있는 경우에만 기속력이 발생하지만, 권한쟁의심판의 경우 기각결정도 기속력이 인정된다.
③ 지정재판부는 헌법소원을 각하하거나 심판회부결정을 한 때에는 그 결정일부터 30일 이내에 청구인 또는 그 대리인 및 피청구인에게 그 사실을 통지하여야 한다.
④ 법률에 대한 헌법소원심판에 대해서는 재심이 허용되지 않는다.
⑤ 헌법재판소 판례에 의하면, 헌법 제107조 제2항이 규정한 명령·규칙에 대한 대법원의 최종심사권이란 구체적인 소송사건에서 명령·규칙의 위헌 여부가 재판의 전제가 되었을 경우 법률의 경우와는 달리 헌법재판소에 제청할 것 없이 대법원이 최종적으로 심사할 수 있다는 의미이며, 명령·규칙 그 자체에 의하여 직접 기본권이 침해되었음을 이유로 하여 헌법소원심판을 청구하는 것은 위 헌법규정과는 아무런 상관이 없는 문제이다.

### 해설

① (O)

> **헌법재판소법 제72조(사전심사)**
> ① 헌법재판소장은 헌법재판소에 재판관 3명으로 구성되는 지정재판부를 두어 헌법소원심판의 사전심사를 담당하게 할 수 있다.
> ③ 지정재판부는 다음 각 호의 어느 하나에 해당되는 경우에는 지정재판부 재판관 전원의 일치된 의견에 의한 결정으로 헌법소원의 심판청구를 각하한다.
>   1. 다른 법률에 따른 구제절차가 있는 경우 그 절차를 모두 거치지 아니하거나 또는 법원의 재판에 대하여 헌법소원의 심판이 청구된 경우
>   2. 제69조의 청구기간이 지난 후 헌법소원심판이 청구된 경우
>   3. 제25조에 따른 대리인의 선임 없이 청구된 경우
>   4. 그 밖에 헌법소원심판의 청구가 부적법하고 그 흠결을 보정할 수 없는 경우
> ④ 지정재판부는 전원의 일치된 의견으로 제3항의 각하결정을 하지 아니하는 경우에는 결정으로 헌법소원을 재판부의 심판에 회부하여야 한다. 헌법소원심판의 청구 후 30일이 지날 때까지 각하결정이 없는 때에는 심판에 회부하는 결정(이하 '심판회부결정'이라 한다)이 있는 것으로 본다.

② (O) 헌법재판소법 제67조 제1항, 제75조 제1항
③ (×)

> **헌법재판소법 제73조(각하 및 심판회부 결정의 통지)**
> ① 지정재판부는 헌법소원을 각하하거나 심판회부결정을 한 때에는 그 결정일부터 14일 이내에 청구인 또는 그 대리인 및 피청구인에게 그 사실을 통지하여야 한다. 제72조 제4항 후단의 경우에도 또한 같다.

④ (O) 법률에 대한 헌법소원을 재심하면 법적 안정성(위헌결정된 간통죄에 대한 재심으로 다시 합헌이 된다면)에 심각한 문제가 발생하기 때문이다.
⑤ (O) 법규명령 등이 집행행위의 매개 없이 기본권을 침해하면 헌법소원의 대상이 된다.

정답 ③

> **기출지문 OX**
>
> 「헌법재판소법」 제68조 제2항의 위헌법률심판을 구하는 헌법소원에 대해서는 「헌법재판소법」 제68조 제1항의 권리구제형 헌법소원심판의 경우와는 달리 재심이 허용될 수 있다. 18 입시 ( O / X )
>
> 해설 헌법재판소법 제68조 제1항의 헌법소원이든 제68조 제2항의 헌법소원이든 법률을 대상으로 하는 헌법소원에 대한 재심은 인정되기 어렵다. 위헌결정되었던 법률이 다시 합헌이 되면 법적 안정성에 문제가 발생하기 때문이다. 정답 X

## 016 회독 ☐☐☐ 재구성                                    18 지방7급, 15 서울7급

**헌법재판에 대한 설명으로 옳은 것은?**

① 어떤 법률이 헌법에 위반되는지 여부를 심판해 줄 것을 헌법재판소에 일반국민이 직접 청구하는 것은 허용되지 않는다.
② 헌법재판소의 권한쟁의심판에 대한 결정에는 재판관 6인 이상의 찬성이 있어야 한다.
③ 「헌법재판소법」 제68조 제2항에 의한 헌법소원심판이 청구된 경우 당해 소송사건의 재판은 헌법재판소의 위헌 여부의 결정이 있을 때까지 정지된다.
④ 위헌법률심판의 제청신청을 한 당사자는 위헌 여부 심판의 제청에 관한 결정에 대하여는 항고할 수 없다.

**해설**

① (✗) 법률이 집행행위를 매개하지 않고 기본권을 침해할 경우에는 국민이 헌법재판소법 제68조 제1항에 의한 헌법소원을 제기할 수 있다. [15 서울7급]
② (✗) [15 서울7급]

> **헌법재판소법 제23조(심판정족수)**
> ① 재판부는 재판관 7명 이상의 출석으로 사건을 심리한다.
> ② 재판부는 종국심리에 관여한 재판관 과반수의 찬성으로 사건에 관한 결정을 한다. 다만, 다음 각 호의 어느 하나에 해당하는 경우에는 재판관 6명 이상의 찬성이 있어야 한다.
> 　1. 법률의 위헌결정, 탄핵의 결정, 정당해산의 결정 또는 헌법소원에 관한 인용결정을 하는 경우
> 　2. 종전에 헌법재판소가 판시한 헌법 또는 법률의 해석 적용에 관한 의견을 변경하는 경우

③ (✗) 위헌법률심판의 경우 법원이 헌법재판소에 제청하면 당해 사건이 정지되지만, 헌법재판소법 제68조 제2항에 의한 헌법소원심판이 청구된 경우에는 당해 사건이 정지되지 않는다. 그래서 이 경우에는 헌법재판소의 위헌결정이 있게 되면 당해 사건에 대한 재심이 가능하다. [18 지방7급]
④ (O) 위헌법률심판의 제청신청을 한 당사자는 위헌 여부 심판의 제청에 관한 결정에 대하여 항고할 수 없고, 헌법재판소법 제68조 제2항의 헌법소원을 제기하여야 한다. [18 지방7급]

정답 ④

## 017 | 18 법원직, 13 국회9급

**헌법재판소의 심판에 대한 설명으로 가장 옳지 않은 것은?**

① 법률의 제·개정행위를 다투는 권한쟁의심판의 경우에는 국회가 피청구인적격을 가진다.
② 헌법재판소에의 심판청구는 심판절차별로 정하여진 청구서를 헌법재판소에 제출함으로써 한다. 다만, 위헌법률심판에서는 법원의 제청서, 탄핵심판에서는 국회의 소추의결서의 정본으로 청구서를 갈음한다.
③ 헌법재판소장은 헌법재판소에 재판관 3명으로 구성되는 지정재판부를 두어 헌법소원심판의 사전심사를 담당하게 하여야 한다.
④ 법원은 당사자의 신청이 없이 직권으로도 헌법재판소에 위헌법률심판을 제청할 수 있다.

### 해설

① (O) 국회 본회의에 대한 권한쟁의의 피청구인은 국회의장이고, 상임위원회에 대한 피청구인은 상임위원장이다. 그러나 법률의 제·개정에 대한 권한쟁의심판의 피청구인은 국회 자체이다. [18 법원직]
② (O) 헌법재판소법 제26조 제1항 [18 법원직]
③ (X) [18 법원직]

> **헌법재판소법 제72조(사전심사)**
> ① 헌법재판소장은 헌법재판소에 재판관 3명으로 구성되는 지정재판부를 두어 헌법소원심판의 사전심사를 담당하게 <u>할 수 있다</u>.

④ (O) [13 국회9급]

> **헌법재판소법 제41조(위헌 여부 심판의 제청)**
> ① 법률이 헌법에 위반되는지 여부가 재판의 전제가 된 경우에는 당해 사건을 담당하는 법원(군사법원을 포함한다)은 직권 또는 당사자의 신청에 의한 결정으로 헌법재판소에 위헌 여부 심판을 제청한다.

**정답** ③

## 018  회독 ☐☐☐  재구성                                      18 5급행시, 13 국회8급

**헌법소원에 대한 설명으로 옳지 않은 것만을 모두 고르면?**

> ㄱ. 「헌법재판소법」 제68조 제2항에 따른 헌법소원심판은 위헌 여부 심판의 제청신청을 기각하는 결정을 통지받은 날부터 60일 이내에 청구하여야 한다.
> ㄴ. 헌법소원심판을 청구하고자 하는 자가 변호사를 대리인으로 선임할 자력이 없는 경우에는 헌법재판소가 국선대리인을 직권으로 선임하여야 한다.
> ㄷ. 헌법재판소는 공익상 필요하다고 인정할 때에는 국선대리인을 선임할 수 있다.
> ㄹ. 「헌법재판소법」 제68조 제1항에 따른 헌법소원을 인용할 때, 헌법재판소는 공권력의 행사 또는 불행사가 위헌인 법률 또는 법률의 조항에 기인한 것이라고 인정될 때에는 인용결정에서 해당 법률 또는 법률의 조항이 위헌임을 선고할 수 있다.

① ㄱ, ㄴ
② ㄱ, ㄹ
③ ㄴ, ㄷ
④ ㄷ, ㄹ

### 해설

ㄱ. (✗) [18 5급행시]

> **헌법재판소법 제69조(청구기간)**
> ② 제68조 제2항에 따른 헌법소원심판은 위헌 여부 심판의 제청신청을 기각하는 결정을 통지받은 날부터 30일 이내에 청구하여야 한다.

ㄴ. (✗) [13 국회8급]  ㄷ. (O) [18 5급행시]

> **헌법재판소법 제70조(국선대리인)**
> ① 헌법소원심판을 청구하려는 자가 변호사를 대리인으로 선임할 자력이 없는 경우에는 헌법재판소에 국선대리인을 선임하여 줄 것을 신청할 수 있다. 이 경우 제69조에 따른 청구기간은 국선대리인의 선임신청이 있는 날을 기준으로 정한다.
> ② 제1항에도 불구하고 헌법재판소가 공익상 필요하다고 인정할 때에는 국선대리인을 선임할 수 있다.
> ③ 헌법재판소는 제1항의 신청이 있는 경우 또는 제2항의 경우에는 헌법재판소규칙으로 정하는 바에 따라 변호사 중에서 국선대리인을 선정한다. 다만, 그 심판청구가 명백히 부적법하거나 이유 없는 경우 또는 권리의 남용이라고 인정되는 경우에는 국선대리인을 선정하지 아니할 수 있다.
> ④ 헌법재판소가 국선대리인을 선정하지 아니한다는 결정을 한 때에는 지체 없이 그 사실을 신청인에게 통지하여야 한다. 이 경우 신청인이 선임신청을 한 날부터 그 통지를 받은 날까지의 기간은 제69조의 청구기간에 산입하지 아니한다.
> ⑤ 제3항에 따라 선정된 국선대리인은 선정된 날부터 60일 이내에 제71조에 규정된 사항을 적은 심판청구서를 헌법재판소에 제출하여야 한다.

ㄹ. (O) 헌법재판소법 제75조 제5항 [18 5급행시]

> 당사자가 신청한 범위를 넘어서 인용할 수 있다는 것이다. 헌법소원의 객관적 성격이 드러나는 부분이다.

**정답** ①

## 019

18 서울7급, 11 국회8급·법원직

**헌법재판소의 심판절차에 대한 설명으로 옳은 것은?**

① 「헌법재판소법」 제68조 제1항에 의한 헌법소원심판이 청구된 경우 헌법재판소는 심판청구서에 기재된 청구취지에 기속되어 심판대상을 확정해야 한다.
② 헌법재판소의 재판부는 재판관 7인 이상의 출석으로 사건을 심리하고, 종국심리에 관여한 재판관의 과반수 찬성으로 사건에 관한 결정을 한다. 그리고 심판의 변론과 결정의 선고 및 평의는 공개한다.
③ 5명의 재판관이 위헌의견이고, 4명의 재판관이 헌법불합치의견이면 헌법불합치결정을 한다.
④ 헌법소원심판을 청구하려는 자가 변호사를 대리인으로 선임할 자력이 없는 경우에는 헌법재판소에 국선대리인을 선임하여 줄 것을 신청할 수 있는데, 이 경우 「헌법재판소법」 제69조에 따른 청구기간은 소송지연을 방지하기 위하여 국선대리인이 심판청구서를 제출한 날을 기준으로 정한다.

**해설**

① (✕) 헌법재판소는 심판대상을 직권으로 확대·축소·변경할 수 있다. [18 서울7급]
② (✕) [11 법원직]

> **헌법재판소법 제23조(심판정족수)**
> ① 재판부는 재판관 7명 이상의 출석으로 사건을 심리한다.
> ② 재판부는 종국심리에 관여한 재판관 과반수의 찬성으로 사건에 관한 결정을 한다. 다만, 다음 각 호의 어느 하나에 해당하는 경우에는 재판관 6명 이상의 찬성이 있어야 한다.
>   1. 법률의 위헌결정, 탄핵의 결정, 정당해산의 결정 또는 헌법소원에 관한 인용결정을 하는 경우
>   2. 종전에 헌법재판소가 판시한 헌법 또는 법률의 해석 적용에 관한 의견을 변경하는 경우
>
> **제34조(심판의 공개)**
> ① 심판의 변론과 결정의 선고는 공개한다. 다만, 서면심리와 평의는 공개하지 아니한다.

③ (O) 법원조직법 제66조를 준용하여 당사자에게 가장 유리한 견해를 가진 수에 순차로 그 다음으로 유리한 견해를 가진 수를 더하여 과반수(정족수)에 이르게 된 때의 견해를 법정의견으로 한다. [11 국회8급]

④ (✕) [18 서울7급]

> **헌법재판소법 제70조(국선대리인)**
> ① 헌법소원심판을 청구하려는 자가 변호사를 대리인으로 선임할 자력이 없는 경우에는 헌법재판소에 국선대리인을 선임하여 줄 것을 신청할 수 있다. 이 경우 헌법재판소법 제69조에 따른 청구기간은 국선대리인의 선임신청이 있는 날을 기준으로 정한다.

정답 ③

## 020

**헌법재판에 대한 설명으로 옳지 않은 것은?**

① 심판의 변론과 종국결정의 선고는 심판정에서 하되, 헌법재판소장이 필요하다고 인정하는 경우에는 심판정 외의 장소에서 변론을 열 수 있으나 종국결정의 선고를 할 수는 없다.
② 재판의 결론을 이끌어내는 이유를 달리하는 데 관련되는 경우에는 재판의 전제성이 있는 것으로 보아야 한다.
③ 개정법률의 소급적용 여부는 입법형성의 범위에 속하는 것이기 때문에 헌법불합치결정에 따른 개선입법이 제한 없이 소급적용되어야 하는 것은 아니다.
④ 헌법재판소는 심판사건을 접수한 날부터 180일 이내에 종국결정의 선고를 하여야 하지만, 재판관의 궐위로 7명의 출석이 불가능한 경우에는 그 궐위된 기간은 심판기간에 산입하지 아니한다.

**해설**

① (✕) [20 국가7급]

> **헌법재판소법 제33조(심판의 장소)**
> 심판의 변론과 종국결정의 선고는 심판정에서 한다. 다만, 헌법재판소장이 필요하다고 인정하는 경우에는 심판정 외의 장소에서 변론 또는 종국결정의 선고를 할 수 있다.

② (○) 재판의 전제성은 주문이 달라지는 경우뿐만 아니라 재판의 결론을 이끌어내는 이유를 달리하는 것에 관련되는 경우에도 인정된다.
[11 국회8급]
③ (○) 헌법불합치결정의 소급적용에 대해서는 사안별로 달리 판단하는 입장이다. 대체로 헌법재판소는 법적 안정성과 구체적 타당성을 고려하여 판단하는 입장이라고 보여진다. [11 국회8급]
④ (○) 헌법재판소법 제38조 [14 국회8급]

**정답** ①

## 021

**헌법재판제도에 관한 다음 설명 중 옳은 것은?**

① 헌법재판은 예외적이고 특별한 권리구제절차이기는 하나, 그것이 권리구제절차인 이상, 패소자가 심판비용을 부담하는 것이 원칙이다.
② 헌법재판에는 변호사 강제주의가 적용되므로 모든 청구인은 반드시 변호사를 대리인으로 선임하여야 한다.
③ 헌법재판에 대해서는 일사부재리원칙이 적용되지만, 예외적으로 재심이 허용되는 경우가 발생할 수 있다.
④ 헌법소원심판에서는 공권력의 행사 또는 불행사에 의한 기본권 침해가 있었는지를 규명하여야 하므로 증거조사가 필수적이지만, 위헌법률심판은 법률의 특정 조항이 헌법의 규정이나 객관적 헌법질서에 합치되는지를 심사하는 것이므로 서면심리에 의하고 증거조사를 할 수 없다.

### 해설

① (✕)

> **헌법재판소법 제37조(심판비용 등)**
> ① 헌법재판소의 심판비용은 국가부담으로 한다. 다만, 당사자의 신청에 의한 증거조사의 비용은 헌법재판소규칙으로 정하는 바에 따라 그 신청인에게 부담시킬 수 있다.

② (✕)

> **헌법재판소법 제25조(대표자·대리인)**
> ① 각종 심판절차에서 정부가 당사자(참가인을 포함한다. 이하 같다)인 경우에는 법무부장관이 이를 대표한다.
> ② 각종 심판절차에서 당사자인 국가기관 또는 지방자치단체는 변호사 또는 변호사의 자격이 있는 소속 직원을 대리인으로 선임하여 심판을 수행하게 할 수 있다.
> ③ 각종 심판절차에서 당사자인 사인은 변호사를 대리인으로 선임하지 아니하면 심판청구를 하거나 심판수행을 하지 못한다. 다만, 그가 변호사의 자격이 있는 경우에는 그러하지 아니하다.

③ (〇) 모든 사건에 재심이 허용되는 것은 아니고 사건마다 다르다.

④ (✕)

> **헌법재판소법 제31조(증거조사)**
> ① 재판부는 사건의 심리를 위하여 필요하다고 인정하는 경우에는 직권 또는 당사자의 신청에 의하여 다음 각 호의 증거조사를 할 수 있다.
>   1. 당사자 또는 증인을 신문하는 일
>   2. 당사자 또는 관계인이 소지하는 문서·장부·물건 또는 그 밖의 증거자료의 제출을 요구하고 영치하는 일
>   3. 특별한 학식과 경험을 가진 자에게 감정을 명하는 일
>   4. 필요한 물건·사람·장소 또는 그 밖의 사물의 성상이나 상황을 검증하는 일
> ② 재판장은 필요하다고 인정하는 경우에는 재판관 중 1명을 지정하여 제1항의 증거조사를 하게 할 수 있다.

**정답** ③

## 022  17 법원직·지방7급

**헌법재판에 대한 설명으로 옳지 않은 것은?**

① 헌법재판소가 국선대리인을 선정하지 아니한다는 결정을 한 때에는 지체 없이 그 사실을 신청인에게 통지하여야 하며, 이 경우 신청인이 국선대리인 선임신청을 한 날부터 그 통지를 받은 날까지의 기간은 헌법소원심판의 청구기간에 산입하지 아니한다.
② 부진정입법부작위를 대상으로 하여 헌법소원을 제기하려면 결함이 있는 당해 입법규정 그 자체를 대상으로 하여 그 헌법 위반을 내세워 적극적인 헌법소원을 제기하여야 한다.
③ 특정 법률조항에 대한 헌법재판관의 의견이 단순위헌의견 1인, 일부위헌의견 1인, 적용중지 헌법불합치의견 2인, 잠정적용 헌법불합치의견 5인인 때에 결정주문은 적용중지 헌법불합치결정이다.
④ 당해 사건에서 법원으로 하여금 위헌법률심판을 제청하도록 신청을 한 사람은 위헌법률심판 사건의 당사자가 아니다.

### 해설

① (O) 헌법재판소법 제70조 제4항 [17 지방7급]
② (O) [17 지방7급]
③ (X) 6명의 의견이 되는 때가 잠정적용이므로 주문은 잠정적용 헌법불합치결정이다. [17 법원직]
④ (O) 위헌제청신청은 당해 사건의 원고·피고가 하지만 헌법재판소에 위헌제청을 하는 것은 법원이므로 제청신청을 한 사람은 위헌법률심판의 당사자가 아니다. [17 지방7급]

**정답** ③

## 023

**헌법재판소의 변형결정에 대한 설명으로 옳지 않은 것은? (다툼이 있는 경우 판례에 의함)**

① 변형결정은 「헌법재판소법」 제47조 제1항이 정한 위헌결정의 일종이며, 타 국가기관에 대하여 기속력을 가진다.
② 평등권을 침해하는 법률의 경우에는 자유권 침해의 경우와는 달리 입법자의 형성권이 존재하지 않는 것이 원칙이므로 헌법불합치결정을 할 필요가 없다.
③ 순경 공채시험, 소방사 등 채용시험, 그리고 소방간부 선발시험의 응시연령의 상한을 '30세 이하'로 규정하여 공무담임권을 제한하는 것은 침해의 최소성원칙에 위배되지만, 국민의 생명과 재산을 보호하기 위하여 필요한 최소한도의 제한은 허용되어야 한다. 그 한계는 경찰 및 소방업무의 특성 및 인사제도 그리고 인력수급 등의 상황을 고려하여 입법기관이 결정할 사항이므로 헌법불합치결정을 하는 것이 타당하다.
④ 법률규정에 있어서 합헌 부분과 위헌 부분의 경계가 불분명하여 헌법재판소의 단순위헌결정으로는 적절하게 구분하여 대처하기 어렵고, 입법자에게는 민주주의원칙의 관점에서 위헌적인 상태를 제거할 수 있는 여러 가지의 가능성이 인정된다면, 입법자로 하여금 문제점을 해결하도록 하기 위해 헌법불합치결정을 하는 것이 타당하다.
⑤ 대법원은 실지거래가액에 의한 양도소득세 산정을 규정한 구 「소득세법」 조항에 대한 헌법재판소의 한정위헌결정에 대하여 그 기속력을 부인한 바 있다.

### 해설

① (O) 변형결정의 기속력을 인정하는 것이 헌법재판소의 입장이다.
② (✗)

> 법률이 평등원칙에 위반된 경우가 헌법재판소의 불합치결정을 정당화하는 대표적인 사유라고 할 수 있다. 반면에, 자유권을 침해하는 법률이 위헌이라고 생각되면 무효선언을 통하여 자유권에 대한 침해를 제거함으로써 합헌성이 회복될 수 있고, 이 경우에는 평등원칙 위반의 경우와는 달리 헌법재판소가 결정을 내리는 과정에서 고려해야 할 입법자의 형성권은 존재하지 않음이 원칙이다. (헌재 2002.5.30. 2000헌마81)

③ (O) 헌재 2012.5.31. 2010헌마278
④ (O)
⑤ (O) 대법원은 헌법불합치결정의 기속력은 인정하지만, 한정위헌의 기속력은 인정하지 않는다.

**정답** ②

## 024

**본안판단에서 헌법재판소 재판관의 의견분포와 그에 따른 판례상의 주문이 옳지 않은 것은?**

① 각하의견 2인, 합헌의견 5인, 위헌의견 2인인 위헌법률심판의 주문은 합헌이다.
② 각하의견 4인, 헌법불합치의견 4인, 위헌의견 1인인 위헌법률심판의 주문은 헌법불합치이다.
③ 각하의견 4인, 인용의견 5인인 헌법소원심판의 주문은 기각이다.
④ 각하의견 3인, 인용의견 3인, 기각의견 3인인 권한쟁의심판에서 주문은 기각이다.
⑤ 각하의견 3인, 한정합헌의견 5인, 위헌의견 1인인 위헌법률심판에서 주문은 한정합헌이다.

### 해설

① (O)
② (X) 각하의견 4명, 헌법불합치의견 4명, 위헌의견 1명인 위헌법률심판의 주문은 합헌이다.
③ (O)
④ (O) 권한쟁의심판은 재판관 6명 이상의 의견이 아니라 과반수로 결정한다.
⑤ (O)

정답 ②

### 🔹 재판관의 의견에 대한 주문 형식 결정

어느 하나의 의견이 정족수에 이르지 못할 때는 당사자에게 가장 유리한 의견에 그 다음 의견을 순차로 더해 가다가 정족수에 이르렀을 때의 의견을 법정의견으로 한다.

| 재판관의 의견 | 주문 형식 |
| --- | --- |
| 각하 2, 위헌 2, 합헌 5 | 합헌 |
| 각하 2, 위헌 5, 합헌 2 | 합헌 |
| 각하 3, 위헌 1, 한정합헌 5 | 한정합헌 |
| 각하 3, 위헌 5, 한정위헌 1 | 한정위헌 |
| 각하 2, 위헌 5, 헌법불합치 2 | 헌법불합치 |
| 각하 4, 인용 3, 기각 2 | 기각 |
| 각하 4, 인용 5 | 기각 |
| 단순위헌 1, 일부위헌 1, 헌법불합치(적용중지) 2, 헌법불합치(잠정적용) 5 | 헌법불합치(잠정적용) |
| 단순위헌 5, 헌법불합치 2 | 헌법불합치 |

### 기출지문 OX

헌법소원제도에는 객관적인 헌법질서를 수호·유지하는 기능도 있으므로 헌법소원심판청구가 취하되었다고 하더라도 헌법적 해명이 긴요한 때에는 종국결정을 선고할 수 있다. 17 법원직 ( O / X )

해설 헌법소원심판과 권한쟁의심판에서 취하가 있으면 절차가 종료된다.

정답 X

 **핵심노트**

**합의제의 방식**

1. **주문별 합의방식**
   어떤 사안에 대해서 각하의견을 낸 재판관은 본안에 대한 판단에 참여하지 않는 것을 말한다.

2. **쟁점별 합의방식**
   각하의견을 낸 재판관도 해당 사건이 본안에 회부되면 다시 본안에 대한 결정에 참여하는 제도를 말한다.

3. **판례의 입장**
   헌법재판소는 합의방식에 관하여 쟁점별 합의제가 아닌 주문별 합의제를 채택하고 있다.

## 025  06 법무사

甲은 대중음식점 영업허가를 받아 음식점 영업을 하다가 「식품위생법」의 법률조항(이하 이 문항에서 제A조라고 하자)에 위반된 행위를 하였다는 이유로 관할 행정청으로부터 영업허가취소처분을 받은 한편, 검사에 의하여 「식품위생법」 위반으로 기소되어 그 재판이 제1심에 계속 중이다. 甲은 자신이 위반하였다는 「식품위생법」 제A조가 위헌이라고 생각하고 있다. 다음 중 甲이 택할 수 있는 방법으로 법이 허용한 것이 아닌 것은?

① 제1심법원에 「식품위생법」 제A조에 대한 위헌 여부 심판 제청신청을 한다.
② 제1심법원이 위 위헌 여부 심판 제청신청을 기각하면 상급법원에 항고를 한다.
③ 제1심판결을 받아보고 제2심법원에 항소한 후 제2심법원에 「식품위생법」 제A조에 대한 위헌 여부 심판 제청신청을 한다.
④ 제2심판결을 받아보고 대법원에 상고한 후 대법원에 「식품위생법」 제A조에 대한 위헌 여부 심판 제청신청을 한다.
⑤ 영업허가취소처분 취소소송을 행정법원에 제기하고, 그 법원에 「식품위생법」 제A조에 대한 위헌 여부 심판 제청신청을 한다.

**해설**

① (O)
② (X) 당사자의 위헌법률심판 제청신청에 대한 기각결정에 대해서는 항고할 수 없으며, 기각결정을 받은 날로부터 30일 이내에 헌법재판소에 위헌심사형 헌법소원(헌바 사건)을 청구할 수 있다.
③ (O) 위헌 여부 심판 제청신청은 전 심급에 걸쳐 한 번만 할 수 있다.
④ (O)
⑤ (O)

정답 ②

## 026

**헌법재판의 가처분에 대한 설명으로 옳지 않은 것은? (다툼이 있는 경우 판례에 의함)**

① 국회에서 탄핵소추의 대상으로 발의된 자는 그때부터 헌법재판소의 심판이 있을 때까지 그 권한 행사가 정지된다.
② 입국불허결정을 받은 외국인이 인천공항 출입국관리사무소장을 상대로 난민인정심사 불회부결정 취소의 소를 제기한 후 그 소송 수행을 위하여 변호인접견신청을 하였으나 거부되자, 변호인접견거부의 효력정지를 구하는 가처분 신청을 한 사건에서, 헌법재판소는 변호인접견을 허가하여야 한다는 가처분 인용결정을 하였다.
③ 「헌법재판소법」 제68조 제1항에 의한 헌법소원심판절차에 있어서도 가처분의 필요성은 있을 수 있고, 달리 가처분을 허용하지 아니할 상당한 이유를 찾아볼 수 없으므로 헌법소원심판청구 사건에서도 가처분은 허용된다.
④ 가처분의 요건을 갖춘 것으로 인정되고, 이에 덧붙여 가처분을 인용한 뒤 종국결정에서 청구가 기각되었을 때 발생하게 될 불이익과 가처분을 기각한 뒤 청구가 인용되었을 때 발생하게 될 불이익에 대한 비교형량을 하여 후자의 불이익이 전자의 불이익보다 크다면 가처분을 인용할 수 있다.

### 해설

① (✕) [22 서울·지방7급]

> **헌법 제65조**
> ③ 탄핵소추의 의결을 받은 자는 탄핵심판이 있을 때까지 그 권한행사가 정지된다.

② (○) [18 변호사]

> 신청인이 피신청인을 상대로 제기한 인신보호법상 수용임시해제청구의 소는 인용되고, 인신보호청구의 소 역시 항고심에서 인용된 후 재항고심에 계속 중이며, 난민인정심사 불회부결정 취소의 소 역시 청구를 인용하는 제1심판결이 선고되었으나, 두 사건 모두 상급심에서 청구가 기각될 가능성을 배제할 수 없다. 신청인이 위 소송제기 후 5개월 이상 변호인을 접견하지 못하여 공정한 재판을 받을 권리가 심각한 제한을 받고 있는데, 이러한 상황에서 피신청인의 재항고가 인용될 경우 신청인은 변호인접견을 하지 못한 채 불복의 기회마저 상실하게 되므로 회복하기 어려운 중대한 손해를 입을 수 있다. 위 인신보호청구의 소는 재항고에 대한 결정이 머지않아 날 것으로 보이므로 손해를 방지할 긴급한 필요 역시 인정되고, 이 사건 신청을 기각한 뒤 본안청구가 인용될 경우 발생하게 될 불이익이 크므로 이 사건 신청을 인용함이 상당하다. (헌재 2014.6.5. 2014헌사592)

③ (○) 정당해산심판과 권한쟁의는 명문규정으로 가처분이 인정된다. 탄핵은 권한 행사가 정지되므로 가처분이 인정될 여지가 없다. 위헌법률심판 헌법소원에서 가처분은 사건별로 판단한다. [22 서울·지방7급]
④ (○) 가처분의 인용요건 중 하나이다. [22 서울·지방7급]

 ①

## 027 재구성 [21 변호사]

**헌법재판의 가처분에 대한 설명으로 옳지 않은 것은?**

① 가처분심판에서 6명의 재판관이 출석하여 4명의 재판관이 인용의견을 냈다면 가처분심판 인용결정이 내려진다.
② 헌법재판소는 가처분심판의 인용결정을 전원재판부에서만 하였다.
③ 본안심판이 부적법하거나 이유 없음이 명백한 경우에는 가처분을 인용할 수 없다.
④ 법령의 효력을 정지시키는 가처분은 비록 일반적인 보전의 필요성이 인정된다고 하더라도 공공복리에 중대한 영향을 미칠 우려가 있는 때에는 인용되어서는 아니 된다.

**해설**
① (×) 가처분은 전형적인 헌법재판은 아니지만 재판관 7명의 출석이 있어야 하며 정족수는 과반수이다.
② (○) 지정재판부는 헌법소원의 각하 여부만을 결정하기 때문이다.
③ (○) ④ (○) 가처분의 요건이다.

**정답** ①

### 예상판례

❶ **정당해산심판에서 가처분제도는 헌법에 위반되지 않는다.** (헌재 2014.2.27. 2014헌마7)
정당활동의 자유 역시 헌법 제37조 제2항의 일반적 법률유보의 대상이 되고, 가처분조항은 이에 근거하여 정당활동의 자유를 제한하는 법률조항이다. 그러므로 가처분조항이 헌법의 수권 없는 법률의 규정으로 위헌이라는 청구인의 주장은 받아들일 수 없다. 다만, 가처분조항이 정당활동의 자유를 제한할 수 있으므로, 가처분조항의 기본권 침해 여부를 판단함에 있어서는 과잉금지원칙을 준수했는지 여부가 심사기준이 된다.

❷ 변호사시험에 5회 모두 불합격한 청구인들이 제기한 신청인들의 이 사건 가처분 신청은 모두 이유 없다. (헌재 2016.9.29. 2016헌마47 등)

❸ 사법시험법을 폐지하도록 한 변호사시험법 부칙 제2조는 청구인들의 직업선택의 자유를 침해하지 않는다. (헌재 2016.9.29. 2012헌마1002 등)
효력정지 가처분은 기각하였다.

### 기출지문 OX

❶ 「군사법원법」에 따라 재판을 받는 미결수용자의 면회횟수를 주 2회로 정한 「군행형법 시행령」 조항의 효력을 정지시키는 가처분을 신청한 사건에서, 헌법재판소는 국방에 관한 국가기밀이 누설될 우려가 있고 미결수용자의 접견을 교도관이 참여하여 감시할 수도 없다는 이유로 가처분 신청을 기각하였다. [18 변호사] ( O / × )

**해설**
[1] 군사법원법에 따라 재판을 받는 미결수용자의 면회횟수를 주 2회로 정하고 있는 군행형법 시행령 제43조 제2항 본문 중 전단 부분의 효력을 가처분으로 정지시켜야 할 필요성이 있다.
[2] 군행형법의 적용을 받는 미결수용자에 대해 주 2회만 면회를 허용하는 것은 평등권을 침해하는 것이다. (헌재 2002.4.25. 2002헌사129)

**정답** ×

❷ 탄핵소추의결을 받은 자의 직무집행을 정지하기 위한 가처분은 인정될 여지가 없다. [18 변호사] ( O / × )
**해설** 탄핵의 경우에는 소추의결서가 송달되면 직무집행이 정지되기 때문이다.

**정답** O

## 핵심노트

### 위헌결정 소급효의 범위

| 실체형벌조항 | 소급효는 실체적인 형벌조항에만 적용된다. |
|---|---|
| 절차조항 | 형사소송절차에 관한 절차법에는 원칙적으로 소급효가 적용되지 않는다. 즉, 보석허가에 대해 검사가 항고를 했을 때 계속 구속이 되도록 하는 조항이 위헌이지만, 이를 소급하여 적용하는 것이 불가능하다는 뜻이다. |
| 불처벌조항 | • 소급효가 인정되지 않는다.<br>• 헌법재판소는 "교통사고처리 특례법상 불처벌의 특례규정에 대한 위헌결정의 소급효를 인정할 경우 오히려 형사처벌을 받지 않았던 자들에게 형사상의 불이익이 미치게 되므로 이와 같은 경우까지 소급효 적용범위에 포함시키는 것은 그 규정취지에 반하고, 따라서 위 법률조항이 헌법에 위반된다고 선고되더라도 형사처벌을 받지 않았던 자들을 소급하여 처벌할 수 없다."라고 판시하였다. |

### 비형벌조항의 소급효

| 사건의 종류 | 소급효 |
|---|---|
| 헌법재판소에 법률의 위헌결정을 위한 계기를 부여한 당해 사건 | 인정 |
| 위헌결정이 있기 전에 이와 동종의 위헌 여부에 관하여 헌법재판소에 위헌제청을 하였거나 법원에 위헌제청신청을 한 경우의 당해 사건 | 인정 |
| 따로 위헌제청신청을 아니하였지만 당해 법률 또는 법률의 조항이 재판의 전제가 되어 법원에 계속 중인 병행 사건 | 인정 |
| 위헌결정 이후 제소한 일반사건 중에서 당사자의 권리구제를 위한 구체적 타당성의 요청이 현저한 반면, 소급효를 인정하여도 법적 안정성을 침해할 우려가 없는 사건 | 인정 |

기판력이 발생하였거나 확정력(불가쟁력)이 발생하면 소급효는 인정되지 않는다.

### 예상판례

**형법 부칙조항은 헌법재판소법 제47조 제3항에서 규정한 '형벌에 관한 법률조항'에 해당한다.** (헌재 2018.3.29. 2016헌바202 등)
헌법재판소는 2017.10.26. 2015헌바239 등 사건에서 형법 부칙조항이 형벌불소급원칙에 위반된다는 이유로 위헌결정을 하였다. 형법 부칙조항은 헌법재판소법 제47조 제3항에서 규정한 '형벌에 관한 법률조항'에 해당하므로, 2016헌바202 사건의 청구인은 헌법재판소법 제75조 제6항, 제47조 제4항에 따라 형법 부칙조항을 적용하여 벌금형에 대한 노역장유치를 선고한 확정판결에 대하여 재심을 청구할 수 있다.

## 028 24 변호사

**다음 사례에 관한 설명 중 옳은 것은? (다툼이 있는 경우 판례에 의함)**

> A세무서장은 「국세기본법」상 제2차 납세의무자에 해당하는 甲에게 B주식회사의 체납국세에 대한 과세처분(이하 '이 사건 과세처분'이라 한다)을 하였다. 이 사건 과세처분의 위법성을 주장하기 위한 행정소송의 제소기간은 경과되었다. 그런데 그로부터 1년 후에 헌법재판소는 乙이 청구한 헌법소원심판 사건에서 이 사건 과세처분의 근거가 되었던 「국세기본법」 규정이 헌법에 위반된다고 결정(이하 '이 사건 위헌결정'이라 한다)하였다. A세무서장은 이 사건 과세처분에 따라 당시 유효하게 시행 중이던 「국세징수법」을 근거로 甲이 체납 중이던 체납액 및 결손액(가산세 포함)을 징수하기 위하여 甲 명의의 예금채권을 압류했다.

① 이 사건 과세처분의 근거가 된 「국세기본법」 규정이 헌법재판소에 의하여 위헌으로 선언되었으므로 이 사건 과세처분은 법률적 근거가 없는 처분으로서 당연무효이며, 따라서 제소기간이 경과되었지만 그 무효 확인을 구하는 행정소송의 제기는 적법하다.

② 이 사건 위헌결정의 대상 법조항은 이 사건 과세처분의 근거가 된 것이고, 위헌결정의 소급효를 인정하여도 법적 안정성을 침해할 우려가 없으므로 이 사건 위헌결정의 소급효는 甲에게도 미친다.

③ 만약 이 사건 위헌결정 이전에 甲이 이 사건 과세처분의 취소를 구하는 행정소송을 제기하여 이미 패소 확정되었다면, 甲에게는 이 사건 위헌결정이 「헌법재판소법」 제75조 제7항이 정한 재심청구사유에 해당하므로 甲은 재심을 청구할 수 있다.

④ 선행처분인 이 사건 과세처분의 취소사유인 하자는 후속 체납 처분인 압류처분에 승계된다.

⑤ 조세 부과의 근거가 되었던 법률규정이 위헌으로 선언된 경우, 그 위헌결정의 기속력 때문에 그 위헌결정 이후 조세채권의 집행을 위한 새로운 체납처분에 착수하거나 이를 속행하는 것은 더 이상 허용되지 않는다. 이러한 위헌결정의 효력에 위배하여 이루어진 체납처분은 그 사유만으로 하자가 중대하고 객관적으로 명백하여 당연무효이다.

**해설**

① (✗) 처분 이후에 근거법률이 위헌결정이 되는 것은 무효가 아니라 취소사유이다. 따라서 기간 경과 후의 취소소송은 부적법하다.
② (✗) 제소기간 경과 후에 위헌결정의 소급효를 인정하면 과거의 모든 사건에 소급효가 인정되므로 법적 안정성을 침해할 우려가 있으므로 소급효가 미치지 않는다.
③ (✗) 패소가 확정되면 기판력이 발생하고 기판력이 발생하면 위헌결정의 소급효가 미치지 않는다.
④ (✗) 과세처분과 그 후의 절차는 하자승계가 되지 않는다.
⑤ (○) 위헌결정 이후에는 절차를 진행하면 안되고 만약 진행하면 해당 처분은 당연무효이다.

**정답** ⑤

## 029  23 국가7급

**헌법재판소 결정의 재심에 대한 설명으로 옳지 않은 것은?**

① 공권력의 작용에 대한 권리구제형 헌법소원심판절차에 있어서 '헌법재판소의 결정에 영향을 미칠 중대한 사항에 관하여 판단을 유탈한 때'를 재심사유로 허용하는 것이 헌법재판의 성질에 반한다고 볼 수 없으므로 「민사소송법」 규정을 준용하여 '판단유탈'도 재심사유로 허용되어야 한다.
② 헌법재판은 그 심판의 종류에 따라 그 절차의 내용과 결정의 효과가 한결같지 아니하기 때문에 재심의 허용 여부 내지 허용 정도 등은 심판절차의 종류에 따라서 개별적으로 판단될 수밖에 없다.
③ 정당해산심판절차에서는 재심을 허용하지 아니함으로써 얻을 수 있는 법적 안정성의 이익이 재심을 허용함으로써 얻을 수 있는 구체적 타당성의 이익보다 더 크므로 재심을 허용하여서는 아니 된다.
④ 위헌법률심판을 구하는 헌법소원에 대한 헌법재판소의 결정에 대하여는 재심을 허용하지 아니함으로써 얻을 수 있는 법적 안정성의 이익이 재심을 허용함으로써 얻을 수 있는 구체적 타당성의 이익보다 훨씬 높을 것으로 예상할 수 있으므로 헌법재판소의 이러한 결정에는 재심에 의한 불복방법이 그 성질상 허용될 수 없다.

**해설**

① (O) ② (O) 헌법재판 자체에 대한 재심은 판단유탈의 경우 가능하다. (헌재 2001.9.27. 2001헌마3)
③ (×) ④ (O) 헌법재판소는 통합진보당 해산결정에 대한 재심청구를 하였다. (헌재 2016.5.26. 2015헌아20【각하】) 정당해산결정에 대해서는 재심이 허용되지만, 이 사건에서는 적법한 재심사유가 없다는 것이 법정의견이었다.

**정답** ③

## 030 22 변호사

**헌법재판소 위헌결정의 효력 등에 관한 설명 중 옳은 것을 모두 고른 것은? (다툼이 있는 경우 판례에 의함)**

ㄱ. 형사재판 유죄확정판결이 있은 후 당해 처벌근거조항에 대해 위헌결정이 내려진 경우 유죄판결을 받은 자는 재심청구를 통하여 유죄의 확정판결을 다툴 수 있다.

ㄴ. 헌법재판소가 「공직선거법」의 국회의원 지역선거구 구역표에 대하여 계속적용 헌법불합치결정을 하면서 입법개선시한을 부여한 경우, 그 시한까지 국회가 아무런 조치를 취하지 않으면 헌법불합치선언된 위 선거구 구역표의 효력은 상실되고, 입법자가 국회의원 선거에 관한 사항을 법률로 규정함에 있어서 폭넓은 입법형성의 자유를 가진다고 하여도 선거구에 관한 입법을 할 것인지 여부에 대해서는 입법자에게 어떤 형성의 자유가 존재한다고 할 수 없다.

ㄷ. 설령 헌법재판소 위헌결정의 결정이유에까지 기속력을 인정한다고 하더라도, 결정이유의 기속력을 인정하기 위해서는 결정주문을 뒷받침하는 결정이유에 대하여 적어도 위헌결정의 정족수인 재판관 6인 이상의 찬성이 있어야 할 것이고, 이에 미달할 경우에는 결정이유에 대하여 기속력을 인정할 여지가 없다.

ㄹ. 「헌법재판소법」은 법률의 위헌결정, 권한쟁의심판의 결정, 헌법소원의 인용결정에 대한 기속력을 명문으로 규정하고 있다.

① ㄱ    ② ㄱ, ㄹ    ③ ㄴ, ㄷ
④ ㄴ, ㄷ, ㄹ    ⑤ ㄱ, ㄴ, ㄷ, ㄹ

### 해설

ㄱ. (O) 법률에 대한 위헌결정은 원칙적 장래효이지만 형벌에 대한 규정의 위헌결정은 소급효가 있으므로 확정된 형사재판에 대한 재심으로 무죄가 가능하다.

ㄴ. (O)

> 헌법 제41조 제3항은 국회의원 선거에 있어 필수적인 요소라고 할 수 있는 선거구에 관하여 직접 법률로 정하도록 규정하고 있으므로, 피청구인에게는 국회의원의 선거구를 입법할 명시적인 헌법상 입법의무가 존재한다. 나아가 헌법이 국민주권의 실현방법으로 대의민주주의를 채택하고 있고 선거구는 이를 구현하기 위한 기초가 된다는 점에 비추어 보면, 헌법해석상으로도 피청구인에게 국회의원의 선거구를 입법할 의무가 인정된다. 따라서 헌법재판소가 입법개선시한을 정하여 헌법불합치결정을 하였음에도 국회가 입법개선시한까지 개선입법을 하지 아니하여 국회의원의 선거구에 관한 법률이 존재하지 아니하게 된 경우, 국회는 이를 입법하여야 할 헌법상 의무가 있다. (헌재 2016.4.28. 2015헌마1177 등)

ㄷ. (O)

> 의료법 시행규칙에 있던 비맹제외기준이 위헌결정을 받은 후 국회가 동 조항을 의료법에 규정한 것은 위헌결정의 기속력에 반하지 않는다. (헌재 2008.10.30. 2006헌마1098 등【기각】)
> 
> 헌법재판소법 제47조 제1항 및 제75조 제1항에 규정된 법률의 위헌결정 및 헌법소원 인용결정의 기속력과 관련하여, 입법자인 국회에게 기속력이 미치는지 여부, 결정주문뿐 아니라 결정이유까지 기속력을 인정할지 여부는 헌법재판소의 헌법재판권 내지 사법권의 범위와 한계, 국회의 입법권의 범위와 한계 등을 고려하여 신중하게 접근할 필요가 있다. 설령 결정이유에까지 기속력을 인정한다고 하더라도, 결정주문을 뒷받침하는 결정이유에 대하여 적어도 위헌결정의 정족수인 재판관 6명 이상의 찬성이 있어야 할 것이고, 이에 미달할 경우에는 결정이유에 대해 기속력을 인정할 여지가 없는데, 헌법재판소가 2006.5.25. '안마사에 관한 규칙' 제3조 제1항 제1호와 제2호 중 각 '앞을 보지 못하는' 부분에 대하여 위헌으로 결정한 2003헌마715 등 사건의 경우 그 결정이유에서 비맹제외기준이 과잉금지원칙에 위반한다는 점과 관련해서는 재판관 5명만이 찬성하였을 뿐이므로 위 과잉금지원칙 위반의 점에 대하여 기속력이 인정될 여지가 없다.

ㄹ. (O) 위헌법률심판과 헌법소원은 위헌결정에 대해서 기속력이 인정되고, 권한쟁의심판은 인용이든 기각이든 기속력이 인정된다.

정답

## 031 회독 ☐☐☐ 재구성                                   21 국회8급

**헌법재판소가 내린 위헌결정의 효력에 대한 설명으로 옳은 것은? (다툼이 있는 경우 판례에 의함)**

① 세법조항이 단순위헌으로 결정되면, 그 세법조항은 위헌결정이 있는 날로부터 효력을 상실하기 때문에, 위헌결정의 소급효가 인정되지 않아 당해 사건의 당사자는 구제를 받지 못한다.
② 형벌조항이 단순위헌으로 결정되면, 그 형벌조항에 의하여 이미 유죄의 확정판결을 받은 사람은 재심을 청구하여 구제를 받을 수 있다.
③ 불처벌의 특례를 규정한 형벌규정에 대해 위헌결정이 내려지면, 종래 그 특례의 적용을 받았던 사람에 대해 형사처벌을 할 수 있다.
④ 법률조항에 대해 단순위헌결정이 내려지더라도, 입법자가 동일한 사정하에서 동일한 이유에 근거한 동일한 내용의 법률을 다시 제정하는 것은 위헌결정의 기속력에 반하지 않는다.

**해설**

① (X) 형사사건이 아닌 경우에는 원칙적으로 위헌결정의 소급효가 아니라 장래효이지만, 예외가 있다.
② (O) 재심을 청구하면 무죄가 된다.
③ (X) 불처벌의 특례는 위헌결정이 있어도 소급하지 않으므로 처벌할 수 없다.
④ (X) 동일한 사정하에서 동일한 이유에 근거한 동일한 내용의 법률을 다시 제정하는 것은 위헌결정의 기속력에 반한다.

**정답** ②

## 032 회독 ☐☐☐ 재구성                          20 서울·지방7급, 11 법원직

**헌법재판소의 위헌결정의 효력에 대한 설명으로 옳지 않은 것은? (다툼이 있는 경우 판례에 의함)**

① 법률의 위헌결정은 법원과 그 밖의 국가기관 및 지방자치단체를 기속한다.
② 행정작용을 포함한 공권력작용을 대상으로 한 권리구제형 헌법소원에 있어서 판단유탈은 재심사유가 되지 아니한다.
③ 헌법재판소 결정문의 결정이유에 대하여 재판관 5인만이 찬성한 경우에는 위헌결정이유의 기속력을 인정할 여지가 없다.
④ 위헌인 법률에 근거한 행정처분이라도 이미 취소소송의 제기기간을 경과하여 확정력이 발생한 행정처분에 대하여는 위헌결정의 소급효가 미치지 않는다.

**해설**

① (O) 법률의 위헌결정, 헌법소원의 인용결정은 법원과 그 밖의 국가기관 및 지방자치단체를 기속한다. 다만, 권한쟁의심판은 인용이든 기각이든 기속력이 발생한다. [20 서울·지방7급]

> **헌법재판소법 제75조(인용결정)**
> ① 헌법소원의 인용결정은 모든 국가기관과 지방자치단체를 기속한다.
>
> **제67조(결정의 효력)**
> ① 헌법재판소의 권한쟁의심판의 결정은 모든 국가기관과 지방자치단체를 기속한다.

② (✗) 헌법재판소는 과거 판단유탈은 재심사유가 아니라고 보았으나, 판례를 변경하여 판단유탈도 재심사유로 인정하고 있다. (헌재 2001.9.27. 2001헌아3) [20 서울·지방7급]

> **청구기간의 계산착오와 재심** (헌재 2007.10.4. 2006헌아53)
> 헌법재판소법 제70조 제4항에 의하여 헌법소원심판의 청구기간을 산정함에 있어서 청구인이 국선대리인 선임신청을 한 날로부터 위 선임신청 기각결정의 통지를 받은 날까지의 기간은 청구기간에 산입하지 아니함에도 불구하고 이를 간과한 채 청구기간을 잘못 계산하여 심판청구가 청구기간을 도과하여 부적법하다는 이유로 각하하는 결정을 한 경우, 재심대상 사건에는 헌법재판소법 제40조 제1항에 의하여 준용되는 민사소송법 제451조 제1항 제9호의 '판결에 영향을 미칠 중요한 사항에 관하여 판단을 누락한 때'에 해당하는 재심사유가 있다고 할 것이다.

③ (○) [20 서울·지방7급]

> **안마사 자격인정의 비맹제외 기준** (헌재 2008.10.30. 2006헌마1098 등【기각】)
> [1] 이 사건 법률조항으로 인해 얻게 되는 시각장애인의 생존권 등 공익과 그로 인해 잃게 되는 일반국민의 직업선택의 자유 등 사익을 비교해 보더라도, 공익과 사익 사이에 법익 불균형이 발생한다고 단정할 수도 없다. 따라서 이 사건 법률조항이 헌법 제37조 제2항에서 정한 기본권 제한입법의 한계를 벗어나서 비시각장애인의 직업선택의 자유를 침해하거나 평등권을 침해한다고 볼 수는 없다.
> [2] 설령 결정이유에까지 기속력을 인정한다고 하더라도, 결정주문을 뒷받침하는 결정이유에 대하여 적어도 위헌결정의 정족수인 재판관 6명 이상의 찬성이 있어야 할 것이고, 이에 미달할 경우에는 결정이유에 대하여 기속력을 인정할 여지가 없는데, 헌법재판소가 2006.5.25. '안마사에 관한 규칙' 제3조 제1항 제1호와 제2호 중 각 '앞을 보지 못하는' 부분에 대하여 위헌으로 결정한 2003헌마715 등 사건의 경우 그 결정이유에서 비맹제외기준이 과잉금지원칙에 위반한다는 점과 관련하여서는 재판관 5명만이 찬성하였을 뿐이므로 위 과잉금지원칙 위반의 점에 대하여 기속력이 인정될 여지가 없다.

④ (○) 소제기가 불가능하기 때문이다. (헌재 2003.11.27. 2002헌바102 등) [11 법원직]

정답 ②

## 033 19 법원직

**다음 각 결정 중 「헌법재판소법」에서 그 결정의 기속력을 명시적으로 규정하고 있지 않은 것은?**

① 위헌법률심판의 위헌결정
② 정당해산결정
③ 권한쟁의심판 결정
④ 헌법소원 인용결정

**해설**

① (○) ③ (○) ④ (○)
② (✗) 정당해산심판에 대해서는 기속력에 대한 명시적 규정이 없는데, 정당해산의 경우에는 헌법재판소의 결정이 창설적 효력을 가지기 때문이다. 권한쟁의심판의 경우에는 인용이든 기각이든 기속력이 인정된다.

정답 ②

## 034 재구성

18 법원직, 12 국회8급

**헌법재판소 결정의 효력에 대한 설명으로 옳은 것만을 모두 고르면? (다툼이 있는 경우 판례에 의함)**

ㄱ. 제청법원은 합헌결정의 기속력 때문에 합헌으로 결정된 법률에 대해 위헌이라고 할 수 없을 뿐만 아니라 동일 심급에서 다시 제청할 수 없다.

ㄴ. 위헌결정으로 인하여 형벌에 관한 법률 또는 법률조항이 소급하여 효력을 상실한 경우, 그 법조를 적용하여 기소한 사건에 대해서는 「형사소송법」 제326조 제4호 소정의 '범죄 후의 법령개폐로 형이 폐지되었을 때'에 해당하여 무죄판결을 선고하여야 한다.

ㄷ. 헌법재판소와 대법원은 변형결정의 하나인 헌법불합치결정의 경우에도 위헌결정과 동일하게 소급효를 인정하고 있다.

ㄹ. 위헌으로 결정된 법률 또는 법률의 조항에 근거한 유죄의 확정판결에 대하여는 재심을 청구할 수 있지만, 위 유죄의 확정판결이란 헌법재판소의 위헌결정으로 인하여 「헌법재판소법」 제47조 제3항의 규정에 의하여 소급하여 효력을 상실하는 법률 또는 법률의 조항을 적용한 유죄의 확정판결을 의미한다.

ㅁ. 위헌으로 결정된 법률 또는 법률의 조항이 「헌법재판소법」 제47조 제3항 단서에 의하여 종전의 합헌결정이 있는 날의 다음 날로 소급하여 효력을 상실하는 경우, 그 합헌결정이 있는 날의 다음 날 이후에 유죄판결이 선고되어 확정되었더라도 범죄행위가 그 이전에 행하여졌다면 이에 대하여는 재심을 청구할 수 없다.

① ㄱ, ㄴ    ② ㄱ, ㄷ    ③ ㄴ, ㄹ    ④ ㄷ, ㄹ

### 해설

ㄱ. (✗) 기속력은 위헌결정에 인정되며, 합헌결정에는 인정되지 않는다. 제청법원은 합헌으로 결정된 법률에 대해서는 헌법재판소의 결정을 그대로 따라야 하는데, 이는 합헌결정의 기속력 때문이 아니라 구체적 규범통제의 성질과 일사부재리의 효력 때문이라는 점은 주의를 요한다. [12 국회8급]

ㄴ. (O) 이미 판결이 확정된 경우에는 재심이 가능하다. [12 국회8급]

ㄷ. (✗) 정확하게 말하면 옳지 않은 선지이다. 헌법불합치결정의 소급효는 일률적으로 인정되는 것이 아니다. 적용중지 헌법불합치는 소급효가 인정되지만, 잠정적용 헌법불합치는 소급효가 인정되는 경우와 인정되지 않는 경우가 있다. [12 국회8급]

ㄹ. (O) ㅁ. (✗) [18 법원직]

> 헌법재판소법 제47조 제4항에 따라 재심을 청구할 수 있는 '위헌으로 결정된 법률 또는 법률의 조항에 근거한 유죄의 확정판결'이란 헌법재판소의 위헌결정으로 인하여 같은 조 제3항의 규정에 의하여 소급하여 효력을 상실하는 법률 또는 법률의 조항을 적용한 유죄의 확정판결을 의미한다. 따라서 위헌으로 결정된 법률 또는 법률의 조항이 같은 조 제3항 단서에 의하여 종전의 합헌결정이 있는 날의 다음 날로 소급하여 효력을 상실하는 경우 합헌결정이 있는 날의 다음 날 이후에 유죄판결이 선고되어 확정되었다면, 비록 범죄행위가 그 이전에 행하여졌더라도 그 판결은 위헌결정으로 인하여 소급하여 효력을 상실한 법률 또는 법률의 조항을 적용한 것으로서 '위헌으로 결정된 법률 또는 법률의 조항에 근거한 유죄의 확정판결'에 해당하므로 이에 대하여 재심을 청구할 수 있다. (대결 2016.11.10. 2015모1475)

**정답** ③

### 기출지문 OX

합헌결정된 법률에 대해 또다시 위헌법률심판제청이 있는 경우 이미 내려진 결정에 대해 계속 논의하는 것은 법적 안정성을 해치므로 각하한다. 13 국회8급    (O／✗)

해설 합헌결정된 법률에 대해 또다시 위헌법률심판제청이 있더라도 다시 심판한다. 합헌결정은 기속력이 인정되지 않기 때문이다. 간통죄의 합헌결정이 4번 있었다는 사실을 상기하라.    **정답** ✗

## 035 [14 변호사·지방7급]

**헌법재판소 결정의 효력에 대한 설명으로 옳지 않은 것만을 모두 고르면? (다툼이 있는 경우 판례에 의함)**

ㄱ. 법률조항에 대한 위헌결정에 원칙적으로 소급효를 인정하는 것은 정의의 요청보다는 법적 안정성을 중시한 결과이다.

ㄴ. 당사자의 권리구제를 위한 구체적 타당성의 요청이 현저한 반면에 소급효를 인정하여도 법적 안정성을 침해할 우려가 없고 소급효의 부인이 오히려 정의와 형평 등 헌법적 이념에 심히 배치되는 때에는 소급효를 인정할 수 있다.

ㄷ. 구체적 규범통제의 실효성 보장의 견지에서 법원의 제청, 헌법소원의 청구 등을 통하여 헌법재판소에 법률의 위헌결정을 위한 계기를 부여한 당해 사건, 위헌결정이 있기 전에 이와 동종의 위헌 여부에 관하여 헌법재판소에 위헌제청을 하였거나 법원에 위헌제청신청을 한 경우의 당해 사건, 그리고 따로 위헌제청신청을 아니하였지만 당해 법률 또는 법률의 조항이 재판의 전제가 되어 법원에 계속 중인 사건은 위헌결정의 소급효가 인정된다.

ㄹ. 위헌법률심판은 법원이 헌법재판소에 제청하는 것이기 때문에 당해 사건의 당사자는 위헌법률심판사건의 당사자라고 할 수 없으나, 위헌법률심판제청신청을 한 사람은 위헌법률심판제청에 따른 헌법재판소 결정의 효력을 받는 자로서 권리구제를 위한 구체적 타당성의 요청이 현저한 경우에 헌법재판소 결정에 대하여 재심을 청구할 수 있다.

① ㄱ, ㄴ
② ㄱ, ㄹ
③ ㄴ, ㄷ
④ ㄷ, ㄹ

### 해설

ㄱ. (✗) 소급효는 법적 안정성보다는 구체적 타당성(정의)을 강조하는 입장이다. 법적 안정성을 강조하면 장래효를 취하게 된다. [14 지방7급]

ㄴ. (O) [14 지방7급]

> 당사자의 권리구제를 위한 구체적 타당성의 요청이 현저한 반면에 소급효를 인정하여도 법적 안정성을 침해할 우려가 없고 나아가 구법에 의하여 형성된 기득권자의 이득이 해쳐질 사안이 아닌 경우로서 소급효의 부인이 오히려 정의와 평등 등 헌법적 이념에 심히 배치되는 때에도 소급효를 인정할 수 있다. (헌재 1993.5.13. 92헌가10)

ㄷ. (O) [14 변호사]

ㄹ. (✗) 법률에 대한 위헌결정에 대해서는 법적 안정성 때문에 재심이 인정되지 않는다. [14 변호사]

**정답** ②

## 제2절 위헌법률심판

**036** 회독 ☐☐☐　　　　　　　　　　　　　　　　　　　　　　　　　　　　　　　23 변호사

**재판의 전제성에 관한 설명 중 옳지 않은 것은? (다툼이 있는 경우 판례에 의함)**

① 위헌법률심판에서 재판의 전제성이라 함은 구체적인 사건이 법원에 계속 중이고, 위헌 여부가 문제되는 법률이 당해 사건 재판에 적용되며, 그 법률이 헌법에 위반되는지 여부에 따라 당해 사건을 담당한 법원이 다른 내용의 재판을 하게 되는 경우를 말한다.
② 「헌법재판소법」 제68조 제2항에 따른 헌법소원심판에서 당해 사건 재판이 확정된 경우에도 헌법재판소가 해당 법률을 위헌으로 선언하면 「헌법재판소법」상 확정판결에 대한 재심을 청구할 수 있으므로 재판의 전제성이 인정될 수 있다.
③ 당해 사건이 부적법한 것이어서 법률의 위헌 여부를 따져볼 필요조차 없이 각하를 면할 수 없는 것일 때에는 재판의 전제성이 인정되지 않는다.
④ 헌법재판소는 법원의 위헌법률심판제청에 있어서 재판의 전제성에 관한 제청법원의 법률적 견해를 존중하여야 하므로, 비록 이러한 제청법원의 견해가 명백히 유지될 수 없더라도 직권으로 조사할 수 없다.
⑤ 재판의 전제성은 법원에 의한 위헌법률심판제청시만이 아니라 헌법재판소에 의한 위헌법률심판 종료 시에도 충족되어야 하는 것이 원칙이다.

**해설**

① (O) ③ (O) ⑤ (O) 전제성의 요건이다.
② (O) 예외적으로 전제성이 인정되는 경우이다.
④ (✗) 헌법재판소는 법원의 위헌법률심판제청에 있어서 재판의 전제성에 관한 제청법원의 법률적 견해를 최대한 존중하지만, 제청법원의 견해가 명백히 유지될 수 없을 때는 직권으로 조사할 수 있다.

**정답** ④

## 037　22 국가7급

**재판의 전제성에 대한 설명으로 옳은 것은? (다툼이 있는 경우 판례에 의함)**

① 법원에서 당해 소송사건에 적용되는 재판규범 중 위헌제청신청대상이 아닌 관련 법률에서 규정한 소송요건을 구비하지 못하였기 때문에 부적법하다는 이유로 소각하판결을 선고하고 그 판결이 확정되거나 소각하판결이 확정되지 않았더라도 당해 소송사건이 부적법하여 각하될 수밖에 없는 경우, 당해 소송사건이 각하될 것이 불분명한 경우에는 당해 소송사건에 관한 '재판의 전제성' 요건이 흠결된 것으로 본다.

② 법원이 심판대상조항을 적용함이 없이 다른 법리를 통하여 재판을 한 경우 심판대상조항의 위헌 여부는 당해 사건 법원의 재판에 직접 적용되거나 관련되는 것이 아니어서 재판의 전제성이 인정되지 않는다.

③ 형사사건에 있어서 원칙적으로 공소가 제기되지 아니한 법률조항의 위헌 여부는 당해 형사사건의 재판의 전제가 될 수 없으나 공소장에 적용법조로 기재되었다면 재판의 전제성을 인정할 수 있다.

④ 항소심에서 당해 사건의 당사자들 간에 임의조정이 성립되어 소송이 종결된 경우 1심판결에 적용된 법률조항에 대해서는 재판의 전제성이 인정될 수 있다.

### 해설

① (✕)

> 당해 소송이 제1심과 항소심에서 소송요건이 결여되었다는 이유로 각하되었지만 상고심에서 그 각하판결이 유지될지 불분명한 경우에도 헌법재판소법 제68조 제2항의 헌법소원에 있어서 재판의 전제성이 인정될 수 있다. (헌재 2004.10.28. 99헌바91)

② (〇)

> 구 국세징수법 제47조 제2항은 부동산 등에 대한 압류는 압류의 등기 또는 등록을 한 후에 발생한 체납액에 대하여도 효력이 미친다는 내용임에 반하여, 당해 사건의 법원은 압류등기 후에 압류부동산을 양수한 소유자에게 압류처분의 취소를 구할 당사자적격이 있는지에 관한 법리 및 압류해제, 결손처분에 관한 법리를 통하여 당해 사건을 판단하였고, 그러한 당해 사건 법원의 판단은 그대로 대법원에 의하여 최종적으로 확정되었는바, 그렇다면 위 법률조항의 위헌 여부는 당해 사건 법원의 재판에 직접 적용되거나 관련되는 것이 아니어서 그 재판의 전제성이 없다. (헌재 2001.11.29. 2000헌바49)

③ (✕)

> 공소장에 적용법조를 기재하는 이유는 공소사실의 법률적 평가를 명확히 하여 공소의 범위를 확정하는 데 보조기능을 하도록 하고, 피고인의 방어권을 보장하고자 함에 있으므로, 적용법조의 기재에 오기나 누락이 있는 경우라고 할지라도 이로 인하여 피고인의 방어에 실질적인 불이익을 주지 않는 한 공소제기의 효력에는 영향이 없고, 법원으로서도 공소장 변경의 절차를 거침이 없이 곧바로 공소장에 기재되어 있지 않은 법조를 적용할 수 있다. (대판 2006.4.14. 2005도9743)

④ (✕)

> 항소심에서 당해 사건의 당사자들에 의해 소송이 종결되었다면 구체적인 사건이 법원에 계속 중인 경우라고 할 수 없을 뿐 아니라, 조정의 성립에 1심판결에 적용된 법률조항이 적용된 바도 없으므로 위 법률조항에 대하여 위헌결정이 있다고 하더라도 청구인으로서는 당해 사건에 대하여 재심을 청구할 수 없어 종국적으로 당해 사건의 결과에 대하여 이를 다툴 수 없게 되었다고 할 것이므로, 위 법률조항이 헌법에 위반되는지 여부는 당해 사건과의 관계에서 재판의 전제가 되지 못한다. (헌재 2010.2.25. 2007헌바34)

**정답** ②

## 038  22 국회8급

**위헌법률심판에 대한 설명으로 옳지 않은 것은? (다툼이 있는 경우 판례에 의함)**

① 호주가 사망한 경우 딸에게 분재청구권을 인정하지 아니한 구 관습법은 비록 형식적 의미의 법률은 아니지만 실질적으로는 법률과 같은 효력을 갖는 것이므로 위헌법률심판의 대상이 된다.

② 헌법재판소에 의하여 위헌으로 선고된 법률 또는 법률의 조항이 제정 당시로 소급하여 효력을 상실하는가 아니면 장래에 향하여 효력을 상실하는가의 문제는 특단의 사정이 없는 한 헌법적합성의 문제라기보다는 입법자가 법적 안정성과 개인의 권리구제 등 제반 이익을 비교형량하여 가면서 결정할 입법정책의 문제이다.

③ 입법자는 형벌조항에 대한 위헌결정의 효력과 관련하여 과거의 완전 소급효 입장을 버리고 종전에 합헌결정이 있었던 시점까지 그 소급효를 제한하는 부분 소급효로 입장을 변경하였는데, 이는 법적 안정성보다는 정의에 더 중점을 둔 것이다.

④ 헌법재판소가 특정 형벌법규에 대하여 과거에 합헌결정을 하였다는 것은, 적어도 그 당시에는 당해 행위를 처벌할 필요성에 대한 사회구성원의 합의가 유효하다는 것을 확인한 것이므로, 합헌결정이 있었던 시점 이전까지로 위헌결정의 소급효를 인정할 근거가 없다.

### 해설

① (O)

> 관습법(관습법에 의한 분재청구권)도 헌법소원심판의 대상이 된다. (헌재 2012.12.27. 2009헌바129)
> 헌법 제111조 제1항 제1호·제5호 및 헌법재판소법 제41조 제1항, 제68조 제2항에 의하면 위헌심판의 대상을 '법률'이라고 규정하고 있는데, 여기서 '법률'이라고 함은 국회의 의결을 거친 이른바 형식적 의미의 법률뿐만 아니라 법률과 동일한 효력을 갖는 조약 등도 포함된다. 이처럼 법률과 동일한 효력을 갖는 조약 등을 위헌심판의 대상으로 삼음으로써 헌법을 최고규범으로 하는 법질서의 통일성과 법적 안정성을 확보할 수 있을 뿐만 아니라, 합헌적인 법률에 의한 재판을 가능하게 하여 궁극적으로는 국민의 기본권 보장에 기여할 수 있게 된다. 그렇다면 법률과 같은 효력을 가지는 이 사건 관습법도 당연히 헌법소원심판의 대상이 되고, 단지 형식적인 의미의 법률이 아니라는 이유로 그 예외가 될 수는 없다(재판의 전제성이 없어 각하).

② (O) 형벌에 관한 위헌결정은 소급효가 인정되고 형벌이 아닌 조항에 대한 위헌결정은 원칙적으로 장래효가 인정되지만, 예외적으로 소급효가 인정되는 경우가 있다. (헌재 2001.12.20. 2001헌바7 등)

③ (X)

> 해당 형벌조항이 성립될 당시에는 합헌적인 내용이었다고 하더라도 시대 상황이 변하게 되면 더 이상 효력을 유지하기 어렵거나 새로운 내용으로 변경되지 않으면 안 되는 경우가 발생할 수 있다. 그런데 합헌으로 평가되던 법률이 사후에 시대적 정의의 요청을 담아내지 못하게 되었다고 하여 그동안의 효력을 전부 부인해 버린다면, 법집행의 지속성과 안정성이 깨지고 국가형벌권에 대한 신뢰가 무너져 버릴 우려가 있다. 그러므로 심판대상조항은 현재의 상황에서는 위헌이더라도 과거의 어느 시점에서 합헌결정이 있었던 형벌조항에 대하여는 위헌결정의 소급효를 제한함으로써 그동안 쌓아 온 규범에 대한 사회적인 신뢰와 법적 안정성을 확보하는 것이 중요하다는 입법자의 결단에 따라 위헌결정의 소급효를 제한한 것이므로, 이러한 소급효 제한이 불합리하다고 보기는 어렵다. (헌재 2016.4.28. 2015헌바216)

④ (O)

> 헌법재판소가 당대의 법 감정과 시대상황을 고려하여 합헌이라는 유권적 확인을 하였다면, 그러한 사실 자체에 대하여 법적 의미를 부여하고 그것을 존중할 필요가 있다. 헌법재판소가 특정 형벌법규에 대하여 과거에 합헌결정을 하였다는 것은 적어도 그 당시에는 당해 행위를 처벌할 필요성에 대한 사회구성원의 합의가 유효하다는 것을 확인한 것이므로, 합헌결정이 있었던 시점 이전까지로 위헌결정의 소급효를 인정할 근거가 없다. (헌재 2016.4.28. 2015헌바216)

**정답** ③

## 039 회독 ☐☐☐ 재구성                    20 법무사, 19 국회8급·지방7급

**위헌법률심판에 대한 설명으로 옳지 않은 것만을 모두 고르면? (다툼이 있는 경우 판례에 의함)**

> ㄱ. 제청법원이 법률조항 자체의 위헌판단을 구하는 것이 아니라 심판대상 법률조항의 특정한 해석이나 적용 부분의 위헌성을 주장하는 한정위헌청구를 하는 경우에는 원칙적으로 부적법하다고 보아야 한다.
> ㄴ. 법원이 위헌법률심판을 제청하는 경우에는 제청서에 위헌이라고 해석되는 법률 또는 법률의 조항 및 위헌이라고 해석되는 이유를 기재해야 하는바, 헌법재판소는 제청서에 기재된 심판의 대상과 위헌심사의 기준에 구속된다.
> ㄷ. 「헌법재판소법」 제41조 제1항의 재판이라 함은 판결·결정·명령 등 그 형식 여하와 본안에 관한 재판이거나 소송절차에 관한 재판이거나를 불문하며 심급을 종국적으로 종결시키는 종국재판뿐만 아니라 중간재판도 이에 포함된다.
> ㄹ. 제1심에서 위헌법률심판 제청신청을 기각당한 소송당사자가 상소심에서 동일한 사유로 다시 제청신청을 하는 것은 적법하다.

① ㄱ, ㄴ  
② ㄷ, ㄹ  
③ ㄱ, ㄴ, ㄹ  
④ ㄴ, ㄷ, ㄹ

**해설**

ㄱ. (X) 한정위헌청구는 원칙적으로 적법하다. [19 지방7급]
ㄴ. (X) 헌법재판소는 직권으로 심판대상을 확대·축소·변경할 수 있고, 제청된 심사기준에 구속되지 않는다. [19 지방7급]
ㄷ. (O) 재판의 전제성에서 말하는 재판은 모든 종류의 재판을 의미한다. (헌재 2001.6.28. 99헌가14) [20 법무사]
ㄹ. (X) 위헌법률심판 제청신청은 파기환송심을 포함하여 전 심급을 통하여 한 번만 할 수 있다. [19 국회8급]

정답 ③

**기출지문 OX**

❶ 규범통제형 헌법소원심판청구는 법률이 헌법에 위반되는지 여부가 재판의 전제가 된 때에 소송사건의 당사자가 「헌법재판소법」 제41조 제1항에 의한 위헌 여부 심판의 제청신청을 하였음에도 불구하고 법원이 이를 배척한 경우, 법원의 제청에 갈음하여 당사자가 직접 헌법재판소에 헌법소원의 형태로 그 법률의 위헌 여부의 심판을 구하는 것이므로, 그 심판의 대상은 재판의 전제가 되는 법률이지 대통령령이나 규칙은 그 대상이 될 수 없다. 17 국가7급(하)                    (O / X)

해설 위헌법률심판과 헌법재판소법 제68조 제2항의 규정에 의한 헌법소원심판청구는 법률, 긴급명령, 법률의 효력을 가지는 조약, 관습법 등 법률과 동일한 효력을 가지는 것을 대상으로 하고, 법률보다 하위의 효력인 법규명령 등은 심판대상이 아니다.

정답 O

❷ 헌법재판소는 「형법」상 뇌물죄의 주체가 되는 '공무원'에 구 「제주특별자치도 설치 및 국제자유도시 조성을 위한 특별법」상의 제주특별자치도 통합영향평가 심의위원회 심의위원 중 위촉위원이 포함되는 것으로 해석하는 한 헌법에 위반된다고 판단하였다. 16 법원직                    (O / X)

정답 O

## 040 회독 ☐☐☐ 재구성    17 법원직, 10 지방7급

**위헌법률심판에 대한 설명으로 옳지 않은 것만을 모두 고르면? (다툼이 있는 경우 판례에 의함)**

ㄱ. 이미 위헌결정된 법률에 대하여 법원의 위헌법률심판제청이 있는 경우, 형식적으로 법률조항이 존재하므로 헌법재판소는 이를 각하하지 않고 동일한 취지의 위헌확인결정을 한다.
ㄴ. 당해 사건이 고등법원의 재정신청 기각결정에 대한 재항고사건인 경우 재정신청이 이유 있으면 공소제기결정을 하도록 규정한 「형사소송법」 조항에 관하여 재판의 전제성이 인정된다.
ㄷ. 당해 사건 계속 중 공소가 취소되어 공소기각결정이 확정된 경우 그 공소의 근거법률에 관하여 재판의 전제성이 인정되지 않는다.
ㄹ. 행정처분에 대한 제소기간이 도과한 후 그 처분에 대한 무효확인 및 후행처분의 취소를 구하는 소를 제기한 때에는 당해 행정처분의 근거법률에 관하여 재판의 전제성이 인정되지 않는다.

① ㄱ, ㄴ
② ㄱ, ㄹ
③ ㄴ, ㄷ
④ ㄷ, ㄹ

### 해설

ㄱ. (×) 헌법재판소에서 이미 위헌결정이 선고된 법률조항에 대한 위헌법률심판제청은 부적법하여 각하한다. (헌재 2009.3.26. 2007헌가5 등) [10 지방7급]

ㄴ. (×) [17 법원직]

> 당해 사건은 고등법원의 재정신청 기각결정에 대한 재항고사건이므로 심판대상조항은 당해 사건에 직접 적용될 법률이 아니다. 또한 심판대상조항이 위헌으로 결정되어 재정신청이 이유 있는 경우 공소제기명령을 하는 대신 불기소처분을 취소하는 것으로 제도가 변경된다고 하여 불기소처분의 적법성과 타당성을 심사하는 법관의 재량적 판단이 달라질 것이라고 보기는 어렵다. 법원은 필요한 때에는 증거를 조사할 수 있으므로, 증거자료가 부족하여 공소제기명령을 할 수 없지만 수사를 더 하라는 취지로 불기소처분을 취소할 수 있는 경우를 상정하기도 어렵다. 더구나 청구인들의 주장과 같이 심판대상조항이 개정되고 그 효력이 소급된다고 하더라도, 당해 사건에서 대법원이 고등법원의 재정신청 기각결정이 헌법이나 법률에 위반된다고 판단할 것이라고 추단할 수 없다. 따라서 심판대상조항은 당해 사건에서 재판의 전제성이 인정되지 않는다. (헌재 2015.1.29. 2012헌바434)

ㄷ. (○) 공소기각되면 당해 사건 자체가 존재하지 않으므로 재판의 전제성은 인정되지 않는다. [17 법원직]

ㄹ. (○) [17 법원직]

> 행정처분의 근거법률이 헌법에 위반된다는 사정은 헌법재판소의 위헌결정이 있기 전에는 객관적으로 명백한 것이라고 할 수는 없으므로 특별한 사정이 없는 한 그러한 하자는 행정처분의 취소사유에 해당할 뿐 당연무효사유는 아니고, 제소기간이 경과한 뒤에는 행정처분의 근거법률이 위헌임을 이유로 무효확인소송 등을 제기하더라도 행정처분의 효력에는 영향이 없음이 원칙이다. 따라서 처분의 근거가 된 법률조항의 위헌 여부에 따라 당해 사건 재판의 주문이 달라지거나 재판의 내용과 효력에 관한 법률적 의미가 달라지는 경우로 볼 수 없으므로 재판의 전제성이 인정되지 아니한다. (헌재 2014.1.28. 2011헌바38)

**정답** ①

## 041 회독 ☐☐☐ 재구성　　　　　　　　　　　　　　　　　　　　　　17 국회8급

**위헌법률심판에 대한 설명으로 옳지 않은 것은? (다툼이 있는 경우 판례에 의함)**

① 헌법재판소는 이미 합헌으로 선언된 법률조항에 대한 위헌법률심판제청을 적법한 것으로 받아들임으로써 합헌결정에 대한 기속력을 인정하지 않는다.
② 헌법재판소는 위헌법률심판의 제청이 있는 때에는 법무부장관 및 당해 소송사건의 당사자에게 그 제청서의 등본을 송달한다.
③ 당해 사건의 보조참가인은 피참가인의 소송행위와 저촉되지 아니하는 한 일체의 소송행위를 할 수 있지만, 위헌법률심판제청을 신청할 수 있는 '당사자'에는 해당하지 않는다.
④ 제청법원이 법률에 대한 위헌법률심판을 구하면서 동시에 토지수용의 경우에 가압류가 소멸함에도 그에 대한 보상의 방법과 절차를 전혀 규정하지 않아 가압류 채권자의 재산권을 침해하고 있다는 이른바 입법부작위로 인한 위헌법률심판제청은 부적법하다.

### 해설

① (○) 기속력은 위헌법률심판과 헌법소원의 위헌(인용)결정에만 인정되고, 합헌(기각)결정에는 인정되지 않는다. 권한쟁의심판은 인용이든 기각이든 기속력이 인정된다. 따라서 간통죄처럼 합헌결정이 있더라도 다시 위헌제청이나 헌법소원이 가능하다.

② (○) 헌법재판소법 제27조 제2항

③ (✗) 참가인도 당사자에 포함된다.

> 헌법재판소법 제40조에 의하여 준용되는 민사소송법에 의하면 보조참가인은 피참가인의 소송행위와 저촉되지 아니하는 한 소송에 관하여 공격·방어·이의·상소, 기타 일체의 소송행위를 할 수 있는 자이므로 헌법재판소법 소정의 위헌심판제청신청의 '당사자'에 해당한다고 할 것이고, 이와 같이 해석하는 것이 구체적 규범통제형 위헌심사제의 입법취지 및 기능에도 부합한다고 할 것이다. 민사소송의 보조참가인은 헌법재판소법 제68조 제2항의 헌법소원의 당사자적격이 있다. **(헌재 2003.5.15. 2001헌바98)**

④ (○)

> 헌법재판소법 제41조에 의한 법원의 위헌제청은 법률이나 법률조항이 헌법에 위반되는지 여부를 적극적으로 다투는 제도이므로 법률의 부존재, 즉 입법부작위를 그 심판의 대상으로 하는 것은 그 자체로서 허용될 수 없다. **(헌재 2007.12.27. 2005헌가9)**

**정답** ③

## 042 회독 ☐☐☐ 재구성 · 16 지방7급

**위헌법률심판에 대한 설명으로 옳지 않은 것만을 모두 고르면? (다툼이 있는 경우 판례에 의함)**

> ㄱ. 헌법재판소는 관습법도 위헌법률심판의 대상이 된다고 보고 있으며, 대법원도 관습법이 헌법재판소의 위헌법률심판대상이 된다고 인정하고 있다.
> ㄴ. 법원이 법률의 위헌 여부 심판을 헌법재판소에 제청할 때에는 제청서에 제청법원의 표시, 사건 및 당사자의 표시 및 피청구인을 적어야 한다.
> ㄷ. 헌법재판소는 위헌법률심판에서 결정유형으로 각하결정, 기각결정, 합헌결정, 변형결정, 위헌결정을 사용하고 있다.

① ㄱ, ㄴ
② ㄱ, ㄷ
③ ㄴ, ㄷ
④ ㄱ, ㄴ, ㄷ

### 해설

ㄱ. (✕) 헌법재판소는 관습법도 헌법재판의 대상으로 인정한다. 그러나 대법원은 인정하지 않는다.

> 헌법 제111조 제1항 제1호 및 헌법재판소법 제41조 제1항에서 규정하는 위헌심사의 대상이 되는 법률은 국회의 의결을 거친 이른바 형식적 의미의 법률을 의미하고, 또한 민사에 관한 관습법은 법원에 의하여 발견되고 성문의 법률에 반하지 아니하는 경우에 한하여 보충적인 법원이 되는 것에 불과하여 관습법이 헌법에 위반되는 경우 법원이 그 관습법의 효력을 부인할 수 있으므로, 결국 관습법은 헌법재판소의 위헌법률심판의 대상이 아니라고 할 것이다. (대판 2009.5.28. 2007카기134)

ㄴ. (✕) 피청구인을 적는 것은 법원이 헌법재판소에 위헌제청시에 갖추어야 할 요건이 아니다.

> **헌법재판소법 제43조(제청서의 기재사항)**
> 법원이 법률의 위헌 여부 심판을 헌법재판소에 제청할 때에는 제청서에 다음 각 호의 사항을 적어야 한다.
> 1. 제청법원의 표시
> 2. 사건 및 당사자의 표시
> 3. 위헌이라고 해석되는 법률 또는 법률의 조항
> 4. 위헌이라고 해석되는 이유
> 5. 그 밖에 필요한 사항

ㄷ. (✕) 위헌법률심판에서는 위헌, 합헌, 한정위헌, 한정합헌, 헌법불합치결정이 가능하다. 기각결정은 헌법소원심판에서 사용한다. 헌법소원에서 기각은 합헌의 의미이고, 인용은 위헌의 의미이다. 각하는 모든 결정에 가능하다.

**정답** ④

## 043

**위헌법률심판에 대한 설명으로 옳지 않은 것은? (다툼이 있는 경우 판례에 의함)**

① '대한민국과 아메리카합중국 간의 상호방위조약 제4조에 의한 시설과 구역 및 대한민국에서의 합중국 군대의 지위에 관한 협정'은 그 명칭이 '협정'이기는 하나 국회의 동의를 요하는 조약으로 취급되어야 하므로 위헌제청의 대상이 된다.
② 위헌 여부의 해명이 헌법적으로 중요하거나 문제의 법률조항으로 인한 기본권 침해의 반복위험성이 있는 경우에는 예외적으로 재판의 전제성을 인정한다.
③ 구「성폭력범죄의 처벌 등에 관한 특례법」상 성폭력범죄자의 신상정보등록의 근거규정에 의하면 일정한 성폭력범죄로 유죄판결이 확정된 자는 신상정보등록대상자가 되는바, 유죄판결이 확정되기 전 단계인 당해 형사사건에서는 위 신상정보등록 근거규정의 재판의 전제성은 인정되지 않는다.
④ 헌법불합치결정에서 정한 잠정적용기간 동안 헌법불합치결정을 받은 법률조항에 따라 퇴직연금 환수처분이 이루어졌고 환수처분의 후행처분으로 압류처분이 내려진 경우, 압류처분의 무효확인을 구하는 당해 소송에서 헌법불합치결정에 따라 개정된 법률조항은 당해 소송의 재판의 전제가 된다.

**해설**

① (O) [09 법원직]

> 이 사건 조약은 그 명칭이 '협정'으로 되어 있어 국회의 관여 없이 체결되는 행정협정처럼 보이기도 하나, 우리나라의 입장에서 볼 때에는 외국군대의 지위에 관한 것이고, 국가에게 재정적 부담을 지우는 내용과 입법사항을 포함하고 있으므로 국회의 동의를 요하는 조약으로 취급되어야 한다. (헌재 1999.4.29. 97헌가14)

② (O) [09 지방7급]

③ (O) [15 국가7급]

> 신상정보등록의 근거규정에 의하면, 일정한 성폭력범죄로 유죄판결이 확정된 자는 신상정보등록대상자가 되는바, 유죄판결이 확정되기 전 단계인 당해 형사사건재판에서 신상정보등록 근거규정이 적용된다고 볼 수 없으므로 이에 관한 청구는 재판의 전제성이 인정되지 아니한다. 당해 사건에서 법원은 청구인에 대하여 신상정보공개명령을 하지 아니하였고, 이러한 내용의 청구인에 대한 판결은 확정되었으므로, 신상정보공개명령의 근거규정에 대하여 위헌결정이 이루어지더라도 청구인에게 재심을 구할 이익이 있다고 보기 어렵다. 따라서 이에 관한 청구는 재판의 전제성이 인정되지 아니한다. (헌재 2013.9.26. 2012헌바109)

④ (X) [15 국가7급]

> 구 공무원연금법 제64조 제1항 제1호에 대하여 헌법재판소가 헌법불합치결정을 하면서, 2008.12.31.까지 잠정적용을 명하였는데, 청구인에 대한 공무원 퇴직연금 환수처분은 위 조항에 근거하여 잠정적용기간 내인 2008.9.12.에 이루어졌으므로 법률상 근거가 있는 처분이다. 그리고 청구인에 대한 압류처분은 위와 같이 유효한 환수처분을 선행처분으로 한 것이므로, 압류처분의 무효확인을 구하는 당해 소송에서는 개정된 공무원연금법 제64조 제1항 제1호가 적용될 여지가 없다. 따라서 개정된 공무원연금법 제64조 제1항 제1호는 당해 사건의 재판에 적용되지 아니하므로, 재판의 전제성이 인정되지 아니한다. (헌재 2013.8.29. 2010헌바241)

**정답** ④

## 044 회독 ☐☐☐ 재구성   15 국회8급, 09 국가7급

**위헌법률심판에 대한 설명으로 옳지 않은 것은? (다툼이 있는 경우 판례에 의함)**

① 소송 계속 중에 적용법률에 대하여 위헌법률심판제청신청을 하여 헌법소원심판까지 이르게 된 경우 헌법재판소의 위헌결정이 있게 되면 당해 소송사건이 이미 확정된 때라도 당사자는 재심을 청구할 수 있으므로 재판의 전제성은 인정된다.

②「헌법재판소법」제68조 제2항에 의한 헌법소원심판에서 청구인들이 심판을 요청한 법률조항이 재판의 전제성이 없는 경우, 다른 법률조항이 재판의 전제성을 충족하더라도 헌법재판소는 이를 각하한다.

③ 해당 법률규정의 위헌 여부에 따라 비록 판결주문의 형식적 내용이 달라지는 것은 아니라 하더라도 그 판결의 실질적 효력에 차이가 있게 되는 경우, 위헌법률심판제청의 적법요건으로서 재판의 전제성이 있다.

④ 여권 발부조건에 해당하는지 여부를 심사하기 위한 신원조회 때문에 여권이 뒤늦게 발부되어 출국을 못한 경우, 여권 발부 지연으로 인한 손해배상소송에서는 여권 발부 거부의 근거규정의 위헌성을 다툴 만한 재판의 전제성이 인정될 수 없다.

⑤ 법률조항 중 관련 사건의 재판에서 적용되지 않는 내용이 들어 있는 경우에도 제청법원이 단일조문 전체를 위헌제청하고 그 조문 전체가 같은 심사척도가 적용될 위헌심사대상인 때에는 그 조문 전체가 심판대상이 된다.

### 해설

① (O) 선지는 위헌제청신청을 하였으나 법원이 기각하여 헌법재판소법 제68조 제2항의 헌법소원을 제기한 경우이다. 헌법재판소법 제68조 제2항의 헌법소원에 대해서는 당해 사건에 대한 재심이 가능하다. [15 국회8급]

② (X) 헌법재판소는 직권으로 심판대상조문을 확대·축소, 변경할 수 있다. [15 국회8급]

③ (O) 헌법재판소법 제68조 제2항의 헌법소원에 있어서는 일반법원에 계속된 구체적 사건에 적용할 법률이 헌법에 위반되는 여부가 재판의 선세로 되어 있어야 하고, 이 경우 재판의 전제란 문제된 법률이 당해 소송사건에 적용될 법률이어야 하고 그 위헌 여부에 따라 재판의 주문이 달라지거나 재판의 내용과 효력에 관한 법률적 의미가 달라지는 경우를 말한다. (헌재 1997.11.27. 92헌바28) 이에 따라 위헌법률심판에서의 재판의 전제성은 위헌소원에 있어서와 같은 실질적인 차이가 없다. [09 국가7급]

④ (O) [09 국가7급]

> 여권이 뒤늦게 발부된 경우라면, 비록 그 지연이유가 여권법 제8조 제1항 제5호상의 여권발급 거부조건으로서 '대한민국의 이익이나 공공의 안전을 현저히 해할 상당한 이유'가 있는지 여부를 판단하기 위한 것이었다고 해도, 당해 사건은 위 조항이 적용되는 사안이 아니라고 보아야 할 것이다. 또한 헌법재판소가 위 조항을 위헌이라고 확인한다고 해도 이것이 당해 소송사건의 주된 쟁점인 "공무원의 고의 또는 과실로 여권 발부가 지연되었느냐" 여부의 판단에 직접 영향을 미친다고 보기 어렵다. 결국 위 조항의 위헌 여부가 당해 사건의 결론이나 주문에 영향을 주는 것이라고 볼 수 없고, 재판의 내용과 효력에 관한 법률적 의미를 달리하게 하는 것이라 하기도 어렵다. (헌재 2002.3.28. 2000헌바90)

⑤ (O) 헌법재판소는 반국가행위자 처벌에 관한 특별조치법, 택지소유상한에 관한 법률, 토지초과이득세법에 대해 법률 전체를 위헌으로 판결하였다. [09 국가7급]

정답 ②

> **기출지문 OX**
>
> 뇌물죄가 국가와 사회에 미치는 병폐는 수뢰액이 많으면 많을수록 가중된다는 점에서 볼 때, 수뢰액을 기준으로 한 단계적 가중처벌은 비록 수뢰액의 다과만이 그 죄의 경중을 가늠하는 유일한 기준은 아니라 할지라도 그 가장 중요한 기준임에 비추어 일응 수긍할 만한 합리적 이유가 있다 할 것이다. 13 법원직 ( O / X )
>
> 해설 헌재 1995.4.20. 93헌바40    정답 O

## 045  회독 ☐☐☐  재구성    17 법무사, 12 국회8급·법원직

**위헌법률심판의 재판의 전제성에 대한 설명으로 옳은 것만을 모두 고르면? (다툼이 있는 경우 판례에 의함)**

> ㄱ. 위헌법률심판제청 당시부터 재판의 전제성이 없는 경우라도 기본권 침해가 중대하고 그 헌법적 해명이 긴요한 경우 예외적으로 위헌 여부를 판단할 수 있다.
> ㄴ. 당해 사건에 관하여 청구인에게 유리한 승소판결이 확정되었다면 재판의 전제성이 인정되지 않는다.
> ㄷ. 당해 사건에는 구법조항이 적용되었는데 법원이 동일한 내용의 신법조항을 제정한 경우에 신법조항의 위헌 여부는 당해 사건에 적용되지 않으므로 재판의 전제성이 없다.
> ㄹ. 제청 또는 심판청구된 법률조항이 법원의 당해 사건의 재판에 직접 적용되지 않는 경우, 그 위헌 여부에 따라 당해 사건의 재판에 직접 적용되는 법률조항의 위헌 여부가 결정되더라도 간접 적용되는 법률규정에 대하여는 재판의 전제성을 인정할 수 없다.
> ㅁ. 공소장에 적시되지 아니한 법률조항이라 하더라도 법원이 공소장 변경 없이 실제 적용한 법률조항은 재판의 전제성이 인정된다.

① ㄱ, ㄴ, ㄷ  
② ㄱ, ㄴ, ㄹ  
③ ㄴ, ㄷ, ㅁ  
④ ㄷ, ㄹ, ㅁ

> 해설

ㄱ. (✕) [12 법원직]

> 심판대상 법률조항에 재판의 전제성이 없음에도 불구하고 객관적인 헌법질서의 수호·유지를 위하여 예외적으로 그 위헌 여부에 대한 판단을 하는 것은 위헌법률심판제청 당시 재판의 전제성을 갖춘 경우에 한한다고 보아야 할 것이다. 위헌법률심판제청 당시부터 재판의 전제성이 인정되지 않은 경우에는 위와 같은 예외적인 경우에 해당하지 않는다. (헌재 2006.11.30. 2005헌바55)

ㄴ. (O) 당해 사건에서 청구인에게 유리하게 승소판결이 확정되었다면 다른 내용의 재판을 하게 되는 경우가 아니기 때문이다. (헌재 2001.6.28. 2000헌바61) [12 법원직]

ㄷ. (O) [17 법무사]

> 신법조항은 당해 사건 재판에 적용될 법률이 아니며, 그 위헌 여부는 당해 사건의 재판과 아무런 관련이 없으므로 재판의 전제성요건을 흠결한 것임이 분명하다. (헌재 2001.4.26. 2000헌가4)

ㄹ. (✕) [12 국회8급]

> 제청 또는 청구된 법률조항이 법원의 당해 사건의 재판에 직접 적용되지는 않더라도 그 위헌 여부에 따라 당해 사건의 재판에 직접 적용되는 법률조항의 위헌 여부가 결정되거나, 당해 재판의 결과가 좌우되는 경우 등과 같이 양 규범 사이에 내적 관련이 있는 경우에는 간접 적용되는 법률규정에 대하여도 재판의 전제성을 인정할 수 있다. (헌재 2001.10.25. 2000헌바5)

ㅁ. (O) 공소장에 적시된 조항이라도 적용되지 않는 조항은 전제성이 인정되지 않는다. [12 국회8급]

> 정답 ③

> 예상판례

❶ 미군정청은 1946.2.23. '재조선 미국육군사령부 군정청 법령' 제57호를 제정하여, 자연인이나 법인이 소유 또는 점유하고 있는 일본은행권과 대만은행권을 금융기관에 예치할 것을 명하고 예입 후 인출 및 거래를 금지한다는 조항에 대한 헌법소원은 부적법하다. (헌재 2017.5.25. 2016헌바388)
미합중국 소속 미군정청이 이 사건 법령을 제정한 행위는 제2차 세계대전 직후 일본은행권을 기초로 한 구 화폐질서를 폐지하고 북위 38도선 이남의 한반도 일대에서 새로운 화폐질서를 형성한다는 목적으로 행한 고도의 공권적 행위로서 국제관습법상 재판권이 면제되는 주권적 행위에 해당한다. 따라서 이 사건 법령이 위헌임을 근거로 한 미합중국에 대한 손해배상 또는 부당이득반환청구는 그 자체로 부적법하여 이 사건 법령의 위헌 여부를 따져 볼 필요 없이 각하를 면할 수 없다. 결국, 청구인의 이 사건 심판청구는 재판의 전제성이 없어 부적법하다.

❷ 채권자가 지급명령을 신청하였으나 법원으로부터 채무자의 주소를 보정하라는 명령을 받아 소제기신청을 한 경우, 지급명령을 신청한 때 소가 제기된 것으로 본다고 규정한 민사소송법 제472조 제1항 중 '채권자가 제466조 제1항의 규정에 따라 소제기신청을 한 경우'에 관한 부분은 재판의 전제성이 인정되지 않는다. (헌재 2017.9.28. 2017헌바22)

❸ 검사만 치료감호를 청구할 수 있고 법원은 검사에게 치료감호청구를 요구할 수 있다고만 규정한 '치료감호 등에 관한 법률' 제4조 제1항 및 제4조 제7항은 형사사건인 당해 사건에서 재판의 전제성이 인정된다. (헌재 2021.1.28. 2019헌가24 등)
치료감호에 대한 재판과 피고사건에 대한 재판은 별개의 재판이지만, 양자는 서로 긴밀하게 연관되어 있으므로, 피고사건을 선고할 때 치료감호사건에 대하여도 고려를 할 수밖에 없다. 따라서 이 사건 법률조항들은 당해 사건에서 재판의 전제성이 인정된다.

## 제3절 위헌심사형 헌법소원

### 046  22 국회8급

「헌법재판소법」 제68조 제2항에 따른 헌법소원심판에 대한 설명으로 옳지 않은 것은? (다툼이 있는 경우 헌법재판소 판례에 의함)

① 폐지된 법률에 대한 헌법소원은 원칙적으로 부적법하나, 폐지된 법률의 위헌 여부가 관련 소송사건의 재판의 전제가 되어 있다면 위헌심판의 대상이 된다.
② 소송대리권을 수여한 사실이 인정되지 않아 당해 사건이 부적법하다는 이유로 소각하판결이 확정된 일부 청구인들의 심판청구는 법률의 위헌 여부를 따져 볼 필요 없이 각하를 면할 수 없으므로, 재판의 전제성이 인정되지 않아 부적법하다.
③ 명시적으로 위헌제청신청을 한 조항과 필연적 연관관계를 맺고 있는 법률조항이라 하더라도, 당사자가 그 법률조항을 위헌법률심판제청신청의 대상으로 삼지 않았고 당해 법원이 기각결정의 대상으로 삼지 않았다면, 그 법률조항에 대해 당해 법원이 묵시적으로나마 위헌제청신청으로 판단한 것으로 볼 여지가 없다.
④ 법률조항이 당해 사건의 재판에 간접 적용되더라도, 그 위헌 여부에 따라 당해 사건의 재판에 직접 적용되는 법률조항의 위헌 여부가 결정되거나, 당해 재판의 결과가 좌우되는 경우 등 양 규범 사이에 내적 관련이 인정된다면 재판의 전제성을 인정할 수 있다.
⑤ 공판정에서 청구인이 출석한 가운데 재판서에 의하여 위헌법률심판제청신청을 기각하는 취지의 주문을 낭독하는 방법으로 재판의 선고를 한 경우, 청구인은 이를 통하여 위헌법률심판제청신청에 대한 기각결정을 통지받았다고 보아야 하므로 그로부터 30일이 경과한 후 제기된 헌법소원심판청구는 청구기간을 경과한 것으로서 부적법하다.

**해설**

① (O) 헌재 1997.9.25. 97헌가4
② (O) 헌재 2020.3.26. 2016헌바55 등
③ (X)

> **예외적으로 위헌심사형 헌법소원이 인정되는 경우** (헌재 2005.2.24. 2004헌바24)
> 헌법재판소법 제68조 제2항의 헌법소원은 법률의 위헌 여부 심판의 제청신청을 하여 그 신청이 기각된 때에만 청구할 수 있는 것이므로, 청구인이 특정 법률조항에 대한 위헌 여부 심판의 제청신청을 하지 않았고 따라서 법원의 기각결정도 없었다면 비록 헌법소원심판청구에 이르러 위헌이라고 주장하는 법률조항에 대한 헌법소원은 원칙적으로 심판청구요건을 갖추지 못하여 부적법한 것이나, 예외적으로 위헌제청신청을 기각 또는 각하한 법원이 위 조항을 실질적으로 판단하였거나 위 조항이 명시적으로 위헌제청신청을 한 조항과 필연적 연관관계를 맺고 있어서 법원이 위 조항을 묵시적으로나마 위헌제청신청으로 판단을 하였을 경우에는 헌법재판소법 제68조 제2항의 헌법소원으로서 적법한 것이다.

④ (O) 헌재 2000.1.27. 99헌바23
⑤ (O) 헌재 2018.8.30. 2016헌바316

**정답** ③

> **기출지문 OX**
>
> 공포되었으나 시행되지 않고 이미 폐지된 법률은 심판의 대상이 될 수 없다. 20 입시 ( O / × )
>
> 해설 국회 의결 후 공포 전 법률이나, 의결 후 시행 전 법률은 헌법소원의 대상이 되지만, 공포되었으나 시행되지 않고 이미 폐지된 법률은 심판의 대상이 될 수 없다.
>
> 정답 O

## 047 회독 ☐☐☐ 재구성  19 변호사, 17 국가7급

「헌법재판소법」 제68조 제2항에 따른 헌법소원심판의 적법요건에 대한 설명으로 옳은 것을 모두 고른 것은? (다툼이 있는 경우 판례에 의함)

> ㄱ. 제1심인 당해 사건에서 헌법소원심판을 청구하였는데, 당해 사건의 항소심에서 항소를 취하하는 경우 당해 사건이 종결되어 심판대상조항이 당해 사건에 적용될 여지가 없으므로 재판의 전제성이 인정되지 않는다.
> ㄴ. 법원이 재판의 전제성이 없다는 이유로 위헌법률심판제청의 신청을 각하한 경우 신청인이 「헌법재판소법」 제68조 제2항에 의한 헌법소원을 청구하면 헌법재판소는 재판의 전제성 유무에 대한 법원의 판단을 번복할 수 없다.
> ㄷ. 청구인이 당해 사건인 형사사건에서 무죄의 확정판결을 받은 때에는 원칙적으로 재판의 전제성이 인정되지 아니하나, 예외적으로 객관적인 헌법질서의 수호·유지 및 관련 당사자의 권리구제를 위하여 심판의 필요성이 인정되는 경우에는 재판의 전제성을 인정할 수 있다.
> ㄹ. 제1심인 당해 사건에서 헌법소원심판을 청구하였는데, 당해 사건의 항소심에서 소를 취하하는 경우 당해 사건이 종결되어 심판대상조항이 당해 사건에 적용될 여지가 없으므로 재판의 전제성이 인정되지 않는다.

① ㄱ, ㄴ   ② ㄱ, ㄷ   ③ ㄴ, ㄹ   ④ ㄷ, ㄹ

해설

ㄱ. (✗) ㄱ.과 ㄹ.은 항소를 취하하는가, 소를 취하하는가의 차이이다. [19 변호사]

> 제1심인 당해 사건에서 헌법재판소법 제68조 제2항의 헌법소원을 제기한 청구인들이 당해 사건의 항소심에서 항소를 취하하여 원고 패소의 원심판결이 확정된 경우, 당해 사건에 적용되는 법률이 위헌으로 결정되면 확정된 원심판결에 대하여 재심청구를 함으로써 원심판결의 주문이 달라질 수 있으므로 재판의 전제성이 인정된다. (헌재 2015.10.21. 2014헌바170)

ㄴ. (✗) [17 국가7급]

> 위헌법률심판이나 헌법재판소법 제68조 제2항의 규정에 의한 헌법소원심판에 있어서 위헌 여부가 문제되는 법률이 재판의 전제성요건을 갖추고 있는지의 여부는 헌법재판소가 별도로 독자적인 심사를 하기보다는 되도록 법원의 이에 관한 법률적 견해를 존중해야 할 것이며, 다만 그 전제성에 관한 법률적 견해가 명백히 유지될 수 없을 때에만 헌법재판소는 이를 직권으로 조사할 수 있다고 할 것이다. (헌재 1993.5.13. 92헌가10)

ㄷ. (O) [19 변호사]
ㄹ. (O) [19 변호사]

> 이 사건 법률조항에 대한 심판청구는 청구인들이 당해 사건의 항소심에서 소를 취하하여 당해 사건이 종결된 이상, 이 사건 법률조항이 당해 사건에 적용될 여지가 없어 그 위헌 여부가 재판의 전제가 되지 않으므로 이 사건 법률조항에 대한 심판청구는 재판의 전제성을 갖추지 못하여 부적법하다. (헌재 2011.11.24. 2010헌바412)

정답 ④

## 048  회독 ☐☐☐  재구성                                    18 변호사, 17 서울7급

**위헌법률심판과 「헌법재판소법」 제68조 제2항에 의한 헌법소원심판에 대한 설명으로 옳지 않은 것은? (다툼이 있는 경우 판례에 의함)**

① 당해 사건 재판에서 승소판결을 받았다고 하더라도 그 판결이 확정되지 아니한 이상 상소절차에서 그 주문이 달라질 수 있다면, 당해 사건에 적용되는 법률조항은 재판의 전제성이 인정된다.
② 위헌법률심판제청신청은 당해 사건을 담당하는 법원에 서면으로 한다.
③ 유죄확정판결에 의하여 몰수된 재산의 반환을 구하는 민사재판에서 유죄확정판결의 근거가 된 형벌조항의 위헌성을 다툴 수 없어, 그 형벌조항은 재판의 전제성이 인정되지 않는다.
④ 형사처벌의 근거로 된 법률의 위헌 여부는 확정된 유죄판결에 대한 재심사유의 존부와 재심청구의 당부에 대하여 직접적인 영향을 미치는 것이므로, 당해 사건 재심재판에서 재심사유의 존부 및 재심청구의 당부에 대한 재판의 전제가 된다.

> **해설**

① (O) 승소판결을 받아도 판결이 확정되지 않으면 2심에서 결과가 바뀔 수 있기 때문이다. 다만, 당해 사건 재판에서 승소판결이 확정되었다면 당해 사건에 적용되는 법률조항은 재판의 전제성이 인정되지 않는다. 다른 내용의 재판이 나올 가능성이 없기 때문이다. [18 변호사]
② (O) 헌법재판소법 제41조 제2항 [18 변호사]
③ (O) [18 변호사]

> 헌법재판소가 한 형벌에 관한 법률 또는 법률조항에 대한 위헌결정은 비록 소급하여 그 효력을 상실하지만, 그 법률 또는 법률조항에 근거한 유죄의 확정판결에 대하여는 재심을 청구할 수 있을 뿐이어서 확정판결에 적용된 법률조항에 대한 위헌결정이 있다고 하더라도 바로 유죄의 확정판결이 당연무효로 되는 것이 아니기 때문에 그 법률조항의 위헌 여부는 그 확정판결상의 몰수형이 무효라는 이유로 몰수된 재산의 반환을 구하는 민사재판의 전제가 되지 않는다. (헌재 1993.7.29. 92헌바34)

④ (✗) 재심의 결정이 있어야 전제성이 인정되는데, 재심결정이 없으면 전제성도 인정되지 않는다는 의미이다. [17 서울7급]

> '재심의 청구에 대한 심판'은 원판결에 형사소송법 제420조 각 호, 헌법재판소법 제47조 제3항 소정의 재심사유가 있는지 여부만을 우선 심리하여 재판할 뿐이어서, 원판결에 적용된 법률조항일 뿐 '재심의 청구에 대한 심판'에 적용되는 법률조항이라고 할 수 없는 이 사건 법률조항에 대해서는 재판의 전제성이 인정되지 않는다. (헌재 2011.2.24. 2010헌바98)

**정답** ④

## 049  회독 ☐☐☐  18 국가7급

「헌법재판소법」 제68조 제2항의 헌법소원심판에서 재판의 전제성에 대한 설명으로 옳지 않은 것은? (다툼이 있는 경우 판례에 의함)

① 당해 소송이 제1심과 항소심에서 심판대상법률이 아닌 다른 법률에서 규정한 소송요건이 결여되었다는 이유로 각하되었지만, 상고심에서 그 각하판결이 유지될지 불분명한 경우에도 재판의 전제성이 인정될 수 있다.
② 재심사건을 제외한 당해 사건인 형사사건에서 무죄의 확정판결을 받은 때라도 처벌조항에 대한 헌법적 해명이 긴요한 경우라면, 그 처벌조항의 위헌확인을 구하는 헌법소원심판절차에서 재판의 전제성을 인정하여야 한다.
③ 과태료를 자진납부함으로써 해당 질서위반행위에 대한 과태료 부과 및 징수절차가 종료하였고 행정소송 그 밖에 권리구제절차를 통하여 과태료 부과처분을 다툴 수 없게 되었다면, 과태료 부과처분의 근거법률인 심판대상조항이 위헌이라 하더라도 다른 특별한 사정이 없는 한 과태료 부과처분의 효력에 영향이 없어 재판의 전제성이 인정되지 아니한다.
④ 당해 사건이 재심사건인 경우, 심판대상조항이 '재심청구 자체의 적법 여부에 대한 재판'에 적용되는 법률조항이 아니라 '본안사건에 대한 재판'에 적용될 법률조항이라면 '재심청구가 적법하고, 재심의 사유가 인정되는 경우'에 한하여 재판의 전제성이 인정될 수 있다.

**해설**

① (○) 헌재 2004.10.28. 99헌바91
② (✕) 무죄판결이 확정되면 헌법재판소의 위헌결정과 관계없이 더 유리한 판결이 나올 수 없으므로 다른 내용의 재판을 하게 되는 경우가 아니다.
③ (○) 더 이상 다툴 수 있는 방법이 없는 경우에는 당해 사건 자체가 존재할 수 없는 경우이다.
④ (○) 재심신청에 대한 법원의 재심결정이 있어야 당해 사건이 존재하고 재심사유가 있어야 재판의 전제성이 인정된다는 의미이다.

정답 ②

## 050 재구성

**다음 중 옳은 것(O)과 옳지 않은 것(×)을 바르게 조합한 것은? (다툼이 있는 경우 판례에 의함)**

ㄱ. 과세처분이 확정된 이후 조세 부과의 근거가 되었던 법률조항이 위헌으로 결정된 경우에도 조세채권의 집행을 위한 체납처분의 근거규정 자체에 대하여는 따로 위헌결정이 내려진 바 없다면, 위와 같은 위헌결정 이후에 조세채권의 집행을 위한 새로운 체납처분에 착수하거나 이를 속행할 수 있고, 이러한 체납처분이 당연무효가 되는 것도 아니다.

ㄴ. 행정처분에 대한 소송절차에서는 행정처분의 적법성·정당성뿐만 아니라 그 근거법률의 헌법 적합성까지도 심판대상으로 되는 것이므로, 행정처분에 불복하는 당사자뿐만 아니라 행정처분의 주체인 행정청도 헌법의 최고규범력에 따른 구체적 규범통제를 위하여 근거법률의 위헌 여부에 대한 심판의 제청을 신청할 수 있고「헌법재판소법」제68조 제2항의 헌법소원심판을 청구할 수 있다.

ㄷ. 법률이 헌법에 위반되는지 여부를 심사할 권한이 없는 공무원으로서는 행위 당시의 법률에 따를 수밖에 없으므로, 행위의 근거가 된 법률조항에 대하여 위헌결정이 선고되더라도 위 법률조항에 따라 행위한 당해 공무원에게는 고의 또는 과실이 있다 할 수 없어 국가배상책임은 성립되지 아니한다.

① ㄱ(×), ㄴ(×), ㄷ(O)
② ㄱ(×), ㄴ(O), ㄷ(O)
③ ㄱ(O), ㄴ(O), ㄷ(×)
④ ㄱ(O), ㄴ(×), ㄷ(O)

### 해설

ㄱ. (×) 위헌결정 이후의 조세채권 집행은 당연무효이다. (대판 2012.2.16. 2010두10907 전원합의체)
ㄴ. (O) 헌법재판소법 제68조 제2항의 헌법소원은 당해 사건의 재판 진행 중에 원고·피고가 제기하는 것이므로 행정청도 심판을 청구할 수 있다.
ㄷ. (O)

**정답** ②

## 051  회독 ☐☐☐    17 법원직

**위헌법률심판 및 「헌법재판소법」 제68조 제2항에 의한 헌법소원심판에서 재판의 전제성에 관한 다음 설명 중 가장 옳은 것은? (다툼이 있는 경우 헌법재판소 결정에 의함)**

① 아직 법원에 의하여 그 해석이 확립된 바 없어 제청대상 법률조항이 당해 사건 재판에 적용 여부가 불확실하다면 법원이 적용가능성을 전제로 위헌제청을 하였더라도 재판의 전제성이 부정된다.
② 심판의 대상이 되는 법률은 반드시 당해 사건 재판에 직접 적용되는 법률이어야 한다.
③ 「헌법재판소법」 제68조 제2항에 의한 위헌심사형 헌법소원에서 헌법재판소의 종국결정 이전에 당해 사건 재판이 확정되어 종료되었다면 재판의 전제성은 부정된다.
④ 당해 소송사건에 적용되는 재판규범 중 위헌제청신청대상이 아닌 관련 법률에서 규정한 소송요건을 구비하지 못하여 부적법 각하될 수밖에 없는 때에는 소각하판결이 확정되지 않았다고 하더라도 「헌법재판소법」 제68조 제2항에 의한 헌법소원청구는 재판의 전제성요건이 흠결되어 부적법하다.

### 해설

① (×)

> 이 사건 법률 제2조 제3호 및 제8조 제1항의 '청소년 이용음란물'이 실제인물인 청소년이 등장하는 음란물을 의미하고 단지 만화로 청소년을 음란하게 묘사한 당해 사건의 공소사실을 규율할 수 없다고 본다면, 위 각 규정은 당해 사건에 적용될 수 없어 일응 재판의 전제성을 부인하여야 할 것으로 보이나, 아직 법원에 의하여 그 해석이 확립된 바 없어 당해 형사사건에의 적용 여부가 불명인 상태에서 검사가 그 적용을 주장하며 공소장에 적용법조로 적시하였고, 법원도 적용가능성을 전제로 재판의 전제성을 긍정하여 죄형법정주의 위반 등의 문제점을 지적하면서 위헌법률심판제청을 하여 온 이상, 헌법재판소로서는 그 법령을 해석하여 이에 대한 판단을 하여야 하고 법원은 그 판단을 전제로 당해 사건을 재판하게 되는 것이므로, 위 각 규정은 그 해석에 의하여 당해 형사사건에의 적용 여부가 결정된다는 측면에서 재판의 전제성을 인정하여야 한다. **(헌재 2002.4.25. 2001헌가27)**

② (×) 심판의 대상이 되는 법률은 원칙적으로 당해 사건 재판에 직접 적용되는 법률이어야 하지만, 밀접한 관련성이 있을 때는 간접적으로 적용되는 법률도 전제성이 인정된다.
③ (×) 헌법재판소법 제68조 제2항에 의한 위헌심사형 헌법소원에서는 헌법소원이 제기되어도 당해 사건이 정지되지 않기 때문에 헌법재판소의 종국결정 이전에 당해 사건 재판이 확정되어 종료되어도 재판의 전제성은 인정된다. 이때 당해 사건에 대한 재심이 가능하다.
④ (○) 당해 사건이 각하될 것이 분명하면 재판의 전제성은 인정되지 않는다.

**정답** ④

### 예상판례

[1] **헌법재판소법 제68조 제2항 후문의 당해 사건의 소송절차에 파기환송되기 전후의 소송절차가 포함된다.**
  헌법재판소법 제68조 제2항 후문은 당사자가 당해 사건의 소송절차에서 동일한 사유를 이유로 다시 위헌법률심판을 제청신청할 수 없다고 규정하고 있다. 여기서 당해 사건의 소송절차란 당해 사건의 상소심 소송절차는 물론 대법원에 의해 파기환송되기 전후의 소송절차를 모두 포함한다.

[2] **당해 사건 재판에서 승소판결을 받았으나 그 판결이 확정되지 아니한 경우 재판의 전제성이 인정된다.**
  당해 사건 재판에서 청구인이 승소판결을 받아 그 판결이 확정된 경우 청구인은 재심을 청구할 법률상 이익이 없고, 심판대상조항에 대하여 위헌결정이 선고되더라도 당해 사건 재판의 결론이나 주문에 영향을 미칠 수 없으므로 그 심판청구는 재판의 전제성이 인정되지 아니하나, 파기환송 전 항소심에서 승소판결을 받았다고 하더라도 그 판결이 확정되지 아니한 이상 상소절차에서 그 주문이 달라질 수 있으므로, 심판대상조항의 위헌 여부에 관한 재판의 전제성이 인정된다. **(헌재 2013.6.27. 2011헌바247)**

## 052 회독 ☐☐☐ 재구성     13 국가7급, 12 변호사

**위헌법률심판과 「헌법재판소법」 제68조 제2항에 의한 헌법소원심판에 대한 설명으로 옳은 것은? (다툼이 있는 경우 판례에 의함)**

① 법원이 국민참여재판 대상사건의 피고인에게 「국민의 형사재판 참여에 관한 규칙」에 따른 피고인 의사의 확인을 위한 안내서를 송달하지 않은 부작위는 헌법소원의 대상이 되는 공권력의 행사 또는 불행사에 해당한다.

② 이른바 「제주 4·3특별법」에 근거한 희생자결정은, 제주 4·3사건 진압작전에 참가하였던 군인이나 그 유족들의 명예를 훼손하지 않으므로, 명예권 침해를 주장하는 이들의 헌법소원심판청구는 자기관련성이 없어 부적법하다.

③ 헌법 제107조 제2항은 명령·규칙 또는 처분이 헌법이나 법률에 위반되는지 여부는 대법원이 이를 최종적으로 심사할 권한을 가진다고 규정하고 있으므로, 「행정소송법」은 명령·규칙의 위헌 여부 심사는 재판의 전제가 되지 않는 경우에도 법원이 담당한다고 규정하고 있다.

④ 수소법원뿐만 아니라 집행법원도 제청권한이 있으며, 비송사건 담당법관의 경우는 물론, 헌법 제107조 제3항과 「행정심판법」 등에 근거를 두고 설치되어 행정심판을 담당하는 각종 행정심판기관도 제청권을 갖는다.

### 해설

① (✗) [13 국가7급]

> 청구인에 대한 형사재판에서 법원이 국민의 형사재판 참여에 관한 규칙 조항에 따른 안내서를 송달하지 않은 부작위에 대한 심판청구는, 법원의 소송행위를 문제 삼는 것으로서 법원의 재판절차를 통해 시정되어야 하므로, 결국 법원의 재판을 대상으로 한 심판청구에 해당한다고 볼 수밖에 없어 부적법하다. (헌재 2012.11.29. 2012헌마53)

② (○) [13 국가7급]

> 헌법 제10조가 보호하는 명예는 사람이나 그 인격에 대한 사회적 평가, 즉 객관적·외부적 가치평가를 가리키며 단순한 주관적·내면적 명예감정은 헌법이 보호하는 명예에 포함되지 않는다. 그런데 제주 4·3특별법은 제주 4·3사건의 진상규명과 희생자 명예회복을 통해 인권신장과 민주발전 및 국민화합에 이바지함을 목적으로 제정되었고, 위령사업의 시행과 의료지원금 및 생활지원금의 지급 등 희생자들에 대한 최소한의 시혜적 조치를 부여하는 내용을 가지고 있는바, 그에 근거한 이 사건 희생자결정이 청구인들의 사회적 평가에 부정적 영향을 미쳐 헌법이 보호하고자 하는 명예가 훼손되는 결과가 발생한다고 할 수는 없다. 따라서 이 사건 심판청구는 명예권 등 기본권 침해의 자기관련성을 인정할 수 없어 부적법하다. (헌재 2010.11.25. 2009헌마147)

### 예상판례

> 소위 '동의대 사건'의 피해자의 유족들은(사망한 진압경찰의 유족) 대 사건 가담자들을 '민주화운동 관련자'로 인정한 민주화운동 관련자 명예회복 및 보상심의위원회의 결정을 다툴 자기관련성이 인정되지 않는다. (헌재 2005.10.27. 2002헌마425)

③ (✗) 행정소송법은 명령·규칙의 위헌 여부 심사는 재판의 전제가 되지 않는 경우에 법원이 담당한다고 규정하고 있지 않다. 다만, 판례에 의하여 인정되는 경우는 있다. [13 국가7급]

④ (✗) 위헌법률심판의 제청권은 모든 법원이 갖지만, 행정심판기관은 아니다. [12 변호사]

정답 ②

## 제4절  권리구제형 헌법소원

### 053  24 국회8급

「헌법재판소법」 제68조 제1항에 따른 헌법소원심판에 대한 설명으로 옳은 것만을 〈보기〉에서 모두 고르면?

보기
ㄱ. 대한민국 외교부장관과 일본국 외무대신이 공동발표한 일본군 위안부 피해자 문제 관련 합의는 헌법소원심판청구의 대상이 되지 아니한다.
ㄴ. 대학의 자율권은 기본적으로 대학에게 부여된 기본권이므로, 국립대학교가 대학의 자율권이 침해된다는 이유로 헌법소원심판을 청구하는 것은 허용된다.
ㄷ. '금융위원회가 시중 은행들을 상대로 가상통화 거래를 위한 가상계좌의 신규 제공을 중단하도록 한 조치'는 단순한 행정지도로서의 한계를 넘어 규제적·구속적 성격을 상당히 강하게 갖는 것으로서, 헌법소원의 대상이 되는 공권력의 행사라고 봄이 상당하다.
ㄹ. 방송통신심의위원회가 방송사업자에 대하여 한, '청구인의 보도가 심의규정을 위반한 것으로 판단되며, 향후 관련 규정을 준수할 것'을 내용으로 하는 '의견제시'는 헌법소원의 대상이 되는 '공권력의 행사'에 해당한다.
ㅁ. 헌법은 그 전체로서 주권자인 국민의 결단 내지 국민적 합의의 결과라고 보아야 할 것으로, 헌법의 개별규정을 「헌법재판소법」 제68조 제1항 소정의 공권력 행사의 결과라고 볼 수 없다.

① ㄱ, ㄹ
② ㄷ, ㄹ
③ ㄱ, ㄴ, ㅁ
④ ㄴ, ㄷ, ㅁ
⑤ ㄱ, ㄴ, ㄷ

해설

ㄱ. (O)
> 이 사건 합의는 양국 외교장관의 공동발표와 정상의 추인을 거친 공식적인 약속이지만, 서면으로 이루어지지 않았고, 통상적으로 조약에 부여되는 명칭이나 주로 쓰이는 조문 형식을 사용하지 않았으며, 헌법이 규정한 조약체결 절차를 거치지 않았다. 또한 합의 내용상 합의의 효력에 관한 양 당사자의 의사가 표시되어 있지 않을 뿐만 아니라, 구체적인 법적 권리·의무를 창설하는 내용을 포함하고 있지도 않다. 이 사건 합의를 통해 일본군 '위안부' 피해자들의 권리가 처분되었다거나 대한민국 정부의 외교적 보호권한이 소멸하였다고 볼 수 없는 이상 이 사건 합의가 일본군 '위안부' 피해자들의 법적 지위에 영향을 미친다고 볼 수 없으므로 위 피해자들의 배상청구권 등 기본권을 침해할 가능성이 있다고 보기 어렵고, 따라서 이 사건 합의를 대상으로 한 헌법소원심판청구는 허용되지 않는다. (헌재 2019.12.27. 2016헌마253)

ㄴ. (O) 대학은 기본권의 주체이다.
ㄷ. (X)
> '금융위원회가 시중 은행들을 상대로 가상통화 거래를 위한 가상계좌의 신규 제공을 중단하도록 한 조치' 및 '금융위원회가 가상통화 거래 실명제를 2018.1.30.부터 시행하도록 한 조치'는 헌법소원의 대상이 되는 공권력의 행사에 해당하지 아니하여 그에 관한 심판청구는 부적법하다. (헌재 2021.11.25. 2017헌마1384[각하])
> 이 사건 조치는, 금융기관에 방향을 제시하고 자발적 호응을 유도하려는 일종의 '단계적 가이드라인'일 따름이다. 그러므로 이 사건 조치는 당국의 우월적인 지위에 따라 일방적으로 강제된 것으로 볼 수 없고, 나아가 헌법소원의 대상이 되는 공권력의 행사에 해당된다고 볼 수 없으므로, 이 사건 심판청구는 모두 부적법하다.

ㄹ. (✕)
> 이 사건 의견제시는 청구인의 권리와 의무에 영향을 미치는 것이라고 보기는 어려우므로, 헌법소원의 대상이 되는 '공권력 행사'에 해당한다고 볼 수 없어 이 부분 심판청구는 부적법하다. (헌재 2018.4.26. 2016헌마46)

ㅁ. (○)
> 헌법 제111조 제1항 제1호, 제5호 및 헌법재판소법 제41조 제1항, 제68조 제2항은 위헌심사의 대상이 되는 규범을 '법률'로 명시하고 있으며, 여기서 '법률'이라고 함은 국회의 의결을 거쳐 제정된 이른바 형식적 의미의 법률을 의미하므로 헌법의 개별규정 자체는 헌법소원에 의한 위헌심사의 대상이 아니다. (헌재 1996.6.13. 94헌마118)

정답 ③

## 054 24 법원직

「헌법재판소법」 제68조 제1항의 헌법소원심판에 관한 다음 설명 중 가장 옳은 것은?

① 위헌결정이 선고된 법률에 대한 헌법소원심판청구는 이미 효력을 상실한 법률조항에 대한 것이므로 더 이상 헌법소원심판의 대상이 될 수 없어 부적법하나, 위헌결정이 선고되기 이전에 심판청구된 법률조항의 경우에는 「헌법재판소법」 제68조 제1항의 헌법소원심판의 대상이 된다.

② 헌법 제107조 제2항에 의하면 명령·규칙이 헌법이나 법률에 위반되는 여부가 재판의 전제가 된 경우에는 대법원이 이를 최종적으로 심사할 권한을 가지므로, 명령·규칙에 의하여 직접 기본권을 침해당하는 경우라 하더라도 「헌법재판소법」 제68조 제1항의 헌법소원심판을 청구할 수 없다.

③ 행정규칙은 일반적으로 행정조직 내부에서만 효력을 가지는 것이고 대외적인 구속력을 갖는 것이 아니어서 원칙적으로 헌법소원의 대상이 아니나, 재량권 행사의 준칙인 행정규칙이 그 정한 바에 따라 되풀이 시행되어 행정관행이 생기면 행정기관은 그 상대방에 대한 관계에서 그 규칙에 따라야 할 자기구속을 당하게 되어 대외적 구속력을 가지게 되므로 이러한 경우에는 「헌법재판소법」 제68조 제1항의 헌법소원심판의 대상이 된다.

④ 행정처분의 취소를 구하는 행정소송을 제기하였으나 청구기각의 판결이 확정되어 법원의 소송절차에 의하여서는 더 이상 이를 다툴 수 없게 된 경우에, 그 행정처분을 심판대상으로 삼았던 법원의 그 재판 자체가 취소되지 않더라도 당해 행정처분은 「헌법재판소법」 제68조 제1항의 헌법소원심판의 대상이 된다.

**해설**

① (✕)
> 위헌결정이 선고된 법률에 대한 헌법소원심판청구는, 비록 위헌결정이 선고되기 이전에 심판청구된 것일지라도 더 이상 심판의 대상이 될 수 없으므로 부적법하다. (헌재 1994.4.28. 92헌마280)

② (✕) 명령·규칙이 헌법이나 법률에 위반되는 여부가 재판의 전제가 된 경우에는 대법원이 이를 최종적으로 심사할 권한을 가지고 헌법재판소가 판단하지 못하지만, 명령·규칙에 의하여 직접 기본권을 침해당하는 경우에는 헌법재판소법 제68조 제1항의 헌법소원심판을 청구할 수 있다.

③ (○) 행정규칙은 원칙적으로 헌법소원의 대상이 아니지만, 재량준칙과 법령보충적 행정규칙은 헌법소원의 대상이 된다.

④ (✕) 원행정처분(행정소송을 거친 처분)에 대한 헌법소원은 원칙적으로 안 되지만, 그 행정처분을 심판대상으로 삼았던 법원의 그 재판 자체가 취소되는 경우에만 당해 행정처분이 헌법재판소법 제68조 제1항의 헌법소원심판의 대상이 된다.

정답 ③

# 055 회독 ☐☐☐    22 소방간부

**코로나19 관련 헌법재판소의 입장으로 옳지 않은 것은? (다툼이 있는 경우 헌법재판소 판례에 의함)**

① '국무총리가 확진자 중 증세가 있는 확진자의 비율을 파악하지 않고 감염시기를 특정할 수 없는 확진자의 수를 기준으로 방역단계를 설정하는 등 직무유기하여 헌법에 위반하였다'는 취지에서 제기된 헌법소원심판청구에 대해서, 헌법재판소는 기본권 침해의 가능성을 확인할 수 있을 정도로 청구인의 어떠한 기본권이 구체적으로 어떻게 침해받았는지에 대한 명확한 주장이 없다는 이유로 각하하였다.

② 서울특별시립 지원센터에서 감염병 확산을 방지하고 시설을 차질 없이 운영하기 위하여 보건복지부 및 서울특별시의 협조 요청에 따라 시설 이용자들을 대상으로 코로나19 검사 결과를 확인하는 것은 센터가 우월적인 지위에서 일방적으로 강제하는 권력적 사실행위에 해당하기에 헌법소원의 대상이 된다.

③ 코로나의 예방 및 확산 방지를 위해 교도소장이 수용자에게 일회용 마스크를 정기적으로 지급할 의무는 헌법에서 유래하는 작위의무로서 특별히 구체적으로 규정되어 있다거나 헌법해석상 도출된다고 볼 수 없으므로, 일회용 마스크를 미지급하는 교도소장의 부작위는 헌법소원의 대상이 되는 공권력의 불행사에 해당하지 않는다.

④ '코로나 백신을 맞지 않아도 며칠 만에 인간의 면역력에 의해 자연치유되는 것을 알면서도 인간을 사망에 이르게 하는 등 위험한 코로나 백신을 전 국민에게 접종하려는 행위가 헌법에 위반된다'는 취지에서 제기된 헌법소원심판청구에 대해서, 헌법재판소는 「헌법재판소법」 제72조 제3항 제4호에 따라 각하하였다.

⑤ 서울특별시립 지원센터에서 시설 출입자의 체온을 측정하기 위해 수 초간 안면인식 열화상 카메라를 응시하도록 하는 것은 헌법소원의 대상이 되는 공권력의 행사에 해당하지 않는다.

**해설**

① (O) ④ (O) 헌재 2021.3.9. 2021헌마242

② (X) ⑤ (O)

> 이 사건 지원센터는 감염병 확산을 방지하고 시설을 차질 없이 운영하기 위하여 보건복지부 및 서울특별시의 협조 요청에 따라 시설 이용자들을 대상으로 코로나19 검사 결과를 확인하는 것이므로, 검사 결과 확인의 취지나 방법 등을 고려해 볼 때 이 사건 검사 결과 확인행위가 이 사건 지원센터가 우월적인 지위에서 일방적으로 강제하는 권력적 사실행위에 해당한다고 보기 어렵고, 직접적으로 청구인의 권리·의무에 법률효과를 발생시킨다고 보기 어렵다. 따라서 이 사건 검사 결과 확인행위는 헌법소원의 심판대상이 될 수 있는 공권력의 행사에 해당하지 않으므로 이 부분에 대한 심판청구는 부적법하다. (헌재 2021.5.18. 2021헌마468)

③ (O) 헌재 2020.11.17. 2020헌마1505

**정답** ②

---

**기출지문 OX**

법률이 행정청에 일정한 사항을 위임하였는데, 행정청이 그 위임에 따른 행정입법을 하지 아니하는 경우 그 부작위도 헌법소원의 대상이 된다. 22 변호사    (O / X)

**해설** 행정입법부작위는 헌법적 의무이므로 헌법소원의 대상이 된다.    **정답** O

## 056 | 21 서울·지방7급

**헌법소원심판의 대상이 되는 공권력의 행사에 해당하는 것은? (다툼이 있는 경우 판례에 의함)**

① 정부의 법률안 제출
② 한국증권거래소의 상장법인인 회사에 대한 상장폐지확정결정
③ 한국방송공사의 예비사원 채용 공고
④ 법학전문대학원협의회의 법학적성시험 시행계획 공고

> **해설**
>
> ① (✕) 법률안 제출은 아직 국회 통과 전까지는 법적으로 중요하지 않기 때문에 헌법소원의 대상이 아니다.
> ② (✕) 상장폐지는 사법상 행위이므로 헌법소원의 대상이 아니다.
> ③ (✕) 한국방송공사 직원의 근무관계는 사법관계이므로 헌법소원의 대상이 아니다.
> ④ (◯) 법학전문대학원협의회는 법무부가 관리하던 사법시험을 대신하는 간접적 국가작용을 하므로 공권력 행사기관이다. 따라서 법학적성시험 시행계획 공고는 헌법소원의 대상이다.
>
> **정답** ④

## 057 | 21 법원직·입시

**법원의 재판에 관한 헌법소원심판에 대한 설명으로 옳지 않은 것은?**

① 「헌법재판소법」 제68조 제1항에 따른 헌법소원의 심판은 그 사유가 있음을 안 날부터 90일 이내에, 그 사유가 있는 날부터 1년 이내에 청구하여야 한다. 다만, 다른 법률에 따른 구제절차를 거친 헌법소원의 심판은 그 최종결정을 통지받은 날부터 30일 이내에 청구하여야 한다.
② 법원의 재판에는 재판절차에 관한 법원의 판단이 포함되나, 재판의 지연은 법원의 재판절차에 관한 것으로 볼 수 없으므로 헌법소원의 대상이 된다.
③ 헌법재판소에 의하여 이미 위헌선언된 법령을 적용하여 국민의 기본권을 침해한 법원의 재판에 대하여는 예외적으로 헌법소원심판을 청구할 수 있다.
④ 원행정처분을 심판의 대상으로 삼았던 법원의 재판이 예외적으로 헌법소원심판의 대상이 되어 그 재판 자체까지 취소되는 경우에는 원행정처분에 대한 헌법소원이 허용된다.

> **해설**
>
> ① (◯) 헌법재판소법 제69조 [21 입시]
> ② (✕) 재판의 지연도 법원의 판단이므로 헌법소원의 대상이 아니다. [21 법원직]
> ③ (◯) [21 법원직] ④ (◯) 법원의 재판이 헌법소원의 대상이 되는 유일한 예외이고 이때는 원행정처분도 헌법소원이 가능하다. [21 법원직]
>
> **정답** ②

## 058  회독 ☐☐☐  재구성                                   21 국회8급, 20 입시

「헌법재판소법」 제68조 제1항에 따른 헌법소원심판에 대한 설명으로 옳은 것은? (다툼이 있는 경우 판례에 의함)

① 법령이 「헌법재판소법」 제68조 제1항에 따른 헌법소원의 대상이 되려면 구체적인 집행행위 없이 직접 기본권을 침해해야 하는바, 여기의 집행행위에 입법 및 사법행위는 포함되지 않는다.
② 방송통신심의위원회의 시정 요구는 단순한 행정지도로서 항고소송의 대상이 되는 공권력의 행사라고 볼 수 없으므로 시정 요구에 대하여 행정소송을 제기하지 않고 헌법소원심판을 청구하더라도 적법하다.
③ 검사조사실에서 수용자가 조사를 받는 동안 계구를 사용하는 행위는 공권력의 행사에 해당하지 않는다.
④ 헌법은 그 전체로서 주권자인 국민의 결단 내지 국민적 합의의 결과라고 보아야 할 것으로, 헌법의 개별 규정을 「헌법재판소법」 제68조 제1항 소정의 공권력 행사의 결과라고 볼 수 없다.

### 해설

① (×) 헌법소원의 대상이 되는 집행행위는 원칙적으로 입법, 행정, 사법이 모두 포함된다. 다만, 법원의 재판은 헌법재판소법에 의해 헌법소원의 대상이 아니다. [21 국회8급]

② (×) [21 국회8급]

> 행정기관인 방송통신심의위원회의 시정 요구는 정보통신서비스제공자 등에게 조치 결과 통지의무를 부과하고 있고, 정보통신서비스제공자 등이 이에 따르지 않는 경우 방송통신위원회의 해당 정보의 취급거부·정지 또는 제한명령이라는 법적 조치가 예정되어 있으며, 행정기관인 방송통신심의위원회가 표현의 자유를 제한하게 되는 결과의 발생을 의도하거나 또는 적어도 예상하였다 할 것이므로, 이는 단순한 행정지도로서의 한계를 넘어 규제적·구속적 성격을 갖는 것으로서 헌법소원 또는 항고소송의 대상이 되는 공권력의 행사라고 봄이 상당하다. (헌재 2012.2.23. 2011헌가13)
> 
> 헌법소원의 대상이 아니라 일반행정소송에서 헌법재판소에 위헌제청을 하였고 재판의 전제성이 인정된 사례이다.

③ (×) [20 입시]

> 계호근무준칙은 행정규칙이기는 하나 검사조사실에서의 계구사용에 관한 재량권 행사의 준칙으로서 오랫동안 반복적으로 시행되어 그 내용이 관행으로 확립되었다고 할 수 있는 것으로, 이 사건 준칙조항을 따라야 하는 검사조사실 계호근무자로서는 검사조사실에서 수용자가 조사를 받는 동안에는 그때그때 개별적으로 상관에게 요청하여 그 지시를 받아 계구사용의 해제 여부를 결정할 여유가 사실상 없기 때문에 일단은 재량의 여지없이 원칙적, 일률적으로 계구를 사용하여 수용자를 결박한 상태에서 계호해야 한다. 그렇다면 이 사건 준칙조항은 이와 같은 재량 없는 집행행위를 통하여 계호대상이 되는 수용자에게 직접적으로 계구사용으로 인한 기본권 제한의 효력을 미치게 된다고 볼 수 있다. 검사실에서의 계구사용을 원칙으로 하면서 심지어는 검사의 계구해제 요청이 있더라도 이를 거절하도록 규정한 계호근무준칙의 이 사건 준칙조항은 원칙과 예외를 전도한 것으로서 신체의 자유를 침해하므로 헌법에 위반된다. (헌재 2005.5.26. 2004헌마49)

④ (○) 헌재 1995.12.28. 95헌바3 [21 국회8급]

정답 ④

## 059

**헌법소원심판대상인 공권력의 행사 내지 불행사에 대한 설명으로 옳지 않은 것은? (다툼이 있는 경우 판례에 의함)**

① 법원행정처장의 민원인에 대한 법령 질의회신은 법규나 행정처분과 같은 법적 구속력을 갖는 것이라고는 보여지지 아니하므로 이에 대한 헌법소원심판청구는 부적법하다.

② 법원이 구속영장이 청구된 피의자의 사선변호인에게 구속 전 피의자심문(영장실질심사) 기일 이전에 피의사실의 요지를 미리 고지하도록 규정하지 아니한 입법부작위에 대한 헌법소원심판청구는 부적법하다.

③ 공권력의 불행사로 인한 기본권 침해는 그 불행사가 계속되는 한 기본권 침해의 부작위가 계속된다고 할 것이므로 공권력의 불행사에 대한 헌법소원은 그 불행사가 계속되는 한 기간의 제약 없이 적법하게 청구할 수 있다.

④ 국립대학인 서울대학교의 '94학년도 대학입학고사 주요 요강'은 사실상의 준비행위 내지 사전안내로서 「헌법재판소법」제68조 제1항 소정의 공권력의 행사에 해당되지 않는다.

### 해설

① (O) 헌재 1989.7.28. 89헌마1 [20 법원직]

② (O) [20 법원직]

> 법원이 구속영장이 청구된 피의자의 사선변호인에게 구속 전 피의자심문 전에 미리 피의사실의 요지를 고지하도록 하는 내용의 헌법상 명시적인 입법위임은 존재하지 아니한다. 또한 피의자의 사선변호인이 위와 같이 미리 법원으로부터 피의사실의 요지를 고지받을 절차적 권리는 형사절차에서 변호인의 조력자로서의 역할을 고려할 때 입법자의 입법형성이 있어야 비로소 부여되는 것일 뿐이므로, 입법자가 이와 같은 권리를 보장하는 규정을 만들어야 할 입법의무가 헌법의 해석상 곧바로 도출된다고 보기도 어렵다. (헌재 2015.12.23. 2013헌마182)

③ (O) [21 국가7급]

④ (X) [20 법원직]

> 국립대학인 서울대학교의 '94학년도 대학입학고사 주요 요강'은 사실상의 준비행위 내지 사전안내로서 행정쟁송의 대상이 될 수 있는 행정처분이나 공권력의 행사는 될 수 없지만, 그 내용이 국민의 기본권에 직접 영향을 끼치는 내용이고 앞으로 법령의 뒷받침에 의하여 그대로 실시될 것이 틀림없을 것으로 예상되어 그로 인하여 직접적으로 기본권 침해를 받게 되는 사람에게는 사실상의 규범작용으로 인한 위험성이 이미 현실적으로 발생하였다고 보아야 할 것이므로 이는 헌법소원의 대상이 되는 헌법재판소법 제68조 제1항 소정의 공권력의 행사에 해당된다고 할 것이며, 이 경우 헌법소원 외에 달리 구제방법이 없다. (헌재 1992.10.1. 92헌마68 등)

정답  ④

## 060

**헌법소원에 대한 설명으로 옳은 것은? (다툼이 있는 경우 판례에 의함)**

① 정부투자기관이 출자한 회사가 내부인사규정에 의하여 한 인사상의 차별 및 해고는 공권력 행사에 당하여 「헌법재판소법」 제68조 제1항에 의한 헌법소원의 대상이 된다.
② 국가인권위원회의 진정사건 기각결정은 「헌법재판소법」 제68조 제1항에 의한 헌법소원의 대상이 된다.
③ 동장이 사진이 첨부된 주민등록표등본은 발급근거가 없어 발급해 줄 수 없다고 통지하는 것은 법적 지위에 영향을 미치지 않으므로 헌법소원의 대상이 되는 공권력의 행사가 아니다.
④ 「헌법재판소법」 제68조 제1항 단서에서 말하는 다른 권리구제절차에는 사후적·보충적 구제수단인 손해배상청구나 손실보상청구도 포함된다.

### 해설

① (✗) [14 지방7급]

> 정부투자기관의 출자로 설립된 회사 내부의 근무관계(인사상의 차별 및 해고)에 관한 사항은 이를 규율하는 특별한 공법적 규정이 존재하지 않는 한, 원칙적으로 사법관계에 속하므로 헌법소원의 대상이 되는 공권력작용이라고 볼 수 없다. (헌재 2002.3.28. 2001헌마464)

② (✗) 국가인권위원회의 진정 기각결정은 행정심판 또는 행정소송의 대상이 되므로 헌법소원의 대상이 아니다. (헌재 2015.3.26. 2013헌마214 등) [14 지방7급]

③ (○) [14 지방7급]

> 화양동장이 주민등록표등본에 사진을 첩부한 증명서를 발급해 달라는 청구인의 요청에 대하여 그러한 증명서는 발급근거가 없으므로 발급해 줄 수 없다고 답변한 것은 관련 법령을 해석하고 이를 근거로 청구인의 요청에 따른 증명서는 발급근거가 없다는, 현재의 법적 상황에 대한 행정청의 의견을 표명하면서, 청구인이 요청하는 증명서를 발급할 수 없음을 단순히 알려주는 정도의 내용에 불과한 것으로서 청구인의 법률관계나 법적 지위에 영향을 미친 바 없으므로 이를 헌법소원의 대상이 되는 공권력의 행사라고 할 수 없다. (헌재 2003.7.24. 2002헌마508)

④ (✗) 헌법재판소법 제68조 제1항 단서에서 말하는 다른 권리구제절차는 해당 공권력 행사를 직접 대상으로 하는 절차(형사소송법상 준항고)만을 의미하므로 사후적·보충적 구제수단인 손해배상청구나 손실보상청구 등은 거치지 않아도 된다. [21 국가7급]

**정답** ③

### 예상판례

❶ **환경부장관은 자동차 제작자에게 자동차교체명령을 하여야 할 헌법상 작위의무가 인정되지 않는다.** (헌재 2018.3.29. 2016헌마795)
헌법 제35조 제1항은 환경정책에 관한 국가적 규제와 조정을 뒷받침하는 헌법적 근거로서 대기오염으로 인한 국민건강 및 환경에 대한 위해를 방지하여야 할 국가의 추상적인 의무는 도출될 수 있으나, 이로부터 청구인들이 주장하는 바와 같이 피청구인이 위 주식회사 등에게 자동차교체명령을 하여야 할 구체적이고 특정한 작위의무가 도출된다고는 볼 수 없다.

❷ **청구인들의 대일청구권이 이른바 한일청구권협정 제2조 제1항에 의하여 소멸하였는지 여부에 관한 한·일 양국 간 해석상 분쟁을 위 협정 제3조가 정한 절차에 의하여 해결하지 않고 있는 피청구인의 부작위에 대한 헌법소원심판청구는 피청구인이 부작위 상태에 있다고 보기 어려워 부적법하다.** (헌재 2019.12.27. 2012헌마939【각하】)
특히, 우리 정부가 직접 청구인들의 기본권을 침해하는 행위를 한 것은 아니지만, 일본에 대한 청구권의 실현 및 인간으로서의 존엄과 가치의 회복에 대한 장애상태가 초래된 것은 우리 정부가 청구권의 내용을 명확히 하지 않고 '모든 청구권'이라는 포괄적인 개념을 사용하여 이 사건 협정을 체결한 것에도 책임이 있다는 점에 주목한다면, 그 장애상태를 제거하는 행위로 나아가야 할 구체적 의무가 있음을 부인하기 어렵다. … 이 사건 협정 제3조상 분쟁해결절차와 관련하여 피청구인이 작위의무를 이행하지 않았다고 할 수 없으므로, 작위의무 불이행을 전제로 그것이 위헌임을 주장하는 이 사건 심판청구는 부적법하다.

❸ **피청구인이 재심사청구 사건을 처리함에 있어 신고인에게 반드시 의견진술기회를 부여하여야 할 작위의무는 헌법상 명문으로 규정되어 있지 않고, 헌법해석상으로도 그와 같은 의무가 도출되지 아니한다. 또한 '공정거래위원회 회의 운영 및 사건절차 등에 관한 규칙' 제13조 제2항은 이미 처리한 사건과 동일한 위반사실에 대한 신고가 있는 경우 심사관은 심사 착수 여부에 대한 결정을 재신고사건심사위원회에 요청하도록 하고 있으나, 같은 조 제5항은 재신고사건심사위원회가 그 심사를 위하여 필요한 경우 해당 사건의 신고인이나 피신고인의 의견을 들을 수 있도록 규정하여 재신고사건심사위원회의 재량으로 의견진술기회를 부여할 수 있도록 할 뿐, 반드시 신고인 등에 대하여 별도의 의견진술기회를 부여하도록 강제하고 있지 아니하므로, 법령상 의무가 존재한다고 볼 수도 없다. 따라서 청구인이 다투는 이 사건 부작위는 헌법소원의 대상이 되는 공권력 불행사에 해당하지 아니한다.** (헌재 2021.1.26. 2021헌마38)

❹ **대한행정사회 설치를 내용으로 하는 행정사법 제26조가 개정되어 2021.6.10. 시행될 예정인데, 이 사건 의결과 관련된 법률관계는 설립준비위원회의 내부적 행위로서 행정사법상 특별한 공법적 규제를 찾아볼 수 없고, 달리 헌법소원으로 다툴 수 있는 '공권력의 행사'에 해당한다고 볼 자료가 없다.** (헌재 2021.1.26. 2021헌마55)
공법인의 행위라도 언제나 '공권력의 행사'가 되는 것은 아니며, 행정청이나 공법인의 행위 중에서도 대외적 구속력을 갖지 않는 내부적 행위나 사법상의 행위는 기본적으로 헌법소원의 대상이 되지 아니한다.

❺ **수용관리 및 계호업무 등에 관한 지침 제462조 제3항은 … 법령의 위임근거가 없는 행정기관 내부의 업무처리지침 내지 사무처리준칙으로서의 행정규칙에 불과할 뿐 법규적 효력을 가지는 것은 아니라고 할 것이므로, 헌법소원심판청구의 대상이 되는 공권력 행사에 해당하지 않는다.** (헌재 2021.1.19. 2020헌마1732)
피청구인은 위 수용관리 및 계호업무 등에 관한 지침에 따라 청구인으로부터 출정비용 중 일부를 영치금에서 공제하였는데, 이러한 행위는 일종의 상계행위로 수용자로 인해 소요되는 비용을 반환받는 것으로, 사경제의 주체로서 행하는 사법상의 법률행위에 불과하여 헌법소원심판의 대상이 되는 공권력의 행사에 해당한다고 할 수 없다.

❻ **검찰총장에 대하여 징계를 청구한 법무부장관이 징계위원회의 위원 과반수를 지명 및 위촉하도록 규정함으로써, 징계절차의 공정성 및 적절성이 담보되지 않은 상태에서 검찰총장의 직을 부당하게 박탈할 수 있도록 하고 있는바, "적법절차원칙을 위반하여 공무담임권 등을 침해한다."라는 조항에 대하여 기본권 침해의 직접성을 인정할 수 없으므로 부적법하다.** (헌재 2021.6.24. 2020헌마1614【각하】)

## 061　회독 ☐☐☐　19 국회8급

**헌법소원심판의 대상이 되는 공권력의 행사에 해당하지 않는 것을 모두 고른 것은? (다툼이 있는 경우 판례에 의함)**

> ㄱ. 검사가 구속피의자에 대한 신문에 참여하는 변호인에게 피의자 후방에 앉으라고 요구한 행위
> ㄴ. 법무부에 설치된 변호사시험관리위원회의 의결
> ㄷ. 검사가 변호인에 대하여 한 피의자접견불허행위
> ㄹ. 방송통신심의위원회가 방송사업자에 대하여 관련 규정을 준수하라는 내용의 의견 제시를 한 행위

① ㄱ, ㄴ
② ㄱ, ㄷ
③ ㄴ, ㄷ
④ ㄴ, ㄹ
⑤ ㄷ, ㄹ

### 해설

ㄱ. (○) 후방착석 요구행위는 헌법소원의 대상이다. (헌재 2017.11.30. 2016헌마503)

ㄴ. (✗)

> 변호사시험관리위원회는 변호사시험에 관한 법무부장관의 의사결정을 보좌하기 위하여 법무부에 설치된 자문위원회로서, 일정한 심의사항에 관하여 의결절차를 거쳐 위원회의 의사를 표명하더라도 그것은 단순히 법무부장관에 대한 권고에 불과하여 그 자체로서는 법적 구속력이나 외부효과가 발생하지 않는 의견진술 정도의 의미를 가지는 데 지나지 않으므로, 변호사시험관리위원회의 의결은 헌법소원의 대상이 되는 공권력 행사로 볼 수 없다. (헌재 2012.3.29. 2009헌마754)

ㄷ. (○) 검사가 변호인에 대하여 한 피의자접견불허행위는 헌법소원의 대상이다.

ㄹ. (✗) 방송통신심의위원회의 의견 제시는 비권력적 사실행위로서 헌법소원의 대상이 아니다.

**정답** ④

## 062 [19 법원직, 16 법무사, 14 국회9급, 12 국회8급]

**헌법소원심판대상인 공권력의 행사 내지 불행사에 대한 설명으로 옳은 것은? (다툼이 있는 경우 판례에 의함)**

① 수사기관에 의한 비공개 지명수배조치는 헌법소원대상이 되는 공권력 행사에 해당한다.
② 행정입법부작위에 대하여는 다른 권리구제절차를 거치지 아니하고는 헌법소원심판을 청구하는 것이 불가능하다.
③ 강북구청장이 한 '4·19혁명 국민문화제 2015 전국 대학생 토론대회' 공모는 「민법」상 우수현상광고 또는 이와 유사한 성격의 법률행위라고 봄이 상당하고, 이 사건 공고가 법률상 근거에 따른 법집행작용의 일환이라고 보기도 어려우며, 국민에게 어떠한 권리나 의무를 부여하는 것으로 볼 수 없는 점 등을 종합하면, 이 사건 공고는 사법상 법률행위에 불과하고 공권력 행사의 주체라는 우월적 지위에서 한 것으로서 「헌법재판소법」 제68조 제1항에 따른 헌법소원심판의 대상인 '공권력의 행사'라고 볼 수 없다.
④ 인터넷 언론사가 대선예비주자 초청 대담·토론회를 개최하고자 한 데 대하여 서울특별시 선거관리위원회 위원장이 '선거법 위반행위에 대한 중지 촉구' 공문을 보내자 당해 언론사가 언론의 자유와 평등권 침해를 이유로 헌법소원심판을 청구한 경우 적법하다.
⑤ 국회의장이 국회의원을 특정 상임위원회 위원으로 선임하는 행위는 공권력 행사에 해당한다.

### 해설

① (X) 헌법소원의 대상이 아니다. (헌재 2002.9.19. 99헌마181) [19 법원직]
② (X) 행정입법부작위에 대하여 부작위위법확인소송을 할 수 없으므로 헌법소원과 국가배상이 가능하다. [19 법원직]
③ (O) 헌재 2015.10.21. 2015헌마214 [16 법무사]
④ (X) [12 국회8급]

> 서울특별시 선거관리위원회 위원장이 발송한 '선거법 위반행위에 대한 중지 촉구' 공문은 그 형식에 있어서 '안내' 또는 '협조 요청'이라는 표현을 사용하고 있으며, 또한 그 내용에 있어서도 청구인이 계획하는 행위가 공직선거법에 위반된다는, 현재의 법적 상황에 대한 행정청의 의견을 단지 표명하면서, 청구인이 공직선거법에 위반되는 행위를 하는 경우 피청구인이 취할 수 있는 조치를 통고하고 있을 뿐이다. 따라서 '중지 촉구' 공문은 국민에 대하여 직접적인 법률효과를 발생시키지 않는 단순한 권고적·비권력적 행위로서, 헌법소원의 심판대상이 될 수 있는 '공권력의 행사'에 해당하지 않는다. (헌재 2003.2.27. 2002헌마106)

⑤ (X) [14 국회9급]

> 국회의장이 국회의원을 국회 상임위원회 위원으로 선임한 행위는 국회법 제48조에 근거한 행위로서 국회 내부의 조직을 구성하는 행위에 불과할 뿐 국민의 권리·의무에 대하여 직접적인 법률효과를 발생시키는 행위라고 할 수 없다. 따라서 이 사건 심판청구는 청구인들의 기본권을 직접 침해한 공권력의 행사를 대상으로 한 것이 아니어서 기본권 관련성이 결여되어 부적법하다. (헌재 1999.6.24. 98헌마472)

**정답** ③

## 063　[18 법원직, 15 변호사]

**「헌법재판소법」 제68조 제1항에 따른 헌법소원심판의 대상에 대한 설명으로 옳지 않은 것은?**

① 행정지도가 이를 따르지 않을 경우 일정한 불이익조치를 예정하고 있어 사실상 상대방에게 그에 따를 의무를 부과하는 것과 다를 바 없어 단순한 행정지도로서의 한계를 넘어 규제적·구속적 성격을 상당히 강하게 갖게 되는 경우에는 이를 헌법소원의 대상이 되는 공권력의 행사로 볼 수 있다.
② 소액사건 담당판사가 판결을 선고하면서 판결이유의 요지를 구술로 설명하지 아니한 부작위는 판결의 선고행위를 구성하는 행위로서 결국 법원의 재판에 해당하는 것이어서 이를 대상으로 하는 헌법소원심판청구는 부적법하다.
③ 변호사 보수를 일정액까지만 소송비용에 산입하여 패소한 당사자로부터 상환받을 수 있도록 규정한 변호사 보수의 소송비용 산입에 관한 대법원규칙은 사법부의 자율적 입법권에 기해 제정된 것이므로 이에 대한 헌법소원심판청구는 부적법하다.
④ 「헌법재판소법」 제68조 제1항에서 규정하고 있는 '법원의 재판'에는 군사법원의 재판도 포함된다.

**해설**

① (O) 행정지도는 비권력적이기 때문에 원칙적으로 헌법소원의 대상이 아니지만, 선지와 같은 예외가 있다. [15 변호사]
② (O) 법원의 재판은 헌법소원의 대상이 아니다. 다만, 헌법재판소가 위헌으로 결정한 법률을 적용하여 기본권을 침해한 재판은 예외적으로 헌법소원의 대상이 된다. [18 법원직]
③ (X) 대법원규칙인 법무사법 시행규칙이 헌법소원의 사례가 된 적이 있다. 따라서 대법원규칙도 국민의 기본권을 직접 침해하면 헌법소원의 대상이 된다. 동시에 헌법재판소규칙도 재판의 전제성이 있으면 대법원의 심판대상이 될 수 있다. [18 법원직]
④ (O) 사실상 모든 재판을 말한다. 인지첩부명령도 재판의 전제성에서 재판에 해당한다. [18 법원직]

**정답 ③**

## 064　[18 국회8급]

**헌법소원심판의 대상에 해당하는 것은? (다툼이 있는 경우 판례에 의함)**

① 서울시민 인권헌장 초안의 발표계획에 대한 서울시장의 무산 선언
② 2016년도 정부예산안 편성행위 중 4·16세월호 참사 특별조사위원회에 대해 2016.7.1. 이후 예산을 편성하지 아니한 부작위
③ 공정거래위원회의 심사불개시결정 및 심의절차종료결정
④ 지방자치단체장을 위한 별도의 퇴직급여제도를 마련하지 않은 입법부작위
⑤ 기획재정부장관이 6차에 걸쳐 공공기관 선진화 추진계획을 확정, 공표한 행위

> 해설

① (×)

> 서울시민 인권헌장은 피청구인이 서울시민의 의견을 수렴하여 서울시민에 대한 인권보호 및 증진을 위한 기본방침을 밝히고자 한 정책계획 안으로서 그 법적 성격은 국민의 권리·의무나 법적 지위에 직접 영향을 미치지 아니하는 비구속적 행정계획안이라고 할 것이고, 이 사건 무산 선언은 당초 2014.12.10. 세계인권선언의 날에 맞춰 선포하려던 서울시민 인권헌장이 성소수자 차별금지조항에 대한 이견으로 합의에 실패하여 예정된 날짜에 선포될 수 없었음을 알리는 행위로서 그 자체로는 직접적으로 청구인의 법적 지위에 영향을 미치지 아니하므로, 이 사건 무산 선언은 헌법소원심판의 대상이 되는 공권력 행사에 해당되지 아니한다. (헌재 2015.3.31. 2015헌마213)

② (×)

> 정부예산안을 편성하면서 '4·16세월호 참사 특별조사위원회'의 활동기간을 2016.6.30.까지라고 보아 그에 대한 예산만을 예산으로 편성하고, 그 이후에 대한 예산을 편성하지 않은 부작위는 헌법소원의 대상이 아니다. (헌재 2017.5.25. 2016헌마383)
> 이 사건 예산편성행위는 헌법 제54조 제2항, 제89조 제4호, 국가재정법 제32조 및 제33조에 따른 것으로, 피청구인이 편성한 예산안은 국무회의의 심의, 대통령의 승인을 거친 후, 국회가 헌법 제54조 제1항에 따라 예산안을 심의·확정하여야 비로소 예산으로서 확정된다. 이 사건 예산편성행위는 국무회의의 심의, 대통령의 승인 및 국회의 예산안 심의·확정을 위한 전 단계의 행위로서 국가기관 간의 내부적 행위에 불과하고, 국민에 대하여 직접적인 법률효과를 발생시키는 행위라고 볼 수 없다. 따라서 이 사건 예산편성행위는 헌법소원의 대상이 되는 '공권력의 행사'에 해당하지 않는다.

③ (○)

> 공정거래위원회의 무혐의조치는 혐의가 인정될 경우에 행하여지는 시정조치에 대응되는 조치로서 공정거래위원회의 공권력 행사의 한 태양에 속하여 헌법재판소법 제68조 제1항 소정의 '공권력의 행사'에 해당하고, 따라서 공정거래위원회의 자의적인 조사 또는 판단에 의하여 결과된 무혐의조치는 헌법 제11조의 법 앞에서의 평등권을 침해하게 되므로 헌법소원의 대상이 되며, 공정거래위원회의 심사불개시결정 및 심의절차종료결정 역시 공권력의 행사에 해당되고, 그것이 자의적일 경우 피해자(신고인)의 평등권을 침해할 수 있으므로, 헌법소원의 대상이 된다고 할 것이다. (헌재 2011.9.29. 2010헌마539)

④ (×)

> 지방자치단체장을 위한 별도의 퇴직급여제도를 마련하지 않은 것은 진정입법부작위에 해당하는데, 헌법상 지방자치단체장을 위한 퇴직급여제도에 관한 사항을 법률로 정하도록 위임하고 있는 조항은 존재하지 않는다. 나아가 지방자치단체장은 특정 정당을 정치적 기반으로 하여 선거에 입후보할 수 있고 선거에 의하여 선출되는 공무원이라는 점에서 헌법 제7조 제2항에 따라 신분보장이 필요하고 정치적 중립성이 요구되는 공무원에 해당한다고 보기 어려우므로 헌법 제7조의 해석상 지방자치단체장을 위한 퇴직급여제도를 마련하여야 할 입법적 의무가 도출된다고 볼 수 없고, 그 외에 헌법 제34조나 공무담임권 보장에 관한 헌법 제25조로부터 위와 같은 입법의무가 도출되지 않는다. 따라서 이 사건 입법부작위는 헌법소원의 대상이 될 수 없는 입법부작위를 그 심판대상으로 한 것으로 부적법하다. (헌재 2014.6.26. 2012헌마459)

⑤ (×)

> 이 사건 선진화계획은 그 법적 성격이 행정계획이라고 할 것인바, 국민의 기본권에 직접적인 영향을 미친다고 볼 수 없고, 장차 법령의 뒷받침에 의하여 그대로 실시될 것이 틀림없을 것으로 예상된다고 보기도 어려우므로, 헌법소원의 대상이 되는 공권력의 행사에 해당한다고 할 수 없다. (헌재 2011.12.29. 2009헌마330 등)
> [1] 이 사건 개선 요구는 이를 따르지 않을 경우의 불이익을 명시적으로 예정하고 있다고 보기 어렵고, 행정지도로서의 한계를 넘어 규제적·구속적 성격을 강하게 갖는다고 할 수 없어 헌법소원의 대상이 되는 공권력의 행사에 해당한다고 볼 수 없다.
> [2] 이 사건 점검 및 개선 제시 중, 점검행위는 감사원 내부의 자료수집에 불과하고, 개선 제시는 이를 따르지 않을 경우의 불이익을 명시적으로 예정하고 있다고 보기 어려우므로 행정지도로서의 한계를 넘어 규제적·구속적 성격을 강하게 갖는다고 볼 수 없다. 따라서 이 사건 점검 및 개선 제시는 헌법소원의 대상이 되는 공권력의 행사라고 보기 어렵다.

정답 ③

## 065

**헌법소원의 대상으로서의 공권력의 행사·불행사에 관한 설명 중 가장 옳지 않은 것은? (다툼이 있는 경우 헌법재판소 결정에 의함)**

① 헌법소원의 대상이 되는 공권력의 행사는 국민의 권리·의무에 대해 직접적인 법률효과를 발생시키는 행위를 말한다.
② 교도소장이 수용자에 대하여 지속적이고 조직적으로 실시한 생활지도 명목의 이발지도행위는 우월한 지위에 있는 교도소장이 일방적으로 수용자에게 두발 등을 단정하게 유지하도록 강제하는 것으로서 헌법소원심판의 대상인 공권력의 행사에 해당한다.
③ 강제력이 개입되지 아니한 임의수사는 헌법소원의 대상이 되는 공권력의 행사에 해당하지 아니한다.
④ 법학전문대학원은 교육기관으로서의 성격과 함께 법조인 양성이라는 국가의 책무를 일부 위임받은 직업교육기관으로서의 성격을 가지고 있기는 하나, 이화여자대학교는 사립대학으로서 국가기관이나 공법인, 국립대학교와 같은 공법상의 영조물에 해당하지 아니하고, 일반적으로 사립대학과 그 학생과의 관계는 사법상의 계약관계이므로 학교법인 이화학당을 공권력의 주체라거나 그 모집요강을 공권력의 행사라고 볼 수 없다. 따라서 사립대학인 학교법인 이화학당의 법학전문대학원 모집요강은 헌법소원심판의 대상이 되는 공권력의 행사라고 볼 수 없다.

**해설**

① (O)
② (X)

> 이발지도행위는 피청구인이 두발 등을 단정하게 유지할 것을 지도·교육한 것에 불과하고 피청구인의 우월적 지위에서 일방적으로 청구인에게 이발을 강제한 것이 아니므로, 헌법소원심판의 대상인 공권력의 행사라고 보기 어렵다. **(헌재 2012.4.24. 2010헌마751)**

③ (O)
④ (O) 헌재 2013.5.30. 2009헌마514

**정답** ②

## 066 [13·12 국회9급]

**헌법재판소가 헌법소원의 대상성을 인정한 것은? (다툼이 있는 경우 판례에 의함)**

① 수사기관의 진정처리에 대한 내사종결처리
② 국회 본회의에서 대통령이 한 신임국민투표 실시 제안
③ 감사원의 국민감사청구에 대한 기각결정
④ 검사의 기소처분

**해설**

① (X) [12 국회9급]

> 진정에 기하여 이루어진 내사사건의 종결처리는 진정사건에 대한 구속력이 없는 수사기관의 내부적 사건처리방식에 지나지 아니하므로 진정인의 고소 또는 고발의 권리 행사에 아무런 영향을 미치는 것이 아니어서 헌법소원심판의 대상이 되는 공권력의 행사라고 할 수 없다. (헌재 1990.12.26. 89헌마277)

② (X) [12 국회9급]

> 피청구인이 대통령으로서 국회 본회의의 시정연설에서 자신에 대한 신임국민투표를 실시하고자 한다고 밝혔다고 하더라도, 그것이 공고와 같이 법적인 효력이 있는 행위가 아니라 단순한 정치적 제안의 피력에 불과하다고 인정되는 이상 이를 두고 헌법소원의 대상이 되는 '공권력의 행사'라고 할 수는 없으므로, 이에 대한 취소 또는 위헌확인을 구하는 청구인들의 심판청구는 모두 부적법하다. (헌재 2003.11.27. 2003헌마694 등)
> 대통령의 신임투표 제안은 탄핵사건에서 그 자체로 헌법에 위반된다고 판시하였음을 주의하여야 한다.

③ (O) [13 국회9급]

> 부패방지법상의 국민감사청구제도는 일정한 요건을 갖춘 국민들이 감사청구를 한 경우에 감사원장으로 하여금 감사청구된 사항에 대하여 감사 실시 여부를 결정하고 그 결과를 감사청구인에게 통보하도록 의무를 지운 것이므로, 이러한 국민감사청구에 대한 기각결정은 공권력주체의 고권적 처분이라는 점에서 헌법소원의 대상이 될 수 있는 공권력 행사라고 보아야 할 것이다. (헌재 2006.2.23. 2004헌마414)

④ (X) [12 국회9급]

> 검사가 공소제기의 기소처분을 한 경우에는 법원에 의한 공판절차가 개시되게 되며 통상적인 경우에는 이러한 후속의 형사소송절차에서 기소처분의 위헌성 여부와 위헌성 여부에 대하여 충분히 심판받을 기회가 부여되게 되는바, 기소처분에 의한 형사소송절차에서 청구인이 주장하는 바에 관하여 심판을 받을 기회가 제공되지 않았거나 제공될 성질의 것이 아니었다는 특단의 사정을 찾을 수 없다면, 헌법재판소의 심판대상이 아닌 사항에 관한 심판청구로서 부적법한 청구라고 할 것이다. (헌재 1992.6.24. 92헌마104)

**정답** ③

### 기출지문 OX

❶ 기본권의 대국가적 효력을 고려하면 행정청의 사법상 행위는 헌법소원의 대상이 된다. 13 서울7급  (O/×)

해설 헌법소원의 대상은 공권력의 행사 또는 불행사이다. 따라서 사법상 행위는 헌법소원의 대상이 아니다.

> 공공용지의 취득 및 손실보상에 관한 특례법에 의한 토지 등의 협의취득은 공공사업에 필요한 토지 등을 공공용지의 절차에 의하지 아니하고 협의에 의하여 사업시행자가 취득하는 것으로서 그 법적 성질은 사법상의 매매계약과 다를 것이 없는바, 그 협의취득에 따르는 보상금의 지급행위는 토지 등의 권리 이전에 대한 반대급여의 교부행위에 지나지 아니하므로 그 역시 사법상의 행위라고 볼 수밖에 없으므로 이는 헌법소원심판의 대상이 되는 공권력의 행사라고 볼 수 없다. (헌재 1992.11.12. 90헌마160)

정답 ×

❷ 검사의 기소처분, 구형, 약식명령, 내사종결처분, 수사재기결정, 형기종료일 지정처분은 헌법소원의 대상이 된다. 13 서울7급 (O/×)

해설 검사의 기소처분, 구형, 약식명령, 내사종결처분, 수사재기결정, 형기종료일 지정처분은 헌법소원의 대상이 아니다. 검사의 불기소처분에 대해 헌법소원이 인정되는 것과 구분해야 한다.  정답 ×

### 예상판례

> 회생절차에서 회생계획안 심리를 위한 관계인 집회가 끝난 후에는 회생채권의 추후 보완신고를 하지 못하게 하고, 회생계획인가결정에 따라 그 회생채권이 실권되도록 한 채무자 회생 및 파산에 관한 법률 제152조 제3항 제1호 및 제251조 본문 중 제152조 제3항 제1호가 정한 기간까지 추후 보완신고하지 않은 회생채권의 실권에 관한 부분에 대한 청구인의 헌법소원심판청구는 법원의 재판 결과를 다투는 것에 불과하므로 헌법재판소법 제68조 제2항의 헌법소원으로는 부적법하다. (헌재 2018.1.28. 2016헌바357)

## 067   13 지방7급

**헌법소원의 대상이 될 수 있는 대법원 판결이 아닌 것은? (다툼이 있는 경우 판례에 의함)**

① 법령에 대한 헌법재판소의 한정위헌결정의 기속력을 준수하지 않은 대법원 판결
② 헌법재판소가 헌법불합치결정한 법률을 적용하여 국민의 기본권을 침해한 대법원 판결
③ 법령에 대한 헌법재판소의 위헌결정 선고일에 동일 법령을 합헌으로 해석 적용한 대법원 판결
④ 임원취임승인 취소처분에 대한 행정소송에서 소의 이익이 없다는 이유로 각하하여 법원에서는 더 이상의 권리구제수단이 없는 대법원 판결

해설

④ (×)

> 법원의 판결은 원칙적으로 헌법소원의 대상이 아니지만 헌법재판소가 위헌결정(한정위헌 포함)한 법령을 적용하여 기본권을 침해한 재판은 예외적으로 헌법소원의 대상이 된다. 헌법재판소법 제68조 제1항의 헌법소원이 법원의 재판을 거쳐 확정된 행정처분을 대상으로 하는 경우에는 당해 행정처분을 심판의 대상으로 삼았던 법원의 재판이 헌법재판소가 위헌으로 결정한 법령을 적용하여 국민의 기본권을 침해한 결과 헌법소원심판에 의하여 그 재판 자체가 취소되는 경우가 아니면 허용되지 아니하고, 이와 같은 법리는 법원의 재판이 소를 각하하는 판결인 경우에도 마찬가지이다. (헌재 2010.4.29. 2003헌마283)

정답 ④

## 068　회독 ☐☐☐　23 법원직

**입법부작위에 관한 다음 설명 중 가장 옳은 것은?**

① 입법자가 불충분하게 규율한 이른바 부진정입법부작위에 대하여 헌법소원을 제기하려면 그것이 평등의 원칙에 위배된다는 등 헌법 위반을 내세워 적극적인 헌법소원을 제기하여야 하며, 이 경우에는 기본권 침해상태가 계속되고 있으므로 「헌법재판소법」 소정의 청구기간을 준수할 필요는 없다.

② 하위행정입법의 제정 없이 상위법령의 규정만으로도 법률의 집행이 이루어질 수 있는 경우라 하더라도 상위법령이 행정입법에 위임하고 있다면 하위행정입법을 하여야 할 헌법적 작위의무가 인정된다.

③ 법률에서 군법무관의 봉급과 그 밖의 보수를 법관 및 검사의 예에 준하여 지급하도록 하는 대통령령을 제정할 것을 규정하였다 하더라도, 군복무를 하고 있는 군장교들은 전투력의 확보를 위한 특수집단의 한 구성요소이므로 군조직 밖의 기준으로 군조직의 다른 요소와 분리시켜 기본적인 보수에 있어 우대적 차별을 하는 것은 불합리하므로, 대통령이 지금까지 해당 대통령령을 제정하지 않는다 하더라도 이는 군법무관의 재산권을 침해하지 아니한다.

④ 진정입법부작위에 대한 헌법소원은 헌법에서 기본권 보장을 위하여 법령에 명시적인 입법위임을 하였음에도 입법자가 이를 이행하지 아니한 경우이거나 헌법해석상 특정인에게 구체적인 기본권이 생겨 이를 보장하기 위한 국가의 행위의무 내지 보호의무가 발생하였음이 명백함에도 불구하고 입법자가 아무런 입법조치를 취하지 아니한 경우에 한하여 허용된다.

**해설**

① (X) 진정입법부작위는 기간을 준수할 필요가 없지만, 부진정입법부작위는 법률이 존재하므로 기간을 준수하여야 한다.
② (X) 상위법령만으로 집행이 가능하면 하위행정입법을 하여야 할 의무는 인정되지 않는다.
③ (X)

> 법률이 군법무관의 보수를 판사, 검사의 예에 의하도록 규정하면서 그 구체적 내용을 시행령에 위임하고 있다면, 이는 군법무관의 보수의 내용을 법률로써 일차적으로 형성한 것이고, 따라서 상당한 수준의 보수청구권이 인정되는 것이라고 해석함이 상당하다. 그러므로 이 사건에서 대통령이 법률의 명시적 위임에도 불구하고 지금까지 해당 시행령을 제정하지 아니하여 그러한 보수청구권이 보장되지 않고 있다면 그러한 입법부작위는 정당한 이유 없이 청구인들의 재산권을 침해하는 것으로써 헌법에 위반된다. (헌재 2004.2.26. 2001헌마718)

④ (O) 입법부작위에 대한 헌법소원은 선지와 같은 경우에만 인정된다.

**정답** ④

---

**기출지문 OX**

❶ 행정권력의 부작위에 대한 헌법소원은 공권력의 주체에게 헌법에서 유래하는 작위의무가 특별히 구체적으로 규정되어 이에 의거하여 기본권의 주체가 행정행위 내지 공권력의 행사를 청구할 수 있음에도 공권력의 주체가 그 의무를 해태하는 경우에 허용된다. 22 법원직　　(O / X)
　　해설　헌재 2019.12.27. 2012헌마939　　정답 O

❷ 피청구인의 작위의무 이행은 이행행위 그 자체만을 가리키는 것이지 이를 통해 청구인들이 원하는 결과까지 보장해 주는 이행을 의미하지는 않으므로, 피청구인에게 헌법에서 유래하는 작위의무가 있더라도 피청구인이 이를 이행하고 있는 상태라면 부작위에 대한 헌법소원심판청구는 부적법하다. 22 법원직　　(O / X)
　　해설　헌재 2019.12.27. 2012헌마939　　정답 O

## 069

**부작위에 관한 설명 중 옳은 것(○)과 옳지 않은 것(×)을 올바르게 조합한 것은? (다툼이 있는 경우 판례에 의함)**

ㄱ. 「국군포로의 송환 및 대우 등에 관한 법률」 조항이 등록포로 등의 예우의 신청, 기준, 방법 등에 필요한 사항을 대통령령으로 정한다고 규정하고 있어 대통령령을 제정할 의무가 있음에도, 그 의무가 상당기간 동안 불이행되고 있고 이를 정당화할 이유도 찾아보기 어려운 경우, 이러한 행정입법부작위는 헌법에 위반된다.

ㄴ. 「주민등록법」에서 주민등록번호의 부여에 관한 규정을 두고 있으나 주민등록번호의 잘못된 이용에 대비한 '주민등록번호 변경'에 대하여 아무런 규정을 두고 있지 않은 것이 헌법에 위반된다는 이유로 그 위헌확인을 구하는 「헌법재판소법」 제68조 제1항의 헌법소원심판청구는 진정입법부작위를 다투는 청구이다.

ㄷ. 「의료법」에서 치과의사로서 전문의의 자격인정 및 전문과목에 관하여 필요한 사항은 대통령령으로 위임하고 있고, 대통령령은 전문의자격시험의 방법 등 필요한 사항을 보건복지부령으로 정하도록 위임하고 있음에도 위 대통령령에 따른 시행규칙의 입법을 하지 않고 있는 것은 진정입법부작위에 해당하므로, 이 부분에 대한 「헌법재판소법」 제68조 제1항의 헌법소원심판청구는 청구기간의 제한을 받지 않는다.

ㄹ. 일본국에 대한 일본군 위안부의 배상청구권이 한일청구권협정에 의하여 소멸되었는지 여부에 관한 한·일 양국 간 해석상 분쟁을 위 협정이 정한 절차에 따라 해결하지 아니하고 있는 행정권력의 부작위가 위헌인지 여부와 관련하여, 헌법 제10조의 국민의 인권을 보장할 의무, 제2조 제2항의 재외국민보호의무, 헌법전문은 국가의 국민에 대한 일반적·추상적 의무를 선언한 것이거나 국가의 기본적 가치질서를 선언한 것일 뿐이어서, 이들 조항 자체로부터 국가의 국민에 대한 구체적인 작위의무가 나올 수 없다고 할 것이다.

ㅁ. 「산업재해보상보험법」 및 「근로기준법 시행령」은 「근로기준법」과 같은 법 시행령에 의하여 근로자의 평균임금을 산정할 수 없는 경우 노동부장관으로 하여금 평균임금을 정하여 고시하도록 하고 있는데, 노동부장관은 그 취지에 따라 평균임금을 정하여 고시할 행정입법의무가 있으며, 이는 헌법적 의무라고 보아야 한다.

① ㄱ(○), ㄴ(○), ㄷ(×), ㄹ(○), ㅁ(○)
② ㄱ(○), ㄴ(×), ㄷ(○), ㄹ(×), ㅁ(○)
③ ㄱ(○), ㄴ(○), ㄷ(×), ㄹ(○), ㅁ(×)
④ ㄱ(×), ㄴ(×), ㄷ(○), ㄹ(×), ㅁ(×)
⑤ ㄱ(×), ㄴ(×), ㄷ(○), ㄹ(×), ㅁ(○)

### 해설

ㄱ. (O)

> 국군포로의 송환 및 대우 등에 관한 법률(이하 '국군포로법'이라 한다)에서 대한민국에 귀환하여 등록한 포로에 대한 보수 기타 대우 및 지원만을 규정하고, 대한민국으로 귀환하기 전에 사망한 국군포로에 대하여는 이에 관한 입법조치를 하지 않은 입법부작위에 대한 헌법소원심판청구는 부적법하다. 【각하】 한편, 같은 법 제15조의5 제2항의 위임에 따른 대통령령을 제정하지 아니한 행정입법부작위는 청구인의 명예권을 침해한다. 【인용(위헌확인)】 (헌재 2018.5.31. 2016헌마626)
> 국군포로법 제15조의5 제2항은 같은 조 제1항에 따른 예우의 신청, 기준, 방법 등에 필요한 사항은 대통령령으로 정한다고 규정하고 있으므로, 피청구인은 예우의 신청, 기준, 방법 등에 필요한 사항을 대통령령으로 제정할 의무가 있다. 국군포로법 제15조의5 제1항이 국방부장관으로 하여금 예우 여부를 재량으로 정할 수 있도록 하고 있으나, 이것은 예우 여부를 재량으로 한다는 의미이지, 대통령령 제정 여부를 재량으로 한다는 의미는 아니다. 따라서 피청구인이 대통령령을 제정하지 아니한 행위는 청구인의 명예권을 침해한다. 다만, 이러한 행정입법부작위가 청구인의 재산권을 침해하는 것은 아니다.

ㄴ. (X) 부진정입법부작위를 다투는 경우이다.

> 심판대상조항이 모든 주민에게 고유한 주민등록번호를 부여하면서 주민등록번호 유출이나 오·남용으로 인하여 발생할 수 있는 피해 등에 대한 아무런 고려 없이 일률적으로 이를 변경할 수 없도록 한 것은 침해의 최소성원칙에 위반된다. (헌재 2015.12.23. 2013헌바68 등)

ㄷ. (O) 헌재 1998.7.16. 96헌마246

ㄹ. (X)

> '대한민국 외교부장관과 일본국 외무대신이 2015.12.28. 공동발표한 일본군 위안부 피해자 문제 관련 합의'는 절차와 형식 및 실질에 있어서 구체적 권리·의무의 창설이 인정되지 않고, 이를 통해 일본군 '위안부' 피해자들의 권리가 처분되었다거나 대한민국 정부의 외교적 보호권한이 소멸하였다고 볼 수 없으므로 헌법소원심판청구의 대상이 되지 않는다고 보고, 이 사건 심판청구 이후 사망한 청구인들을 제외한 청구인들의 심판청구는 부적법하다. (헌재 2019.12.27. 2016헌마253【각하】)
> [1] 조약과 비구속적 합의의 구분
>> 조약과 비구속적 합의를 구분함에 있어서는 합의의 명칭, 합의가 서면으로 이루어졌는지 여부, 국내법상 요구되는 절차를 거쳤는지 여부와 같은 형식적 측면 외에도 합의의 과정과 내용·표현에 비추어 법적 구속력을 부여하려는 당사자의 의도가 인정되는지 여부, 법적 효과를 부여할 수 있는 구체적인 권리·의무를 창설하는지 여부 등 실체적 측면을 종합적으로 고려하여야 한다. 비구속적 합의의 경우, 그로 인하여 국민의 법적 지위가 영향을 받지 않는다고 할 것이므로, 이를 대상으로 한 헌법소원심판청구는 허용되지 않는다.
> [2] 이 사건 합의가 헌법소원심판의 대상이 되는지 여부
>> 일반적인 조약이 서면의 형식으로 체결되는 것과 달리 이 사건 합의는 구두 형식의 합의이고, 표제로 대한민국은 '기자회견', 일본은 '기자발표'라는 용어를 사용하여 일반적 조약의 표제와는 다른 명칭을 붙였으며, 구두 발표의 표현과 홈페이지에 게재된 발표문의 표현조차 일치하지 않는 부분이 존재하였다. 또한 이 사건 합의는 국무회의의 심의나 국회의 동의 등 헌법상의 조약체결절차를 거치지 않았다. 이 사건 합의의 내용상, 한·일 양국의 구체적인 권리·의무의 창설 여부가 불분명하다.

ㅁ. (O) 노동부장관이 평균임금을 고시하지 않는 행정입법부작위는 헌법에 위반된다. (헌재 2002.7.18. 2000헌마707)

정답 ②

## 070 회독 ☐☐☐ 재구성                          19 변호사, 16 서울7급

**부작위에 대한 설명으로 옳지 않은 것은? (다툼이 있는 경우 판례에 의함)**

① 형사피의자에 대해서 국선변호인제도를 규정하지 않고 있는 입법부작위는 헌법소원심판의 대상이 될 수 없다.

② 의료인이 아닌 자도 문신시술을 업으로 행할 수 있도록 자격 및 요건을 법률로 정하지 않은 것은 진정입법부작위에 해당하나, 헌법이 명시적으로 그러한 법률을 만들어야 할 입법의무를 부여하였다고 볼 수 없고, 그러한 입법의무가 헌법해석상 도출된다고 볼 수 없다.

③ 특수형태 근로종사자인 캐디에 대하여 「근로기준법」이 전면적으로 적용되어야 한다는 주장은 캐디와 같이 「근로기준법」상 근로자에 해당하지 않지만 이와 유사한 지위에 있는 사람을 「근로기준법」의 적용대상에 포함시키지 않은 부진정입법부작위의 위헌성을 다투는 것이므로 「헌법재판소법」 제68조 제2항의 헌법소원심판을 청구하는 것이 허용된다.

④ 수사기관에서 수사 중인 사건에 대하여 징계절차를 진행하지 아니함을 징계혐의자인 지방공무원에게 통보하지 않아도 징계시효가 연장되는 것이 위헌이라는 주장은 「지방공무원법」에서 징계시효 연장을 규정하면서 징계절차를 진행하지 아니함을 통보하지 아니한 경우에는 징계시효가 연장되지 않는다는 예외규정을 두지 아니한 부진정입법부작위의 위헌성을 다투는 것이므로 「헌법재판소법」 제68조 제2항의 헌법소원심판을 청구하는 것이 허용된다.

**해설**

① (O) 형사피의자의 국선변호인 선임권은 헌법상 기본권이 아니기 때문이다. (헌재 2008.7.1. 2008헌마428) [16 서울7급]

② (O) 헌재 2007.11.29. 2006헌마876 [19 변호사]

③ (X) [19 변호사]

> 이 사건 심판청구는 성질상 근로기준법이 전면적으로 적용되지 못하는 특수형태 근로종사자의 노무조건·환경 등에 대하여 근로기준법과 동일한 정도의 전면적 보호를 내용으로 하는 새로운 입법을 하여 달라는 것에 다름 아니므로, 실질적으로 진정입법부작위를 다투는 것에 해당한다. 결국 이 사건 심판청구는 진정입법부작위를 다투는 것이고, 헌법재판소법 제68조 제2항에 의한 헌법소원에서 진정입법부작위를 다투는 것은 그 자체로 허용되지 않으므로, 이를 다투는 이 사건 심판청구는 모두 부적법하다. (헌재 2016.11.24. 2015헌바413 등)

④ (O) [19 변호사]

> 징계시효 연장을 규정하면서 징계절차를 진행하지 아니함을 통보하지 아니한 경우에는 징계시효가 연장되지 않는다는 예외규정을 두지 아니한 구 지방공무원법 제73조의2 제2항 중 제73조 제2항에 관한 부분은 적법절차원칙에 위배되지 아니한다. (헌재 2017.6.29. 2015헌바29)

**정답** ③

## 071

**입법부작위에 의한 기본권 침해에 대한 설명으로 옳지 않은 것은? (다툼이 있는 경우 판례에 의함)**

① 헌법해석상 특정인의 기본권을 보호하기 위한 국가의 입법의무가 발생하였음에도 불구하고 입법자가 아무런 입법조치를 취하지 않고 있는 경우에는 입법부작위가 헌법소원의 대상이 된다.

② 「헌법재판소법」 제68조 제2항에 의한 헌법소원은 '법률'의 위헌성을 적극적으로 다투는 제도이므로 '법률의 부존재', 즉 입법부작위를 다투는 것은 그 자체로 허용되지 아니하지만 법률이 불완전·불충분하게 규정되었음을 근거로 법률 자체의 위헌을 다투는 취지로 이해될 경우에는 그 법률이 당해 사건의 재판의 전제가 된다는 것을 요건으로 허용될 수 있다.

③ 전직 경찰관이라는 신분으로 인하여 6·25전쟁 당시 인민군에 의해 처형된 자를 국가유공자에 준하여 구제하는 법률을 제정하지 않은 국회의 입법부작위에 대한 헌법소원심판청구는 부적법하다.

④ 불완전입법에 대하여 재판상 다툴 경우에는 그 입법규정 자체를 대상으로 하여 그것이 헌법 위반이라는 적극적인 헌법소원을 제기하여야 한다. 이때는 「헌법재판소법」 제69조 제1항 소정의 청구기간의 적용을 받지 않는다.

**해설**

① (O) 진정입법부작위에 해당한다.

② (O)

③ (O)

> 국가유공자에 대한 국가의 우선적 보호이념을 명시하는 헌법 제32조 제6항이 전직 경찰관이라는 신분으로 인하여 인민군에 의해 처형된 자를 국가유공자에 준하여 예우하도록 법률에 위임하고 있다고는 볼 수 없을 뿐만 아니라 그 밖에 우리 헌법 어디에도 그러한 내용의 입법위임을 하는 규정이 없으며, 헌법해석상 그러한 법률을 제정함으로써 전직 경찰관의 신분으로 인하여 사망한 자 및 그 유족인 청구인의 기본권을 보호하여야 할 입법자의 행위의무 내지 보호의무가 발생하였다고 볼 여지가 없으므로 이 사건은 진정입법부작위 헌법소원을 제기할 수 있는 경우에 해당하지 아니한다. (헌재 2003.6.26. 2002헌마624)

④ (X) 진정입법부작위의 경우에는 청구기간의 제한을 받지 않지만, 부진정입법부작위에 대한 헌법소원은 청구기간을 지켜야 한다.

**정답** ④

## 072 입법부작위에 대한 설명으로 옳은 것만을 모두 고르면? (다툼이 있는 경우 판례에 의함)

> ㄱ. 국회의원 선거구에 관한 법률을 제정하지 아니한 입법부작위의 위헌확인을 구하는 심판청구에 대하여 심판청구 이후 국회가 국회의원 선거구를 획정함으로써 청구인들의 주관적 목적이 달성되었다 할지라도 헌법적 해명의 필요성이 있어 권리보호이익이 존재한다.
> ㄴ. 「초·중등교육법」 제23조 제3항의 위임에 따른 동법 시행령 제43조가 의무교육인 초·중등학교의 교육과목을 규정함에 있어 헌법과목을 의무교육과정의 필수과목으로 지정하도록 하지 아니한 입법부작위에 대한 헌법소원심판청구는 부적법하다.
> ㄷ. 구 「태평양전쟁 전후 국외 강제동원희생자 등 지원에 관한 법률」 제2조 제1호 나목에 대한 심판청구는 평등원칙의 관점에서 입법자가 동 법률의 위로금 적용대상에 '국내' 강제동원자도 '국외' 강제동원자와 같이 포함시켰어야 한다는 주장에 터 잡은 것이므로, 이는 위로금 지급대상인 일제하 강제동원자의 범위를 불완전하게 규율하고 있는 부진정입법부작위를 다투는 헌법소원으로 보아야 한다.

① ㄱ, ㄴ
② ㄱ, ㄷ
③ ㄴ, ㄷ
④ ㄱ, ㄴ, ㄷ

### 해설

ㄱ. (×)

> 헌법은 명시적으로 선거구를 입법할 의무를 국회에게 부여하였고, 국회는 이러한 입법의무를 상당한 기간을 넘어 정당한 사유 없이 이행하지 아니함으로써 헌법상 입법의무의 이행을 지체하였으나, 이후 국회가 선거구를 획정함으로써 획정된 선거구에서 국회의원 후보자로 출마하거나 선거권자로서 투표하고자 하였던 청구인들의 주관적 목적이 달성되었으므로, 헌법불합치결정에서 정한 입법개선시한이 경과한 후에도 선거구를 획정하지 아니한 입법부작위의 위헌확인을 구하는 심판청구는 권리보호의 이익이 없어 부적법하다. (헌재 2016.4.28. 2015헌마1177 등)

ㄴ. (○)

> 초·중등교육법 제23조 제3항의 위임에 따라 동 교육법 시행령 제43조가 의무교육인 초·중등학교의 교육과목을 규정함에 있어 헌법과목을 필수과목으로 규정하고 있지 않다고 하더라도, 이는 입법행위에 결함이 있는 '부진정입법부작위'에 해당하여 구체적인 입법을 대상으로 헌법소원심판청구를 해야 할 것이므로, 이 부분 입법부작위 위헌확인심판청구는 허용되지 않는 것을 대상으로 한 것으로서 부적법하다. (헌재 2011.9.29. 2010헌바66)

ㄷ. (○)

> 구 태평양전쟁 전후 국외 강제동원희생자 등 지원에 관한 법률 제2조 제1호 나목에 대한 심판청구는 평등원칙의 관점에서 입법자가 구 태평양전쟁 전후 국외 강제동원희생자 등 지원에 관한 법률의 위로금 적용대상에 '국내' 강제동원자도 '국외' 강제동원자와 같이 포함시켰어야 한다는 주장에 터 잡은 것이므로, 이는 헌법적 입법의무에 근거한 진정입법부작위에 관한 헌법소원이 아니라 위로금 지급대상인 일제하 강제동원자의 범위를 불완전하게 규율하고 있는 부진정입법부작위를 다투는 헌법소원으로 볼 것이다. (헌재 2012.7.26. 2011헌바352)

정답 ③

### 불기소처분의 개념과 종류

**1. 개념**

불기소처분이란 검사가 수사 결과 공소를 제기하지 아니하는 처분을 말한다.

| 종국처분 | 중간처분 |
| --- | --- |
| 공소권 없음 처분, 죄 안 됨 처분, 혐의 없음 처분 등 | 기소유예, 기소중지 |

**2. 검사의 불기소처분에 대한 헌법소원의 가능성**

| 구분 | | 형사피해자가 헌법소원을 제기하는 경우 | 형사피의자가 헌법소원을 제기하는 경우 |
| --- | --- | --- | --- |
| 대상 | | 종국처분에 대해서만 가능 | 중간처분에 대해서만 가능 |
| 헌법소원 | 원칙 | 불가. 형사피해자인 고소인은 검찰청에 항고를 거친 후 고등법원에 재정신청을 할 수 있을 뿐 헌법소원을 제기할 수 없다. | 피의자는 자신에 대한 검사의 자의적인 기소유예 또는 기소중지 처분에 대해 헌법소원을 제기할 수 있는데, 이때 주장하는 기본권은 평등권과 재판청구권 및 행복추구권의 침해이다. 피의자는 종국결정에 대하여는 헌법소원을 제기할 수 없다. |
| | 예외 | 고소하지 않은 피해자는 재정신청을 할 수 없으므로 헌법소원을 제기할 수 있다. | |

---

## 073    10 국가7급

**검사의 불기소처분에 관한 설명으로 옳지 않은 것은?**

① 침해되는 기본권은 헌법 제27조 제5항의 공판절차에서의 진술권과 제11조의 평등권이다.
② 불기소처분의 대상이 된 피의사실의 공소시효가 이미 완성되었으면, 그에 대한 헌법소원심판청구는 권리보호의 이익이 없다.
③ 2008년 「형사소송법」의 개정으로 검사의 불기소처분은 헌법소원의 대상에서 완전히 제외되었다.
④ 헌법재판소는 고발인의 헌법소원 청구인적격을 부인하였다.

**해설**

검사의 불기소처분이 문제되는 경우 항상 피해자가 제기하는 것인지와 피의자가 제기하는 것인지를 구분하여 판단하여야 한다.

① (O) 피해자가 제기하는 경우에는 공판절차에서의 진술권과 평등권이 문제되고, 피의자가 제기하는 경우에는 행복추구권과 재판청구권이 문제된다.
② (O) 피의사실의 공소시효가 완성된 경우 피해자가 제기하는 헌법소원은 권리보호이익이 없지만(헌법재판소가 불기소를 위헌으로 결정해도 이미 공소시효가 완성되었기 때문에 새로운 처분 역시 공소권 없음의 불기소처분이 된다), 피의자가 제기하는 헌법소원은 권리보호이익이 있다(검사의 기소유예처분에 대해 헌법재판소가 위헌으로 결정하면 공소시효가 완성되어도 새로운 처분은 공소권 없음이 되므로 피의자에게 보다 유리한 처분이 된다).
③ (X) 형사소송법의 개정으로 재정신청대상범죄가 모든 범죄로 확대되어 검사의 불기소처분에 대해서 피해자는 원칙적으로 헌법소원을 제기할 수 없고 고등법원에 재정신청을 하여야 한다. 재정신청이 기각되면, 이는 법원의 재판이기 때문에 역시 헌법소원을 제기할 수 없다. 다만, 고소하지 아니한 피해자는 헌법소원이 가능하다. 또한 피의자는 자신에 대한 자의적인 기소유예나 기소중지에 대해 헌법소원을 제기할 수 있다.
④ (O) 헌재 1998.9.23. 98헌마323

**정답** ③

### 예상판례

검사의 기소유예처분에 대한 피의자의 불복재판절차를 마련하지 않은 입법부작위에 대하여 헌법상 입법의무가 인정되지 않는다. (헌재 2013.9.26. 2012헌마562)

### 기출지문 OX

피해자와 피의자는 검사의 불기소처분 등에 대해서 법원에 재정신청을 할 수 있게 되어 보충성의 원칙에 따라 헌법소원을 제기할 수 없게 되었다. 13 국회9급 ( O / X )

**해설** 재정신청의 대상범죄가 모든 범죄로 확대되어 검사의 불기소처분 중 피해자가 제기하는 헌법소원은 원칙적으로 인정되지 않는다. 다만, 이때에도 고소하지 아니한 피해자는 재정신청을 할 수 없으므로 헌법소원이 가능하다. 한편, 검사의 불기소처분에 대해 피의자가 제기하는 헌법소원은 여전히 가능하다. **정답** X

### 예상판례

**❶ 재정신청을 거치지 않은 불기소처분에 대한 헌법소원은 부적법하다.** (헌재 2008.7.8. 2008헌마479)

개정된 형사소송법 시행 당시인 2008.1.1. 대검찰청에 재항고가 계속 중이어서 같은 법 부칙 제5조에 의하여 재정신청에 관한 형사소송법 제260조 제1항이 적용되므로, 청구인으로서는 위 불기소처분에 대하여 관할 고등법원에 재정신청을 하여 그 당부를 다툴 수 있다고 할 것인데 청구인은 그와 같은 구제절차를 모두 거치지 아니한 채 이 사건 헌법소원심판을 청구한 것이다. 따라서 이 사건 심판청구는 법률이 정한 구제절차를 모두 거치지 않고 제기된 것이어서 부적법하다.

**❷ 재정신청을 거친 불기소처분에 대한 헌법소원은 부적법하다.** (헌재 2008.7.29. 2008헌마487)

원행정처분에 대한 헌법소원심판청구를 받아들여 이를 취소하는 것은 원행정처분을 심판대상으로 삼았던 법원의 재판이 예외적으로 헌법소원심판대상이 되어 그 재판 자체까지 취소되는 경우에 한하고, 법원의 재판이 취소되지 아니하는 경우에는 확정판결의 기판력으로 인하여 원행정처분 그 자체는 헌법소원심판의 대상이 되지 아니하며, 이와 같은 법리는 검사의 불기소처분에 대하여 법원의 재정신청 절차를 거친 경우에도 마찬가지로 적용되어야 한다. 다만, 고소하지 않은 피해자는 재정신청이 안 되므로 헌법소원이 가능하다.

## 074 NEW 24 변호사

**헌법소원심판의 적법요건인 직접성에 관한 설명 중 옳지 않은 것은? (다툼이 있는 경우 판례에 의함)**

① 법령은 일반적으로 구체적인 집행행위를 매개로 하여 비로소 기본권을 침해하게 되므로 기본권의 침해를 받은 개인은 우선 그 집행행위를 대상으로 하여 일반 쟁송의 방법으로 기본권 침해에 대한 구제절차를 밟는 것이 헌법소원의 성격상 요청된다.
② 살수차의 사용요건 등을 정한 「경찰관 직무집행법」 조항은 집회·시위 현장에서 경찰의 살수행위라는 구체적 집행행위를 예정하고 있으므로 기본권 침해의 직접성이 인정되지 않는다.
③ 법무사의 사무원 총수는 5인을 초과하지 못한다고 규정한 「법무사법 시행규칙」 조항은 사무원 해고효과를 직접 발생시키지 않으므로 기본권 침해의 직접성이 인정되지 않는다.
④ 검사 징계위원회의 위원 구성을 정한 「검사징계법」 조항은 동법에서 별도의 징계처분을 예정하고 있기 때문에 기본권 침해의 직접성이 인정되지 않는다.
⑤ 교도소장의 서신개봉 재량을 부여하고 있는 「형의 집행 및 수용자의 처우에 관한 법률 시행령」 조항은 교도소장의 금지물품 확인 행위와 같은 구체적인 집행행위를 예정하고 있으므로 수용자의 기본권 침해의 직접성이 인정되지 않는다.

**해설**

① (O) 다른 구제절차가 있으면 그 절차를 거쳐야 한다. 이를 보충성원칙이라고 한다.
② (O) 헌재 2020.4.23. 2015헌마1149
③ (X)

> 법무사인 청구인은 법무사법 시행규칙에 의하여 5인 이상의 사무원을 고용하지 못하고 있어 영업의 자유를 침해받고 있으며 사무원 고용에 대한 제한이 없는 다른 전문직업인들에 비교하여 차별적인 대우를 받고 있어 평등권이 침해되고 있다고 주장하고 있으므로 청구인에게 자기관련성이 있다고 할 것이며 또한 동 시행규칙 조항에 따라 별도의 집행행위의 매개 없이 청구인의 권리가 직접 제한되고 있기 때문에 기본권 침해의 직접성과 현재성의 요건도 갖추고 있다. (헌재 2005.9.27. 2005헌마833 [각하])

④ (O) 헌재 2021.6.24. 2020헌마1614 [각하]
⑤ (O) 헌재 2001.11.29. 99헌마713 [각하, 기각]

정답

**기출지문 OX**

❶ 법규범이 집행행위를 예정하고 있더라도 법규범의 내용이 집행행위 이전에 이미 국민의 권리관계를 직접 변동시키거나 국민의 법적 지위를 결정적으로 정하는 것이어서 국민의 권리관계가 집행행위의 유무나 내용에 의하여 좌우될 수 없을 정도로 확정된 상태라면 그 법규범의 권리침해의 직접성이 인정된다. 19 지방7급 (O / X)
  해설 생계보호기준과 같이 집행행위가 있다고 하더라도 재량의 여지가 없으면 기본권 침해는 법령에서 발생하므로 법령이 헌법소원의 대상이 된다. 정답 O

❷ 직접성이 요구되는 법규범에는 형식적 의미의 법률뿐만 아니라 조약, 명령·규칙, 헌법소원의 대상성이 인정되는 행정규칙, 조례 등이 포함된다. 19 지방7급 (O / X)
  해설 순수하게 내부적 관계만을 규정하는 행정규칙은 헌법소원의 대상이 아니다. 정답 O

❸ 국민에게 일정한 행위의무 또는 행위금지의무를 부과하는 법규정을 정한 후 이를 위반할 경우 제재수단으로서 형벌 또는 행정벌 등을 부과할 것을 정한 경우에 그 형벌이나 행정벌의 부과를 직접성에서 말하는 집행행위라고는 할 수 없다. 19 지방7급

( O / X )

해설 집행행위는 원칙적으로 입법, 행정, 사법의 모든 행위를 말하지만, 형벌이나 행정벌의 경우에는 원칙적으로 집행행위가 아니다.

정답 O

## 075 회독 ☐☐☐    22 국회8급

**헌법소원의 적법요건에 대한 설명으로 옳지 않은 것은? (다툼이 있는 경우 헌법재판소 판례에 의함)**

① 「헌법재판소법」 제68조 제1항에 의한 헌법소원심판을 구하는 자는 심판의 대상인 공권력의 행사 또는 불행사로 인하여 자기의 기본권이 현재 그리고 직접적으로 침해받고 있는 자여야 한다.
② 공권력작용의 직접적인 상대방이 아닌 제3자라고 하더라도 공권력의 작용이 그 제3자의 기본권을 직접적이고 법적으로 침해하고 있는 경우에는 그 제3자에게 자기관련성이 인정될 수 있다.
③ 공권력의 작용이 단지 간접적, 사실적 또는 경제적 이해관계로만 관련되어 있는 제3자에게는 자기관련성이 인정되지 않는다.
④ 정보통신망을 통하여 공개된 정보로 말미암아 사생활 등을 침해받은 자가 삭제요청을 하면 정보통신서비스 제공자는 해당 정보에 대한 접근을 임시적으로 차단하는 조치를 하여야 한다고 정한 법률조항은 직접적 수범자를 정보통신서비스 제공자로 하기 때문에, 정보게재자는 제3자에 해당하여 위 임시조치로 정보게재자가 게재한 정보는 접근이 차단되는 불이익을 받더라도 정보게재자의 자기관련성은 인정되지 않는다.
⑤ 언론인을 공직자 등에 포함시켜 이들에 대한 부정청탁을 금지한 것은 언론인 등 자연인을 수범자로 하고 있을 뿐이어서 사단법인 한국기자협회는 자신의 기본권을 직접 침해당할 가능성이 없다.

해설

① (O) 헌법소원의 요건이다.
② (O) ③ (O) ④ (X)

> 이 사건 법률조항의 문언상 직접적인 수범자는 '정보통신서비스 제공자'이고, 정보게재자인 청구인은 제3자에 해당하나, 사생활이나 명예 등 자기의 권리가 침해되었다고 주장하는 자로부터 침해사실의 소명과 더불어 그 정보의 삭제 등을 요청받으면 정보통신서비스 제공자는 지체 없이 임시조치를 하도록 규정하고 있는 이상, 위 임시조치로 청구인이 게재한 정보는 접근이 차단되는 불이익을 받게 되었으므로, 이 사건 법률조항의 입법목적, 실질적인 규율대상, 제한이나 금지가 제3자에게 미치는 효과나 진지성의 정도를 종합적으로 고려할 때, 이 사건 법률조항으로 인한 기본권 침해와 관련하여 청구인의 자기관련성을 인정할 수 있다. (헌재 2012.5.31. 2010헌마88)

⑤ (O) 단체는 자신의 기본권을 주장하여야 하고 소속 회원을 대신하여 헌법소원을 제기하면 자기관련성이 없다.

정답 ④

## 076

**「헌법재판소법」 제68조 제1항에 의한 헌법소원심판청구의 적법요건에 관한 설명 중 옳지 않은 것은? (다툼이 있는 경우 판례에 의함)**

① 심판청구를 교환적으로 변경하였다면 변경에 의한 신청구는 원칙적으로 그 청구변경서를 제출한 때에 제기한 것이라 볼 것이고, 이 시점을 기준으로 하여 청구기간의 준수 여부를 가려야 한다.
② 법학전문대학원의 총 입학정원이 한정되어 있는 상태에서 여성만이 진학할 수 있는 법학전문대학원의 설치를 인가한 것은 남성들이 진학할 수 있는 법학전문대학원의 정원에 영향을 미치므로, 법학전문대학원 입학을 준비 중인 남성들은 교육부장관이 여성만이 진학할 수 있는 대학에 법학전문대학원 설치를 인가한 처분의 직접적인 상대방이 아니더라도 기본권 침해의 자기관련성이 인정된다.
③ 아직 기본권의 침해는 없으나 장래에 확실히 기본권 침해가 예측되는 경우에는 미리 헌법소원심판청구가 가능하고, 이때 별도로 청구기간 도과에 관한 문제는 발생하지 않는다.
④ 구성요건조항과 구성요건조항 위반에 대한 벌칙·과태료조항이 별도로 규정되어 있는 경우, 청구인이 벌칙·과태료조항에 대하여 그 법정형이나 액수가 과다하여 그 자체가 위헌임을 주장하였더라도 그 벌칙·과태료조항에 대해서는 기본권 침해의 직접성을 인정할 수 없다.
⑤ 헌법소원심판청구 후 심판대상이 되었던 법령조항이 개정되어 더 이상 청구인에게 적용될 여지가 없게 된 경우에는 심판대상인 구법조항에 대하여 위헌결정을 받을 주관적 권리보호이익이 소멸된다.

### 해설

① (O) 헌재 2004.4.29. 2003헌마641

② (O)

> 전체 법학전문대학원의 총 입학정원이 한정되어 있는 상태에서 이 사건 인가처분이 여성만이 진학할 수 있는 여자대학에 법학전문대학원 설치를 인가한 것은 결국 청구인들과 같은 남성들이 진학할 수 있는 법학전문대학원의 정원이 여성에 비하여 적어지는 결과를 초래하여 청구인들의 직업선택의 자유, 평등권을 침해할 가능성이 있으므로, 이 사건 인가처분의 직접적인 상대방이 아닌 제3자인 청구인들에게도 기본권 침해의 자기관련성이 인정된다. (헌재 2013.5.30. 2009헌마514)

③ (O)

④ (×)

> 벌칙조항의 전제가 되는 구성요건조항이 별도로 규정되어 있는 경우에 벌칙조항에 대하여는 청구인이 그 법정형이 체계정당성에 어긋난다거나 과다하다는 등 그 자체가 위헌임을 주장하지 않는 한 기본권 침해의 직접성을 인정할 수 없다. (헌재 2009.10.29. 2007헌마1359)

⑤ (O)

정답  ④

## 077 회독 ☐☐☐ 재구성　　　　　　　　　　　　　　　　　21 서울·지방7급

**헌법소원에 대한 설명으로 옳은 것만을 모두 고르면? (다툼이 있는 경우 판례에 의함)**

> ㄱ. 법령에 근거한 구체적인 집행행위가 재량행위인 경우에 법령은 집행기관에게 기본권 침해의 가능성만 부여할 뿐, 법령 스스로가 기본권의 침해행위를 규정하고 행정청이 이에 따르도록 구속하는 것이 아니고, 이때의 기본권의 침해는 집행기관의 의사에 따른 집행행위, 즉 재량권의 행사에 의하여 비로소 이루어지고 현실화되므로 이러한 경우에는 법령에 의한 기본권 침해의 직접성이 인정되지 않는다.
> ㄴ. 국방부장관 등의 '군내 불온서적 차단대책 강구 지시'는 그 지시를 받은 하급 부대장이 일반장병을 대상으로 하여 그에 따른 구체적인 집행행위를 하지 않더라도 곧바로 일반장병의 기본권을 제한하는 직접적인 공권력 행사에 해당하므로 기본권 침해의 직접성이 인정된다.
> ㄷ. 법령이 집행행위를 예정하고 있더라도, 법령이 일의적이고 명백한 것이어서 집행기관이 심사와 재량의 여지없이 그 법령에 따라 일정한 집행행위를 하여야 하는 경우와 당해 집행행위를 대상으로 하는 구제절차가 없거나, 구제절차가 있다고 하더라도 권리구제의 기대가능성이 없고 기본권 침해를 당한 청구인에게 불필요한 우회절차를 강요하는 것밖에 되지 않는 경우에는 예외적으로 당해 법령의 직접성을 인정할 수 있다.

① ㄱ, ㄴ
② ㄱ, ㄷ
③ ㄴ, ㄷ
④ ㄱ, ㄴ, ㄷ

**해설**

ㄱ. (O) ㄷ. (O) 이와 반대로 집행행위가 있어도 재량의 여지 없이 적용되는 경우(생계보호기준)에는 법령이 헌법소원의 대상이 된다.
ㄴ. (X)

> 국방부장관 등의 '군내 불온서적 차단대책 강구 지시'는 그 지시를 받은 하급 부대징이 일반징병을 대상으로 하여 그에 따른 구체적인 집행행위를 함으로써 비로소 청구인들을 비롯한 일반장병의 기본권 제한의 효과가 발생한다고 할 것이므로 직접적인 공권력 행사라고 볼 수 없다. 따라서 위 법률조항 및 지시는 기본권 침해의 직접성이 인정되지 아니한다. (헌재 2010.10.28. 2008헌마638)

정답 ②

## 078 21 입시

**「헌법재판소법」 제68조 제1항에 따른 헌법소원심판에 대한 설명으로 옳지 않은 것은? (다툼이 있는 경우 판례에 의함)**

① 자율형 사립고등학교 법인 이사장을 상대로 이루어진 교육감의 입학전형요강 승인처분에 대하여 해당 학교의 입시를 준비 중인 자는 기본권 침해의 자기관련성이 인정되지 않는다.
② 도서관의 관장 등이 승인 또는 허가하면 대학구성원이 아닌 사람에 대하여도 도서 대출 및 열람실 이용이 가능하도록 한 도서관 규정에 대하여 대학구성원이 아닌 사람이 헌법소원심판을 청구한 경우 기본권 침해의 직접성이 인정되지 않는다.
③ 의료인에게 하나의 의료기관만을 개설할 수 있도록 한 「의료법」 규정에 대하여 의사 및 한의사의 복수면허를 가진 의료인이 헌법소원심판을 청구한 경우 기본권 침해의 직접성이 인정된다.
④ 선거권 연령을 20세로 한 「공직선거법」 규정에 대하여 18세인 자가 국회의원 선거 2개월 전에 헌법소원심판을 청구한 경우 기본권 침해의 현재성이 인정된다.
⑤ 개인택시면허의 양도 및 상속을 금지하는 「여객자동차 운수사업법」 규정에 대하여 장래 개인택시면허를 취득하려는 자가 헌법소원심판을 청구한 경우 기본권 침해의 현재성이 인정되지 않는다.

### 해설

① (X) 해당 학교의 입시를 준비 중인 자는 지금 당장은 아니라도 결국 해당 입시전형의 적용을 받게 되므로 기본권 침해의 자기관련성이 인정된다.
② (O) 관장의 승인에 의해 비로소 도서관 이용이 가능해지기 때문이다.

> [1] 대학구성원이 아닌 사람의 도서관 이용에 관하여 대학도서관의 관장이 승인 또는 허가할 수 있도록 규정한 '서울교육대학교 도서관 규정' 제9조, 제13조, 구 '서울시립대학교 중앙도서관 규정' 등은 기본권 침해의 직접성이 인정되지 않는다.
> [2] 대학구성원이 아닌 청구인의 대학도서관에서의 도서 대출 또는 열람실 이용을 승인하지 않는 내용의 회신은 청구인의 알 권리를 침해하지 않는다. (헌재 2016.11.24. 2014헌마977)

③ (O)

> **복수면허 의사에 대한 하나의 의료기관 개설** (헌재 2007.12.27. 2004헌마1021 【헌법불합치】)
> 복수면허 의료인들에게 단수면허 의료인과 같이 하나의 의료기관만을 개설할 수 있다고 한 이 사건 법률조항은 '다른 것을 같게' 대우하는 것으로 합리적인 이유를 찾기 어렵다. 이 사건 심판대상 법률조항은 복수면허 의료인인 청구인들의 직업의 자유, 평등권을 침해한다.

④ (O) 선거가 앞으로 확실하게 예상되기 때문이다. (헌재 2001.6.28. 2000헌마111)
⑤ (O)

> [1] 아직 개인택시면허를 취득하지 아니한 청구인들도 장래 면허의 취득이 예정되어 있다는 이유로 헌법소원심판을 청구하였다. 그러나 개인택시면허를 받으려는 사람은 운전 경력, 무사고 운전, 거주지 등의 요건을 갖추어야 하고, 관할관청이 지역실정을 고려하여 따로 정하는 면허기준이 있는 경우에는 그 요건도 충족시켜야 하는바, 이러한 점에 비추어 보면 개인택시면허를 취득하지 아니한 청구인들은 기본권 침해의 현재성을 구비하였다고 할 수 없다.
> [2] 법률조항 자체가 헌법소원의 대상이 될 수 있으려면 그 법률조항이 직접 청구인들의 기본권을 침해하여야 하므로, 법률규정이 그 규정의 구체화를 위하여 하위규범의 시행을 예정하고 있는 경우에는 당해 법률의 직접성은 원칙적으로 부인된다. (헌재 2012.3.29. 2010헌마443 등)

**정답** ①

## 079 회독 ☐☐☐ 재구성

**기본권 침해의 자기관련성에 대한 설명으로 옳지 않은 것은 모두 몇 개인가? (다툼이 있는 경우 판례에 의함)**

> ㄱ. 요양급여비용의 액수를 인하하는 조치를 내용으로 하는 조항의 직접적인 수범자는 요양기관이나, 요양기관의 피고용자인 의사도 유사한 정도의 직업적 불이익을 받게 된다고 볼 수 있으므로 자기관련성이 인정된다.
> ㄴ. 언론사와 언론보도로 인한 피해자 사이의 분쟁 해결에 관한 조항, 편집권 보호에 관한 조항은 신문사를 규율대상으로 하지만, 신문사의 기자들도 그 실질적인 규율대상에 해당한다고 할 수 있으므로 자기관련성이 인정된다.
> ㄷ. 식품접객업소에서 배달 등의 경우에 합성수지 재질의 도시락 용기의 사용을 금지하는 조항의 직접적인 수범자는 식품접객업주이나, 위 조항으로 인해 합성수지 도시락 용기의 생산업자들도 직업수행의 자유를 제한받으므로 자기관련성이 인정된다.

① 없음    ② 1개
③ 2개    ④ 3개

### 해설

ㄱ. (O) 헌재 2003.12.18. 2001헌마543

ㄴ. (X)

> [1] 독자 또는 국민의 한 사람인 청구인들은 신문 등의 자유와 기능 보장에 관한 법률(이하 '신문법'이라 한다)상의 '정기간행물사업자'나 '일간신문을 경영하는 법인'이 아니고, 나아가 언론중재 및 피해구제 등에 관한 법률(이하 '언론중재법'이라 한다)상의 '언론'에도 해당하지 않는다. 따라서 위 청구인들은 신문법과 언론중재법의 심판대상조항에 대하여 간접적·사실적 이해관계를 가지는 데 불과할 뿐 직접적·법률적 이해관계를 가진다고 할 수 없으므로, 기본권 침해의 자기관련성이 인정되지 않는다.
> [2] 신문사의 대표이사인 청구인이 심판대상으로 청구한 신문법 제16조, 제17조, 제33조, 제34조 제2항, 제37조 제5항은 '정기간행물사업자'를 그 규율대상으로 하고 있는바, 회사와 그 대표자 개인을 엄격히 구별하고 있는 우리 법제상 동 청구인은 이들 조항에 대하여 자기관련성이 인정되지 않는다.
> [3] 신문법은 정기간행물사업자, 즉 일간신문을 경영하는 법인으로서의 신문사를 규율대상으로 하고 있고, 언론중재법도 언론사와 언론보도로 인한 피해자 사이의 분쟁을 해결하고자 규율하는 법률로서, 그 규율의 대상이 되는 주체는 언론사에 소속되어 있는 기자가 아니라 언론사 자체이다. 따라서 신문사의 기자인 청구인들은 심판대상조항에 대하여 자기관련성이 인정되지 않는다.
> [4] 신문법 제3조 제2항·제3항 등 이 사건 심판대상조항은 정기간행물사업자인 신문사를 그 규율대상으로 하므로 신문사업자인 청구인들은 기본권 침해의 자기관련성이 있다. 다만, 신문법 제3조 제2항은 국가로 대표되는 외부세력에 의한 규제·간섭으로부터 편집의 자유와 독립을 보호하는 규정이라고 할 것이므로, 이 조항은 신문의 내부 구성원 또는 신문사 자체를 규율대상으로 하지 않는 것이어서 신문사업자인 위 청구인들은 이 조항에 대하여 자기관련성이 없다.
> [5] 신문법 제3조 제3항, 제6조 제3항은 편집인 또는 기자들에게 독점적으로 '편집권'이라는 법적 권리를 부여한 것이 아니라 편집활동 보호에 관한 선언적·권고적 규정이고, 신문법 제18조는 편집위원회를 둘 것인지 여부 및 편집규약의 제정 여부에 관하여 신문사의 임의에 맡기고 있으므로 이들 조항은 기본권 침해의 가능성 내지 직접성이 없다. (헌재 2006.6.29. 2005헌마165 등)

ㄷ. (X) 생산업자의 경우에는 자기관련성이 인정되지 않고, 식품접객업주는 자기관련성이 인정된다. (헌재 2007.2.22. 2003헌마428 등)

**정답** ③

### 예상판례

❶ [1] 협의이혼에 있어 신청서 대리제출이 금지된다고 하여 이혼당사자가 아닌 청구인에게 어떤 법적 불이익이 발생하는 것은 아니므로 기본권 침해의 자기관련성요건을 갖추지 못하여 부적법하다.

[2] 협의이혼 의사확인신청을 할 때 부부 쌍방으로 하여금 직접 법원에 출석하여 신청서를 제출하도록 한 것은 일시적 감정이나 강압에 의한 이혼을 방지하고 협의상 이혼이 그 절차가 시작될 때부터 당사자 본인의 의사로 진지하고 신중하게 이루어지도록 하기 위한 것이다. 따라서 일반적 행동자유권을 침해하지 않는다. (헌재 2016.6.30. 2015헌마894)

❷ 피청구인 한국산업인력공단이 2018.11.12.에 한 '2019년도 제56회 변리사 국가자격시험 시행계획 공고' 가운데 '2019년 제2차 시험과목 중 특허법과 상표법 과목에 실무형 문제를 각 1개씩 출제' 부분에 대한 헌법소원심판청구에 대하여 자기관련성이 인정되지 않는 청구인 14인의 심판청구를 각하하고, 나머지 청구인들의 심판청구를 기각한다. (헌재 2019.5.30. 2018헌마1208 등)

[1] 이 사건 공고의 근거가 되는 법령의 내용만으로는 변리사 제2차시험에서 '실무형 문제'가 출제되는지 여부가 정해져 있다고 볼 수 없고, 이 사건 공고에 의하여 비로소 2019년 제56회 변리사 제2차시험에 '실무형 문제'가 출제되는 것이 확정된다. 이 사건 공고는 법령의 내용을 구체적으로 보충하고 세부적인 사항을 확정함으로써 대외적 구속력을 가진다고 할 것이므로, 헌법소원의 대상이 되는 공권력의 행사에 해당한다.

[2] 2019년 제56회 변리사 제1차시험에 응시하였으나 불합격한 사람 또는 위 시험에 접수하였다가 취소한 사람들로서, 같은 해 변리사 제2차시험에 응시할 자격이 인정되지 않는다. 따라서 위 청구인들은 위 제2차시험에 관한 사항을 정한 이 사건 공고로 인하여 자신의 기본권을 침해받을 가능성이 인정되지 않으므로, 위 청구인들의 심판청구는 부적법하다.

## 080  회독 ☐☐☐   18 국가7급

**헌법소원에 대한 설명으로 옳지 않은 것은? (다툼이 있는 경우 판례에 의함)**

① 「헌법재판소법」 제68조 제2항 소정의 헌법소원은 그 본질이 헌법소원이라기보다는 위헌법률심판이므로 「헌법재판소법」 제68조 제1항 소정의 헌법소원에서 요구되는 보충성의 원칙은 적용되지 아니한다.
② 교정시설 내 과밀수용행위를 다투고 있는 수형자가 형기만료로 이미 석방되었으므로, 심판청구가 인용되더라도 그 권리구제는 불가능한 상태이고, 그 침해가 계속 반복될 우려가 없어 심판의 이익을 인정할 수 없다.
③ 「담배사업법」에 따른 담배의 제조 및 판매는 비흡연자들이 간접흡연을 하게 되는 데 있어 간접적이고 2차적인 원인이 된 것에 불과하여, 담배의 제조 및 판매에 관하여 규율하는 「담배사업법」에 대해 간접흡연의 피해를 주장하는 임신 중인 자의 기본권 침해의 자기관련성을 인정할 수 없다.
④ 법률 자체에 의한 직접적인 기본권 침해 여부가 문제되었을 경우에는 다른 권리구제절차를 거치지 않더라도 바로 헌법소원을 제기할 수 있다.

**해설**

① (O) 제68조 제2항의 헌법소원은 그 본질이 위헌법률심판이므로 보충성원칙이 요구되는 것이 아니라 재판의 전제성이 필요하다. 한편, 제68조 제2항의 헌법소원도 지정재판부의 심사를 거치는 것은 가능하다.
② (X) 주관적 권리보호이익은 없지만, 기본권 침해의 반복가능성과 헌법적 해명의 필요성이 인정되므로 객관적인 권리보호이익이 인정된다.
③ (O) 간접흡연자는 자기관련성이 인정되지 않는다. (헌재 2015.4.30. 2012헌마38)
④ (O) 법률을 대상으로 하는 다른 구제절차가 없기 때문이다.

**정답** ②

**예상판례**

❶ 서울 월계동 도로에 소재한 빙상장 페어스톤에 대하여 수거·폐기 등 조치를 하지 아니한 원자력안전위원회 위원장의 부작위, 일본산 수산물에 대하여 전면 수입금지조치를 하지 아니한 식품의약품안전청장(현 식품의약품안전처장)의 부작위는 헌법소원의 대상이 되는 공권력의 불행사가 아니어서 부적법하다. (헌재 2015.10.21. 2012헌마89 등)
❷ 독도에 대피시설이나 의무시설, 관리사무소, 방파제 등을 설치하지 아니한 피청구인 대한민국 정부의 부작위는 헌법소원의 대상이 될 수 없다. (헌재 2016.5.26. 2014헌마1002)
❸ 공무원연금법상 예산의 일부를 반드시 책임준비금으로 적립해야 한다고 볼 수 없다. 그러므로 책임준비금 적립부작위는 헌법소원의 대상이 되는 공권력의 불행사라고 볼 수 없다. (헌재 2016.6.30. 2015헌마296)
❹ 독서실과 같이 정온을 요하는 사업장의 실내소음 규제기준을 따로 규정하지 아니한 진정입법부작위의 위헌성을 다투는 청구인들의 심판청구는 부적법하다. (헌재 2017.12.28. 2016헌마45)

**기출지문 OX**

헌법소원심판청구에 있어서 직접성 요건의 불비는 사후에 치유될 수 없다. 18 변호사 ( O / X )
해설 보충성요건은 헌법재판소의 결정 때까지 치유가 가능하지만, 직접성원칙은 헌법소원 제기 당시에 갖추어야 한다. 정답 O

## 081

**권리구제형 헌법소원심판에 대한 설명으로 옳지 않은 것은? (다툼이 있는 경우 판례에 의함)**

① 무면허의료행위를 금지하고 처벌하는 「의료법」 조항의 직접적인 수범자는 무면허의료행위자이므로 제3자에 불과한 의료소비자는 자기관련성이 인정되지 아니한다.
② 서울특별시 및 경기도의 초등교사 임용시험에서 지역가산점을 부여하는 공권력 행사에 대하여 간접적·사실적 및 경제적 이해관계를 갖는 데 불과한 부산교육대학교는 자기관련성이 인정되지 않는다.
③ 법령에 대한 헌법소원심판에서 「민사소송법」 제83조 제1항과 같은 공동심판참가신청은 허용되지 않는다.
④ 지방자치단체가 조례로 관할 구역 안의 일정한 장소를 금연구역으로 지정할 수 있게 하는 법률규정에 대한 권리구제형 헌법소원심판청구는 지방자치단체의 조례에 따른 금연구역 지정을 통하여 비로소 기본권 침해의 효과가 발생하는 것이므로, 기본권 침해의 직접성요건을 갖추지 못하여 부적법하다.
⑤ 자연인을 수범자로 하는 법률조항에 대한 「민법」상 비영리 사단법인의 권리구제형 헌법소원심판청구는 기본권 침해의 자기관련성요건을 갖추지 못하여 부적법하다.

**[해설]**

① (O) 의료소비자는 이 사건 법률의 직접적인 수범자가 아니므로 자기관련성이 인정되지 아니한다. [17 법원직]
② (O) [17 법원직]

> 이 사건 임용시험에서 청구인 부산교육대학교 학생들이 지역가산점의 불이익을 받아 임용시험 합격률이 낮아지더라도, 그로 인하여 청구인 부산교육대학교가 받는 불이익은 간접적이고 사실적이며 경제적인 이해관계에 불과하므로, 청구인 부산교육대학교는 이 사건 지역가산점규정과 관련하여 자기관련성이 인정되지 않는다. (헌재 2014.4.24. 2010헌마747)

③ (X) 법령에 대한 헌법소원심판에서도 민사소송법상 공동심판참가신청이나 취하가 가능하다. [17 법원직]
④ (O) [17 국가7급(하)]

> 어떤 장소를 금연구역으로 지정할 것인지 여부는 지방자치단체의 재량에 맡겨져 있으므로 기본권 침해의 효과는 지방자치단체가 조례를 통하여 금연구역을 지정할 때 비로소 발생한다. 따라서 지정조항에 대한 심판청구는 기본권 침해의 직접성요건을 갖추지 못하여 부적법하다. (헌재 2014.9.25. 2013헌마411 등)

⑤ (O) 법인이 그 소속 회원을 위하여 헌법소원을 제기하는 것은 자기관련성이 인정되지 않는다. 법인은 법인 자신의 기본권 침해를 주장하는 헌법소원을 제기하여야 한다. (헌재 2016.7.28. 2015헌마236 등) [17 국가7급(하)]

**정답** ③

## 082  회독 ☐☐☐   17 국회8급

**헌법재판소가 기본권 침해의 자기관련성을 인정하는 것은? (다툼이 있는 경우 헌법재판소 결정에 의함)**

① 자신의 형사재판의 증인으로 채택된 수감자를 매일 소환한 검사의 행위에 대한 피고인
② 학교법인 이사의 학교법인 재산의 횡령행위에 있어 대학교수나 교수협의회
③ 담배 판매와 제조를 허용하고 있는 구 「담배사업법」 조항에 대하여 간접흡연자
④ 정부의 이라크전쟁 파병결정에 대한 시민단체 대표
⑤ 의료사고 피해자의 아버지나 남편(피해자가 사망하지 않은 경우)

### 해설

① (O) 헌재 2001.8.30. 99헌마496

② (X)
> 피의자가 저질렀다고 하는 횡령행위로 인한 피해자는 학교법인(○○학원)이고, 그 횡령행위로 인하여 위 학교법인이 설립·운영하는 (청주)대학교의 운영에 어려움이 생김으로써 동 대학교의 교수인 청구인이나 그가 대표로 있는 동 대학교 교수협의회에게 어떠한 불이익이 발생하였다고 하더라도 그것은 간접적인 사실상의 불이익에 불과할 뿐 그 사실만으로 청구인이나 위 교수협의회가 위 횡령행위로 인한 '형사피해자'에 해당한다고 할 수 없다. (헌재 1997.2.20. 95헌마295)

③ (X)
> 간접흡연으로 인한 폐해는 담배의 제조 및 판매와는 간접적이고 사실적인 이해관계를 형성할 뿐, 직접적 혹은 법적인 이해관계를 형성하지는 못하므로 기본권 침해의 자기관련성을 인정할 수 없다. (헌재 2015.4.30. 2012헌마38)

④ (X)
> 청구인인 시민단체나 정당의 간부 및 일반국민들이 주장하는 피해는 국민의, 또는 인류의 일원으로서 입는 사실상의, 또는 간접적인 성격을 지닌 것이거나 하나의 가설을 들고 있는 것이어서 이 사건 파병으로 인하여 청구인들의 기본권이 현재, 직접 침해되었다고 볼 근거가 될 수 없다. 따라서 청구인들은 이 사건 파병결정에 대해 적법하게 헌법소원을 제기할 수 있는 자기관련성이 있다고 할 수 없어 헌법소원심판청구는 모두 부적법하다. (헌재 2003.12.18. 2003헌마255 등)

⑤ (X)
> 이 사건 심판청구인 중 청구인 甲은 이 사건 의료사고의 피해자인 乙의 아버지일 뿐 의료사고의 직접적인 법률상의 피해자가 아니므로 결국 청구인 甲은 이 사건 불기소처분으로 인하여 자기의 헌법상 보장된 기본권을 직접 침해받은 자가 아니며 이 사건 불기소처분에 대하여 자기관련성이 없는 자라고 할 것이고 따라서 청구인 甲의 심판청구 부분은 심판청구를 할 적격 없는 자의 청구로서 부적법하다. (헌재 1993.11.25. 93헌마81)

**정답** ①

## 083

**기본권 침해의 현재성에 대한 설명으로 옳지 않은 것은? (다툼이 있는 경우 헌법재판소 결정에 의함)**

① 장래의 선거에서 부재자투표 여부가 확정되는 선거인명부 작성기간이 아직 도래하지 않아 부재자투표를 할 것인지 여부가 확정되지 않았다 하더라도 주기적으로 반복되는 선거의 특성과 기본권 구제의 실효성 측면을 고려할 때, 부재자투표소 투표의 기간을 제한하고 있는 법률조항은 기본권 침해의 현재성을 갖추었다.

② 심판청구 당시 청구인은 7급 국가공무원 공채시험에 응시하기 위하여 준비 중에 있었기 때문에 「국가유공자 등 예우 및 지원에 관한 법률」 등의 관련 규정으로 인한 기본권 침해를 현실적으로 받았던 것은 아니지만, 청구인이 국가공무원 공채시험에 응시할 경우 장차 그 합격 여부를 가리는 데 있어 국가유공자 가산점제도가 적용될 것임은 심판청구 당시에 이미 확실히 예측되는 것이었으므로 기본권 침해의 현재성의 요건은 갖춘 것이다.

③ 혼인을 앞둔 예비신랑은 「가정의례에 관한 법률」의 관련 규정으로 인하여 현재 기본권을 침해받고 있지는 않으나, 결혼식 때에는 하객들에게 주류 및 음식물을 접대할 수 없는 불이익을 받게 되는 것이 현재 시점에서 충분히 예측될 수 있으므로 예외적으로 침해의 현재성을 인정할 수 있다.

④ 법령이 헌법소원의 대상이 되려면 현재 시행 중인 유효한 법령이어야 함이 원칙이지만, 법령이 일반적 효력을 발생하기 전이라도 공포되어 있고 그로 인하여 사실상의 위험성이 이미 발생한 경우에는 예외적으로 침해의 현재성을 인정할 수 있다.

⑤ 중앙인사위원회, 소청심사위원회 등 각종 위원회 위원자격에서 판사·검사·변호사와 달리 군법무관을 원천적으로 배제하고 있는 구 「국가공무원법」 등의 관련 규정에 대한 헌법소원의 청구인인 군법무관들은 장차 언젠가는 특정 법률의 규정으로 인하여 권리침해를 받을 우려가 있다 하더라도, 단순히 장래 잠재적으로 나타날 수도 있는 것에 불과하여 권리침해의 현재성을 구비하였다고 할 수 없으므로 구 「국가공무원법」 등의 관련 규정에 대한 기본권 침해의 현재성이 인정되지 않는다.

**해설**

① (O)

> 청구인은 지난 제17대 대통령 선거 부재자투표를 하였고, 제18대 국회의원 선거에서는 부재자투표를 하고자 하였으나 사전투표의 불이익을 피하려고 부득이 선거일에 주민등록지의 투표소에 직접 가 투표하였다는 것이므로 앞으로 다가올 선거에서도 부재자투표를 할 가능성은 충분히 있으며, 부재자투표 여부가 확정되는 선거인명부 작성기간은 선거일에 매우 근접해 있어, 선거인명부 작성기간 중에 부재자신고를 한 경우에만 부재자투표절차에 관해 헌법소원심판을 청구할 수 있다고 한다면, 그 헌법소원에 대해 헌법재판소가 결정을 하기 이전에 부재자투표절차가 모두 종료될 것이 확실시된다. 그러므로 청구인이 비록 장래의 선거에 관해 아직 부재자투표 여부가 확정되지 않았다 하더라도 주기적으로 반복되는 선거의 특성과 기본권 구제의 실효성 측면을 고려할 때, 기본권 침해의 현재성을 갖춘 것으로 보아야 할 것이다. (헌재 2010.4.29. 2008헌마438)

② (O)

> 심판청구 당시 청구인은 7급 국가공무원 공채시험에 응시하기 위하여 준비 중에 있었기 때문에 이 사건 법률조항으로 인한 기본권 침해를 현실적으로 받았던 것은 아니다. 그러나 청구인이 국가공무원 공채시험에 응시할 경우 장차 그 합격 여부를 가리는 데 있어 이 사건 가산점제도가 적용될 것임은 심판청구 당시에 이미 확실히 예측되는 것이었으므로, 기본권 침해의 현재성의 요건도 갖춘 것으로 보아야 한다. (헌재 2001.2.22. 2000헌마25)

③ (O) 헌재 1998.10.15. 98헌마168

④ (○)
⑤ (×)

> [1] 이 사건 제1법률은 군법무관들을 해당 위원의 자격에서 원천적으로 배제하고 있는데, 군법무관들도 각종 위원회의 위원직을 수행할 수 있는 법률적 소양과 나름대로의 경험을 지니고 있는 점, 군법무관도 판사·검사·변호사와 동일한 시험을 통해 선발되었고 그 업무도 유사한 점, 대부분의 위원직이 해당 기관의 선정에 의하여 결정되고 여하한 신청권도 인정되지 않는 점, 청구인들에게 입법청원 외에 이 사건 제1법률을 다툴 수 있는 다른 법적 구제수단도 없는 점, 군법무관으로 근무한 기간과 판사·검사·변호사로 근무한 기간의 합산문제가 개입될 수 있는 점 등을 고려할 때, 이 사건에서는 장래 청구인들의 권리침해가능성이 현재로서 확실히 예상된다고 보아 청구인들에게 '현재성'을 인정함이 상당하다.
> [2] 위 법률에서 요구하는 위원회 위원으로서의 전문성과 경력은 모든 직역에 개방되기에는 부적합하다고 할 것인데, 군법무관의 경우 위에서 본 업무와 신분상의 특수성이 있으므로, 위 법률이 위원의 자격에서 일반법조인들과는 달리 군법무관을 제외하고 있는 것이 합리성을 결여하였다거나 자의적인 것이라고 볼 수 없으므로, 청구인들의 평등권을 침해하지 않으며, 각종 위원직에 대한 공적취임 기회의 차별에 있어서 입법목적과 수단 간에 합리적인 연관관계를 인정할 수 있으므로 공무담임권을 침해하는 것이라고도 할 수 없다.
> (헌재 2007.5.31. 2003헌마422)

정답  ⑤

### 📖 예상판례

**❶** [1] 피청구인 ○○교도소장이 2014.7.14. 미결수용자인 청구인이 자비로 구매한 흰색 러닝셔츠 1장을 허가 없이 다른 색으로 물들여 소지하고 있던 것을 형의 집행 및 수용자의 처우에 관한 법률 제92조 소정의 금지물품에 해당한다고 보아 같은 법 제93조 제5항에 따라 폐기한 행위에 대한 헌법소원심판청구는 예외적으로 심판청구의 이익이 인정되는 경우가 아니다.
[2] ○○교도소장이 2014.7.30. 외부인으로부터 연예인 사진을 교부받을 수 있는지에 관한 청구인의 문의에 대하여 청구인이 '마약류수용자'로 분류되어 있고 연예인 사진은 처우상 필요한 것으로 인정하기 어려워 불허될 수 있다는 취지로 청구인에게 고지한 행위는 헌법소원심판의 대상이 아니다. (헌재 2016.10.27. 2014헌마626)

**❷** 부산광역시 기장군의회 운영행정위원장이 청구인들의 기장군의회 운영행정위원회 임시회 방청을 불허한 행위에 대한 헌법소원심판청구에 대하여 권리보호이익이 인정되지 않아 부적법하다. (헌재 2017.7.27. 2016헌마53)
[1] 이 사건 방청불허행위에서 문제된 운영행정위원회 제209회 제1차, 제3차 임시회는 모두 종료되었으므로 권리보호이익이 소멸하였다.
[2] 위원회 회의는 논의가 속행되지 않는 이상 개별회의마다 성격이 달라 다른 회의에서도 언제나 방청을 불허할 것이라고 보기 어렵다. 따라서 이 사건 방청불허행위와 동일한 행위가 반복될 위험성은 없다.
[3] 설령 반복 위험성이 있더라도 이 사건의 직접적 쟁점은 이 사건 방청불허행위가 지방자치법 제60조 제1항에 따른 적법한 요건을 갖추고 있는가에 관한 것이다. 이는 위법성 문제에 불과하고 헌법적으로 해명이 중대한 의미를 지니는 경우로 보기 어려우므로, 심판청구의 이익을 인정하기 어렵다. 따라서 이 사건 방청불허행위에 대한 심판청구는 권리보호이익이 없고, 예외적으로 심판청구의 이익도 인정되지 않는다.

## 084 회독 ☐☐☐ 재구성     16 법무사, 10 지방7급, 09 국가7급

**헌법소원심판의 보충성의 원칙에 대한 설명으로 옳지 않은 것만을 모두 고르면? (다툼이 있는 경우 판례에 의함)**

> ㄱ. 헌법은 다른 법률에 의한 구제절차가 있는 경우에는 그 절차를 모두 거친 후가 아니면 헌법소원심판청구를 할 수 없도록 규정하여 보충성의 원칙을 인정하고 있다.
> ㄴ. 헌법소원심판의 청구인이 그의 불이익으로 돌릴 수 없는 정당한 이유가 있는 착오라도 전심절차를 거치지 않은 경우에는 법적 안정성을 위하여 보충성의 예외가 인정되지 아니한다.
> ㄷ. 기소유예처분을 받은 피의자는 수사기관에 진정을 제기할 수 있으므로, 그러한 절차 없이 그 처분의 취소를 구하는 헌법소원심판을 청구하는 것은 「헌법재판소법」 제68조 제1항 단서에 규정된 '다른 법률에서 정한 구제절차'를 거치지 아니한 것이므로, 보충성요건을 갖추지 못하여 부적법하다.
> ㄹ. 사법경찰관인 피청구인이 청구인에 관한 보도자료를 기자들에게 배포한 행위는 수사기관이 공소제기 이전에 피의사실을 대외적으로 알리는 것으로서, 이것이 「형법」 제126조의 피의사실공표죄에 해당하는 범죄행위라면 청구인은 이를 수사기관에 고소하고 그 처리 결과에 따라 「검찰청법」에 따른 항고를 거쳐 재정신청을 할 수 있으므로, 위와 같은 권리구제절차를 거치지 아니한 채 제기한 보도자료 배포행위에 대한 심판청구는 보충성요건을 갖추지 못하여 부적법하다.
> ㅁ. 「공공기관의 정보공개에 관한 법률」에 별도의 불복절차가 마련되어 있으므로, 피청구인의 정보비공개결정에 대하여 청구인이 위 불복절차를 거치지 아니하고 곧바로 이 사건 헌법소원심판을 청구한 것은 보충성요건을 결여한 것이다.

① ㄱ, ㄴ, ㄷ
② ㄱ, ㄴ, ㄹ
③ ㄴ, ㄷ, ㅁ
④ ㄷ, ㄹ, ㅁ

### 해설

ㄱ. (✗) 보충성원칙은 헌법이 아닌 헌법재판소법에 규정되어 있다. [09 국가7급]

ㄴ. (✗) [10 지방7급]

> 헌법소원심판 청구인이 그의 불이익으로 돌릴 수 없는 정당한 이유 있는 착오로 전심절차를 밟지 않은 경우 전심절차로 권리가 구제될 가능성이 거의 없거나 권리구제절차가 허용되는지 여부가 객관적으로 불확실하여 전심절차 이행의 기대가능성이 없을 때에는 보충성의 예외로 바로 헌법소원을 제기할 수 있다. (헌재 1995.12.28. 91헌마80)

ㄷ. (✗) 기소유예처분에 대해서는 별도의 구제절차가 없으므로 곧바로 헌법소원심판을 청구하는 것이 가능하다. [16 법무사]

ㄹ. (○) [16 법무사]

> 보도자료 배포행위는 수사기관이 공소제기 이전에 피의사실을 대외적으로 알리는 것으로서, 이것이 형법 제126조의 피의사실공표죄에 해당하는 범죄행위라면 청구인은 이를 수사기관에 고소하고 그 처리 결과에 따라 검찰청법에 따른 항고를 거쳐 재정신청을 할 수 있으므로, 위와 같은 권리구제절차를 거치지 아니한 채 제기한 보도자료 배포행위에 대한 심판청구는 보충성요건을 갖추지 못하여 부적법하다. (헌재 2014.3.27. 2012헌마652)

ㅁ. (○) 공공기관의 정보공개에 관한 법률에는 이의신청, 행정심판, 행정소송의 불복절차가 있다. [16 법무사]

**정답** ①

## 085

**기본권 침해의 자기관련성에 대한 설명으로 옳지 않은 것만을 모두 고르면? (다툼이 있는 경우 판례에 의함)**

ㄱ. 전국수렵인총연합회는 엽총을 소지하는 자로 하여금 수렵기간을 제외하고 이를 관할 경찰서에 보관하도록 한 관련 법령에 대하여 헌법소원을 제기할 기본권 침해의 자기관련성을 가진다.
ㄴ. 구속된 피고인의 변호인은 '피고인이 도망할 염려가 있다고 믿을 만한 충분한 이유가 있는 때'를 필요적 보석의 예외사유로 정하고 있는 「형사소송법」 규정에 대하여 기본권 침해의 자기관련성이 있다.
ㄷ. 간행물을 판매하는 자로 하여금 실제로 판매한 간행물 가격의 10%까지 소비자에게 이익을 제공할 수 있도록 한 규정에 대하여 출판업자는 자기관련성이 인정되지 않는다.
ㄹ. 「신행정수도의 건설을 위한 특별조치법」의 공포·시행에 의하여 수도 이전은 법률적으로 확정되므로 대한민국 국민은 국민투표권이라는 기본권을 침해받을 개연성이 있으므로 자기관련성을 갖는다.
ㅁ. 학교급식의 운영방식을 원칙적으로 학교장의 직영방식으로 한 「학교급식법」에 대하여 사단법인 한국급식협회는 자기관련성이 인정된다.

① ㄱ, ㄴ, ㄷ
② ㄱ, ㄴ, ㅁ
③ ㄴ, ㄷ, ㄹ
④ ㄷ, ㄹ, ㅁ

### 해설

ㄱ. (✗) [11 법원직]

> 엽총을 소지하는 자로 하여금 수렵기간을 제외하고는 이를 관할 경찰서에 보관하도록 한 총포·도검·화약류 등 단속법 제47조 제2항 및 같은 법 시행령 제70조의2 제2항·제4항의 규율대상은 자연인인 개인이고, 청구인 전국수렵인총연합회는 그 규율대상이 아니므로, 청구인 전국수렵인총연합회의 심판청구는 자기관련성을 인정할 수 없다. (헌재 2010.9.30. 2008헌마586)

ㄴ. (✗) [11 법원직]

> 이 사건 법률조항은 구속된 피고인에게 보석을 허가할 것인지를 결정함에 있어 일정한 제한을 가하여 피고인을 보석 허가의 대상에서 제외함으로써 피고인의 자유나 권리 또는 법적 지위에 영향을 미칠 뿐이고 보석의 청구와 그 재판절차과정에서 변호인이 피고인을 위해 할 수 있는 여러 조력행위에 대하여는 어떠한 제한도 가하고 있지 않으며 보석청구가 기각됨으로써 청구인이 변호사로서 받는 불이익은 간접적, 사실적, 경제적인 이해관계에 불과하여 청구인은 이 사건 법률조항에 대하여 자기관련성이 없다. (헌재 2004.4.29. 2002헌마756)

ㄷ. (O) 해당 조문은 소비자를 수범자로 하기 때문에 출판업자와는 직접관련성이 없다. (헌재 2011.4.28. 2010헌마602) [12 법원직]
ㄹ. (O) 국민의 입장에서 자기관련성이 인정되고 국민투표권 침해를 이유로 위헌결정되었다. (헌재 2004.10.21. 2004헌마554 등) [12 법원직]
ㅁ. (✗) [12 법원직]

> 청구인 사단법인 한국급식협회가 문제 삼고 있는 직업의 자유와 평등권의 내용은 협회의 구성원인 위탁급식업자의 직업의 자유나 평등권에 관련된 것이지, 협회 자체의 기본권에 관련된 것은 아니므로 청구인 협회의 이 사건 심판청구는 자기관련성이 결여되어 부적법하다. 【각하】 한편, 학교에 직접 급식을 제공하는 개별업체에 대해서는 자기관련성이 인정된다. 【기각】 (헌재 2008.2.28. 2006헌마1028)

**정답** ②

## 086

**헌법소원심판청구 중 적법하지 않은 것만을 모두 고르면? (다툼이 있는 경우 판례에 의함)**

ㄱ. 국회 환경노동위원회가 출석 요구에 불응한 증인을 검찰에 고발하였으나 검찰이 불기소처분을 내리자 재판절차진술권의 침해를 이유로 헌법소원심판을 청구한 경우
ㄴ. 사전심의를 받은 방송광고에 한하여 방송할 수 있도록 규정한 법률조항으로 인하여 자신이 원하는 방송광고를 할 수 없게 된 광고주가 표현의 자유 침해를 이유로 헌법소원심판을 청구한 경우
ㄷ. 신문사업자를 일반사업자에 비하여 더 쉽게 시장지배적 사업자로 추정되도록 하는 내용의 법률이 시행되자 시장지배적 사업자로 추정되는 신문의 독자가 알 권리 침해를 이유로 헌법소원심판을 청구한 경우

① ㄱ, ㄴ
② ㄱ, ㄷ
③ ㄴ, ㄷ
④ ㄱ, ㄴ, ㄷ

### 해설

**ㄱ. (✕)**

> 헌법재판소법 제68조 제1항이 "공권력의 행사 또는 불행사로 인하여 기본권을 침해받은 자는 헌법소원의 심판을 청구할 수 있다."라고 규정한 것은 기본권의 주체라야만 헌법소원을 청구할 수 있고, 기본권의 주체가 아닌 자는 헌법소원을 청구할 수 없다는 것을 의미하는 것이다. 기본권의 보장에 관한 각 헌법규정의 해석상 국민(또는 국민과 유사한 지위에 있는 외국인과 사법인)만이 기본권의 주체라고 할 것이다. 한편, 국가나 국가기관 또는 국가조직의 일부나 공법인은 기본권의 '수범자(Adressat)'이지 기본권의 주체로서 그 '소지자(Träger)'가 아니고 오히려 국민의 기본권을 보호 내지 실현해야 할 '책임'과 '의무'를 지니고 있는 지위에 있을 뿐이다. 그런데 국회의 노동위원회는 국가기관인 국회의 일부 조직이므로 기본권의 주체가 될 수 없고, 따라서 헌법소원을 제기할 수 있는 적격이 없다고 할 것이다. (헌재 1994.12.29. 93헌마120)

**ㄴ. (○)**

> 사전심의를 받지 않은 광고물에 대해서는 방송광고를 하지 못하도록 한 규정은 방송광고의 사전심의주체로 방송위원회만을, 이러한 절차를 거친 방송광고물에 대한 방송의 주체로 방송사업자만을 정하여 이 사건 청구인과 같은 광고주를 그 법규 수범자범위에서 제외하고 있다. 이러한 규정형식과 관련하여 이 사건 규정들에 대한 청구인의 자기관련성에 의문이 제기될 수 있으나, 청구인과 같이 방송을 통해 광고를 하고자 하는 자는 이 사건 규정들 때문에 반드시 사전에 심의를 거쳐야 하고, 그렇지 않을 경우 자신이 원하는 방송광고를 할 수 없게 되므로 청구인과 같은 광고주의 경우도 이 사건 규정들에 의해 자신의 기본권을 제한받고 있다고 할 것이다. (헌재 2008.6.26. 2005헌마506)

**ㄷ. (✕)**

> 독자 또는 국민의 한 사람인 청구인들은 신문 등의 자유와 기능보장에 관한 법률상의 '정기간행물 사업자'나 '일간신문을 경영하는 법인'이 아니고, 나아가 언론중재 및 피해구제 등에 관한 법률상의 '언론'에도 해당하지 않는다. 따라서 위 청구인들은 신문 등의 자유와 기능보장에 관한 법률과 언론중재 및 피해구제 등에 관한 법률의 심판대상조항에 대하여 간접적·사실적 이해관계를 가지는 데 불과할 뿐 직접적·법률적 이해관계를 가진다고 할 수 없으므로, 기본권 침해의 자기관련성이 인정되지 않는다. (헌재 2006.6.29. 2005헌마165 등)

정답 ②

> **기출지문 OX**
>
> ❶ 기소유예처분을 받은 피의자가 헌법소원을 제기한 경우 그 피의사실에 대한 공소시효가 완성된 때에도 권리보호의 이익이 있다. 10 법원직 (O/X)
>
>   해설 공소시효가 완성되면 공소권 없음으로 처분하게 되는데, 공소권 없음이 기소유예보다 피의자에게 유리하기 때문이다. (헌재 1997.5.29. 95헌마188)    정답 O
>
> ❷ 「독점규제 및 공정거래에 관한 법률」 위반행위에 대하여 공정거래위원회가 고발권을 불행사한 경우 그 피해자는 자기관련성이 있다. 10 법원직 (O/X)
>
>   해설 공정거래위원회가 불공정거래행위에 대해 고발권을 행사하지 않은 것에 대해 그 불공정거래행위로 불이익을 입은 거래의 상대방(대리점 계약상)은 자기관련성이 있다는 것이 헌법재판소의 입장이다. (헌재 1995.7.21. 94헌마136)    정답 O

## 087  회독 ☐☐☐  재구성                          21 법원직, 15 변호사

**헌법소원심판에 있어서 변호사 강제주의와 국선대리인제도에 대한 설명으로 옳지 않은 것은? (다툼이 있는 경우 판례에 의함)**

① 사인은 변호사를 대리인으로 선임하지 아니하면 헌법소원심판청구를 하거나 심판수행을 하지 못하지만, 그가 변호사의 자격이 있는 경우에는 그러하지 아니하다.
② 변호사가 선임되어 있는 경우에는 당사자 본인이 스스로의 주장과 자료를 헌법재판소에 제출하여 재판청구권을 행사하는 것은 허용되지 아니한다.
③ 「헌법재판소법」은 헌법소원심판에 대해서만 국선대리인제도를 직접 규정하고 있다.
④ 헌법소원심판을 청구하려는 자가 자력이 없는 경우라 하더라도 그 심판청구가 명백히 부적법하거나 이유 없는 경우에는 국선대리인을 선정하지 아니할 수 있다.

**해설**

① (O) 헌법재판소법 제25조 제3항 [15 변호사]
② (X) [21 법원직]

> 헌법소원심판의 경우에는 당사자가 변호사를 대리인으로 선임할 자력이 없는 때 또는 공익상 필요한 때에는 국가의 비용으로 변호사를 대리인으로 선임하여 주는 국선대리인제도가 마련되어 있고, 변호사가 선임되어 있는 경우에도 당사자 본인이 스스로의 주장과 자료를 헌법재판소에 제출하여 재판청구권을 행사하는 것이 봉쇄되어 있지 않는 점 등을 고려할 때, 이 사건 법률조항은 과잉금지원칙에 위배되지 아니한다. (헌재 2010.3.25. 2008헌마439)

③ (O) [15 변호사] ④ (O) [21 법원직]

> **헌법재판소법 제70조(국선대리인)**
> ① 헌법소원심판을 청구하려는 자가 변호사를 대리인으로 선임할 자력이 없는 경우에는 헌법재판소에 국선대리인을 선임하여 줄 것을 신청할 수 있다. 이 경우 제69조에 따른 청구기간은 국선대리인의 선임신청이 있는 날을 기준으로 정한다.
> ② 제1항에도 불구하고 헌법재판소가 공익상 필요하다고 인정할 때에는 국선대리인을 선임할 수 있다.
> ③ 헌법재판소는 제1항의 신청이 있는 경우 또는 제2항의 경우에는 헌법재판소규칙으로 정하는 바에 따라 변호사 중에서 국선대리인을 선정한다. 다만, 그 심판청구가 명백히 부적법하거나 이유 없는 경우 또는 권리의 남용이라고 인정되는 경우에는 국선대리인을 선정하지 아니할 수 있다.

정답 ②

## 088

**「헌법재판소법」상 청구기간에 대한 설명으로 옳지 않은 것은? (다툼이 있는 경우 판례에 의함)**

① 「헌법재판소법」 제68조 제2항에 따른 헌법소원심판은 위헌 여부 심판의 제청신청을 기각하는 결정을 한 날부터 30일 이내에 청구하여야 한다.
② 진정입법부작위에 대한 「헌법재판소법」 제68조 제1항의 헌법소원심판은 그 부작위가 계속되는 한 기간의 제약 없이 적법하게 청구할 수 있다.
③ 법령의 시행과 관련된 유예기간이 있는 경우, 해당 법령에 대한 「헌법재판소법」 제68조 제1항에 따른 헌법소원심판의 청구기간 기산점은 그 법령 시행일이 아니라 시행 유예기간 경과일이다.
④ 「헌법재판소법」 제40조 제1항에 따라 「행정소송법」이 헌법소원심판에 준용되므로 정당한 사유가 있는 경우에는 청구기간의 도과에도 불구하고 헌법소원심판 청구는 적법하다.

**해설**

① (×)

> **헌법재판소법 제69조(청구기간)**
> ① 제68조 제1항에 따른 헌법소원의 심판은 그 사유가 있음을 안 날부터 90일 이내에, 그 사유가 있는 날부터 1년 이내에 청구하여야 한다. 다만, 다른 법률에 따른 구제절차를 거친 헌법소원의 심판은 그 최종결정을 통지받은 날부터 30일 이내에 청구하여야 한다.
> ② 제68조 제2항에 따른 헌법소원심판은 위헌 여부 심판의 제청신청을 기각하는 <u>결정을 통지받은 날부터</u> 30일 이내에 청구하여야 한다.

② (○)
③ (○)

> [1] 도로교통법 제53조 제3항 전단 중 '학원의 설립·운영 및 과외교습에 관한 법률'에 따라 설립된 학원 및 '체육시설의 설치·이용에 관한 법률'에 따라 설립된 체육시설에서 어린이통학버스를 운영하는 자에 관한 부분(이하 '이 사건 보호자동승조항'이라 한다)은 청구인들의 직업수행의 자유를 침해하지 않는다.
> [2] 유예기간을 두고 있는 법령의 경우, 헌법소원심판의 청구기간 기산점을 그 법령의 시행일이 아니라 유예기간 경과일이라고 본 사례
> 유예기간을 경과하기 전까지 청구인들은 이 사건 보호자동승조항에 의한 보호자동승의무를 부담하지 않는다. 이 사건 보호자동승조항이 구체적이고 현실적으로 청구인들에게 적용된 것은 유예기간을 경과한 때부터라고 할 것이므로, 이때부터 청구기간을 기산함이 상당하다. 종래 이와 견해를 달리하여, 법령의 시행일 이후 일정한 유예기간을 둔 경우 이에 대한 헌법소원심판 청구기간의 기산점을 법령의 시행일이라고 판시한 우리 재판소 결정들은, 이 결정의 취지와 저촉되는 범위 안에서 변경한다. (헌재 2020.4.23. 2017헌마479)

④ (○)

**정답** ①

## 089 19 서울7급(2월)

**다음 〈보기〉에서 甲의 헌법소원청구기간이 시작된 날은?**

**보기**
- 2000.3.28.: 「행형법 시행령」에서 금치처분을 받은 수형자에게 자비부담물품 사용금지를 규정함.
- 2001.3.16.: 甲이 구치소에서 금치처분을 받아 징벌실에 수용되어 자비부담물품인 담요의 사용이 금지됨.
- 2001.4.18.: 甲이 징역 3년을 선고받아 대법원에서 형이 확정되었고, 같은 구치소에서 형 집행이 시작되었음.
- 2004.2.26.: 甲이 구치소에서 금치처분을 받아 징벌실에 수용되어 자비부담물품인 담요의 사용이 금지됨.
- 2004.3.8.: 징벌실 수용자에게 자비부담물품의 사용을 금지한 「행형법 시행령」 규정의 위헌확인을 구하는 헌법소원을 청구함.

① 2000년 3월 28일
② 2001년 3월 16일
③ 2001년 4월 18일
④ 2004년 2월 26일

**해설**

헌법재판소법 제69조 제1항에 의하여 법령에 대한 헌법소원의 청구기간의 기산점인 '법령에 해당하는 사유가 발생한 날'이란 법령의 규율을 구체적이고 현실적으로 적용받게 된 최초의 날을 의미하는 것으로 보는 것이 상당하다. 즉, 일단 '법령에 해당하는 사유가 발생'하면 그때로부터 당해 법령에 대한 헌법소원의 청구기간의 진행이 개시되며, 그 이후에 새로이 '법령에 해당하는 사유가 발생'한다고 하여서 일단 개시된 청구기간의 진행이 정지되고 새로운 청구기간의 진행이 개시된다고 볼 수는 없다. 청구인은 금치처분을 처음 받은 2001.3.16.경 행형법 시행령 제145조 제2항의 적용으로 자비부담물품인 담요의 사용이 금지되었으므로 이 때 '법령에 해당하는 사유'가 발생한 것으로 보아야 한다. 그렇다면 2001.3.16.경을 기준으로 헌법소원의 청구기간이 기산되고, 그 이후에 청구인이 새로이 금치처분을 받았다고 하여 새로이 청구기간이 기산되는 것은 아니므로, 2001.3.16.로부터 1년이 훨씬 지난 2004.3.8. 청구된 이 사건 헌법소원은 청구기간을 도과하여 부적법하다. (헌재 2004.11.25. 2004헌마178)

정답 | ②

## 090

「헌법재판소법」 제68조 제1항에 따른 헌법소원심판에 대한 설명으로 옳은 것(○)과 옳지 않은 것(×)을 올바르게 조합하면? (다툼이 있는 경우 판례에 의함)

> **보기**
>
> ㄱ. 대통령기록물 소관 기록관이 대통령기록물을 중앙기록물관리기관으로 이관하는 행위는 법률이 정하는 권한분장에 따라 업무수행을 하기 위한 국가기관 사이의 내부적·절차적 행위에 불과하므로 헌법소원심판의 대상이 되는 공권력의 행사에 해당한다고 볼 수 없다.
>
> ㄴ. '2021학년도 대학입학전형기본사항' 중 재외국민 특별전형 지원자격 가운데 학생의 부모인 해외근무자와 그 배우자가 학생과 함께 해외에 체류하여야 한다는 부분은 학부모에 대한 기본권 침해의 자기관련성이 인정된다.
>
> ㄷ. 일반게임제공업자가 게임물의 버튼 등 입력장치를 자동으로 조작하여 게임을 진행하는 장치 또는 소프트웨어를 제공하거나 게임물 이용자로 하여금 이를 이용하게 하는 행위를 금지하는 「게임산업진흥에 관한 법률 시행령」 조항에 대하여, 일반게임제공업자를 회원으로 하는 단체인 사단법인이 직업의 자유가 침해된다고 주장하면서 청구한 헌법소원심판청구는 기본권 침해의 자기관련성을 인정할 수 있다.
>
> ㄹ. 「변호사법」 규정의 위임을 받아 변호사 광고에 관한 구체적인 규제사항 등을 정한 대한변호사협회의 「변호사 광고에 관한 규정」에 대하여, 그 규정의 수범자인 변호사를 상대로 법률서비스 온라인 플랫폼을 운영하며 변호사 등의 광고·홍보·소개 등에 관한 영업행위를 하고 있는 업체가 영업의 자유가 침해된다고 주장하면서 청구한 헌법소원심판청구는 기본권 침해의 자기관련성을 인정할 수 있다.
>
> ㅁ. 헌법소원심판청구가 비록 청구기간을 경과하여서 한 것이라 하더라도, 일반적 주의를 다하여도 그 기간을 준수할 수 없는 사유가 있는 경우에는 이를 허용하는 것이 헌법소원제도의 취지와 「헌법재판소법」 제40조에 의하여 준용되는 「행정소송법」 제20조 제2항 단서에 부합하는 해석이라 할 것이다.

① ㄱ(○), ㄴ(○), ㄷ(○), ㄹ(×), ㅁ(○)
② ㄱ(○), ㄴ(×), ㄷ(○), ㄹ(○), ㅁ(○)
③ ㄱ(○), ㄴ(×), ㄷ(×), ㄹ(○), ㅁ(○)
④ ㄱ(×), ㄴ(○), ㄷ(○), ㄹ(○), ㅁ(×)
⑤ ㄱ(×), ㄴ(○), ㄷ(×), ㄹ(○), ㅁ(×)

해설

ㄱ. (O) 헌재 2019.12.27. 2017헌마359 등 [22 국회8급]

ㄴ. (X) [22 국회8급]

> 이 사건 전형사항으로 인해 재외국민 특별전형 지원을 제한받는 사람은 각 대학의 2021학년도 재외국민 특별전형 지원(예정)자이다. 학부모인 청구인의 부담은 간접적인 사실상의 불이익에 해당하므로, 이 사건 전형사항으로 인한 기본권 침해의 자기관련성이 인정되지 않는다. (헌재 2020.3.26. 2019헌마212)

ㄷ. (X) 청구인 사단법인은 일반게임제공업자를 회원으로 하고 있는 단체인데, 단체가 구성원의 권리구제를 위하여 헌법소원심판을 청구하는 것은 원칙적으로 허용되지 않으므로, 청구인 사단법인의 헌법소원심판청구는 기본권 침해의 자기관련성을 인정할 수 없다. [23 변호사]

> 심판대상조항은 그 수범자를 일반게임제공업자로 명시하고 있어 게임물 이용자는 원칙적으로 심판대상조항의 직접적인 수범자가 아닌 제3자에 해당한다. 게임물의 버튼 등 입력장치를 직접 조작하지 않고는 게임물을 이용할 수 없게 되는 불이익은 간접적·사실적인 이해관계에 불과하다고 할 것인바, 게임물의 이용자인 청구인들은 심판대상조항으로 인하여 어떠한 법적 불이익을 입게 된다고 볼 수 없어 기본권 침해의 자기관련성을 인정할 수 없다. (헌재 2022.5.26. 2020헌마670 등)

ㄹ. (O) [23 변호사]

> 법률서비스 온라인 플랫폼을 운영하며 변호사 등의 광고·홍보·소개 등에 관한 영업행위를 하고 있는 청구인 회사는 이 사건 규정의 직접적인 수범자인 변호사의 상대방으로서 변호사가 준수해야 하는 광고방법, 내용 등의 제약을 그대로 이어받게 된다. 이는 실질적으로는 변호사 등과 거래하는 위와 같은 사업자의 광고 수주활동을 제한하거나 해당 부문 영업을 금지하는 것과 다르지 않은 점, 이 사건 규정 개정목적의 가장 주요한 것이 청구인 회사가 운영하는 것과 같은 온라인 플랫폼을 규제하는 것이었던 점 등에 비추어 보면, 이 사건 규정은 청구인 회사의 영업의 자유 내지 법적 이익에 불리한 영향을 주는 것이므로, 기본권 침해의 자기관련성을 인정할 수 있다. (헌재 2022.5.26. 2021헌마619)

ㅁ. (O) 헌재 2005.7.21. 2005헌마147 [22 국회8급]

정답 ③

## 091

**헌법소원심판에 대한 설명으로 옳은 것은? (다툼이 있는 경우 판례에 의함)**

① 대한변호사협회가 변호사 등록사무의 수행과 관련하여 정립한 규범은 단순한 내부기준이라 볼 수 있으므로 변호사 등록을 하려는 자와의 관계에서 대외적 구속력을 가지는 공권력 행사에 해당한다고 할 수 없다.
② 헌법소원의 대상이 되는 공권력에는 입법작용도 포함되므로 입법기관의 소관 사항인 법률의 개정 및 폐지를 요구하는 것은 헌법소원심판의 대상이 된다.
③ 법률 또는 법률조항 자체가 헌법소원의 대상이 될 수 있으려면 구체적인 집행행위를 기다리지 아니하고 그 법률 또는 법률조항에 의하여 직접, 현재, 자기의 기본권을 침해받아야 하는바, 위에서 말하는 집행행위에 입법행위는 포함되지 않으므로 법률규정이 그 규정의 구체화를 위하여 하위규범의 시행을 예정하고 있는 경우에는 당해 법률규정의 직접성은 인정된다.
④ 헌법재판소는 「헌법재판소법」 제68조 제1항에 따른 헌법소원을 인용할 때에는 인용결정서의 주문에 침해된 기본권과 침해의 원인이 된 공권력의 행사 또는 불행사를 특정하여야 하며, 그 경우에 공권력의 행사 또는 불행사가 위헌인 법률 또는 법률의 조항에 기인한 것이라고 인정될 때에는 인용결정에서 해당 법률 또는 법률의 조항이 위헌임을 선고할 수 있다.

**해설**

① (✗)

> 변호사 등록제도는 그 연혁이나 법적 성질에 비추어 보건대, 원래 국가의 공행정의 일부라고 할 수 있으나, 국가가 행정상 필요로 인해 대한변호사협회(이하 '변협'이라 한다)에 관련 권한을 이관한 것이다. 따라서 변협은 변호사 등록에 관한 한 공법인으로서 공권력 행사의 주체이다. 또한 변호사법의 관련 규정, 변호사 등록의 법적 성질, 변호사 등록을 하려는 자와 변협 사이의 법적 관계 등을 고려했을 때 변호사 등록에 관한 한 공법인 성격을 가지는 변협이 등록사무의 수행과 관련하여 정립한 규범을 단순히 내부기준이라거나 사법적인 성질을 지니는 것이라 볼 수는 없고, 변호사 등록을 하려는 자와의 관계에서 대외적 구속력을 가지는 공권력 행사에 해당한다고 할 것이다. 따라서 변협이 변호사 등록사무의 수행과 관련하여 정립한 규범인 심판대상조항들은 헌법소원대상인 공권력의 행사에 해당한다. (헌재 2019.11.28. 2017헌마759)

② (✗) 헌법소원의 대상이 되는 공권력에는 입법작용도 포함되지만 법률의 개정 및 폐지를 요구하는 것은 헌법소원심판의 대상이 아니고, 법률의 내용이 기본권을 침해하면 헌법소원의 대상이 된다.

③ (✗)

> 법률조항 자체가 헌법소원의 대상이 될 수 있으려면 그 법률조항이 직접 청구인들의 기본권을 침해하여야 하므로, 법률규정이 그 규정의 구체화를 위하여 하위규범의 시행을 예정하고 있는 경우에는 당해 법률의 직접성은 원칙적으로 부인된다. (헌재 2012.3.29. 2010헌마443 등)

④ (○) 헌법재판소법 제75조 제5항

**정답** ④

## 092 회독 ☐☐☐ 재구성  [22 법원직, 18 국회8급, 16 서울7급]

**헌법소원심판의 적법요건에 대한 설명으로 옳지 않은 것은? (다툼이 있는 경우 판례에 의함)**

① 헌법소원사건의 결정서 정본을 국선대리인에게만 송달하고 청구인에게 송달하지 않은 부작위의 위헌확인을 구하는 헌법소원심판청구는 공권력 불행사가 존재하지 않는 경우에 해당하여 부적법하다.
② 중학교나 고등학교는 교육을 위한 시설에 불과하여 「민법」상 권리능력이나 「민사소송법」상 당사자능력이 없으므로 학교법인 외에 별도로 헌법소원심판의 청구인이 될 수 없다.
③ 피해자의 고소가 아닌 수사기관의 인지 등에 의하여 수사가 개시된 피의사건에서 검사의 불기소처분이 이루어진 경우, 고소하지 아니한 피해자가 그 불기소처분의 취소를 구하는 헌법소원심판을 곧바로 청구하는 것은 보충성을 결여하여 부적법하다.
④ 「지방자치법」상 조례제정·개폐청구권은 법률상 인정되는 권리에 불과하므로 이러한 권리의 침해를 이유로 한 헌법소원심판청구는 부적법하다.
⑤ 주민투표권은 법률상 권리에 불과하나, 당해 지방자치단체의 관할 구역에 주민등록되어 있는 자에 한해 주민투표권을 인정함으로써 결과적으로 주민등록을 할 수 없는 재외국민인 주민을 다르게 취급한 경우에는 헌법상 평등권 심사의 대상이 된다.

> **해설**

① (O) 헌법소원사건의 결정서 정본은 국선대리인에게만 송달하면 충분하다. [16 서울7급]
② (O) [16 서울7급]
③ (X) 고소하지 않은 피해자는 예외적으로 불기소처분의 취소를 구하는 헌법소원심판을 곧바로 청구할 수 있다. [18 국회8급]

> 피해자의 고소가 아닌 수사기관의 인지 등에 의해 수사가 개시된 피의사건에서 검사의 불기소처분이 이루어진 경우, 고소하지 아니한 피해자는 검사의 불기소처분을 다툴 수 있는 통상의 권리구제수단도 경유할 수 없으므로, 고소하지 아니한 피해자는 예외적으로 불기소처분의 취소를 구하는 헌법소원심판을 곧바로 청구할 수 있다 (헌재 2010.6.24. 2008헌마716)

④ (O) 헌재 2014.4.24. 2012헌마287 [22 법원직]
⑤ (O) [22 법원직]

> 주민투표권이 헌법상 기본권이 아닌 법률상의 권리에 해당한다고 하더라도 비교집단 상호 간에 차별이 존재할 경우에 헌법상의 평등권 심사까지 배제되는 것은 아니다. … 이 사건 법률조항 부분은 주민등록만을 요건으로 주민투표권의 행사 여부가 결정되도록 함으로써 '주민등록을 할 수 없는 국내거주 재외국민'을 '주민등록이 된 국민인 주민'에 비해 차별하고 있고, 나아가 '주민투표권이 인정되는 외국인'과의 관계에서도 차별을 행하고 있는바, 그와 같은 차별에 아무런 합리적 근거도 인정될 수 없으므로 국내거주 재외국민의 헌법상 기본권인 평등권을 침해하는 것이다. (헌재 2007.6.28. 2004헌마643 [헌법불합치])

**정답** ③

## 093

**「헌법재판소법」 제68조 제1항의 헌법소원심판청구에 대한 설명으로 옳은 것(O)과 옳지 않은 것(×)을 올바르게 조합한 것은? (다툼이 있는 경우 판례에 의함)**

> ㄱ. 청구인의 구체적인 기본권 침해와 무관하게 법률 등 공권력이 헌법에 합치하는지 여부를 추상적으로 심판하고 통제하는 절차이다.
>
> ㄴ. 일반적으로 수혜적 법령의 경우에는 수혜범위에서 제외된 자가 자신이 평등원칙에 반하여 수혜대상에서 제외되었다는 주장을 하거나, 비교집단에게 혜택을 부여하는 법령이 위헌이라고 선고되어 그러한 혜택이 제거된다면 비교집단과의 관계에서 자신의 법적 지위가 상대적으로 향상된다고 볼 여지가 있는 때에는 자기관련성을 인정할 수 있다.
>
> ㄷ. 기본권 침해의 직접성이란 집행행위에 의하지 아니하고 법률 그 자체에 의하여 자유의 제한, 의무의 부과, 권리 또는 법적 지위의 박탈이 생긴 경우를 말하므로, 법규범이 정하고 있는 법률효과가 구체적으로 발생함에 있어 사인의 행위를 요건으로 하고 있다고 한다면 직접성이 인정되지 아니한다.
>
> ㄹ. 권리보호이익은 소송제도에 필연적으로 내재하는 요청으로 헌법소원제도의 목적상 필수적인 요건이라고 할 것이어서, 헌법소원심판청구의 적법요건 중의 하나로 권리보호이익을 요구하는 것이 청구인의 재판을 받을 권리를 침해한다고 볼 수는 없다.

① ㄱ(O), ㄴ(O), ㄷ(×), ㄹ(O)
② ㄱ(×), ㄴ(O), ㄷ(O), ㄹ(×)
③ ㄱ(O), ㄴ(×), ㄷ(O), ㄹ(×)
④ ㄱ(×), ㄴ(O), ㄷ(×), ㄹ(O)

**해설**

ㄱ. (×) 우리나라는 기본권의 침해가 있는 경우에만 심판이 가능한 구체적 규범통제를 인정하고 추상적 규범통제는 인정하지 않는다.

ㄴ. (O) 연합뉴스 사건, 법무사자격 자동취득제도에서 인정된 논리이다. 즉, 국가통신사로 지정되지 않은 언론사는 원래 자기관련성이 인정되지 않지만, 만약 해당 법률이 위헌이 되면 다른 언론사도 국가통신사로 될 가능성이 있으므로 예외적인 자기관련성이 인정된다.

ㄷ. (×) 법률에 의한 공무원의 집행행위가 있더라도 재량의 여지 없이 일률적으로 적용된다는 해당 법률이 기본권 침해의 직접성이 인정된다 (생계보호지침).

ㄹ. (O) 권리보호이익은 일반소송에서는 소의 이익이라고 하며, 소의 이익은 모든 재판의 공통적 요건이다.

**정답** ④

## 094 17 변호사, 16 지방7급

**헌법소원심판에 대한 설명으로 옳지 않은 것만을 모두 고르면? (다툼이 있는 경우 판례에 의함)**

ㄱ. 「헌법재판소법」 제68조 제1항에 의한 헌법소원에서는 지정재판부가 사전심사를 하나, 「헌법재판소법」 제68조 제2항에 의한 헌법소원에서는 지정재판부가 사전심사를 하지 아니한다.

ㄴ. 선거범죄로 인하여 100만 원 이상의 벌금형이 선고되면 임원의 결격사유가 됨에도, 선거범죄와 다른 죄가 병합되어 경합범으로 재판하게 되는 경우 선거범죄를 분리·심리하여 따로 선고하는 규정을 두지 않은 것을 다투는 것은 부진정입법부작위에 대한 「헌법재판소법」 제68조 제1항에 의한 헌법소원심판에 해당한다.

ㄷ. 체포에 대하여는 헌법과 「형사소송법」이 정한 체포적부심사라는 구제절차가 존재하므로, 체포적부심사 절차를 거치지 않고 제기한 「헌법재판소법」 제68조 제1항에 의한 헌법소원심판청구는 보충성의 원칙에 반하여 부적법하다.

ㄹ. 유치장 수용자에 대한 신체수색은 유치장의 관리주체인 경찰이 우월적 지위에서 피의자 등에게 일방적으로 강제하는 성격을 가진다고 보기 어려우므로 「헌법재판소법」 제68조 제1항의 공권력의 행사에 포함되지 아니한다.

ㅁ. 미국산 쇠고기를 수입하는 자에게 적용할 수입위생조건을 정하고 있는 농림수산식품부 고시인 '미국산 쇠고기 수입위생조건'의 경우 쇠고기 소비자는 직접적인 수범자가 아니고, 위 고시로 인해 소비자들이 자신도 모르게 미국산 쇠고기를 섭취하게 될 가능성이 있다고 할지라도 이는 단순히 사실적이고 추상적인 이해관계에 불과한 것이므로, 쇠고기 소비자들은 위 고시와 관련하여 기본권 침해의 자기관련성이 인정되지 아니한다.

① ㄱ, ㄴ, ㄷ
② ㄱ, ㄹ, ㅁ
③ ㄴ, ㄷ, ㄹ
④ ㄷ, ㄹ, ㅁ

**해설**

ㄱ. (✗) 사전심사는 헌법재판소법 제68조 제1항·제2항에 의한 헌법소원에서 인정되고, 그 외의 심판에서는 인정되지 않는다. [16 지방7급]

ㄴ. (○) 경합범으로 재판하는 것에 대해 헌법재판소는 합헌결정하였으나, 그 후 경합범 관련 규정에 대해 대부분 법률을 개정하였다. 다만, 새마을금고의 임원 선거에서 경합범으로 처벌하는 것은 위헌결정되었다. [16 지방7급]

ㄷ. (○) 체포적부심을 거치지 않은 것은 보충성원칙 위반이다. [16 지방7급]

ㄹ. (✗) [17 변호사]

> 유치장 수용자에 대한 신체수색은 유치장의 관리주체인 경찰이 피의자 등을 유치함에 있어 피의자 등의 생명·신체에 대한 위해를 방지하고, 유치장 내의 안전과 질서유지를 위하여 실시하는 것으로서 그 우월적 지위에서 피의자 등에게 일방적으로 강제하는 성격을 가진 것이므로 권력적 사실행위라고 할 것이며, 이는 헌법소원심판청구의 대상이 되는 헌법재판소법 제68조 제1항의 공권력의 행사에 포함된다. (헌재 2002.7.18. 2000헌마327)

ㅁ. (✗) [17 변호사]

> 이 사건 고시는 소비자의 생명·신체의 안전을 보호하기 위한 조치의 일환으로 행하여진 것이어서 실질적인 규율목적 및 대상이 쇠고기 소비자와 관련을 맺고 있으므로 쇠고기 소비자는 이에 대한 구체적인 이해관계를 가진다고 할 것인바, 일반소비자인 청구인들에 대해서는 이 사건 고시가 생명·신체의 안전에 대한 보호의무를 위반함으로 인하여 초래되는 기본권 침해와의 자기관련성을 인정할 수 있고, 또한 이 사건 고시의 위생조건에 따라 수입검역을 통과한 미국산 쇠고기는 별다른 행정조치 없이 유통·소비될 것이 예상되므로, 청구인들에게 이 사건 고시가 생명·신체의 안전에 대한 보호의무에 위반함으로 인하여 초래되는 기본권 침해와의 현재관련성 및 직접관련성도 인정할 수 있다. (헌재 2008.12.26. 2008헌마419 등)

정답

### 기출지문 OX

❶ 2012년도 대학교육역량강화사업 기본계획의 수범자는 국·공립대학이나, 당해 계획은 근본적으로 대학에 소속된 교수나 교수회를 비롯한 각 대학 구성원들이 자유롭게 총장 후보자 선출방식을 정하고 그에 따라 총장을 선출할 수 있는 권리를 제한하고 있으므로, 당해 기본계획에 대한 헌법소원을 청구하는 데에 있어 대학에 소속된 교수나 교수회의 자기관련성을 인정할 수 있다. 17 서울7급 ( O / X )

> 해설 계획 자체만으로는 대학 구성원인 청구인들의 법적 지위나 권리·의무에 어떠한 영향도 미친다고 보기 어렵다. (헌재 2016.10.27. 2013헌마576)
> 정답 X

❷ 지목변경신청 반려행위가 항고소송의 대상이 되는 처분행위에 해당한다는 변경된 대법원 판례에 따르면, 지목변경신청 반려행위에 대하여 행정소송을 거치지 않고 제기된 헌법소원심판청구는 보충성의 요건을 흠결한 것이다. 17 서울7급 ( O / X )
> 정답 O

❸ 국회의장의 불법적인 의안처리행위로 헌법의 기본원리가 훼손되었다고 하더라도 그로 인하여 헌법상 보장된 구체적 기본권을 침해당한 바 없는 국회의원에게 헌법소원심판청구가 허용되지 않는다. 13 법원직 ( O / X )

> 해설 헌법소원심판에서 공권력의 행사 또는 불행사가 위헌인지 여부를 판단함에 있어서 국민주권주의, 법치주의, 적법절차의 원리 등 헌법의 기본원리를 그 기준으로 적용할 수는 있으나, 공권력의 행사 또는 불행사로 헌법의 기본원리가 훼손되었다고 하여 그 점만으로 국민의 기본권이 직접 현실적으로 침해된 것이라고 할 수는 없고 또한 공권력 행사가 헌법의 기본원리에 위반된다는 주장만으로 헌법상 보장된 기본권의 주체가 아닌 자가 헌법소원을 청구할 수도 없는 것이므로, 설사 국회의장인 피청구인의 불법적인 의안처리행위로 헌법의 기본원리가 훼손되었다고 하더라도 그로 인하여 헌법상 보장된 구체적 기본권을 침해당한 바 없는 국회의원인 청구인들에게 헌법소원심판청구가 허용된다고 할 수는 없다. (헌재 1995.2.23. 91헌마231)
> 정답 O

### 예상판례

❶ '한국토지주택공사 이전방안'은 한국토지주택공사와 각 광역시·도, 관련 행정부처 사이의 의견조율과정에서 행정청으로서 내부의 사를 밝힌 행정계획안에 불과하므로 국민의 권리·의무 또는 법적 지위에 어떠한 변동을 가져온다고 할 수 없어 헌법재판소법 제68조 제1항의 공권력의 행사에 해당하지 않는다. (헌재 2014.3.27. 2011헌마291)

❷ 국가보안법상 이적행위조항, 이적단체가입조항, 이적표현물조항 등 위헌소원 및 위헌제청 사건 (헌재 2015.4.30. 2012헌바95 등)
　[1] 국가보안법 제2조 제1항의 반국가단체에 북한이 포함된다고 해석하는 것이 헌법에 위반된다는 판단을 구하는 심판청구는 헌법재판소법 제68조 제2항에 의한 헌법소원심판청구로서 부적법하다.
　　반국가단체조항의 반국가단체에 북한이 포함된다고 해석하는 것이 헌법에 위반된다는 취지의 주장은 사실인정 내지 법률조항의 포섭·적용, 법원의 법률해석이나 재판 결과를 다투는 것에 불과하여 현행의 규범통제제도에 어긋나므로, 반국가단체조항에 대한 심판청구는 부적법하다.
　[2] 이적행위를 처벌하는 국가보안법 제7조 제1항 중 '국가의 존립·안전이나 자유민주적 기본질서를 위태롭게 한다는 정을 알면서 찬양·고무·선전 또는 이에 동조한 자'에 관한 부분은 죄형법정주의의 명확성원칙에 위배되지 않는다.
　[3] 이적표현물조항은 표현의 자유 및 양심의 자유를 침해하지 않는다.

❸ 장애인용 승강기 또는 화장실 등 정당한 편의의 미제공과 관련하여 장애인차별금지 및 권리구제 등에 관한 법률에 따른 차별행위가 존재하는지 여부에 대한 판단과 그러한 차별행위가 존재할 경우에 이를 시정하는 적극적 조치의 이행을 청구하기 위하여 법원의 판결을 구할 수 있다. 그런데 이 사건 기록을 살펴보면 청구인이 위와 같은 구제절차를 거쳤다고 볼 만한 자료가 발견되지 아니하므로, 이 부분 심판청구는 보충성요건을 흠결하여 부적법하다. (헌재 2023.7.20. 2019헌마709)

## 095

**헌법소원심판에 대한 설명으로 옳지 않은 것은? (다툼이 있는 경우 판례에 의함)**

① 법률조항 중 위헌성이 있는 부분에 한정하여 위헌결정을 구하는 한정위헌청구는 원칙적으로 적법하다.
② 의료인면허의 필요적 취소사유와 면허취소 후 재교부금지기간을 규정하고 있는 「의료법」 조항에 따르면 면허취소 또는 면허재교부 거부라는 구체적인 집행행위가 있을 때 기본권 침해가 발생하게 되므로, 이 조항 자체만으로는 기본권이 직접 침해된다고 볼 수 없다.
③ 검찰청으로부터 갑작스럽게 출석 요구를 받고 충분한 시간을 확보하지 못한 채 피의자신문을 받아 피의자로서의 방어권을 제대로 행사하지 못한 경우, 형사입건사실을 그 피의자에게 사전에 통지하지 않은 수사기관의 부작위는 헌법소원의 대상이 된다.
④ 어떤 국가기관이나 기구의 기본조직 및 직무범위 등을 규정한 조직규범은 원칙으로 그 조직의 구성원이나 구성원이 되려는 자 등 외에 일반국민을 수범자로 하지 아니하고, 일반국민은 그러한 조직규범의 공포로써 자기의 헌법상 보장된 기본권이 직접적으로 침해되었다고 할 수 없다.

**해설**

① (O)
② (O) 헌재 2013.7.25. 2012헌마934
③ (X) 검사의 수사에 대하여는 재판절차에서 다툴 수 있으므로 보충성원칙에 위배되어 헌법소원을 할 수 없다.
④ (O) 헌재 1994.6.30. 91헌마162

**정답** ③

## 096

**다음 중 옳지 않은 것은? (다툼이 있는 경우 판례에 의함)**

① 법령에 대한 헌법소원심판은 법령이 시행된 후에 비로소 그 법령에 해당하는 사유가 발생하여 기본권의 침해를 받게 된 경우에는 그 사유가 발생하였음을 안 날부터 90일 이내에, 그 사유가 발생한 날부터 1년 이내에 청구하여야 한다.

② 교도소장의 수형자에 대한 출정제한행위는 권력적 사실행위로서 행정소송의 대상이 된다고 단정하기 어렵고, 가사 행정소송의 대상이 된다고 하더라도 이미 종료된 행위로서 소의 이익이 부정되어 각하될 가능성이 높으므로, 수형자에게 그에 의한 권리구제절차를 밟을 것을 기대하기는 곤란하므로 이에 대한 헌법소원은 보충성원칙의 예외에 해당한다.

③ 입법자가 어떤 사항에 관하여 입법은 하였으나 문언상 명백하지 않고 반대해석으로만 그 규정의 입법취지를 알 수 있도록 함으로써 불완전, 불충분 또는 불공정하게 규율한 경우에도 진정입법부작위로 볼 수 있다.

④ 하나의 심판청구로 「헌법재판소법」 제68조 제1항에 의한 헌법소원심판청구와 「헌법재판소법」 제68조 제2항에 의한 헌법소원심판청구를 함께 병합하여 제기할 수 있다.

**해설**

① (O) [13 변호사]

② (O) [13 변호사]

> 경북북부 제O교도소장이 출정비용 납부 거부 또는 상계동의 거부를 이유로 청구인의 행정소송 변론기일에 청구인의 출정을 각 제한한 행위는 청구인의 재판청구권을 침해한 것이다. (헌재 2012.3.29. 2010헌마475【인용(위헌확인)】)

③ (X) [11 법원직]

> 피청구인들이 청구인들에게 치과전문의 자격취득을 위한 1차시험을 면제해 주는 규정만을 두었을 뿐 그 외 치과전문의의 자격을 주거나 전공의 수련과정을 면제해 주는 등의 행정입법을 하지 아니한 것은 위 규정의 반대해석에 의하여 1차시험 면제 이외의 특례를 인정하지 아니한다는 취지의 입법을 한 것으로 보아야 하고, 이는 행정입법자가 어떤 사항에 관하여 입법은 하였으나 문언상 명백히 하지 않고 반대해석으로만 그 규정의 입법취지를 알 수 있도록 함으로써 불완전, 불충분 또는 불공정하게 규율한 경우에 불과하므로, 이를 '부진정입법부작위'라고는 할 수 있을지언정 '진정입법부작위'에 해당한다고는 볼 수 없다. (헌재 2009.7.14. 2009헌마349)

④ (O) 헌법소원의 종류가 다르면 병합 제기가 가능하다. (헌재 2010.3.25. 2007헌마933) [11 법원직]

**정답** ③

## 제5절 권한쟁의심판

### 097 [NEW] 24 변호사

**권한쟁의심판의 적법요건에 관한 설명 중 옳지 않은 것은? (다툼이 있는 경우 판례에 의함)**

① 「국회법」상의 안건조정위원회 위원장은 헌법과 「헌법재판소법」이 정하는 권한쟁의심판을 청구할 수 있는 국가기관에 해당하지 않으므로, 권한쟁의심판에서의 당사자능력이 인정되지 않는다.
② 권한쟁의심판에서 '제3자 소송담당'을 허용하는 법률의 규정이 없는 현행법체계에서, '예산 외에 국가의 부담이 될 계약'의 체결에 있어 국회의 동의권이 침해되었다고 주장하는 국회의원들의 권한쟁의심판청구는 청구인적격이 없어 부적법하다.
③ 권한쟁의심판청구는 피청구인의 처분 또는 부작위가 헌법 또는 법률에 의하여 부여받은 청구인의 권한을 침해하였거나 침해할 현저한 위험이 있는 때에 한하여 할 수 있는데, 여기서 '처분'이란 법적 중요성을 지닌 것에 한하는 것으로 청구인의 법적 지위에 구체적으로 영향을 미칠 가능성이 있는 행위여야 한다.
④ 권한쟁의심판청구의 적법요건으로서의 '부작위'는 단순한 사실상의 부작위가 아니고 헌법상 또는 법률상의 작위의무가 있는데도 불구하고 이를 이행하지 아니하는 것을 말한다.
⑤ 국가기관의 행위가 헌법과 법률에 의해 그 국가기관에 부여된 독자적인 권능의 행사에 해당하는지와 상관없이 그러한 국가기관의 행위가 다른 국가기관에 의하여 제한을 받는 경우 권한쟁의심판에서 말하는 권한이 침해될 가능성이 인정될 수 있다.

**해설**

① (O)
> 헌법 제62조는 '국회의 위원회'(이하 '위원회'라 한다)를 명시하고 있으나 '국회의 소위원회'(이하 '소위원회'라 한다)를 명시하지 않고 있다. 따라서 소위원회가 설치된 뒤에야 비로소 존재할 수 있는 안건조정위원회의 위원장, 즉 그 소위원회 위원장 또한 헌법에 의하여 설치된 국가기관에 해당한다고 볼 수 없다. (헌재 2020.5.27. 2019헌라5)

② (O)
> 권한쟁의심판의 청구인은 청구인의 권한침해만을 주장할 수 있도록 하고 있을 뿐, 국가기관의 부분기관이 자신의 이름으로 소속기관의 권한을 주장할 수 있는 '제3자 소송담당'의 가능성을 명시적으로 규정하고 있지 않은 현행법 체계에서 국회의 구성원인 청구인들은 국회의 '예산 외에 국가의 부담이 될 계약'의 체결에 있어 동의권의 침해를 주장하는 권한쟁의심판을 청구할 수 없다. (헌재 2008.1.17. 2005헌라10)

③ (O) ④ (O) 권한쟁의심판의 요건이다.

⑤ (×)
> 권한쟁의심판에서 다툼의 대상이 되는 권한이란 헌법 또는 법률이 특정한 국가기관에 대하여 부여한 독자적인 권능을 의미하므로, 국가기관의 모든 행위가 권한쟁의심판에서 의미하는 권한의 행사가 될 수는 없으며, 국가기관의 행위라 할지라도 헌법과 법률에 의해 그 국가기관에게 부여된 독자적인 권능을 행사하는 경우가 아닌 때에는 비록 그 행위가 제한을 받더라도 권한쟁의심판에서 말하는 권한이 침해될 가능성은 없는바, 특정 정보를 인터넷 홈페이지에 게시하거나 언론에 알리는 것과 같은 행위는 헌법과 법률이 특별히 국회의원에게 부여한 국회의원의 독자적인 권능이라고 할 수 없고 국회의원 이외의 다른 국가기관은 물론 일반 개인들도 누구든지 할 수 있는 행위로서, 그러한 행위가 제한된다고 해서 국회의원의 권한이 침해될 가능성은 없다. (헌재 2010.7.29. 2010헌라1)

**정답** ⑤

## 098

**권한쟁의심판에 대한 설명으로 옳지 않은 것은? (다툼이 있는 경우 판례에 의함)**

① 지방의회 의원과 지방의회 의장 간의 권한쟁의심판은 헌법 및 헌법재판소법에 의하여 헌법재판소가 관장하는 지방자치단체 상호 간의 권한쟁의심판의 범위에 속한다.

② 법무부장관은 헌법상 소관 사무에 관하여 부령을 발할 수 있고 「정부조직법」상 법무에 관한 사무를 관장하지만, 「검찰청법」과 「형사소송법」 개정행위에 대해 권한쟁의심판을 청구할 청구인적격이 인정되지는 않는다.

③ 법률의 제·개정행위를 다투는 권한쟁의심판의 경우에는 국회의장이 아닌 국회가 피청구인적격을 가진다.

④ 지방자치단체는 기관위임사무의 집행에 관한 권한의 존부 및 범위에 관한 권한분쟁을 이유로 기관위임사무를 집행하는 국가기관 또는 다른 지방자치단체의 장을 상대로 권한쟁의심판청구를 할 수 없다.

⑤ 헌법 제111조 제1항 제4호 소정의 '국가기관'에 해당하는지 여부는 그 국가기관이 헌법에 의하여 설치되고 헌법과 법률에 의하여 독자적인 권한을 부여받고 있는지, 헌법에 의하여 설치된 국가기관 상호 간의 권한쟁의를 해결할 수 있는 적당한 기관이나 방법이 있는지 등을 종합적으로 고려하여야 할 것이다.

**해설**

① (✕)

> 헌법 제111조 제1항 제4호는 지방자치단체 상호 간의 권한쟁의에 관한 심판을 헌법재판소가 관장하도록 규정하고 있고, 헌법재판소법 제62조 제1항 제3호는 이를 구체화하여 헌법재판소가 관장하는 지방자치단체 상호 간의 권한쟁의심판의 종류를 ① 특별시·광역시 또는 도 상호 간의 권한쟁의심판, ② 시·군 또는 자치구 상호 간의 권한쟁의심판, ③ 특별시·광역시 또는 도와 시·군 또는 자치구 간의 권한쟁의심판 등으로 규정하고 있는바, 지방자치단체의 의결기관인 지방의회를 구성하는 지방의회 의원과 그 지방의회의 대표자인 지방의회 의장 간의 권한쟁의심판은 헌법 및 헌법재판소법에 의하여 헌법재판소가 관장하는 지방자치단체 상호 간의 권한쟁의심판의 범위에 속한다고 볼 수 없으므로 부적법하다. (헌재 2010.4.29. 2009헌라11)

② (○)

> **검사의 수사권 축소 등에 관한 권한쟁의 사건**
> 국회가 2022.5.9. 법률 제18861호로 검찰청법을 개정한 행위 및 같은 날 법률 제18862호로 형사소송법을 개정한 행위[이하 '이 사건 법률개정행위'라 한다)에 대하여 법무부장관과 검사 6명이 권한침해 및 그 행위의 무효확인을 청구한 권한쟁의심판청구는 부적합하다. (헌재 2023.3.23. 2022헌라4[각하])
> [1] **당사자적격**
> 가. '검사'는 영장신청권을 행사하고(헌법 제12조 제3항, 제16조) 범죄수사와 공소유지를 담당하는데(검찰청법 제4조 제1항), 이 사건 법률개정행위는 이와 같은 검사의 수사권 및 소추권 중 일부를 조정·제한하는 내용이다. 따라서 검사는 이 사건 법률개정행위에 대해 권한쟁의심판을 청구할 적절한 관련성이 인정된다.
> 나. 법무부장관은 이 사건 법률개정행위에 대해 권한쟁의심판을 청구할 적절한 관련성이 인정되지 아니한다. 결국 청구인 법무부장관의 심판청구는 청구인적격이 없어 부적법하다.
> [2] **권한침해가능성**
> 가. 수사 및 소추는 원칙적으로 입법권·사법권에 포함되지 않는 국가기능으로 우리 헌법상 본질적으로 행정에 속하는 사무이므로, 특별한 사정이 없는 한 입법부·사법부가 아닌 '대통령을 수반으로 하는 행정부'에 부여된 '헌법상 권한'이다. 그러나 수사권 및 소추권이 행정부 중 어느 '특정 국가기관'에 전속적으로 부여된 것으로 해석할 헌법상 근거는 없다.
> 나. 역사적으로 형사절차가 규문주의에서 탄핵주의로 이행되어 온 과정을 고려할 때, 직접 수사권을 행사하는 수사기관이 자신의 수사대상에 대한 영장신청 여부를 스스로 결정하도록 하는 것은 객관성을 담보하기 어려운 구조라는 점도 부인하기 어렵다. 이에 영장신청의 신속성·효율성 증진의 측면이 아니라, 법률전문가이자 인권옹호기관인 검사로 하여금 제3자의 입장에서 수사기관

의 강제수사 남용 가능성을 통제하도록 하는 취지에서 영장신청권이 헌법에 도입된 것으로 해석되므로, 헌법상 검사의 영장신청권 조항에서 '헌법상 검사의 수사권'까지 논리필연적으로 도출된다고 보기 어렵다. 결국 이 사건 법률개정행위는 검사의 '헌법상 권한'(영장신청권)을 제한하지 아니하고, 국회의 입법행위로 그 내용과 범위가 형성된 검사의 '법률상 권한'(수사권·소추권)이 법률개정행위로 침해될 가능성이 있다고 볼 수 없으므로, 청구인 검사의 심판청구는 권한침해가능성이 없어 부적법하다.

③ (O) 본회의 절차를 다투는 권한쟁의는 국회의장이 피청구인이 되고, 상임위원회의 절차를 다투는 권한쟁의는 상임위원장이 피청구인이 된다. 법률의 제·개정행위를 다투는 권한쟁의심판의 경우에는 국회의장이 아닌 국회가 피청구인적격을 가진다.
④ (O) 지방자치단체는 자치사무에 대해서는 권한쟁의가 가능하지만, 국가사무에 대해서는 권한쟁의가 안된다.
⑤ (O) 권한쟁의의 당사자가 되기 위한 요건이다.

정답 ①

## 099 회독 ☐☐☐ NEW

23 국가7급

**권한쟁의심판에 대한 설명으로 옳지 않은 것은?**

① 국회가 제정한 「국가경찰과 자치경찰의 조직 및 운영에 관한 법률」에 의하여 설립된 국가경찰위원회는 국가기관 상호 간의 권한쟁의심판의 당사자능력이 있다.
② 권한쟁의의 심판은 그 사유가 있음을 안 날부터 60일 이내에, 그 사유가 있은 날부터 180일 이내에 청구하여야 한다.
③ 헌법재판소의 권한쟁의심판의 결정은 모든 국가기관과 지방자치단체를 기속한다.
④ 헌법재판소가 권한쟁의심판의 청구를 받았을 때에는 직권 또는 청구인의 신청에 의하여 종국결정의 선고시까지 심판대상이 된 피청구인의 처분의 효력을 정지하는 결정을 할 수 있다.

해설

① (×)

국가경찰위원회가 행정안전부장관을 상대로 제기한 '행정안전부장관의 소속 청장 지휘에 관한 규칙인 행정안전부령 제348호의 제정행위가 국가경찰위원회의 권한을 침해한다'는 취지의 권한쟁의심판청구에 대하여, 국가경찰위원회는 법률에 의하여 설치된 국가기관으로서 권한쟁의심판을 청구할 당사자능력이 없다. (헌재 2022.12.22. 2022헌라5[각하])

② (O)
③ (O) 권한쟁의심판은 인용이든 기각이든 기속력이 인정된다. 위헌법률심판과 헌법소원심판은 인용에만 기속력이 인정된다.
④ (O) 헌법재판소법 제65조

정답 ①

## 100

**권한쟁의심판에 대한 설명으로 옳은 것만을 모두 고르면? (다툼이 있는 경우 판례에 의함)**

ㄱ. 법률에 의하여 설치된 국가인권위원회는 권한쟁의심판의 당사자능력이 인정되지 아니한다.
ㄴ. 지방자치단체 상호 간의 권한쟁의심판을 규정하고 있는 「헌법재판소법」 제62조 제1항 제3호의 경우에는 이를 예시적으로 해석하여야 한다.
ㄷ. 국회 상임위원회 위원장이 위원회를 대표해서 의안을 심사하는 권한이 국회의장으로부터 위임된 것임을 전제로 하는 국회의장에 대한 권한쟁의심판청구는 피청구인적격이 없는 자를 상대로 한 청구로서 부적법하다.
ㄹ. 정부가 법률안을 제출하는 행위는 권한쟁의심판의 독자적 대상이 되기 위한 법적 중요성을 지닌 행위로 볼 수 있다.

① ㄱ, ㄴ
② ㄱ, ㄷ
③ ㄴ, ㄹ
④ ㄷ, ㄹ

**해설**

ㄱ. (○) 권한쟁의심판의 당사자능력이 인정되려면 헌법에 의해 설치된 기관이어야 한다.

ㄴ. (✗)

> 경상남도 교육감이 경상남도를 상대로 학교급식에 관한 감사권한을 침해당하였다며 제기한 권한쟁의심판 사건에서, 교육감은 해당 지방자치단체의 교육·학예에 관한 집행기관일 뿐 독립한 권리주체로 볼 수 없으므로, 교육감이 해당 지방자치단체를 상대로 제기한 심판청구는 헌법재판소가 관장하는 지방자치단체 상호 간의 권한쟁의심판청구로 볼 수 없어 부적법하다. (헌재 2016.6.30. 2014헌라1)
> [1] 지방자치단체 '상호 간'의 권한쟁의심판에서 말하는 '상호 간'이란 '서로 상이한 권리주체 간'을 의미한다. 그런데 지방교육자치에 관한 법률은 교육감을 명시적으로 시·도의 교육·학예에 관한 사무의 '집행기관'으로 규정하여, 교육감을 지방자치단체 그 자체라거나 지방자치단체와 독립한 권리주체로 볼 수 없다. 따라서 이 사건 심판청구는 '서로 상이한 권리주체 간'의 권한쟁의심판청구로 볼 수 없다.
> [2] 헌법재판소는 96헌라2 결정에서 헌법재판소법 제62조 제1항 제1호의 국가기관 상호 간의 권한쟁의심판 조항을 예시적 조항이라고 판단한 바 있다. 그러나 국가기관과는 달리 지방자치단체의 경우에는 헌법 제117조 제2항에서 그 종류를 법률로 정하도록 규정하고 있으며, 지방자치법은 헌법의 위임에 따라 지방자치단체의 종류를 특별시, 광역시, 특별자치시, 도, 특별자치도와 시, 군, 구로 정하고 있고, 헌법재판소법은 지방자치법이 규정하고 있는 지방자치단체의 종류를 감안하여 권한쟁의심판의 종류를 정하고 있다. 따라서 '국가기관'의 경우에는 헌법 자체에 의하여 그 종류나 범위를 확정할 수 없고 달리 헌법이 법률로 정하도록 위임하지도 않았기 때문에 예시적으로 해석할 필요가 있었던 것과는 달리, '지방자치단체'의 경우에는 지방자치단체 상호 간의 권한쟁의심판을 규정하고 있는 헌법재판소법 제62조 제1항 제3호를 예시적으로 해석할 필요성 및 법적 근거가 없다.

ㄷ. (○)

> 국회 상임위원회가 그 소관에 속하는 의안, 청원 등을 심사하는 권한은 법률상 부여된 위원회의 고유한 권한이므로, 국회상임위원회 위원장이 위원회를 대표해서 의안을 심사하는 권한이 국회의장으로부터 위임된 것임을 전제로 한 국회의장에 대한 이 사건 심판청구는 피청구인적격이 없는 자를 상대로 한 청구로서 부적법하다. (헌재 2010.12.28. 2008헌라7 등)

ㄹ. (✗) 법률안은 국회에서 통과되기 전까지는 법적으로 중요성을 가진다고 할 수 없어 헌법소원의 대상이 아니다. (헌재 2005.12.22. 2004헌라3)

**정답** ②

## 101 회독 ☐☐☐   22 입시

**권한쟁의심판에 대한 설명으로 옳지 않은 것은? (다툼이 있는 경우 판례에 의함)**

① 청구인이 법률안 심의·표결권의 주체인 국가기관으로서의 국회의원 자격으로 권한쟁의심판을 청구하였다가 심판절차 계속 중 사망한 경우 권한쟁의심판청구는 청구인의 사망과 동시에 당연히 그 심판절차가 종료된다.
② 정당은 국민의 자발적 조직으로 그 법적 성격은 일반적으로 사적·정치적 결사 내지는 법인격 없는 사단이기에 공권력의 행사주체로서 국가기관의 지위를 갖는다고 볼 수 없으므로, 정당이 국회 내에서 교섭단체를 구성하고 있다고 하더라도 권한쟁의심판의 당사자능력이 인정되지 아니한다.
③ 법률안 수리행위에 대한 권한쟁의심판청구가 법률안에 대한 위원회 회부나 안건 상정, 본회의 부의 등과는 별도로 오로지 전자정보시스템으로 제출된 법률안을 접수하는 수리행위만을 대상으로 하는 한, 사법개혁특별위원회 및 정치개혁특별위원회 위원인 청구인들의 법률안 심의·표결권이 침해될 가능성이나 위험성이 없으므로 권한쟁의심판청구는 부적법하다.
④ 국회의장이 적법한 반대토론 신청이 있었음에도 반대토론을 허가하지 않고 토론절차를 생략하기 위한 의결을 거치지도 않은 채 법률안들에 대한 표결절차를 진행하였다고 하더라도 다수결의 원칙과 회의공개의 원칙 등 입법절차에 관한 헌법의 규정을 위반한 것은 아니므로 국회의원의 법률안 심의·표결권을 침해한 것으로는 볼 수 없다.
⑤ 현행법 체계하에서 국회의 구성원인 국회의원은 국회의원의 권한이 아닌 국회의 권한침해를 주장하여 권한쟁의심판을 청구할 수 없다.

### 해설

① (O) 헌재 2010.11.25. 2009헌라12
② (O) 권한쟁의심판은 헌법에 의해 설치된 국가기관이어야 하므로 정당, 교섭단체, 소위원회 위원장 등은 권한쟁의심판의 당사자가 될 수 없다.
③ (O) 헌재 2020.5.27. 2019헌라3 등
④ (×)

> 피청구인이 국회법 제76조 제3항을 위반하여 청구인들에게 본회의 개의일시를 통지하지 않음으로써 청구인들은 이 사건 본회의에 출석할 기회를 잃게 되었고 그 결과 이 사건 법률안의 심의·표결과정에도 참여하지 못하게 되었다. 따라서 나머지 국회법 규정의 위반 여부를 더 나아가 살필 필요도 없이 피청구인의 그러한 행위로 인하여 청구인들이 헌법에 의하여 부여받은 권한인 법률안 심의·표결권이 침해되었음이 분명하다. (헌재 1997.7.16. 96헌라2)

⑤ (O) 국회의원이 의원의 권한인 심의·표결권 침해를 이유로 권한쟁의심판을 할 수 있지만, 국회의 권한인 동의권 침해를 이유로 권한쟁의심판을 할 수는 없다.

**정답** ④

## 102

**권한쟁의심판에 대한 설명으로 옳지 않은 것은? (다툼이 있는 경우 판례에 의함)**

① 지방자치단체가 기관위임사무를 처리할 권한이 침해되었다고 주장하면서 권한쟁의심판을 청구하는 것은 부적법하다.
② 권한쟁의심판을 청구하려면 청구인과 피청구인 상호 간에 헌법 또는 법률에 의하여 부여받은 권한의 존부 또는 범위에 관하여 다툼이 있어야 하고, 피청구인의 처분 또는 부작위가 헌법 또는 법률에 의하여 부여받은 청구인의 권한을 침해하였거나 침해할 현저한 위험이 있는 경우이어야 한다.
③ 국민 개인이 대법원장을 상대로 제기한 국가기관 간의 권한쟁의심판에서 '국민'인 청구인은 그 자체로는 헌법에 의하여 설치되고 헌법과 법률에 의하여 독자적인 권한을 부여받은 기관이라고 할 수 없으므로, '국민'인 청구인은 권한쟁의심판의 당사자가 되는 '국가기관'이 아니다.
④ 국회 소위원회 위원장은 권한쟁의심판의 당사자능력이 인정된다.

### 해설

① (O) 지방자치단체가 권한침해로 권한쟁의심판을 청구할 수 있는 것은 자치사무에 대해서이고 기관위임사무에 대해서는 아니다. [22 5급행시]
② (O) 권한쟁의의 요건이다. [22 5급행시]
③ (O) 권한쟁의를 할 수 있는 당사자능력은 헌법에 의해 설치된 기관이어야 하는데, 국민은 권한쟁의의 당사자능력이 인정되지 않는다. [22 5급행시]
④ (X) [21 변호사]

> 청구인 국회 행정안전위원회 제천화재관련평가소위원회 위원장이 국회 행정안전위원회 위원장을 상대로 제기한 권한쟁의심판 청구에 대하여 국회 소위원회 위원장에게 권한쟁의심판의 청구인능력이 인정되지 않는다. (헌재 2020.5.27. 2019헌라4[각하])
> 헌법 제62조는 '국회의 위원회'를 명시하고 있으나 '국회의 소위원회'는 명시하지 않고 있는 점, 국회법 제57조는 위원회로 하여금 소위원회를 둘 수 있도록 하고, 소위원회의 활동을 위원회가 의결로 정하는 범위로 한정하고 있으므로, 소위원회는 위원회의 의결에 따라 그 설치·폐지 및 권한이 결정될 뿐이 위원회의 부분기관에 불과한 점 등을 종합하면, 소위원회 및 그 위원장은 헌법에 의하여 설치된 국가기관에 해당한다고 볼 수 없다. 또한 소위원회 위원장이 그 소위원회를 설치한 위원회의 위원장과의 관계에서 어떠한 법률상 권한을 가진다고 보기도 어렵고, 위원회와 그 부분기관인 소위원회 사이의 쟁의 또는 위원회 위원장과 소속 소위원회 위원장과의 쟁의가 발생하더라도 이는 위원회에서 해결될 수 있으므로, 이러한 쟁의를 해결할 적당한 기관이나 방법이 없다고 할 수 없다. 따라서 소위원회 위원장은 헌법 제111조 제1항 제4호 및 헌법재판소법 제62조 제1항 제1호의 '국가기관'에 해당한다고 볼 수 없으므로, 권한쟁의심판에서의 청구인능력이 인정되지 않는다.

정답 ④

## 103 회독 ☐☐☐ 재구성  [22 법원직, 21 국가7급, 20 입시]

**권한쟁의심판에 대한 설명으로 옳지 않은 것은? (다툼이 있는 경우 판례에 의함)**

① 권한쟁의심판의 당사자능력은 법률이 아닌 헌법에 의하여 설치된 국가기관에 한정하여 인정된다.
② 정당해산결정과 달리 권한쟁의심판은 재판관 6인이 찬성하지 않은 경우에도 인용할 수 있다.
③ 국회의원과 국회의장 사이에 권한의 존부와 범위를 둘러싼 분쟁은 국가기관 상호 간의 분쟁이 아닌 국회 구성원 내부의 분쟁이므로 권한쟁의심판청구를 할 수 없다.
④ 피청구인의 부작위에 의하여 청구인의 권한이 침해당하였다고 주장하는 권한쟁의심판은 피청구인에게 헌법상 또는 법률상 유래하는 작위의무가 있음에도 불구하고 피청구인이 그러한 의무를 다하지 아니한 경우에 허용된다.

**해설**

① (○) [20 입시]

> 🔖 **명문규정이 없는 경우 권한쟁의심판청구의 당사자능력이 인정되기 위한 요건**
> • 그 기관이 헌법에 의해 설치되어야 한다.
> • 독자적인 권한을 가져야 한다.
> • 양자 간의 다툼을 해결할 수 있는 기관이 없어야 한다.

② (○) 권한쟁의심판은 종국심리에 관여한 재판관 과반수의 찬성으로 사건에 관한 결정을 한다. (헌법재판소법 제23조 제2항) [22 법원직]

③ (✕) [22 법원직]

> 국회의장과 국회의원 간에 그들의 권한의 존부 또는 범위에 관하여 분쟁이 생길 수 있고, 이와 같은 분쟁은 단순히 국회의 구성원인 국회의원과 국회의장 간의 국가기관 내부문제가 아니라 헌법상 별개의 국가기관이 각자 그들의 권한의 존부 또는 범위를 둘러싼 분쟁이다. 이 분쟁은 권한쟁의심판 이외에 이를 해결할 수 있는 다른 수단이 없으므로 국회의원과 국회의장은 헌법 제111조 제1항 제4호 소정의 권한쟁의심판의 당사자가 될 수 있다. (헌재 2000.2.24. 99헌라1)

④ (○) 부작위에 대한 권한쟁의의 요건이다. [21 국가7급]

**정답** ③

## 104 회독 ☐☐☐ 재구성                    21 변호사, 20 5급행시, 18 서울7급·입시, 17 국가7급(하)

**권한쟁의심판에 대한 설명으로 옳은 것만을 모두 고르면? (다툼이 있는 경우 판례에 의함)**

> ㄱ. 국회의원은 국회를 피청구인으로 하여 법률의 제·개정행위를 다툴 수 있다.
> ㄴ. 권한쟁의심판에 있어서 국가기관 또는 지방자치단체의 처분을 취소하는 헌법재판소의 결정은 그 처분의 상대방에 대하여 이미 생긴 효력에 영향을 미친다.
> ㄷ. 중앙선거관리위원회와 각급 선거관리위원회는 권한쟁의심판의 당사자가 될 수 있다.
> ㄹ. 지방자치단체가 기관위임사무를 수행하면서 지출한 경비에 대하여 예산배정요청을 하였으나 기획재정부장관이 이를 거부한 경우 위 거부처분에 대한 권한쟁의심판청구는 적법하다.
> ㅁ. 국회의원이 교원들의 교원단체 가입현황을 자신의 인터넷 홈페이지에 게시하여 공개하려 하였으나, 법원이 그 공개로 인한 기본권 침해를 주장하는 교원들의 신청을 받아들여 그 공개의 금지를 명하는 가처분 및 그 가처분에 따른 의무 이행을 위한 간접강제결정을 한 것에 대해, 국회의원이 법원을 상대로 제기한 권한쟁의심판청구는 청구인의 권한을 침해할 가능성이 없어 부적법하다.

① ㄱ, ㄷ, ㄹ
② ㄱ, ㄷ, ㅁ
③ ㄴ, ㄹ, ㅁ
④ ㄷ, ㄹ, ㅁ

**해설**

ㄱ. (O) 법률의 제·개정을 다투는 권한쟁의의 피청구인은 국회이고, 국회의 의결절차를 다투는 권한쟁의의 피청구인은 국회의장이다. [21 변호사]

ㄴ. (X) [20 5급행시]

> **헌법재판소법 제67조(결정의 효력)**
> ② 국가기관 또는 지방자치단체의 처분을 취소하는 결정은 그 처분의 상대방에 대하여 이미 생긴 효력에 영향을 미치지 아니한다.

ㄷ. (O) 중앙선거관리위원회는 권한쟁의심판을 할 수 있다는 명문규정이 있고, 각급 선거관리위원회는 명문규정은 없지만 헌법에 의해 설치된 기관이므로 권한쟁의심판의 당사자가 된다. [18 입시]

ㄹ. (X) 기관위임사무는 지방자치단체의 권한이 아니므로 지방자치단체가 권한쟁의심판을 청구할 수 없다. [18 서울7급]

> 기관위임사무에 관한 경비는 이를 위임한 국가가 부담하고, 그 소요되는 경비 전부를 당해 지방자치단체에 교부하여야 하므로, 청구인이 자신의 비용으로 기관위임사무인 이 사건 공사를 하였다면, 국가는 청구인에게 그 비용 상당의 교부금을 지급할 의무가 있고, 청구인은 공법상의 비용상환청구소송 등 소정의 권리구제절차를 통하여 국가로부터 이를 보전받을 수 있으므로 청구인이 그 비용을 최종적으로 부담하게 되는 것도 아니다. 따라서 이 사건 거부처분으로 말미암아 청구인의 자치재정권 등 헌법 또는 법률이 부여한 청구인의 권한이 침해될 가능성도 인정되지 아니한다. 결국, 이 사건 권한쟁의심판청구는 권한쟁의심판을 청구할 수 있는 요건을 갖추지 못한 것으로서 부적법하다. (헌재 2010.12.28. 2009헌라2)

ㅁ. (O) [17 국가7급(하)]

> 권한쟁의심판에서 다툼의 대상이 되는 권한이란 헌법 또는 법률이 특정한 국가기관에 대하여 부여한 독자적인 권능을 의미하므로, 국가기관의 모든 행위가 권한쟁의심판에서 의미하는 권한의 행사가 될 수는 없으며, 국가기관의 행위라고 할지라도 헌법과 법률에 의해 그 국가기관에게 부여된 독자적인 권능을 행사하는 경우가 아닌 때에는 비록 그 행위가 제한을 받더라도 권한쟁의심판에서 말하는 권한이 침해될 가능성은 없는바, 특정 정보를 인터넷 홈페이지에 게시하거나 언론에 알리는 것과 같은 행위는 헌법과 법률이 특별히 국회의원에게 부여한 국회의원의 독자적인 권능이라고 할 수 없고 국회의원 이외의 다른 국가기관은 물론 일반 개인들도 누구든지 할 수 있는 행위로서, 그러한 행위가 제한된다고 해서 국회의원의 권한이 침해될 가능성은 없다. 따라서 이 사건 권한쟁의심판청구는 청구인의 권한을 침해할 가능성이 없어 부적법하다. (헌재 2010.7.29. 2010헌라1)

**정답** ②

## 105 회독 ☐☐☐ 재구성　　　　　　　　　　　　　　　　　　　　　　　19 법원직, 11 국회8급

**권한쟁의심판에 대한 설명으로 옳지 않은 것은? (다툼이 있는 경우 판례에 의함)**

① 권한쟁의심판제도는 국가기관 사이, 국가기관과 지방자치단체 사이 또는 지방자치단체 사이에 권한의 존부 또는 범위에 관하여 다툼이 발생한 경우에, 헌법재판소가 이를 유권적으로 심판함으로써 각 기관에게 주어진 권한을 보호함과 동시에 객관적 권한질서의 유지를 통해서 국가기능의 수행을 원활히 하고, 수평적·수직적 권력 상호 간의 견제와 균형을 유지하려는 데 그 제도적 의의가 있다.

② 오늘날 의회와 정부가 다수당을 중심으로 통합되어 가는 정당국가적 경향에 따라서 권한쟁의심판제도는 정치과정에서 소수파가 다수파의 월권적 행위를 헌법을 통해 통제할 수 있는 수단으로서의 기능도 가지게 되었다.

③ 헌법재판소에 의한 권한쟁의심판의 대상이 되는 법적 분쟁은 헌법상의 분쟁에 국한되고, 법률상의 분쟁은 일반법원의 행정소송에서 다루어지므로 양 사법기관의 관할권의 중복은 발생하지 않는다.

④ 권한쟁의심판이 공익적 성격을 갖고 있다고 하더라도 심판청구의 취하는 청구인의 의사에 의하여 자유롭게 할 수 있다.

⑤ 입법자인 국회는 권한쟁의심판의 종류나 당사자를 제한할 입법형성의 자유가 있다고 할 수 없다.

### 해설

① (O) 권한쟁의심판의 개념이다. [19 법원직]
② (O) 권한쟁의심판의 기능이다. [19 법원직]
③ (X) 헌법뿐만 아니라 법률에 의해 부여된 권한도 권한쟁의심판의 대상이 된다. [19 법원직]
④ (O) 일반재판에서는 당사자가 판결선고 전까지 소를 취하할 수 있다. 헌법재판에서도 취하가 가능한지 문제된 적이 있으나, 헌법재판소는 헌법소원심판과 권한쟁의심판의 청구를 취하한 경우에 민사소송법 규정을 준용하여 더 이상 판단하지 않고 청구절차를 종료하였다. [11 국회8급]
⑤ (O) [11 국회8급]

> **당사자범위의 확대** (헌재 1997.7.16. 96헌라2)
> 헌법 제111조 제1항 제4호에서 헌법재판소의 관장사항의 하나로 '국가기관 상호 간, 국가기관과 지방자치단체 간 및 지방자치단체 상호 간의 권한쟁의에 관한 심판'이라고 규정하고 있을 뿐 권한쟁의심판의 당사자가 될 수 있는 국가기관의 종류나 범위에 관하여는 아무런 규정을 두고 있지 않고, 이에 관하여 특별히 법률로 정하도록 위임하고 있지도 않다. 따라서 입법자인 국회는 권한쟁의심판의 종류나 당사자를 제한할 입법형성의 자유가 있다고 할 수 없고, 헌법 제111조 제1항 제4호에서 말하는 국가기관의 의미와 권한쟁의심판의 당사자가 될 수 있는 국가기관의 범위는 결국 헌법해석을 통하여 확정하여야 할 문제이다. 그렇다면 헌법재판소법 제62조 제1항 제1호가 비록 국가기관 상호 간의 권한쟁의심판을 '국회, 정부, 법원 및 중앙선거관리위원회 상호 간의 권한쟁의심판'이라고 규정하고 있다고 할지라도 이 법률조항의 문언에 얽매여 곧바로 이들 기관 외에는 권한쟁의심판의 당사자가 될 수 없다고 단정할 수는 없다.

**정답** ③

## 106 회독 ☐☐☐ 재구성 ・ 21・19 국회8급, 19 국가7급

**권한쟁의심판에 대한 설명으로 옳은 것은? (다툼이 있는 경우 판례에 의함)**

① 국회 기획재정위원회 위원장이 서비스산업발전기본법안에 대한 신속처리대상안건지정요청에 대해 기획재정위원회 재적위원 과반수가 서명한 신속처리안건 지정동의가 아니라는 이유로 표결 실시를 거부한 행위는 기획재정위원회 소속 위원의 신속처리안건 지정동의에 대한 표결권을 침해한다.
② 국무총리 소속 기관인 사회보장위원회가 '지방자치단체 유사・중복 사회보장사업 정비 추진방안'을 의결한 행위에 대한 기초지방자치단체의 권한쟁의심판청구는 적법하다.
③ 권한쟁의는 국가기관과 지방자치단체 간 및 지방자치단체 상호 간의 권한분쟁을 해결하는 절차이므로 국가기관 상호 간의 권한분쟁은 심판대상이 되지 않는다.
④ 헌법재판소장은 시・군 또는 지방자치단체인 구를 당사자로 하는 권한쟁의심판이 청구된 경우에는 그 지방자치단체가 소속된 특별시・광역시 또는 도에게 그 사실을 바로 통지하여야 한다.

### 해설

① (✕) [19 국회8급]

> 국회법 제85조의2 제1항에 의하면, 소관 위원회 재적위원 과반수가 서명한 신속처리안건 지정동의가 소관 위원회 위원장에게 제출되어야 위원장은 무기명투표로 표결을 실시할 의무를 부담하게 되는 것이고, 소관 위원회 소속 위원들도 비로소 신속처리안건 지정동의를 표결할 권한을 가지게 된다. 이 사건의 경우 신속처리대상안건 지정동의가 적법한 요건을 갖추지 못하였으므로, 이 사건 표결 실시 거부행위로 인하여 기획재정위원회 소속 위원인 청구인의 신속처리안건 지정동의에 대한 표결권이 직접 침해당할 가능성은 없다. 가사 청구인의 주장과 같이 국회법 제85조의2 제1항 중 재적위원 5분의 3 이상의 찬성을 요하는 부분이 위헌으로 선언되더라도, 피청구인 기획재정위원회 위원장에게 신속처리대상안건 지정요건을 갖추지 못한 신속처리안건 지정동의에 대하여 표결을 실시할 의무가 발생하는 것은 아니므로 그 위헌 여부는 이 사건 표결 실시 거부행위의 효력에는 아무런 영향도 미칠 수 없다. 따라서 이 사건 표결 실시 거부행위는 청구인의 신속처리안건 지정동의에 대한 표결권을 침해하거나 침해할 위험성이 없으므로 이에 대한 심판청구는 부적법하다. **(헌재 2016.5.26. 2015헌라1)**

② (✕) [19 국가7급]

> ⊙ 사회보장위원회가 2015.8.11. '지방자치단체 유사・중복 사회보장사업 정비 추진방안'을 의결한 행위, ⓒ 국무총리가 보건복지부장관 및 광역지방자치단체의 장에게 위 추진방안을 통지한 행위, ⓒ 보건복지부장관이 2015.8.13. 광역지방자치단체의 장에게 '지방자치단체 유사・중복 사회보장사업 정비지침'에 따라 정비를 추진하고 정비계획(실적) 등을 제출해주기 바란다는 취지의 통보를 한 행위에 대한 청구인들의 권한쟁의심판청구는 부적법하다. **(헌재 2018.7.26. 2015헌라4[각하])**
> [1] 이 사건 의결행위는 보건복지부장관이 광역지방자치단체의 장에게 통보한 위 정비지침의 근거가 되는 위 추진방안을 사회보장위원회가 내부적으로 의결한 행위에 불과하므로, 이 사건 의결행위가 청구인들의 법적 지위에 직접 영향을 미친다고 보기는 어렵다. 따라서 이 사건 의결행위는 권한쟁의심판의 대상이 되는 '처분'이라고 볼 수 없으므로, 이 부분 심판청구는 부적법하다.
> [2] 국무총리는 보건복지부장관 및 광역지방자치단체의 장에게 위 추진방안을 통지한 사실이 없으므로, 이 부분 심판청구는 부적법하다.
> [3] 위 정비지침은 각 지방자치단체가 자율적으로 사회보장사업을 정비・개선하도록 한 것이고, 이 사건 통보행위상 정비계획 제출은 각 지방자치단체가 정비가 필요하고 가능하다고 판단한 사업에 대하여만 정비계획 및 결과를 제출하라는 의미이며, 실제로 각 지방자치단체들은 자율적으로 사회보장사업의 정비를 추진하였다. 이 사건 통보행위를 강제하기 위한 권력적・규제적인 후속조치가 예정되어 있지 않고, 이 사건 통보행위에 따르지 않은 지방자치단체에 대하여 이를 강제하거나 불이익을 준 사례도 없다. 따라서 이 사건 통보행위는 권한쟁의심판의 대상이 되는 '처분'이라고 볼 수 없으므로, 이 부분 심판청구는 부적법하다.

③ (X) [21 국회8급]

> **헌법재판소법 제61조(청구사유)**
> ① 국가기관 상호 간, 국가기관과 지방자치단체 간 및 지방자치단체 상호 간에 권한의 유무 또는 범위에 관하여 다툼이 있을 때에는 해당 국가기관 또는 지방자치단체는 헌법재판소에 권한쟁의심판을 청구할 수 있다.

④ (O) [19 국가7급]

> **헌법재판소 심판 규칙 제67조(권한쟁의심판청구의 통지)**
> 헌법재판소장은 권한쟁의심판이 청구된 경우에는 다음 각 호의 국가기관 또는 지방자치단체에게 그 사실을 바로 통지하여야 한다.
> 1. 법무부장관
> 2. 지방자치단체를 당사자로 하는 권한쟁의심판인 경우에는 행정안전부장관. 다만, 법 제62조 제2항에 의한 교육·학예에 관한 지방자치단체의 사무에 관한 것일 때에는 행정안전부장관 및 교육부장관
> 3. 시·군 또는 지방자치단체인 구를 당사자로 하는 권한쟁의심판인 경우에는 그 지방자치단체가 소속된 특별시·광역시 또는 도
> 4. 그 밖에 권한쟁의심판에 이해관계가 있다고 인정되는 국가기관 또는 지방자치단체

정답 ④

## 107

[19 서울7급(2월)]

**다음 ㄱ~ㄹ에 들어갈 용어를 옳게 짝지은 것은?**

> 국회의장으로부터 정기국회 본회의 의사진행을 위임받은 국회부의장은 본회의를 개의하고, 2011년도 예산안을 상정한 후, 예산결산특별위원장으로 하여금 심사보고를 하도록 하였다. 예산결산특별위원장은 예산안에 대한 제안설명은 단말기에 있는 것으로 대체하고, 예산결산특별위원회의 심사 결과는 단말기에 게재되어 있는 것을 참고하여 달라는 취지의 심사보고를 하였다. 그 후 국회부의장은 예산안에 대한 표결을 실시하여 재석 166인 중 찬성 165인, 반대 1인으로 가결되었음을 선포하였다. 이에 대해 ( ㄱ )은(는) 이 사건 본회의에서 국회의장의 위임을 받은 국회부의장이 이 사건 예산안을 상정하여 투표를 실시하고 가결을 선포한 행위는 자신의 예산안에 대한 ( ㄴ )을(를) 침해한 것이라고 주장하며, ( ㄷ )을(를) 상대로 ( ㄹ )심판을 청구하였다.

| | ㄱ | ㄴ | ㄷ | ㄹ |
|---|---|---|---|---|
| ① | 국회 | 제출권 | 국회부의장 | 헌법소원 |
| ② | 국회의원 甲 | 심의·표결권 | 국회부의장 | 권한쟁의 |
| ③ | 국회 | 제출권 | 국회의장 | 위헌법률 |
| ④ | 국회의원 甲 | 심의·표결권 | 국회의장 | 권한쟁의 |

**해설**

국회의 날치기 통과에 대하여는 (ㄱ) **국회의원 개인**이 (ㄴ) **심의·표결권**이 침해되었음을 이유로 (ㄷ) **국회의장**을 상대로 (ㄹ) **권한쟁의**심판을 청구하여야 한다.

정답 ④

## 108

**권한쟁의심판에 대한 설명으로 옳지 않은 것은?**

① 「헌법재판소법」 제62조 제1항 제1호는 국가기관 상호 간의 권한쟁의심판의 주체로 국회, 정부, 법원 및 중앙선거관리위원회를 들고 있는데, 이것은 주체를 한정한 것이 아니라 예시한 것이다.
② 권한쟁의심판에 있어서는 처분 또는 부작위를 야기한 기관으로서 법적 책임을 지는 기관만이 피청구인 적격을 가지므로 권한쟁의심판청구는 이들 기관을 상대로 제기하여야 한다.
③ 권한쟁의심판절차에서는 종국결정의 선고시까지 심판대상이 된 피청구인의 처분의 효력을 정지하는 가처분이 인정되지 않는다.
④ 피청구인의 장래처분을 대상으로 하는 심판청구는 원칙적으로 허용되지 아니하나, 피청구인의 장래처분이 확실하게 예정되어 있고, 피청구인의 장래처분에 의해서 청구인의 권한이 침해될 위험성이 있어서 청구인의 권한을 사전에 보호해 주어야 할 필요성이 매우 큰 예외적인 경우에는 피청구인의 장래처분에 대해서도 권한쟁의심판을 청구할 수 있다.

### 해설

① (○) 권한쟁의심판의 당사자인 정부, 국회, 법원, 중앙선거관리위원회는 예시적 규정이지만, 시·도, 시·군·구는 열거적 규정이다. [19 국회8급]
② (○) 예컨대 국회부의장이 회의를 진행해도 피청구인은 국회의장이 되는 것이다. [19 국회8급]
③ (✕) 권한쟁의심판과 위헌정당해산심판은 가처분이 명문규정으로 인정된다. [21 국회8급]
④ (○) 장래처분에 대한 권한쟁의심판은 원칙적으로 인정되지 않지만, 침해가 확실히 예상되는 경우에는 가능하다. [17 변호사]

정답  ③

### 기출지문 OX

권한쟁의심판은 그 사유가 있음을 안 날부터 60일 이내에, 그 사유가 있은 날부터 180일 이내에 청구하여야 한다. 그러나 장래처분에 의한 권한침해 위험성이 있음을 이유로 예외적으로 허용되는 장래처분에 대한 권한쟁의심판청구는 아직 장래처분이 내려지지 않은 상태이므로 위와 같은 청구기간의 제한이 적용되지 않는다. 13 변호사 ( ○ / ✕ )

정답 ○

## 109 회독 ☐☐☐ 재구성

20·19 입시, 18 국회8급

**권한쟁의심판에 대한 설명으로 옳은 것은? (다툼이 있는 경우 판례에 의함)**

① 자신의 의사에 반하여 A위원회에서 사임하고 B위원회로 보임하도록 한 국회의장의 행위를 권한쟁의심판으로 다투고 있는 국회의원이 다시 A위원회로 배정되어 활동하고 있다면 권한쟁의심판청구의 이익이 없다.
② 국회의원들이 국민안전처 등을 이전대상 제외기관으로 명시할 것인지에 관한 법률안에 대하여 심의를 하던 중, 행정자치부장관(현 행정안전부장관)이 국민안전처 등을 세종시로 이전하는 내용의 처분을 할 경우 국회의원인 청구인들의 법률안에 대한 심의·표결권이 침해될 가능성이 있다.
③ 군 공항 이전사업에 의해 예비이전후보지가 관할 내에 선정된 지방자치단체의 의사를 고려하지 않고 사업이 진행된다면 그 지방자치단체의 자치권한을 침해할 현저한 위험이 인정된다.
④ 권한쟁의심판의 적법요건으로서의 피청구인의 '처분'에는 개별적 행위뿐만 아니라 규범을 제정하는 행위가 포함되며, 입법영역에서는 법률의 제정행위 및 법률 자체를, 행정영역에서는 법규명령 및 모든 개별적인 행정적 행위를 포함한다.

### 해설

① (✗) 주관적인 권리보호이익은 없어도 침해의 반복가능성과 헌법적 해명이 필요하면 객관적인 심판이익이 인정된다. [19 입시]

② (✗) [18 국회8급]

> 행정자치부장관(현 행정안전부장관)이 국민안전처와 인사혁신처를 세종시 이전대상 기관에 포함하는 내용의 고시를 발령한 행위에 대하여 국회의원인 청구인들이 국회의 입법권이나 국회의원의 법률안 심의·표결권 침해를 주장하는 것은 청구인적격이나 권한침해가능성이 없어 부적법하다. (헌재 2016.4.28. 2015헌라5)

③ (✗) [18 국회8급]

> [1] **국방부장관이 수원군 공항 예비이전후보지를 화성시 ○○지구일대로 선정한 행위가 화성시의 자치권 및 군 공항 이전건의권을 침해하여 무효라는 권한쟁의심판청구에 대하여 화성시의 자치권 및 군 공항 이전건의권을 침해하였거나 침해할 현저한 위험이 있다고 볼 수 없다.**
> 국가사무인 군 공항 이전사업이 청구인의 의사를 고려하지 않고 진행된다고 하더라도 이로써 지방자치단체인 청구인의 자치권한을 침해하였다거나 침해할 현저한 위험이 있다고 보기 어렵다.
> [2] **군 공항 이전 및 지원에 관한 특별법상 이전건의권의 침해가능성 인정 여부**
> 이 사건 탄약고부지도 이 사건 공항의 부분이므로 이 사건 공항의 이전시 함께 이전되는 것이 합리적이고, 청구인과 수원시가 함께 이전건의권을 행사하는 것이 바람직하다. 그러나 청구인은 이 사건 처분으로 인하여 이전건의권을 행사하지 못한 것이 아니라, 수원시와 공동으로 또는 단독으로 이전건의권을 행사할 수 있었음에도 스스로 행사하지 않았다. (헌재 2017.12.28. 2017헌라2)

④ (O) 권한쟁의심판의 대상인 처분은 개별적 행위뿐만 아니라 단순한 사실행위, 대외적 행위뿐만 아니라 대내적 행위, 그리고 일반적 규범의 정립까지도 포함한다. 입법영역의 처분은 법률의 제정과 관련된 행위를 포함한다. 법률에 대한 권한쟁의심판도 허용된다고 봄이 일반적이나, '법률 그 자체'가 아니라 '법률제정행위'를 그 심판대상으로 하여야 한다. [20 입시]

**정답** ④

> **기출지문 OX**

❶ 지방자치단체는 국회의 법률제정행위가 자신의 자치권한을 침해했다고 주장하면서 권한쟁의심판의 당사자가 될 수 있다.
17 입시                                                                                                                                  ( O / × )

정답 O

❷ 항만구역의 명칭결정에 관한 권한쟁의심판에서 해양수산부장관의 명을 받아 소관 사무를 통할하고 소속 공무원을 지휘 · 감독하는 부산지방해양수산청장은 당사자가 될 수 없다. 17 입시                                                                 ( O / × )

> **해설**
>
> **항만명칭결정에 있어서의 당사자능력** (헌재 2008.3.27. 2006헌라1)
> [1] 피청구인 해양수산부장관의 당사자능력 여부를 살펴보면, 해양수산부장관은 헌법과 정부조직법에 의하여 행정각부를 구성하는 국가기관으로서 독자적인 권한을 부여받고 있으므로 권한쟁의심판의 당사자능력이 인정되고, 한편 항만에 관한 사무를 관장하는 권한을 가지고 있고, 항만구역 내외의 항만시설을 지정 · 고시할 수 있으며, 그 소속 중앙항만정책심의회에서 항만구역의 지정 및 조정에 관한 사항 등을 심의하게 할 수 있는 등 이 사건 명칭결정권한에 관하여 적절한 관련성을 가지고 있으므로 이 사건 권한쟁의심판의 당사자적격도 인정된다고 할 것이다.
> [2] 피청구인 부산지방해양수산청장은 해양수산부장관의 명을 받아 소관 사무를 통할하고 소속 공무원을 지휘 · 감독하는 자로서 지방에서의 해양수산부장관의 일부 사무를 관장할 뿐, 항만에 관한 독자적인 권한을 가지고 있지 못하므로, 항만구역의 명칭결정에 관한 이 사건 권한쟁의심판의 당사자가 될 수 없다. 따라서 청구인들의 피청구인 부산지방해양수산청장에 대한 권한쟁의심판청구는 당사자능력 및 적격이 없는 자에 대한 것으로서 부적법하여 각하되어야 한다.

정답 O

> **예상판례**

❶ **장래처분에 대한 권한쟁의심판** (헌재 2004.9.23. 2000헌라2)
[1] 피청구인 평택시장이 이 사건 제방을 자신의 토지대장에 등록한 것을 청구인이 말소해 달라고 요구하였으나 피청구인이 이를 거부한 행위(처분)에 대한 심판청구는 지방자치단체인 청구인 당진군이 국가사무인 지적공부의 등록사무에 관한 권한의 존부 및 범위에 관하여 국가기관의 지위에서 국가로부터 사무를 위임받은 피청구인 평택시장을 상대로 다투고 있는 청구라고 할 것이므로, 지방자치단체인 청구인의 이 부분 심판청구는 청구인의 권한에 속하지 아니하는 사무에 관한 권한쟁의심판청구라고 할 것이므로 부적법하다.
[2] 피청구인의 장래처분에 의해서 청구인의 권한침해가 예상되는 경우에 청구인은 원칙적으로 이러한 장래처분이 행사되기를 기다린 이후에 이에 대한 권한쟁의심판청구를 통해서 침해된 권한의 구제를 받을 수 있으므로, 피청구인의 장래처분을 대상으로 하는 심판청구는 원칙적으로 허용되지 아니한다. 그러나 피청구인의 장래처분이 확실하게 예정되어 있고, 피청구인의 장래처분에 의해서 청구인의 권한이 침해될 위험성이 있어서 청구인의 권한을 사전에 보호해 주어야 할 필요성이 매우 큰 예외적인 경우에는 피청구인의 장래처분에 대해서도 헌법재판소법 제61조 제2항에 의거하여 권한쟁의심판을 청구할 수 있다.

❷ 개정 지방자치법의 취지와 공유수면과 매립지의 성질상 차이 등을 종합하여 볼 때, 신생 매립지는 개정 지방자치법 제4조 제3항에 따라 같은 조 제1항이 처음부터 배제되어 종전의 관할 구역과의 연관성이 단절되고, 행정안전부장관의 결정이 확정됨으로써 비로소 관할 지방자치단체가 정해지며, 그 전까지 해당 매립지는 어느 지방자치단체에도 속하지 않는다고 할 것이다. 그렇다면 이 사건 매립지의 매립 전 공유수면에 대한 관할권을 가졌을 뿐인 청구인들이, 그 후 새로이 형성된 이 사건 매립지에 대해서까지 어떠한 권한을 보유하고 있다고 볼 수 없으므로, 이 사건에서 청구인들의 자치권한이 침해되거나 침해될 현저한 위험이 있다고 보기는 어렵다. (헌재 2020.7.16. 2015헌라3【각하】)

❸ **권한침해확인결정의 기속력** (헌재 2010.11.25. 2009헌라12【기각】)
[1] 피청구인(국회의장)의 법률안 가결선포행위가 청구인들의 법률안 심의 · 표결권을 침해한 것임을 확인한 권한침해확인결정의 기속력으로 피청구인이 구체적인 특정한 조치를 취할 작위의무를 부담한다고는 볼 수 없다는 이유로, 권한침해확인결정 이후 피청구인의 부작위가 재차 청구인들의 법률안 심의 · 표결권을 침해한 것이라고 주장하여 제기된 권한쟁의심판청구를 기각한 사례

[2] 헌법재판소법은 헌법재판소가 피청구인이나 제3자에 대하여 적극적으로 의무를 부과하는 결정을 할 수 있는 권한을 부여하고 있지 않으며, 부작위에 대한 심판청구를 인용하는 결정을 한 때에 피청구인에게 결정의 취지에 따른 처분의무가 있음을 규정(헌법재판소법 제66조 제2항 후단)할 뿐이다. 따라서 헌법재판소가 피청구인의 처분을 직접 취소하거나 무효확인함으로써 그 기속력의 내용으로서 피청구인에게 원상회복의무가 인정되는 것은 별론으로 하고, 헌법재판소가 권한의 존부 및 범위에 관한 판단을 하면서 피청구인이나 제3자인 국회에 직접 어떠한 작위의무를 부과하는 결정을 할 수는 없으며, 권한의 존부 및 범위에 관한 판단 자체의 효력으로 권한 침해행위에 내재하는 위헌·위법상태를 적극적으로 제거할 의무가 발생한다고 보기도 어렵다.

🔎 **판례에 의할 때 기속력에 의한 재처분의무**

| 권한침해결정 | 헌법재판소가 재처분의무를 부과하는 결정을 할 수 없다. |
| --- | --- |
| 부작위 인용결정 | 피청구인에게 결정의 취지에 따른 재처분의무가 있다. (헌법재판소법 제66조 제2항 후문) |
| 권한침해 + 취소결정 | 판례에 의하면 원상회복의무가 있다. |
| 권한침해 + 무효결정 | |

❹ 지방자치단체가 사회보장기본법상의 협의·조정을 거치지 아니하거나 그 결과를 따르지 아니하고 사회보장제도를 신설 또는 변경하여 경비를 지출한 경우 행정안전부장관이 교부세를 감액하거나 반환을 명할 수 있도록 지방교부세법 시행령을 개정한 피청구인의 행위는 청구인의 자치권한을 침해하였거나 침해할 현저한 위험이 인정되지 않으므로 부적법하다. (헌재 2019.4.11. 2016헌라3 【각하】)

'권한의 침해'란 피청구인의 처분 또는 부작위로 인한 청구인의 권한침해가 과거에 발생하였거나 현재까지 지속되는 경우를 의미하고, '권한을 침해할 현저한 위험'이란 아직 침해라고는 할 수 없으나 조만간 권한침해에 이르게 될 개연성이 상당히 높은 상황, 즉 현재와 같은 상황의 발전이 중단되지 않는다면 조만간에 권한침해가 발생할 것이 거의 확실하게 예상되며, 이미 구체적인 법적 분쟁의 존재를 인정할 수 있을 정도로 권한침해가 그 내용에 있어서나 시간적으로 충분히 구체화된 경우를 말한다.

## 110　회독 □□□　16 국가7급

A와 B는 공유수면인 C해역에 인접해 있는 지방자치단체이다. A지방자치단체장은 국토지리정보원이 발간한 국가기본도상의 해상경계선을 기준으로 하여 공유수면 중 일부 해역에 대하여 D조합에 어업면허처분을 하였다. B는 A지방자치단체장의 어업면허처분이 자신의 자치권한을 침해한다는 이유로 헌법재판소에 권한쟁의심판을 청구하였다. 이 사례에서 헌법재판소 결정으로 옳은 것은?

① 어업면허사무가 자치사무일 경우 B지방자치단체장에게는 권한쟁의심판의 당사자적격이 인정된다.
② 국가기본도상의 해상경계선을 공유수면에 대한 불문법상 해상구역의 경계로 보는 것이 헌법재판소의 일관된 판례이다.
③ 권한쟁의심판의 당사자는 A와 B가 된다.
④ 지방자치단체의 자치권은 공유수면에 미치지 않으므로 B의 권한쟁의심판청구는 부적법하다는 것이 판례의 태도이다.

**해설**

① (×) ③ (○)

> 지방자치단체 간의 권한쟁의는 지방자치단체의 장이 아니라 지방자치단체 자체가 당사자가 된다. 권한쟁의심판청구는 헌법과 법률에 의하여 권한을 부여받은 자가 그 권한의 침해를 다투는 헌법소송으로서 이러한 권한쟁의심판을 청구할 수 있는 자에 대하여는 헌법 제111조 제1항 제4호와 헌법재판소법 제62조 제1항 제3호가 정하고 있는바, 이에 의하면 지방자치단체의 장은 원칙적으로 권한쟁의심판청구의 당사자가 될 수 없다. 다만, 지방자치단체의 장이 국가위임사무에 대해 국가기관의 지위에서 처분을 행한 경우에는 권한쟁의심판청구의 당사자가 될 수 있다. (헌재 2006.8.31. 2003헌라1)

② (×)

> 국가기본도상의 해상경계선은 국토지리정보원이 국가기본도상 도서 등의 소속을 명시할 필요가 있는 경우 해당 행정구역과 관련하여 표시한 선으로서, 여러 도서 사이의 적당한 위치에 각 소속이 인지될 수 있도록 실지측량 없이 표시한 것에 불과하므로, 이 해상경계선을 공유수면에 대한 불문법상 행정구역에 경계로 인정해 온 종전의 결정은 이 결정의 견해와 저촉되는 범위 내에서 이를 변경하기로 한다. (헌재 2015.7.30. 2010헌라2)

④ (×)

> 지방자치법 제4조 제1항에 규정된 지방자치단체의 구역은 주민·자치권과 함께 자치단체의 구성요소이고, 자치권이 미치는 관할 구역의 범위에는 육지는 물론 바다도 포함되므로, 공유수면에 대해서도 지방자치단체의 자치권한이 미친다. (헌재 2015.7.30. 2010헌라2)

**정답** ③

---

**기출지문 OX**

❶ 甲군(郡)과 乙군(郡) 사이에 있는 공유수면인 A만(灣)의 일부 해역을 대상으로 甲군의 군수가 어업면허처분을 하였고, 乙군은 "위 어업면허처분의 대상해역이 乙군의 관할 구역에 속한다."라고 주장하면서 甲군과 甲군의 군수를 상대로 권한쟁의심판을 청구하였다.
　(1) 「행정소송법」 제45조는 법률이 정한 경우에 법률에 정한 자가 기관소송을 제기할 수 있도록 규정하고 있는바, 만약 乙군의 권한쟁의심판청구가 기관소송을 거치지 않고 제기되었다면 권한쟁의심판의 보충성에 위배되어 부적법하다.

( O / × )

　　**해설** 기관소송은 지방자치단체의 장과 의회 간의 문제를 다투는 소송이다. 지방자치단체 간의 다툼은 권한쟁의심판의 대상이다.

**정답** ×

(2) 헌법재판소는 위 어업면허처분의 대상해역에 대한 관할권한이 乙군에게 속함을 확인하는 결정을 할 수 있지만, 위 어업면허처분의 무효확인은 법원의 관할이므로 헌법재판소가 할 수 없다. 16 변호사 ( O / X )

> **해설**
>
> **홍성군과 태안군 등 간의 권한쟁의** (헌재 2015.7.30. 2010헌라2)
> [1] 청구인이 자신의 관할 구역이라고 주장하는 천수만 내 해역에 대하여 행한 태안군수의 어업면허처분은 청구인의 자치권한을 침해할 가능성이 있다.
> 　어업면허사무는 지방자치단체의 사무에 해당하고, 만약 이 사건 쟁송해역에 대한 헌법 및 법률상의 자치권한이 청구인에게 있음이 인정된다면 태안군수의 어업면허처분은 청구인의 자치권한을 침해하게 될 가능성이 있다.
> [2] 공유수면에 대한 지방자치단체의 관할 구역과 자치권한은 인정된다.
> 　지방자치법 제4조 제1항에 규정된 지방자치단체의 구역은 주민·자치권과 함께 자치단체의 구성요소이고, 자치권이 미치는 관할 구역의 범위에는 육지는 물론 바다도 포함되므로, 공유수면에 대해서도 지방자치단체의 자치권한이 미친다.
> [3] 공유수면에 대한 지방자치단체의 관할 구역 경계 및 그 기준
> 　지방자치법 제4조 제1항은 지방자치단체의 관할 구역 경계를 결정함에 있어서 '종전'에 의하도록 하고 있고, 지방자치법의 개정연혁에 비추어 보면 위 '종전'이라는 기준은 최초로 제정된 법률조항까지 순차 거슬러 올라가게 되므로 1948.8.15. 당시 존재하던 관할 구역의 경계가 원천적인 기준이 된다. 그런데 지금까지 우리 법체계에서는 공유수면의 행정구역 경계에 관한 명시적인 법령상의 규정이 존재한 바 없으므로, 공유수면에 대한 행정구역 경계가 불문법상으로 존재한다면 그에 따라야 한다. 그리고 만약 해상경계에 관한 불문법도 존재하지 않으면, 주민, 구역과 자치권을 구성요소로 하는 지방자치단체의 본질에 비추어 지방자치단체의 관할 구역에 경계가 없는 부분이 있다는 것을 상정할 수 없으므로, 헌법재판소가 지리상의 자연적 조건, 관련 법령의 현황, 연혁적인 상황, 행정권한 행사 내용, 사무처리의 실상, 주민의 사회·경제적 편익 등을 종합하여 형평의 원칙에 따라 합리적이고 공평하게 해상경계선을 획정할 수밖에 없다.
> [4] 국가기본도상의 해상경계선을 공유수면에 대한 불문법상 해상경계선으로 보아온 선례를 변경한 사례
> 　국가기본도상의 해상경계선은 국토지리정보원이 국가기본도상 도서 등의 소속을 명시할 필요가 있는 경우 해당 행정구역과 관련하여 표시한 선으로서, 여러 도서 사이의 적당한 위치에 각 소속이 인지될 수 있도록 실지측량 없이 표시한 것에 불과하므로, 이 해상경계선을 공유수면에 대한 불문법상 행정구역에 경계로 인정해 온 종전의 결정은 이 결정의 견해와 저촉되는 범위 내에서 이를 변경하기로 한다.
> [5] 청구인의 관할권한을 확정하면서 이를 침해한 태안군수의 어업면허처분이 무효임을 확인한 사례
> 　태안군수가 행한 태안마을 제136호, 제137호의 어업면허처분 중 청구인의 관할권한에 속하는 구역에 대해서 이루어진 부분은 청구인의 지방자치권을 침해하여 권한이 없는 자에 의하여 이루어진 것이므로 그 효력이 없다.

정답 X

❷ 헌법재판소는 권한침해의 원인이 된 피청구인의 처분에 대해 그 무효를 확인할 수는 있지만, 취소하지는 못한다. 10 법무사 ( O / X )

> **해설**
>
> **헌법재판소법 제66조(결정의 내용)**
> ① 헌법재판소는 심판의 대상이 된 국가기관 또는 지방자치단체의 권한의 유무 또는 범위에 관하여 판단한다.
> ② 제1항의 경우에 헌법재판소는 권한침해의 원인이 된 피청구인의 처분을 취소하거나 그 무효를 확인할 수 있고, 헌법재판소가 부작위에 대한 심판청구를 인용하는 결정을 한 때에는 피청구인은 결정 취지에 따른 처분을 하여야 한다.

정답 X

## 111 

**권한쟁의심판에 대한 설명으로 옳은 것만을 모두 고르면? (다툼이 있는 경우 판례에 의함)**

ㄱ. 지방자치단체가 이미 이루어진 자율형 사립고등학교 지정·고시처분을 취소하고, 이에 대하여 국가기관이 재량권의 일탈·남용을 이유로 시정명령을 하는 경우에 발생하는 권한분쟁은 일반적으로 반복될 수 있는 사안으로서 헌법적 해명이 필요한 경우이다.

ㄴ. 종래 기초자치단체에게 귀속되던 조세를 기초자치단체와 광역자치단체에게 공동으로 귀속시키도록 변경하는 법률규정은 그로 인하여 기초자치단체의 자치재정권이 유명무실하게 될 정도가 아닐지라도 기초자치단체의 지방자치권의 본질적 내용을 침해한 것이다.

ㄷ. 사립대학의 신설이나 학생정원 증원은 국가사무이므로, 교육과학기술부장관(현 교육부장관)의 '수도권 사립대학 정원규제'는 경기도의 권한을 침해하거나 침해할 현저한 위험이 없다. 따라서 교육과학기술부장관을 상대로 제기한 경기도의 권한쟁의심판청구는 부적법하다.

ㄹ. 고등학교의 설치, 운영 및 지도에 관한 사무는 자치사무로 보아야 할 것이고, 대학의 설립 및 대학생 정원 증원 등 운영에 관한 사무는 국가적 이익에 관한 것으로서 국가사무로 보아야 할 것이다.

① ㄱ, ㄴ
② ㄱ, ㄹ
③ ㄴ, ㄷ
④ ㄷ, ㄹ

### 해설

ㄱ. (✗) [13 국가7급]

> 지방자치단체가 자율형 사립고등학교 지정·고시처분을 취소하고 이에 대하여 국가기관이 재량권의 일탈·남용을 이유로 시정명령을 하는 경우가 반복될 것이라고 보기는 어려울 뿐 아니라, 그런 경우가 다시 발생하더라도 구체적인 사안마다 국가기관과 지방자치단체 간 권한침해의 사실관계, 즉 각 자율형 사립고등학교 지정·고시처분 및 그 취소처분의 경위와 사유 등이 모두 다를 것이어서 재량권의 일탈·남용 여부에 대한 판단 역시 동일하게 이루어질 수 없으므로, 청구인에게뿐만 아니라 일반적으로도 다시 반복될 수 있는 사안으로서 헌법적 해명의 필요성이 있는 경우라고 볼 수 없다. (헌재 2011.8.30. 2010헌라4)

ㄴ. (✗) [13 국가7급]

> 특별시의 관할 구역 안에 있는 구의 재산세를 특별시 및 구세로 하여 특별시와 자치구가 100분의 50씩 공동과세하도록 하는 지방세법 제6조의2와 특별시분 재산세 전액을 관할 구역 안의 자치구에 교부하도록 하는 지방세법 제6조의3을 국회가 제정한 행위는 헌법상 보장된 기초자치단체의 지방자치권을 침해하지 않는다. (헌재 2010.10.28. 2007헌라4)

ㄷ. (○) 헌재 2012.7.26. 2010헌라3 [13 국가7급]

ㄹ. (○) [15 국가7급]

> 고등교육법 및 같은 법 시행령, 사립학교법, 지방자치법의 관련 규정을 종합하면, 청구인의 학교 설치, 운영 및 지도에 관한 사무는 지역적 특성에 따라 달리 다루어야 할 필요성이 있는 사무로서 유아원부터 고등학교 및 이에 준하는 학교에 관한 사무에 한하여 이를 자치사무로 보아야 할 것이고, 대학의 설립 및 대학생 정원 증원 등 운영에 관한 사무는 국가적 이익에 관한 것으로서 전국적인 통일을 기할 필요성이 있는 국가사무로 보아야 할 것이다. 따라서 국가사무인 사립대학의 신설이나 학생정원 증원에 관한 이 사건 수도권 사립대학 정원규제는 청구인의 권한을 침해하거나 침해할 현저한 위험이 있다고 할 수 없으므로, 이 사건 심판청구는 부적법하다. (헌재 2012.7.26. 2010헌라3)

**정답** ④

# MEMO

# 부록

| 01 | 2024 국가직 7급 헌법 기출문제 및 해설 |
| 02 | 2024 서울·지방직 7급 헌법 기출문제 및 해설 |

2025 윤우혁 헌법 기출문제집

# 01 2024 국가직 7급 헌법 기출문제

> 지문의 내용에 대해 학설의 대립 등 다툼이 있는 경우 판례에 의함

**01** 재외국민을 보호할 국가의 의무에 대한 설명으로 옳지 않은 것은?

① '2021학년도 대학입학전형기본사항' 중 재외국민 특별전형 지원자격 가운데 학생의 부모의 해외체류 요건 부분으로 인해 지원예정자의 학부모인 청구인은 직접적인 법률상의 불이익을 입게 되므로 기본권침해의 자기관련성이 인정된다.
② 재외국민을 보호할 국가의 의무에 의하여 재외국민이 거류국에 있는 동안 받는 보호는 조약 기타 일반적으로 승인된 국제법규와 당해 거류국의 법령에 의하여 누릴 수 있는 모든 분야에서의 정당한 대우를 받도록 거류국과의 관계에서 국가가 하는 외교적 보호와 국외거주 국민에 대하여 정치적인 고려에서 특별히 법률로써 정하여 베푸는 법률·문화·교육 기타 제반영역에서의 지원을 뜻하는 것이다.
③ 1993년 12월 31일 이전에 출생한 사람들에 대한 예외를 두지 않고 재외국민 2세의 지위를 상실할 수 있도록 규정한 「병역법 시행령」 조항은, 출생년도를 기준으로 한 특례가 앞으로도 지속될 것이라는 신뢰에 대하여 보호가치가 인정된다고 볼 수 없고 병역의무의 평등한 이행을 확보하기 위하여 출생년도와 상관없이 모든 재외국민 2세를 동일하게 취급하는 것은 합리적인 이유가 있으므로, 청구인들의 평등권을 침해하지 아니한다.
④ 주민등록이 되어 있지 않고 국내거소신고도 하지 않은 재외국민이라도 추상적 위험이나 선거기술상 이유로 국민투표권을 박탈할 수 없다.

**02** 국제법존중주의에 대한 설명으로 옳은 것은?

① 국제법존중주의는 국제법과 국내법의 동등한 효력을 인정한다는 취지인바, '유엔 시민적·정치적 권리규약 위원회'가 「국가보안법」의 폐지나 개정을 권고하였으므로 「국가보안법」 제7조 제1항 중 '찬양·고무·선전 또는 이에 동조한 자'에 관한 부분은 국제법존중주의에 위배된다.
② 국제노동기구협약 제135호 「기업의 근로자 대표에게 제공되는 보호 및 편의에 관한 협약」 제2조 제1항은 근로자대표가 직무를 신속·능률적으로 수행할 수 있도록 기업으로부터 적절한 편의가 제공되어야 한다고 규정하고 있는바, 노조전임자 급여 금지, '근로시간 면제제도' 및 노동조합이 이를 위반하여 급여 지급을 요구하고 이를 관철할 목적의 쟁의행위를 하는 것을 금지하는 「노동조합 및 노동관계조정법」 해당 조항들은 위 협약에 배치되므로 국제법존중주의 원칙에 위배된다.
③ 우리 헌법에서 명시적으로 입법위임을 하고 있거나 우리 헌법의 해석상 입법의무가 발생하는 경우가 아니더라도, 국제인권규범이 명시적으로 입법을 요구하고 있거나 국제인권규범의 해석상 국가의 기본권 보장의무가 인정되는 경우에는 곧바로 국가의 입법의무가 도출된다.
④ 국제법존중주의는 우리나라가 가입한 조약과 일반적으로 승인된 국제법규가 국내법과 같은 효력을 가진다는 것으로서 조약이나 국제법규가 국내법에 우선한다는 것은 아니다.

## 03 재판청구권에 대한 설명으로 옳지 않은 것은?

① 대법원이 법관에 대한 징계처분 취소청구소송을 단심으로 재판하는 경우에는 사실확정도 대법원의 권한에 속하여 법관에 의한 사실확정의 기회가 박탈되었다고 볼 수 없다.
② 헌법과 법률이 정한 법관에 의한 재판을 받을 권리는 직업법관에 의한 재판을 주된 내용으로 하므로, '국민참여재판을 받을 권리'는 헌법 제27조 제1항에서 규정한 재판을 받을 권리의 보호범위에 속하지 않는다.
③ 사법보좌관에 의한 소송비용액 확정결정절차를 규정한 「법원조직법」 조항 중 '「민사소송법」(동법이 준용되는 경우를 포함한다)상의 소송비용액 확정결정절차에서의 법원의 사무' 부분은 법관에 의한 사실확정과 법률해석의 기회를 보장하고 있으므로 헌법 제27조 제1항에 위반된다고 할 수 없다.
④ 수형자와 소송대리인인 변호사의 접견을 일반접견에 포함시켜 시간은 30분 이내로, 횟수는 월 4회로 제한한 구 「형의 집행 및 수용자의 처우에 관한 법률 시행령」 해당 조항들은 입법목적 달성에 필요한 범위를 넘어 수형자와 변호사 사이의 접견권을 지나치게 제한한다고 볼 수 없으므로 청구인의 재판청구권을 침해하지 않는다.

## 04 개인정보자기결정권에 대한 설명으로 옳은 것은?

① 법무부장관은 변호사시험 합격자가 결정되면 즉시 명단을 공고하여야 한다고 규정한 「변호사시험법」 제11조 중 '명단공고' 부분은 합격자 공고 후에 누구나 언제든지 이를 검색, 확인할 수 있고, 합격자 명단이 언론 기사나 인터넷 게시물 등에 인용되어 널리 전파될 수도 있어서 이러한 사익침해 상황은 시간이 흘러도 해소되지 않으므로 과잉금지 원칙에 위배되어 청구인들의 개인정보자기결정권을 침해한다.
② 감염병 전파 차단을 위한 개인정보 수집의 수권조항인 구 「감염병의 예방 및 관리에 관한 법률」 해당 조항은 정보수집의 목적 및 대상이 제한되어 있으나, 관련 규정에서 절차적 통제장치를 마련하지 못하여 정보의 남용가능성이 있어 정보주체의 개인정보자기결정권을 침해한다.
③ 무효인 혼인의 기록사항 전체에 하나의 선을 긋고, 말소 내용과 사유를 각 해당 사항란에 기재하는 방식의 정정 표시는 청구인의 인격주체성을 식별할 수 있게 하는 개인정보에 해당하고, 이와 같은 정보를 보존하는 「가족관계등록부의 재작성에 관한 사무처리지침」 조항 중 해당 부분은 청구인의 개인정보자기결정권을 제한한다.
④ 주민등록증에 지문을 수록하도록 한 구 「주민등록법」 제24조 제2항 본문 중 '지문(指紋)'에 관한 부분은, 주민등록증의 수록사항의 하나로 지문을 규정하고 있을 뿐 '오른손 엄지손가락 지문'이라고 특정한 바가 없으므로, 과잉금지원칙을 위반하여 개인정보자기결정권을 침해한다.

**05** 헌법 제21조 제2항의 허가 및 검열에 대한 설명으로 옳은 것은?

① 건강기능식품의 기능성 광고는 인체의 구조 및 기능에 대하여 보건용도에 유용한 효과를 준다는 기능성 등에 관한 정보를 널리 알려 해당 건강기능식품의 소비를 촉진시키기 위한 상업광고에 불과하므로 헌법 제21조 제2항의 사전검열 금지대상이 아니다.
② 의료기기와 관련하여 심의를 받지 아니하거나 심의받은 내용과 다른 내용의 광고를 하는 것을 금지하고, 이를 위반한 경우 행정제재와 형벌을 부과하도록 한 「의료기기법」 조항들의 해당 부분은 헌법 제21조 제2항의 사전검열금지원칙에 위반된다.
③ 국내 주재 외교기관 인근의 옥외집회 또는 시위를 예외적으로 허용하는 구 「집회 및 시위에 관한 법률」 제11조 제4호 중 '국내 주재 외국의 외교기관'에 관한 부분은 행정청이 주체가 되어 집회의 허용 여부를 사전에 결정하는 것이므로 헌법 제21조 제2항의 허가제 금지에 위배된다.
④ 구 「신문 등의 진흥에 관한 법률」 제9조 제1항 중 인터넷신문에 관한 부분이 인터넷신문의 명칭, 발행인과 편집인의 인적 사항, 발행소 소재지, 발행목적과 발행 내용, 발행 구분(무가 또는 유가) 등 인터넷신문의 외형적이고 객관적 사항을 제한적으로 등록하도록 하는 것은 인터넷신문의 내용을 심사·선별하여 사전에 통제하기 위한 규정이 명백하므로 헌법 제21조 제2항에 위배된다.

**06** 혼인과 가족생활의 보호에 대한 설명으로 옳지 않은 것은?

① 1세대 3주택 이상에 해당하는 주택에 대하여 양도소득세 중과세를 규정하고 있는 구 「소득세법」 조항이 혼인이나 가족생활을 근거로 부부 등 가족이 있는 자를 혼인하지 아니한 자 등에 비하여 차별 취급하는 것이라면 비례의 원칙에 의한 심사에 의하여 정당화되지 않는 한 헌법 제36조 제1항에 위반된다.
② 입법자는 계속적·포괄적 생활공동체, 당사자의 의사와 관계없는 친족 등 신분관계의 형성과 확장가능성, 구성원 상호 간의 이타적 유대관계의 성격이나 상호신뢰·협력의 중요성, 시대와 사회의 변화에 따른 공동체의 다양성 증진 및 인식·기능의 변화 등을 두루 고려하여, 사회의 기초단위이자 구성원을 보호하고 부양하는 자율적 공동체로서의 가족의 순기능이 더욱 고양될 수 있도록 혼인과 가정을 보호해야 한다.
③ 혼인한 남성 등록의무자는 본인의 직계존·비속의 재산을 등록하도록 하면서, 개정 전 「공직자윤리법」 조항에 따라 이미 재산등록을 한 혼인한 여성 등록의무자에게만 배우자의 직계존·비속의 재산을 등록하도록 예외를 규정한 「공직자윤리법」 부칙조항은 성별에 의한 차별금지 및 혼인과 가족생활에서의 양성의 평등을 천명하고 있는 헌법에 정면으로 위배되는 것으로 그 목적의 정당성을 발견할 수 없다.
④ 입양신고시 신고사건 본인이 시·읍·면에 출석하지 아니하는 경우에는 신고사건 본인의 신분증명서를 제시하도록 한 「가족관계의 등록 등에 관한 법률」 해당 조항 전문 중 '신고 사건 본인의 주민등록증·운전면허증·여권, 그 밖에 대법원규칙으로 정하는 신분증명서를 제시하거나' 부분은 입양신고서의 기재사항은 일방당사자의 신분증명서를 가지고 있다면 손쉽게 가족관계증명서를 발급받아 알 수 있어 진정한 입양의 합의가 존재한다는 점을 담보할 수 없으므로 입양당사자의 가족생활의 자유를 침해한다.

**07** 거주·이전의 자유에 대한 설명으로 옳은 것은?

① 법인이 과밀억제권역 내에 본점의 사업용 부동산으로 건축물을 신축하여 이를 취득하는 경우 취득세를 중과세하는 구 「지방세법」해당 조항 본문 중 '본점의 사업용 부동산을 취득하는 경우'에 관한 부분은 인구유입이나 경제력집중 효과에 관한 판단을 전적으로 배제한 것이므로 거주·이전의 자유를 침해한다.
② 법무부령이 정하는 금액 이상의 추징금을 납부하지 아니한 자의 출국을 금지할 수 있도록 한 「출입국관리법」 조항은 거주·이전의 자유 중 출국의 자유를 제한하는 것은 아니다.
③ 지방병무청장으로 하여금 병역준비역에 대하여 27세를 초과하지 않는 범위에서 단기 국외여행을 허가하도록 한 구 「병역의무자 국외여행 업무처리 규정」 해당 조항 중 '병역준비역의 단기 국외여행 허가기간을 27세까지로 정한 부분'은 27세가 넘은 병역준비역인 청구인의 거주·이전의 자유를 침해한다.
④ 구 「도시 및 주거환경정비법」 제40조 제1항 본문이 수용개시일까지 토지 등의 인도의무를 정하는 「공익사업을 위한 토지 등의 취득 및 보상에 관한 법률」 제43조를 주거용 건축물소유자에 준용하는 부분은 청구인들의 거주·이전의 자유를 침해한다고 볼 수 없다.

**08** 감사원에 대한 설명으로 옳지 않은 것은?

① 감사원은 「국가공무원법」과 그 밖의 법령에 규정된 징계 사유에 해당하거나 정당한 사유 없이 「감사원법」에 따른 감사를 거부하거나 자료의 제출을 게을리한 공무원에 대하여 그 소속 장관 또는 임용권자에게 징계를 요구할 수 있다.
② 감사원의 감찰사항 중에는 「정부조직법」 및 그 밖의 법률에 따라 설치된 행정기관의 사무와 그에 소속한 공무원의 직무가 포함되며, 여기서 말하는 공무원에는 국회·법원 및 헌법재판소에 소속한 공무원은 제외된다.
③ 헌법에 의하면 감사원은 법률에 저촉되지 아니하는 범위 안에서 회계검사·직무감찰에 관한 규칙을 제정할 수 있으며, 법령의 범위 안에서 감사에 관한 절차, 감사원의 내부규율과 사무처리에 관한 규칙을 제정할 수 있다.
④ 감사원은 필요하다고 인정하거나 국무총리의 요구가 있는 경우에는 「민법」 또는 「상법」 외의 다른 법률에 따라 설립되고 그 임원의 전부 또는 일부나 대표자가 국가 또는 지방자치단체에 의하여 임명되거나 임명 승인되는 단체 등의 회계를 검사할 수 있다.

**09** 「국회법」상 국회의원 및 국회의 운영에 대한 설명으로 옳지 않은 것은?

① 국회의원은 그 직무 외에 영리를 목적으로 하는 업무에 종사할 수 없지만, 국회의원 본인 소유의 토지·건물 등의 재산을 활용한 임대업 등 영리업무를 하는 경우로서 국회의원 직무수행에 지장이 없는 경우에는 그러하지 아니하다.
② 보임되거나 개선된 상임위원의 임기는 전임자 임기의 남은 기간으로 한다.
③ 위원회에서의 질의는 일문일답의 방식으로 하지만, 위원장의 허가가 있는 경우 일괄질의의 방식으로 한다.
④ 본회의는 공개하지만, 국회의장의 제의 또는 국회의원 10명 이상의 연서에 의한 동의로 본회의 의결이 있거나 국회의장이 각 교섭단체 대표의원과 협의하여 국가의 안전보장을 위하여 필요하다고 인정할 때에는 공개하지 아니할 수 있다.

**10** 대통령의 국가긴급권에 대한 설명으로 옳지 않은 것은?

① 대통령은 국가의 안위에 관계되는 중대한 교전상태에 있어서 국가를 보위하기 위하여 긴급한 조치가 필요하고 국회의 집회가 불가능한 때에 한하여 법률의 효력을 가지는 명령을 발할 수 있다.
② 대통령은 전시·사변 또는 이에 준하는 국가비상사태에 있어서 병력으로써 군사상의 필요에 응하거나 공공의 안녕질서를 유지할 필요가 있을 때에는 법률이 정하는 바에 의하여 계엄을 선포할 수 있다.
③ 「계엄법」상 대통령은 전시·사변 또는 이에 준하는 국가비상사태 시 사회질서가 교란되어 일반행정기관만으로는 치안을 확보할 수 없는 경우에 공공의 안녕질서를 유지하기 위하여 비상계엄을 선포한다.
④ 대통령은 내우·외환·천재·지변 또는 중대한 재정·경제상의 위기에 있어서 국가의 안전보장 또는 공공의 안녕질서를 유지하기 위하여 긴급한 조치가 필요하고 국회의 집회를 기다릴 여유가 없을 때에 한하여 최소한으로 필요한 재정·경제상의 처분을 하거나 이에 관하여 법률의 효력을 가지는 명령을 발할 수 있다.

**11** 부담금에 대한 설명으로 옳은 것은?

① 텔레비전방송수신료는 공영방송사업이라는 특정한 공익사업의 경비조달에 충당하기 위하여 수상기를 소지한 특정 집단에 대하여 부과되는 특별부담금에 해당하여 조세나 수익자부담금과는 구분된다.
② 「한강수계 상수원수질개선 및 주민지원 등에 관한 법률」이 규정한 '물사용량에 비례한 부담금'은 수도요금과 구별되는 별개의 금전으로서 한강수계로부터 취수된 원수를 정수하여 직접 공급받는 최종수요자라는 특정 부류의 집단에만 강제적·일률적으로 부과되는 것으로서 사용료에 해당한다.
③ 「개발이익환수에 관한 법률」상 개발부담금은 '부담금'으로서 「국세기본법」이나 「지방세기본법」에서 나열하는 국세나 지방세의 목록에 빠져 있으며, 실질적으로 투기방지와 토지의 효율적인 이용 및 개발이익에 관한 사회적 갈등을 조정하기 위해 정책적 측면에서 도입된 유도적·조정적 성격을 가지는 특별부담금이다.
④ 영화관 관람객이 입장권 가액의 100분의 3을 부담하도록 하고 영화관 경영자는 이를 징수하여 영화진흥위원회에 납부하도록 강제하는 내용의 영화상영관 입장권 부과금 제도는, 영화예술의 질적 향상과 한국영화 및 영화·비디오물산업의 진흥·발전의 토대를 구축하도록 유도하는 유도적 부담금이다.

**12** 처분(적) 법률 및 개별사건법률에 대한 설명으로 옳지 않은 것은?

① 개별사건법률금지의 원칙은 '법률은 일반적으로 적용되어야지 어떤 개별사건에만 적용되어서는 아니 된다'는 법원칙으로서 헌법상의 평등원칙에 근거하고 있는 것으로 풀이된다.
② 폐지대상인 「세무대학설치법」 자체가 이미 처분법률에 해당하는 것이라고 하더라도, 이를 폐지하는 법률도 당연히 그에 상응하여 처분법률의 형식을 띨 수밖에 없는 것은 아니다.
③ 주식회사 연합뉴스를 국가기간뉴스통신사로 지정하고 이에 대한 재정지원 등을 규정한 「뉴스통신진흥에 관한 법률」 제10조 등은 연합뉴스사를 바로 법률로써 국가기간뉴스통신사로 지정하는 처분적 법률에 해당한다.
④ 개별사건법률의 위헌 여부는, 그 형식만으로 가려지는 것이 아니라, 나아가 평등의 원칙이 추구하는 실질적 내용이 정당한지 아닌지를 따져야 비로소 가려진다.

**13** 국회에 대한 설명으로 옳지 않은 것은?

① 의안에 대한 수정동의를 규정하고 있는 「국회법」 제95조 제5항 본문의 문언, 입법취지, 입법경과를 종합적으로 고려하면, 위원회의 심사를 거쳐 본회의에 부의된 법률안의 취지 및 내용과 직접 관련이 있는지 여부는 '원안에서 개정하고자 하는 조문에 관한 추가, 삭제 또는 변경으로서, 원안에 대한 위원회의 심사절차에서 수정안의 내용까지 심사할 수 있었는지 여부'를 기준으로 판단하는 것이 타당하다.

② '회기결정의 건'에 대하여 무제한토론이 실시되면, 무제한토론이 '회기결정의 건'의 처리 자체를 봉쇄하는 결과가 초래되며, 이는 당초 특정 안건에 대한 처리 자체를 불가능하게 하는 것이 아니라 처리를 지연시키는 수단으로 도입된 무제한토론의 취지에 반할 뿐만 아니라, 「국회법」 제7조에도 정면으로 위반된다.

③ 위원회 위원의 의사에 반하는 개선을 허용한다면, 직접 국회의원이 자유위임원칙에 따라 정당이나 교섭단체의 의사와 달리 표결하거나 독자적으로 의안을 발의하거나 발언하는 것을 금지하게 된다.

④ 국회의장이 국회의 의사를 원활히 운영하기 위하여 상임위원회의 구성원인 위원의 선임 및 개선에 있어 교섭단체대표의원과 협의하고 그의 '요청'에 응하는 것은 국회운영에 있어 본질적인 요소라고 아니할 수 없다.

**14** 신뢰보호원칙과 소급입법금지원칙에 대한 설명으로 옳지 않은 것은?

① 법률의 제정이나 개정시 구법질서에 대한 당사자의 신뢰가 합리적이고도 정당하며 법률의 제정이나 개정으로 야기되는 당사자의 손해가 극심하여 새로운 입법으로 달성하고자 하는 공익적 목적이 그러한 당사자의 신뢰의 파괴를 정당화할 수 없다면, 그러한 새로운 입법은 신뢰보호원칙상 허용될 수 없다.

② 조세법의 영역에 있어서는 국가가 조세·재정정책을 탄력적·합리적으로 운용할 필요성이 매우 큰 만큼, 조세에 관한 법규·제도는 신축적으로 변할 수밖에 없다는 점에서 납세의무자로서는 구법질서에 의거한 신뢰를 바탕으로 적극적으로 새로운 법률관계를 형성하였다든지 하는 특별한 사정이 없는 한 원칙적으로 현재의 세법이 변함없이 유지되리라고 기대하거나 신뢰할 수는 없다.

③ 신법이 피적용자에게 유리한 경우에는 이른바 시혜적 소급입법이 가능하지만, 그러한 소급입법을 할 것인가의 여부는 그 일차적인 판단이 입법기관에 맡겨져 있다.

④ 부당환급받은 세액을 징수하는 근거규정인 개정조항을 개정된 법 시행 후 최초로 환급세액을 징수하는 분부터 적용하도록 규정한 「법인세법」 부칙 제9조는, 개정 후 「법인세법」의 시행 이전에 결손금 소급공제 대상 중소기업이 아닌 법인이 결손금 소급공제로 법인세를 환급받은 경우에도 개정조항을 적용할 수 있도록 규정하고 있다고 하더라도 이미 종결한 과세요건사실에 소급하여 적용할 수 있도록 하는 것은 아니므로, 진정소급입법에 해당하지 않는다.

**15** 지방자치에 대한 설명으로 옳지 않은 것은?

① 지방자치제도의 보장은 지방자치단체에 의한 자치행정을 일반적으로 보장한다는 것뿐이고, 마치 국가가 영토고권을 가지는 것과 마찬가지로 지방자치단체에게 자신의 관할 구역 내에 속하는 영토·영해·영공을 자유로이 관리하고 관할 구역 내의 사람과 물건을 독점적·배타적으로 지배할 수 있는 권리가 부여되어 있다고 할 수는 없다.

② 개정된 구「지방자치법」의 취지와 공유수면과 매립지의 성질상 차이 등을 종합하여 볼 때, 신생 매립지는 구「지방자치법」제4조 제3항에 따라 같은 조 제1항이 처음부터 배제되어 종전의 관할구역과의 연관성이 단절되고, 행정자치부장관의 결정이 확정됨으로써 비로소 관할 지방자치단체가 정해지며, 그 전까지 해당 매립지는 어느 지방자치단체에도 속하지 않는다.

③ 집회 또는 시위를 하기 위하여 인천애(愛)뜰 중 잔디마당과 그 경계 내 부지에 대한 사용허가 신청을 한 경우 인천광역시장이 이를 허가할 수 없도록 제한하는 「인천애뜰의 사용 및 관리에 관한 조례」는 「지방자치법」에 근거하여 인천광역시가 인천애뜰의 사용 및 관리에 필요한 사항을 규율하기 위하여 제정되었으므로 법률유보원칙에 위배되지 않는다.

④ 조례의 제정권자인 지방의회는 선거를 통해서 그 지역적인 민주적 정당성을 지니고 있는 주민의 대표기관이고, 헌법이 지방자치단체에 대해 포괄적인 자치권을 보장하고 있다고 하더라도, 자치조례에 대한 법률의 위임 역시 법규명령에 대한 법률의 위임과 같이 반드시 구체적으로 범위를 정하여 하여야 하며 포괄적인 위임은 허용되지 아니한다.

**16** 「헌법재판소법」제68조 제1항의 헌법소원심판에 대한 설명으로 옳은 것은?

① 권리보호이익은 소송제도에 필연적으로 내재하는 요청으로 헌법소원제도의 목적상 필수적인 요건이라고 할 것이어서, 헌법소원심판청구의 적법요건 중의 하나로 권리보호이익을 요구하는 것이 청구인의 재판을 받을 권리를 침해한다고 볼 수는 없다.

② 기본권침해의 직접성이란 집행행위에 의하지 아니하고 법률 그 자체에 의하여 자유의 제한, 의무의 부과, 권리 또는 법적 지위의 박탈이 생긴 경우를 말하므로, 법규범이 정하고 있는 법률효과가 구체적으로 발생함에 있어 사인의 행위를 요건으로 하고 있다면 직접성이 인정되지 아니한다.

③ 「헌법재판소법」제68조 제1항의 헌법소원심판은 청구인의 구체적인 기본권 침해와 무관하게 법률 등 공권력이 헌법에 합치하는지 여부를 추상적으로 심판하고 통제하는 절차이다.

④ 피청구인 방송통신심의위원회는 공권력행사의 주체인 국가행정기관이고, 정보통신서비스제공자는 조치결과 통지의무 등을 부담하지만, 시정요구에 따르지 않을 경우 제재수단이 없으므로 피청구인이 2019년 2월 11일 주식회사 ○○ 외 9개 정보통신서비스제공자 등에 대하여 895개 웹사이트에 대한 접속차단의 시정을 요구한 행위는 헌법소원심판의 대상이 되는 공권력 행사에 해당하지 않는다.

**17** 권한쟁의심판에 대한 설명으로 옳지 않은 것은?

① 장래처분에 대한 권한쟁의심판은 원칙적으로 허용되지 아니하나, 그 장래처분이 확실하게 예정되어 있고 그로 인해 청구인의 권한을 사전에 보호해 주어야 할 필요성이 큰 경우에만 예외적으로 허용된다.
② 문화재청 및 문화재청장은 「정부조직법」에 의하여 행정각부 장의 하나인 문화체육관광부장관 소속으로 설치된 기관 및 기관장으로서 권한쟁의심판의 당사자능력이 인정된다.
③ 권한쟁의심판의 당사자능력은 헌법에 의하여 설치된 국가기관에 한정하여 인정하는 것이 타당하므로, 국가경찰위원회에게는 권한쟁의심판의 당사자능력이 인정되지 아니한다.
④ 안건조정위원회 위원장은 「국회법」상 소위원회의 위원장으로서 헌법 제111조 제1항 제4호 및 「헌법재판소법」 제62조 제1항 제1호의 '국가기관'에 해당한다고 볼 수 없으므로 권한쟁의심판의 당사자가 될 수 없다.

**18** 법원에 대한 설명으로 옳은 것은?

① 재판의 심리와 판결은 국가의 안전보장 또는 안녕질서를 방해하거나 선량한 풍속을 해할 염려가 있을 때에는 법원의 결정으로 공개하지 아니할 수 있다.
② 법원이 양형기준을 벗어난 판결을 하는 경우에는 판결서에 양형의 이유를 적어야 하며, 약식절차 또는 즉결심판절차에 따라 심판하는 경우에도 그러하다.
③ 헌법과 법률이 정하는 법관에 의하여 법률에 의한 재판을 받을 권리는 모든 사건에 대하여 대법원을 구성하는 법관에 의한 균등한 재판을 받을 권리 또는 상고심 재판을 받을 권리를 의미하는 것이다.
④ 과거 3년 이내의 당원 경력을 법관임용 결격사유로 정한 「법원조직법」 해당 조항 중 '당원의 신분을 상실한 날부터 3년이 경과되지 아니한 사람'에 관한 부분과 같이 과거 3년 이내의 모든 당원 경력을 법관 임용 결격사유로 정하는 것은 과잉금지원칙에 반하여 공무담임권을 침해한다.

**19** 적법절차원칙에 대한 설명으로 옳지 않은 것은?

① 강제퇴거명령을 받은 사람을 보호할 수 있도록 하면서 보호기간의 상한을 마련하지 아니한 「출입국관리법」 제63조 제1항은 적법절차원칙에 위배된다.
② 토지 등 소유자의 100분의 30 이상이 정비예정구역의 해제를 요청하는 경우 특별시장 등 해제권자로 하여금 지방도시계획위원회의 심의를 거쳐 정비예정구역의 지정을 해제할 수 있도록 한 구 「도시 및 주거환경정비법」 조항 중 '정비예정구역'에 관한 부분은 토지 등 소유자에게는 정비계획의 입안을 제안할 수 있는 방법이 없는 점 등을 종합적으로 고려하면 적법절차원칙에 위반된다.
③ 치료감호 가종료시 3년의 보호관찰이 시작되도록 한 「치료감호 등에 관한 법률」 조항은 3년의 보호관찰기간 종료 전이라도 6개월마다 치료감호의 종료 여부 심사를 치료감호심의위원회에 신청할 수 있고, 그 신청에 관한 치료감호심의위원회의 기각결정에 불복하는 경우 행정소송을 제기하여 법관에 의한 재판을 받을 수 있다는 점 등을 고려하면 적법절차원칙에 반하지 않는다.
④ 수사기관 등이 전기통신사업자에게 이용자의 성명 등 통신자료의 열람이나 제출을 요청할 수 있도록 한 「전기통신사업법」 제83조 제3항 중 '검사 또는 수사관서의 장(군수사기관의 장을 포함한다), 정보수사기관의 장의 수사, 형의 집행 또는 국가안전보장에 대한 위해방지를 위한 정보수집을 위한 통신자료 제공요청'에 관한 부분은 통신자료 취득에 대한 사후통지절차를 두지 않아 적법절차원칙에 위배된다.

**20** 재산권에 대한 설명으로 옳지 않은 것은?

① 「가축전염병 예방법」에 따른 가축의 살처분으로 인한 재산권의 제약은 가축의 소유자가 수인해야 하는 사회적 제약의 범위에 속하나, 권리자에게 수인의 한계를 넘어 가혹한 부담이 발생하는 예외적인 경우에는 이를 완화하는 보상규정을 두어야 하고, 그 방법에 관하여는 입법자에게 광범위한 형성의 자유가 부여된다.
② 광업권자는 도로 등 일정한 장소에서는 관할 관청의 허가나 소유자 또는 이해관계인의 승낙이 없으면 광물을 채굴할 수 없도록 규정한 구「광업법」조항은 이미 형성된 구체적인 재산권을 공익을 위하여 개별적·구체적으로 박탈하거나 제한하는 것으로서 보상을 요하는 헌법 제23조 제3항의 수용·사용 또는 제한을 규정한 것이다.
③ 의료급여기관이 「의료법」 제33조 제2항을 위반하였다는 사실을 수사기관의 수사결과로 확인한 경우 시장·군수·구청장으로 하여금 해당 의료급여기관이 청구한 의료급여비용의 지급을 보류할 수 있도록 규정한 「의료급여법」 조항 중 '의료법 제33조 제2항'에 관한 부분은 과잉금지원칙에 반하여 의료급여기관 개설자의 재산권을 침해한다.
④ 토지구획정리사업에 있어 학교교지를 환지처분의 공고가 있은 다음 날에 국가 등에 귀속되게 하되, 유상으로 귀속되도록 한 구「토지구획정리사업법」제63조 중 '학교교지'에 관한 부분은 과잉금지원칙에 위배되어 사업시행자의 재산권을 침해한다고 할 수 없다.

**21** 대법원에 대한 설명으로 옳지 않은 것은?

① 대법원장과 대법관이 아닌 법관의 임기는 10년으로 하며, 법률이 정하는 바에 의하여 연임할 수 있다.
② 대법관회의는 대법관 전원의 과반수 출석과 출석인원 3분의 2 이상의 찬성으로 의결하며, 의장은 의결에서 표결권을 가지고, 가부동수일 때에는 결정권을 가진다.
③ 대법원장이 궐위되거나 부득이한 사유로 직무를 수행할 수 없을 때에는 선임대법관이 그 권한을 대행한다.
④ 대법원에 대법원장을 포함한 14명의 대법관을 두며, 법률이 정하는 바에 의하여 대법관이 아닌 법관을 둘 수 있다.

**22** 공무담임권에 대한 설명으로 옳지 않은 것은?

① 공무담임권의 보호영역에는 공직취임의 기회의 자의적인 배제뿐 아니라, 공무원 신분의 부당한 박탈까지 포함되는 것이라고 할 것인데, 전자는 후자보다 당해 국민의 법적 지위에 미치는 영향이 더욱 크다.
② 공무담임권의 보호영역에는 일반적으로 공직취임의 기회보장, 신분박탈, 직무의 정지가 포함되는 것일 뿐, 특별한 사정도 없이 여기서 더 나아가 공무원이 특정의 장소에서 근무하는 것 또는 특정의 보직을 받아 근무하는 것을 포함하는 일종의 '공무수행의 자유'까지 그 보호영역에 포함된다고 보기는 어렵다.
③ 판사와 검사의 임용자격을 각각 변호사 자격이 있는 자로 제한하는 「법원조직법」 제42조 제2항과 「검찰청법」 제29조 제2호는 변호사시험과 별도로 판·검사 교육후보자로 선발하는 시험 및 국가가 실시하는 교육과정을 거쳐 판·검사로 임용되는 별개의 제도를 도입하지 않았다 하여 공무담임권을 침해하였다고 볼 수 없다.
④ 공무원이 금고 이상의 형의 집행유예 판결을 받은 경우 당연퇴직하도록 규정한 구「지방공무원법」조항 중 해당 부분은 과잉금지원칙에 위배되어 공무담임권을 침해한다고 볼 수 없다.

**23** 영장주의에 대한 설명으로 옳지 않은 것은?

① 「형의 집행 및 수용자의 처우에 관한 법률」 제41조 제2항 중 '미결수용자의 접견내용의 녹음·녹화'에 관한 부분에 따라 접견내용을 녹음·녹화하는 것은 직접적으로 물리적 강제력을 수반하는 강제처분에 해당되므로 영장주의에 위배된다.
② 긴급체포한 피의자를 구속하고자 할 때에는 48시간 이내에 구속영장을 청구하되, 그렇지 않은 경우 사후 영장청구 없이 피의자를 즉시 석방하도록 한 「형사소송법」 제200조의4 제1항 및 제2항은 헌법상 영장주의에 위반되지 아니한다.
③ 피청구인 김포시장이 2015년 7월 3일 피청구인 김포경찰서장에게 피의자인 청구인들의 이름, 생년월일, 전화번호, 주소를 제공한 행위는 영장주의가 적용되지 않는다.
④ 체포영장을 집행하는 경우 필요한 때에는 타인의 주거 등에서 피의자 수사를 할 수 있도록 한 「형사소송법」 제216조 제1항 제1호 중 제200조의2에 관한 부분은 체포영장이 발부된 피의자가 타인의 주거 등에 소재할 개연성은 소명되나, 수색에 앞서 영장을 발부받기 어려운 긴급한 사정이 인정되지 않는 경우에도 영장 없이 피의자 수색을 할 수 있다는 것이므로 영장주의에 위반된다.

**24** 헌법재판에 대한 설명으로 옳지 않은 것은?

① 헌법재판소는 제정된 법률 또는 법률 조항의 위헌여부만을 결정하지만, 법률 조항의 위헌결정으로 인하여 해당 법률 전부를 시행할 수 없다고 인정될 때에는 그 전부에 대하여 위헌결정을 할 수 있다.
② 위헌으로 결정된 형벌에 관한 법률 또는 법률의 조항은 소급하여 그 효력을 상실하지만, 해당 법률 또는 법률의 조항에 대하여 종전에 합헌으로 결정한 사건이 있는 경우에는 그 결정이 있는 날로 소급하여 효력을 상실한다.
③ 「헌법재판소법」 제68조 제1항에 따른 헌법소원을 인용함에 있어 헌법재판소는 공권력의 행사 또는 불행사가 위헌인 법률 또는 법률의 조항에 기인한 것이라고 인정될 때에는 인용결정에서 해당 법률 또는 법률의 조항이 위헌임을 선고할 수 있다.
④ 헌법재판소의 심판비용은 국가부담으로 한다. 다만, 당사자의 신청에 의한 증거조사의 비용은 헌법재판소규칙으로 정하는 바에 따라 그 신청인에게 부담시킬 수 있다.

**25** 대통령령, 총리령 및 부령에 대한 설명으로 옳은 것은?

① 헌법은 대통령령안과 총리령안은 국무회의 심의사항으로 명시하고 있으나 부령안은 그러하지 아니하다.
② 헌법 제95조는 부령에의 위임근거를 마련하면서 헌법 제75조와 같이 '구체적으로 범위를 정하여'라는 문구를 사용하고 있지 않으므로, 법률의 위임에 의한 대통령령에 가해지는 헌법상의 제한은 법률의 위임에 의한 부령의 경우에는 적용되지 않는다.
③ 「법령 등 공포에 관한 법률」에 따르면 대통령령, 총리령 및 부령은 특별한 규정이 없으면 공포한 날부터 30일이 경과함으로써 효력을 발생한다.
④ 위임입법의 내용에 관한 헌법적 한계는 그 수범자가 누구냐에 따라 입법권자에 대한 한계와 수권법률에 의해 법규명령을 제정하는 수임자에 대한 한계로 구별할 수 있으며, 법률의 우위원칙에 따른 위임입법의 내용적 한계는 후자에 속한다.

# 01 2024 국가직 7급 헌법 해설

| 01 ① | 02 ④ | 03 ④ | 04 ③ | 05 ② | 06 ④ | 07 ④ |
| 08 ③ | 09 ① | 10 ③ | 11 ① | 12 ① | 13 ① | 14 ④ |
| 15 ④ | 16 ① | 17 ② | 18 ④ | 19 ② | 20 ② | 21 ② |
| 22 ① | 23 ① | 24 ② | 25 ④ | | | |

## 01

정답 ①

① (×)

> [1] 이 사건 전형사항으로 인해 재외국민 특별전형 지원을 제한받는 사람은 각 대학의 2021학년도 재외국민 특별전형 지원(예정)자이다. 학부모인 청구인의 부담은 간접적인 사실상의 불이익에 해당하므로, 이 사건 전형사항으로 인한 기본권 침해의 자기관련성이 인정되지 않는다.
> [2] 이 사건 전형사항은 구 고등교육법 제34조의5 제1항에 따라 입학전형에 관한 기본사항으로서 수립·공표된 것이므로 법률유보원칙에 위반하여 학생의 균등하게 교육받을 권리를 침해하지 않는다.(헌재 2020.3.26. 2019헌마212)

② (○) 헌재 2011.8.30. 2006헌마788
③ (○) 헌재 2021.5.27. 2019헌마177
④ (○)

> 대통령 선거나 비례대표국회의원 선거는 국민의 지위만으로 선거가 가능하므로 재외국민에게 선거권을 인정하지 않는 것은 헌법에 합치되지 아니한다. 따라서 국내주민등록과 관계없이 선거가 가능하다. (헌재 2007.6.28. 2004헌마644)

## 02

정답 ④

① (×)

> 헌법 제6조 제1항에서 선언하고 있는 국제법존중주의는 국제법과 국내법의 동등한 효력을 인정한다는 취지일 뿐이므로 유엔자유권위원회가 국가보안법의 폐지나 개정을 권고하였다는 이유만으로 이적행위조항과 이적표현물 소지조항이 국제법존중주의에 위배되는 것은 아니다. (헌재 2024.2.28. 2023헌바381)

② (×)

> [1] 노동조합을 지배·개입하는 행위를 금지하는 '노동조합 및 노동관계조정법' 제81조 제4호 본문 중 '근로자가 노동조합을 조직 또는 운영하는 것을 지배하거나 이에 개입하는 행위' 부분은 죄형법정주의 명확성원칙에 위배되지 않는다.

> [2] 노동조합의 전임자의 급여를 지원하는 행위를 금지하는 '노동조합 및 노동관계조정법' 제81조 제4호 본문 중 '노동조합의 전임자에게 급여를 지원하는 행위' 부분은 과잉금지원칙에 위배되지 않는다. (헌재 2022.5.26. 2019헌바341)

③ (×)

> 양심적 병역거부를 이유로 유죄판결을 받은 청구인들의 개인통보에 대하여 자유권규약위원회(Human Rights Committee)가 채택한 견해(Views)에 따른, 전과기록 말소 및 충분한 보상 등 구제조치를 이행하는 법률을 제정할 입법의무가 피청구인인 대한민국 국회에게 발생하였다고 볼 수 없으므로, 그러한 법률을 제정하지 아니한 입법부작위의 위헌확인을 구하는 헌법소원심판청구는 부적법하다. (헌재 2018.7.26. 2011헌마306 등【각하】)
> 자유권규약의 조약상 기구인 자유권규약위원회의 견해는 규약을 해석함에 있어 중요한 참고기준이 되고, 규약 당사국은 그 견해를 존중하여야 한다. 특히 우리나라는 자유권규약을 비준함과 동시에, 자유권규약위원회의 개인통보 접수·심리 권한을 인정하는 내용의 선택의정서(Optional Protocol to the International Covenant on Civil and Political Rights)에 가입하였으므로, 대한민국 국민이 제기한 개인통보에 대한 자유권규약위원회의 견해(Views)를 존중하고, 그 이행을 위하여 가능한 범위에서 충분한 노력을 기울여야 한다. 다만, 자유권규약위원회의 심리는 서면으로 비공개로 진행되는 점 등을 고려하면, 개인통보에 대한 자유권규약위원회의 견해(Views)에 사법적인 판결이나 결정과 같은 법적 구속력이 인정된다고 단정하기는 어렵다.

④ (○) 조약과 국내법은 어느 것이 우선적용된다고 할 수 없고 사건별로 정해진다.

## 03

정답 ④

① (○) 법관에 대한 징계는 전심절차를 거치지 않고 대법원의 단심으로 재판한다. (헌재 2012.2.23. 2009헌바34)
② (○) 헌재 2009.11.26. 2008헌바12
③ (○)

> 사법보좌관에게 소송비용액 확정결정절차를 처리하도록 한 이 사건 조항이 그 입법재량권을 현저히 불합리하게 또는 자의적으로 행사하였다고 단정할 수 없으므로 헌법 제27조 제1항에 위반된다고 할 수 없다. (헌재 2009.2.26. 2007헌바8 등)

사법보좌관의 처분에 대한 이의신청을 허용함으로써 동일 심급 내에서 법관으로부터 다시 재판받을 수 있는 권리를 보장하고 있는데, 이 사건 조항에 의한 소송비용액 확정결정절차의 경우에도 이러한 이의절차에 의하여 법관에 의한 판단을 거치도록 함으로써 법관에 의한 사실확정과 법률해석의 기회를 보장하고 있다.

④ (X)

수형자(사기미수로 형이 확정된 자)와 그의 민사소송 대리인인 변호사와의 접견을 시간을 일반접견과 동일하게 회당 30분 이내로, 횟수는 다른 일반 접견과 합하여 월 4회로 제한하는 구 '형의 집행 및 수용자의 처우에 관한 법률 시행령' 및 '형의 집행 및 수용자의 처우에 관한 법률 시행령' 각 규정은 청구인의 재판청구권을 침해하므로 헌법에 합치되지 아니한다. (헌재 2015.11.26. 2012헌마858)

## 04    정답 ③

① (X)

법무부장관으로 하여금 변호사시험 합격자의 성명을 공개하도록 하는 변호사시험법 제11조 중 명단 공고는 헌법에 위반되지 않는다. (헌재 2020.3.26. 2018헌마77【기각】) 합격자 명단이 공고되면 누구나, 언제든지 이를 검색할 수 있으므로, 심판대상조항은 공공성을 지닌 전문직인 변호사 자격 소지에 대한 일반 국민의 신뢰를 형성하는 데 기여하며, 변호사에 대한 정보를 얻는 수단이 확보되어 법률서비스 수요자의 편의가 증진된다. 합격자 명단을 공고하는 경우, 시험 관리 당국이 더 엄정한 기준과 절차를 통해 합격자를 선정할 것이 기대되므로 시험 관리 업무의 공정성과 투명성이 강화될 수 있다.

② (X)

'감염병의 예방 및 관리에 관한 법률'(이하 '감염병예방법'이라 한다) 제76조의2 제3항에 의해 정보를 전달받은 자가 감염병예방법의 규정을 위반하여 해당 정보를 처리한 경우, '개인정보 보호법'에 따르는 바, 감염병예방법에서 허용하는 범위를 벗어나 개인정보를 이용하거나 제3자에게 제공하는 등의 경우 형사처벌도 가능하다. 이상의 점을 고려하면, 정보의 남용가능성에 대한 사후적인 통제장치가 있다고 볼 수 있다. … 사건 심판대상조항은 과잉금지원칙을 위반하여 청구인의 개인정보자기결정권을 침해하지 않는다. (헌재 2024.4.25. 2020헌마1028)

③ (O)

무효인 혼인의 기록사항 전체에 하나의 선을 긋고, 말소 내용과 사유를 각 해당 사항란에 기재하는 방식의 정정 표시는 청구인의 인격주체성을 식별할 수 있게 하는 개인정보에 해당하고, 이와 같은 정보를 보존하는 심판대상조항은 청구인의 개인정보자기결정권을 제한한다. … 심판대상조항이 가족관계의 변동에 관한 진실성을 담보하는 공익은 훨씬 중대하므로 심판대상조항은 법익균형성이 인정된다. 심판대상조항은 과잉금지원칙을 위반하여 청구인의 개인정보자기결정권을 침해하지 않는다. (헌재 2024.1.25. 2020헌마65)

④ (X)

지문은 보호대상정보에는 해당하나, 주민등록발급을 위해 수집된 지문을 경찰청장이 보관하여 범죄수사목적에 이용하는 것은 개인정보자기결정권을 제한하지만 침해하는 것이 아니다. (헌재 2005.5.26. 99헌마513)

## 05    정답 ②

① (X) 건강기능식품광고에 대한 사전심의는 검열에 해당한다.

이 사건 건강기능식품 기능성광고사전심의는 그 검열이 행정권에 의하여 행하여진다 볼 수 있고, 헌법이 금지하는 사전검열에 해당하므로 헌법에 위반된다. (헌재 2018.6.28. 2016헌가8)

② (O)

의료기기와 관련하여 심의를 받지 않거나 심의받은 내용과 다른 내용의 광고를 하는 것을 금지하고, 이를 위반한 경우 행정제재와 형벌을 부과하도록 한 의료기기법 조항은 헌법에 위반된다. (헌재 2020.8.28. 2017헌가35 등【위헌】) 이 사건 의료기기 광고 사전심의는 행정권이 주체가 된 사전심사로서 헌법이 금지하는 사전검열에 해당하고, 이러한 사전심의제도를 구성하는 심판대상조항은 헌법 제21조 제2항의 사전검열금지원칙에 위반된다.

③ (X) 법률이 직접 장소를 제한하므로 허가제는 아니지만, 침해의 최소성원칙 위반으로 헌법에 위반된다. (헌재 2003.10.30. 2000헌바67【위헌】))

④ (X) 등록은 내용에 대한 심사가 아니므로 사전통제가 아니다.

## 06    정답 ④

① (O)

남녀가 각 주택을 소유하다가 혼인으로 1가구 3주택이 된 후 주택을 양도할 때 60%의 고율의 양도소득세를 적용하는 것은 헌법에 합치되지 아니한다. (헌재 2011.11.24. 2009헌바146【헌법불합치(잠정적용)】) 이 사건 법률조항이 완화규정을 두지 아니한 채 1세대 3주택 이상에 해당한다는 이유만으로 주택 양도소득세를 중과세하도록 하는 것은 과잉금지원칙에 반하여 헌법 제36조 제1항이 정하고 있는 혼인의 자유를 침해하고, 혼인에 따른 차별금지원칙에 위배된다.

② (O) 가족보호에 대한 입법자의 의무이다.
③ (O)

> 혼인한 등록의무자 모두 배우자가 아닌 본인의 직계존·비속의 재산을 등록하도록 공직자윤리법이 개정되었음에도 불구하고, 개정 전의 공직자윤리법 조항에 따라 이미 배우자의 직계존·비속의 재산을 등록한 혼인한 여성 등록의무자의 경우에만 종전과 동일하게 계속해서 배우자의 직계존·비속의 재산을 등록하도록 규정한 공직자윤리법 부칙 제2조는 평등원칙에 위배되는 것으로 헌법에 위반된다. (헌재 2021.9.30. 2019헌가3 [위헌])
> 제11조 제1항은 성별에 의한 차별을 금지하고 있고, 헌법 제36조 제1항은 혼인과 가족생활에 있어서 특별히 양성의 평등대우를 명하고 있으므로, 이 사건 부칙조항이 평등원칙에 위배되는지 여부를 판단함에 있어서는 엄격한 심사척도를 적용하여 비례성원칙에 따른 심사를 하여야 한다. (목적의 정당성 위반)

④ (X)

> 입양신고시 신고사건 본인이 시·읍·면에 출석하지 아니하는 경우에는 신고사건 본인의 주민등록증·운전면허증·여권, 그 밖에 대법원규칙으로 정하는 신분증명서를 제시하도록 한 '가족관계의 등록 등에 관한 법률' 제23조 제2항은 입양당사자의 가족생활의 자유를 침해한다고 보기 어렵다. (헌재 2022.11.24. 2019헌바108 [합헌])

## 07  정답 ④

① (X) 법인은 거주·이전의 자유 주체이다.

> 지방세법 제138조 제1항 제3호가 법인의 대도시 내의 부동산등기에 대하여 통상세율의 5배를 규정하고 있다 하더라도 그것이 대도시 내에서 업무용 부동산을 취득할 정도의 재정능력을 갖춘 법인의 담세능력을 일반적으로 또는 절대적으로 초과하는 것이어서 그 때문에 법인이 대도시 내에서 향유하여야 할 직업수행의 자유나 거주·이전의 자유가 형해화할 정도에 이르러 그 기본적인 내용이 침해되었다고 볼 수 없다. (헌재 1998.2.27. 97헌바79 [합헌])

② (X) 거주·이전의 자유를 제한하지만, 침해하는 것은 아니다. (헌재 2004.10.28. 2003헌가18)
③ (X)

> 제1국민역의 경우 특별한 사정이 없는 한 27세까지만 단기 국외여행을 허용하는 '병역의무자 국외여행업무처리 규정' 제6조 제1항 [별표 1]은 거주·이전의 자유를 침해하지 않는다. (헌재 2013.6.27. 2011헌마475)

④ (O) 심판대상조항은 거주·이전의 자유 외에도 재산권, 직업의 자유도 침해하지 않는다. (헌재 2020.5.27. 2017헌바464)

## 08  정답 ③

① (O) 감사원은 직접 명령을 하거나 징계할 수는 없고 징계를 요구할 수 있다.
② (O) 감사원법 제24조 제3항
③ (X) 헌법에는 감사원규칙에 관한 근거규정이 없다. 다만, 감사원법에 근거가 있고 행정기본법은 감사원규칙을 법령의 일종으로 규정하고 있다.
④ (O)

> **감사원법 제23조(선택적 검사사항)**
> 감사원은 필요하다고 인정하거나 국무총리의 요구가 있는 경우에는 다음 각 호의 사항을 검사할 수 있다.
> 1. 국가기관 또는 지방자치단체 외의 자가 국가 또는 지방자치단체를 위하여 취급하는 국가 또는 지방자치단체의 현금·물품 또는 유가증권의 출납
> 2. 국가 또는 지방자치단체가 직접 또는 간접으로 보조금·장려금·조성금 및 출연금 등을 교부하거나 대부금 등 재정 원조를 제공한 자의 회계
> 3. 제2호에 규정된 자가 그 보조금·장려금·조성금 및 출연금 등을 다시 교부한 자의 회계
> 4. 국가 또는 지방자치단체가 자본금의 일부를 출자한 자의 회계
> 5. 제4호 또는 제22조 제1항 제3호에 규정된 자가 출자한 자의 회계
> 6. 국가 또는 지방자치단체가 채무를 보증한 자의 회계
> 7. 민법 또는 상법 외의 다른 법률에 따라 설립되고 그 임원의 전부 또는 일부나 대표자가 국가 또는 지방자치단체에 의하여 임명되거나 임명 승인되는 단체 등의 회계
> 8. 국가, 지방자치단체, 제2호부터 제6호까지 또는 제22조 제1항 제3호·제4호에 규정된 자와 계약을 체결한 자의 그 계약에 관련된 사항에 관한 회계
> 9. 국가재정법 제5조의 적용을 받는 기금을 관리하는 자의 회계
> 10. 제9호에 따른 자가 그 기금에서 다시 출연 및 보조한 단체 등의 회계

## 09  정답 ③

① (O) 국회법 제29조의2 제1항
② (O) 대통령 보궐선거는 임기가 새로 시작되지만 그 외의 보궐선거는 잔여 임기를 적용한다.
③ (X)

> **국회법 제60조(위원의 발언)**
> ① 위원은 위원회에서 같은 의제에 대하여 횟수 및 시간 등에 제한 없이 발언할 수 있다. 다만, 위원장은 발언을 원

하는 위원이 2명 이상일 경우에는 간사와 협의하여 15분의 범위에서 각 위원의 첫 번째 발언시간을 균등하게 정하여야 한다.
② 위원회에서의 질의는 일문일답 방식으로 한다. 다만, 위원회의 의결이 있는 경우 일괄질의의 방식으로 할 수 있다.

④ (O) 국회법 제75조 제1항

## 10

정답 ③

① (O) ④ (O) 헌법 제76조
② (O) 헌법 제77조
③ (X)

> **계엄법 제2조(계엄의 종류와 선포 등)**
> ② 비상계엄은 대통령이 전시·사변 또는 이에 준하는 국가비상사태 시 적과 교전(交戰) 상태에 있거나 사회질서가 극도로 교란되어 행정 및 사법(司法) 기능의 수행이 현저히 곤란한 경우에 군사상 필요에 따르거나 공공의 안녕질서를 유지하기 위하여 선포한다.
> ③ 경비계엄은 대통령이 전시·사변 또는 이에 준하는 국가비상사태 시 사회질서가 교란되어 일반 행정기관만으로는 치안을 확보할 수 없는 경우에 공공의 안녕질서를 유지하기 위하여 선포한다.

## 11

정답 ①

① (O) 한국방송공사법에 의해 부과·징수되는 수신료는 조세도 아니고 서비스의 대가로서 지불하는 수수료도 아니다. 텔레비전방송수신료는 재정조달목적 부담금이다. (헌재 1999.5.27. 98헌바70)
② (X)

> 물이용부담금은 상수도의 직접적인 이용 대가로 볼 수 있는 수도요금과 구별되는 별개의 금전이고, 한강수계로부터 취수된 원수를 정수하여 직접 공급받는 최종 수요자 중 하류지역에만 부과되는바, 특정 부류의 집단에만 강제적·일률적으로 부과된다. … 이러한 점을 종합적으로 고려할 때, 물이용부담금은 조세와는 구별되는 것으로 부담금에 해당한다고 볼 수 있다. 물이용부담금은 재정조달목적 부담금에 해당한다. (헌재 2020.8.28. 2018헌바425)

③ (X) 개발부담금은 재정조달목적 부담금이다.
④ (X) 영화상영관 입장권 부과금은 재정조달목적 부담금이다.

## 12

정답 ②

① (O) ④ (O) 개별사건금지원칙의 근거는 평등원칙과 권력분립원리이다.
② (X)

> **세무대학 폐지가 세무대학의 자율성을 침해하는 것은 아니다.** (헌재 2001.2.22. 99헌마613【기각】)
> [1] 세무대학설치법과 폐지법은 처분적 법률이다.
> [2] 세무대학은 기본권 주체이다.
> [3] 대학의 자율성은 그 보호영역이 대학 자체의 계속적 존립에까지 미치는 것은 아니다.

③ (O) 처분적 법률이지만 헌법에 위반되지 않는다.

## 13

정답 ③

① (O) 수정안의 판단 여부를 본회의에서 심사하는 것이 기준이 아니라 위원회에서 심사할 수 있었는지를 기준으로 한다. (헌재 2020.5.27. 2019헌라6)
② (O)

> '회기결정의 건'에 대한 무제한토론을 허용할 경우 국회의 운영에 심각한 장애가 초래될 수 있는 점, 국회법 제106조의2의 규정, 국회 선례 등을 체계적·종합적으로 고려하면, '회기결정의 건'은 그 본질상 국회법 제106조의2에 따른 무제한토론의 대상이 되지 않는다고 보는 것이 타당하다. (헌재 2020.5.27. 2019헌라6)

③ (X)

> 위원의 의사에 반하는 개선을 허용하더라도, 직접 국회의원이 자유위임원칙에 따라 정당이나 교섭단체의 의사와 달리 표결하거나 독자적으로 의안을 발의하거나 발언하는 것까지 금지하게 되는 것은 아니다. (헌재 2020.5.27. 2019헌라1)

④ (O) 헌재 2003.10.30. 2002헌라1

## 14

정답 ④

① (O) 헌재 1995.10.26. 94헌바12
② (O) 헌재 2010.10.28. 2009헌바67
③ (O) 헌재 1998.11.26. 97헌바67
④ (X)

> 부당환급받은 세액을 징수하는 근거규정인 개정조항을 개정된 법 시행 후 최초로 환급세액을 징수하는 분부터 적용하도록 규정한 법인세법 부칙 제9조는 진정소급입법으로서 재산권을 침해한다. (헌재 2014.7.24. 2012헌바105)

## 15
정답 ④

① (O) 지방자치단체는 관할권을 가지지만 영토고권은 국가만 가진다. 따라서 영토·영해·영공을 자유로이 관리하고 관할 구역 내의 사람과 물건을 독점적·배타적으로 지배할 수 있는 권리는 국가만 가진다.

② (O) 헌재 2020.9.24. 2016헌라4

③ (O)

> 집회·시위를 위한 인천애뜰 잔디마당의 사용허가를 예외 없이 제한하는 '인천애(愛)뜰의 사용 및 관리에 관한 조례' 제7조 제1항 제5호 가목은 헌법에 위반된다. (헌재 2023.9.26. 2019헌마1417【위헌】)
> [1] 심판대상조항은 법률의 위임 내지는 이에 근거하여 규정된 것이므로, 법률유보원칙에 위배되는 것으로 볼 수 없다.
> [2] 가. 집회·시위를 위한 잔디마당 사용허가를 전면적·일률적으로 제한하는 것은 이에 적합한 수단이다.
> 나. 심판대상조항은 침해의 최소성요건을 갖추지 못하였다. 그렇다면 심판대상조항은 과잉금지원칙에 위배되어 청구인들의 집회의 자유를 침해한다.

④ (✕) 조례와 정관에 대해서는 포괄위임이 가능하다.

## 16
정답 ①

① (O) 헌법재판소법 제68조 제1항의 헌법소원심판의 요건으로 권리보호이익이 필요하다. 같은 법 제68조 제2항의 헌법소원은 재판의 전제성이 필요하고 권리보호이익은 필요 없다.

② (✕)

> 이 사건 법률조항은 수사기관 등의 전기통신사업자에 대한 통신자료 제공요청이라는 행위를 예정하고 있어, 수사기관 등의 통신자료 제공요청만으로는 이용자에 대한 기본권 제한의 효과가 발생하지 아니하며 공권력주체가 아닌 사인인 전기통신사업자가 수사기관 등의 제공요청에 응하여 수사기관 등에게 이용자의 통신자료를 제공한 시점에 비로소 이용자의 기본권이 제한된다. 또한 청구인들은 수사기관 등이 영장 없이 전기통신사업자에게 통신자료 제공요청을 할 수 있도록 하면서 사후 통지 절차마저 마련하고 있지 아니한 것의 위헌성을 주장하고 있는데, 이 사건 법률조항은 최소한 영장주의 및 적법절차원칙 위반 등과 관련하여서는 법률 그 자체에 의하여 청구인들의 법적 지위에 영향을 미친다고 볼 수 있다. 따라서 이 사건 법률조항은 기본권 침해의 직접성이 인정된다. (헌재 2022.7.21. 2016헌마388)

③ (✕) 헌법재판소법 제68조 제1항의 헌법소원심판은 기본권 침해가 있어야 하고 구체적으로 국민의 기본권을 보장하기 위한 절차이다. 다만, 객관적인 규범통제의 성격도 있지만 추상적인 것은 아니다.

④ (✕)

> 행정기관인 피청구인의 시정요구는 정보통신서비스제공자에게 조치결과 통지의무를 부과하고 있고, 시정요구에 따르지 않는 경우 방송통신위원회에 의하여 해당 정보의 취급거부·정지 또는 제한명령이라는 법적 조치가 내려질 수 있으며, 이를 따르지 않는 경우에는 형사처벌까지 예정하고 있으므로, 이 사건 시정요구는 단순한 행정지도로서의 한계를 넘어 규제적·구속적 성격을 갖는 것으로서 헌법소원심판의 대상이 되는 공권력의 행사라고 봄이 상당하다. (헌재 2023.10.26. 2019헌마158【기각】)

## 17
정답 ②

① (O) 헌재 2011.9.29. 2009헌라4

② (✕)

③ (O) 권한쟁의심판의 당사자능력은 헌법에 의하여 설치된 국가기관에 한정하여 인정된다. 문화재청장, 경찰위원회는 헌법상 기관이 아니므로 권한쟁의심판의 당사자가 아니다.

④ (O) 상임위원장은 권한쟁의심판의 당사자이지만, 소위원회는 헌법기구가 아니므로 소위원회 위원장은 권한쟁의심판의 당사자가 아니다.

## 18
정답 ④

① (✕) 심리는 비공개가 가능하지만, 판결은 반드시 공개해야 한다.

> 헌법 제109조
> 재판의 심리와 판결은 공개한다. 다만, 심리는 국가의 안전보장 또는 안녕질서를 방해하거나 선량한 풍속을 해할 염려가 있을 때에는 법원의 결정으로 공개하지 아니할 수 있다.

② (✕)

> 법원조직법 제81조의7(양형기준의 효력 등)
> ① 법관은 형의 종류를 선택하고 형량을 정할 때 양형기준을 존중하여야 한다. 다만, 양형기준은 법적 구속력을 갖지 아니한다.
> ② 법원이 양형기준을 벗어난 판결을 하는 경우에는 판결서에 양형의 이유를 적어야 한다. 다만, 약식절차 또는 즉결심판절차에 따라 심판하는 경우에는 그러하지 아니하다.

③ (✕) 재판을 받을 권리는 적어도 한 번의 사실심과 법률심을 받을 권리이므로 모든 사건에서 대법원의 재판을 받을 권리가 인정되는 것은 아니다.

④ (○)

과거 3년 이내의 당원 경력을 법관 임용결격사유로 정하고 있는 법원조직법 조항은 청구인의 공무담임권을 침해하여 헌법에 위반된다. (헌재 2024.7.18. 2021헌마460[위헌])
심판대상조항과 같이 과거 3년 이내의 모든 당원 경력을 법관 임용결격사유로 정하는 것은, 입법목적 달성을 위해 합리적인 범위를 넘어 정치적 중립성과 재판 독립에 긴밀한 연관성 없는 경우까지 과도하게 공직취임의 기회를 제한한다. 따라서 심판 대상조항은 과잉금지원칙에 반하여 청구인의 공무담임권을 침해한다.

## 19
정답 ②

① (○)

강제퇴거명령을 받은 사람을 보호할 수 있도록 하면서 보호기간의 상한을 마련하지 아니한 출입국관리법 제63조 제1항은 과잉금지원칙 및 적법절차원칙에 위배되어 피보호자의 신체의 자유를 침해하는 것으로, 헌법에 합치되지 아니한다. (헌재 2023.3.23. 2020헌가1 등[헌법불합치[잠정적용]])
[1] 입법목적의 정당성과 수단의 적합성은 인정된다. 그러나 보호기간의 상한을 두지 아니함으로써 강제퇴거대상자를 무기한 보호하는 것을 가능하게 하는 것은 보호의 일시적·잠정적 강제조치로서의 한계를 벗어나는 것이라는 점, … 등을 고려하면, 심판대상조항은 침해의 최소성과 법익균형성을 충족하지 못한다. 따라서 심판대상조항은 과잉금지원칙을 위반하여 피보호자의 신체의 자유를 침해한다.
[2] 심판대상조항에 따른 보호명령을 발령하기 전에 당사자에게 의견을 제출할 수 있는 절차적 기회가 마련되어 있지 아니하다. 따라서 심판대상조항은 적법절차원칙에 위배되어 피보호자의 신체의 자유를 침해한다.

② (×)

심판대상조항이 정비예정구역 내 토지등소유자의 100분의 30 이상의 해제 요청이라는 비교적 완화된 요건만으로 정비예정구역 해제 절차에 나아갈 수 있도록 하였다고 하여 적법절차원칙에 위반된다고 보기 어렵다. (헌재 2023.6.29. 2020헌바63)

③ (○)

피치료감호자에 대한 치료감호가 가종료되었을 때 필요적으로 3년간의 보호관찰이 시작되도록 규정하고 있는 치료감호법 규정은 거듭처벌금지원칙에 반하지 않는다. (헌재 2012.12.27. 2011헌마285)

④ (○)

국가안전보장에 대한 위해 방지를 위한 정보수집을 위한 통신자료 제공요청'에 관한 부분에 대하여는 사후통지절차를 마련하지 않은 것이 적법절차원칙에 위배된다. (헌재 2022.7.21. 2016헌마388[헌법불합치])
[1] 헌법상 영장주의는 체포·구속·압수·수색 등 기본권을 제한하는 강제처분에 적용되므로, 강제력이 개입되지 않은 임의수사에 해당하는 수사기관 등의 통신자료 취득에는 영장주의가 적용되지 않는다.
[2] '국가안전보장에 대한 위해를 방지하기 위한 정보수집'은 국가의 존립이나 헌법의 기본질서에 대한 위험을 방지하기 위한 목적을 달성함에 있어 요구되는 최소한의 범위 내에서의 정보수집을 의미하는 것으로 해석되므로, 명확성원칙에 위배되지 않는다.
[3] 전기통신사업법은 통신자료 제공요청 방법이나 통신자료 제공현황 보고에 관한 규정 등을 두어 통신자료가 수사 등 정보수집의 목적달성에 필요한 최소한의 범위 내에서 이루어지도록 하고 있다. 따라서 침해의 최소성 및 법익균형성에 위배되지 않는다. 따라서 과잉금지원칙에 위배되지 않는다.
[4] 효율적인 수사와 정보수집의 신속성, 밀행성 등의 필요성을 고려하여 사전에 정보주체인 이용자에게 그 내역을 통지하도록 하는 것이 적절하지 않다면 수사기관 등이 통신자료를 취득한 이후에 수사 등 정보수집의 목적에 방해가 되지 않는 범위 내에서 통신자료의 취득사실을 이용자에게 통지하는 것이 얼마든지 가능하다. 그럼에도 이 사건 법률조항은 통신자료 취득에 대한 사후통지절차를 두지 않아 적법절차원칙에 위배되어 개인정보자기결정권을 침해한다.

## 20
정답 ②

① (○)

살처분된 가축의 소유자가 축산계열화사업자인 경우에는 수급권 보호를 위하여 보상금을 계약사육농가에 지급한다고 규정한 '가축전염병 예방법' 제48조 제1항 제3호 단서는 헌법에 합치되지 아니한다. (헌재 2024.5.30. 2021헌가3[헌법불합치[잠정적용]])
가축의 살처분으로 인한 재산권의 제약은 가축의 소유자가 수인해야 하는 사회적 제약의 범위에 속한다. 그러나 헌법 제23조 제1항 및 제2항에 따라 재산권의 사회적 제약을 구체화하는 법률조항이라 하더라도 권리자에게 수인의 한계를 넘어 가혹한 부담이 발생하는 예외적인 경우에는 이를 완화하는 보상규정을 두어야 한다. 양돈업을 영위하는 축산계열화사업자는 양계업처럼 다수의 계약사육농가와 위탁사육계약을 맺은 대기업이 아닌 영세업체인 경우도 많아, 계약사육농가에 비해 우월한 교섭력을 행사한다고 보기 어려운 경우도 많다. 그뿐만 아니라 경우에 따라서는 당해 사건에서와 같이 살처분된 가축에 대한 사육수수료는 계약사육농가에게 전부 지급되었던 상황임에도 축산계열화사업자는 살처분 보상금을 지급받지 못하는 사례도 있다. 따라서 심판대상조항은 조정적 보상조치에 관하여 인정되는 입법형성의 한계를 벗어나 가축의 소유자인 축산계열화사업자의 재산권을 침해한다.

② (×)

광업권주의를 취하는 법제상의 특성과 채굴작업의 성격상 광업권에 대해서는 공익과의 조화를 위해 그 한계를 정함에 있어 폭넓은 입법재량이 인정되는바, 이 사건 심판대상조항은 도로 등 영조물 주변 50m 범위 내에서는 관할 관청의 허가 또는 소유자 등의 승낙이 없으면 광물을 채굴할 수 없도록 정하면서 보상의무를 따로 규정하지 않고 있는데, 이는 비례의 원칙에 위배하지 않고 광업권자가 수인하여야 하는 사회적 제약의 범주 내에서 광업권을 제한하는 것이므로, 광업권자의 재산권을 침해하지 않는다. (헌재 2014.2.27. 2010헌바483)

③ (○)

요양기관이 의료법 제33조 제2항을 위반하였다는 사실을 수사기관의 수사 결과로 확인한 경우 국민건강보험공단으로 하여금 요양급여비용의 지급을 보류할 수 있도록 규정한 구 국민건강보험법 제47조의2 제1항 중 '의료법 제33조 제2항'에 관한 부분은 헌법에 합치되지 아니하고, 위 법률조항의 적용을 중지하며, 국민건강보험법 제47조의2 제1항 전문 중 '의료법 제33조 제2항'에 관한 부분이 헌법에 합치되지 아니한다. (헌재 2023.3.23. 2018헌바433 [헌법불합치(잠정적용)])
[1] 이 사건 지급보류조항은 무죄추정의 원칙에 위반된다고 볼 수 없다.
[2] 무죄판결이 확정되기 전이라도 하급심 법원에서 무죄판결이 선고되는 경우에는 그때부터 일정 부분에 대하여 요양급여비용을 지급하도록 할 필요가 있다. 나아가, 앞서 본 사정변경사유가 발생할 경우 지급보류처분이 취소될 수 있도록 한다면, 이와 함께 지급보류기간 동안 의료기관의 개설자가 수인해야 했던 재산권 제한상황에 대한 적절하고 상당한 보상으로서의 이자 내지 지연손해금의 비율에 대해서도 규율이 필요하다. 이 사건 지급보류조항은 과잉금지원칙에 반하여 요양기관 개설자의 재산권을 침해한다.

④ (○) 헌재 2021.4.29. 2019헌바444

## 21
정답 ②

① (○) 헌법 제105조 제3항
② (×)

법원조직법 제16조(대법관회의의 구성과 의결방법)
① 대법관회의는 대법관으로 구성되며, 대법원장이 그 의장이 된다.
② 대법관회의는 대법관 전원의 3분의 2 이상의 출석과 출석인원 과반수의 찬성으로 의결한다.
③ 의장은 의결에서 표결권을 가지며, 가부동수일 때에는 결정권을 가진다.

③ (○) 법원조직법 제13조
④ (○) 법원조직법 제4조 제2항, 헌법 제102조 제2항

## 22
정답 ①

① (×) 현직공무원이 선고유예만으로 당연퇴직되는 것은 공무담임권 침해이지만, 공무원이 되기 전에 선고유예기간 동안 공무원임용이 금지되는 것은 합헌이다. 그렇다면 헌법재판소는 공무원의 신분보장이 공직취임권보다 더 중요하다고 본 것이다.
② (○) 공무담임권은 공직취임권, 신분보유권, 승진의 기회균등으로 이루어진다.
③ (○) 헌재 2020.10.29. 2017헌마1128
④ (○) 선고유예만으로 당연퇴직은 공무담임권 침해이지만, 집행유예로 당연퇴직은 합헌이다.

## 23
정답 ①

① (×)

이 사건 녹음조항에 따라 접견내용을 녹음·녹화하는 것은 직접적으로 물리적 강제력을 수반하는 강제처분이 아니므로 영장주의가 적용되지 않아 영장주의에 위배된다고 할 수 없다. 또한 미결수용자와 불구속 피의자·피고인을 본질적으로 동일한 집단이라고 할 수 없고, 불구속 피의자·피고인과는 달리 미결수용자에 대하여 법원의 허가 없이 접견내용을 녹음·녹화하도록 하는 것도 충분히 합리적 이유가 있으므로 이 사건 녹음조항은 평등원칙에 위배되지 않는다. (헌재 2016.11.24. 2014헌바401)

② (○) 헌재 2021.3.25. 2018헌바212
③ (○)

이 사건 사실조회행위는 강제력이 개입되지 아니한 임의수사에 해당하므로, 이에 응하여 이루어진 이 사건 정보제공행위에도 영장주의가 적용되지 않는다. 그러므로 이 사건 정보제공행

위가 영장주의에 위배되어 청구인들의 개인정보자기결정권을 침해한다고 볼 수 없다. (헌재 2018.8.30. 2016헌마483)

④ (○)

> [1] 체포영장을 집행하는 경우 필요한 때에는 타인의 주거 등 내에서 피의자 수색을 할 수 있도록 한 형사소송법 제216조 제1항 제1호 중 제200조의2에 관한 부분은 명확성원칙에 위반되지 않는다.
>
> **[2] 위 심판조항은 헌법 제16조의 영장주의에 위반된다.**
> 심판대상조항은 체포영장을 발부받아 피의자를 체포하는 경우에 '필요한 때'에는 영장 없이 타인의 주거 등내에서 피의자 수색을 할 수 있다고 규정함으로써, 별도로 영장을 발부받기 어려운 긴급한 사정이 있는지 여부를 구별하지 아니하고 피의자가 소재할 개연성이 있으면 영장 없이 타인의 주거 등을 수색할 수 있도록 허용하고 있다. 이는 체포영장이 발부된 피의자가 타인의 주거 등에 소재할 개연성은 인정되나, 수색에 앞서 영장을 발부받기 어려운 긴급한 사정이 인정되지 않는 경우에도 영장 없이 피의자 수색을 할 수 있다는 것이므로, 위에서 본 헌법 제16조의 영장주의 예외 요건을 벗어난다. (헌재 2018.4.26. 2015헌바370 등【헌법불합치】)

## 24 정답 ②

① (○) 헌법재판소법 제45조
② (×)

> **헌법재판소법 제47조(위헌결정의 효력)**
> ② 위헌으로 결정된 법률 또는 법률의 조항은 그 결정이 있는 날부터 효력을 상실한다.
> ③ 제2항에도 불구하고 형벌에 관한 법률 또는 법률의 조항은 소급하여 그 효력을 상실한다. 다만, 해당 법률 또는 법률의 조항에 대하여 종전에 합헌으로 결정한 사건이 있는 경우에는 그 결정이 있는 날의 다음 날로 소급하여 효력을 상실한다.
> ④ 제3항의 경우에 위헌으로 결정된 법률 또는 법률의 조항에 근거한 유죄의 확정판결에 대하여는 재심을 청구할 수 있다.

③ (○) 헌법재판소법 제75조 제3항
④ (○) 헌법재판소법 제37조

## 25 정답 ④

① (×)

> **헌법 제89조**
> 다음 사항은 국무회의의 심의를 거쳐야 한다.
> 1. 국정의 기본계획과 정부의 일반정책
> 2. 선전·강화 기타 중요한 대외정책
> 3. 헌법개정안·국민투표안·조약안·법률안 및 대통령령안
> 4. 예산안·결산·국유재산처분의 기본계획·국가의 부담이 될 계약 기타 재정에 관한 중요사항
> 5. 대통령의 긴급명령·긴급재정경제처분 및 명령 또는 계엄과 그 해제
> 6. 군사에 관한 중요사항
> 7. 국회의 임시회 집회의 요구
> 8. 영전수여
> 9. 사면·감형과 복권
> 10. 행정각부간의 권한의 획정
> 11. 정부 안의 권한의 위임 또는 배정에 관한 기본계획
> 12. 국정처리상황의 평가·분석
> 13. 행정각부의 중요한 정책의 수립과 조정
> 14. 정당해산의 제소
> 15. 정부에 제출 또는 회부된 정부의 정책에 관계되는 청원의 심사
> 16. 검찰총장·합동참모의장·각군참모총장·국립대학교총장·대사 기타 법률이 정한 공무원과 국영기업체관리자의 임명
> 17. 기타 대통령·국무총리 또는 국무위원이 제출한 사항

② (×) 헌법 제95조는 총리령과 부령에의 위임근거를 마련하면서 헌법 제75조와 같이 '구체적으로 범위를 정하여'라는 문구를 사용하고 있지 않지만, 당연히 구체적으로 범위를 정해서 위임해야 한다.

③ (×)

> **법령 등 공포에 관한 법률 제13조(시행일)**
> 대통령령, 총리령 및 부령은 특별한 규정이 없으면 공포한 날부터 20일이 경과함으로써 효력을 발생한다. 제13조의 2(법령의 시행유예기간) 국민의 권리 제한 또는 의무 부과와 직접 관련되는 법률, 대통령령, 총리령 및 부령은 긴급히 시행하여야 할 특별한 사유가 있는 경우를 제외하고는 공포일부터 적어도 30일이 경과한 날부터 시행되도록 하여야 한다.

④ (○) 헌재 2010.4.29. 2007헌마910

# 02 2024 서울·지방직 7급 헌법 기출문제

> 지문의 내용에 대해 학설의 대립 등 다툼이 있는 경우 판례에 의함

**01** 행정각부에 대한 설명으로 옳지 않은 것은?

① 행정각부의 장인 국무위원에 대한 국회의 해임건의는 국회재적의원 3분의 1 이상의 발의에 의하여 국회재적의원 과반수의 찬성이 있어야 한다.
② 행정각부의 장은 소관사무에 관하여 법률의 위임이나 직권으로 부령을 발할 수 있으나, 대통령령의 위임으로는 부령을 발할 수 없다.
③ 「정부조직법」상 국가의 행정사무로서 다른 중앙행정기관의 소관에 속하지 아니하는 사무는 행정안전부장관이 이를 처리한다.
④ 행정각부는 중앙행정기관의 하나이지만, 모든 중앙행정기관이 행정각부에 속하는 것은 아니다.

**02** 대통령에 대한 설명으로 옳지 않은 것은?

① 대통령선거에서 대통령후보자가 1인일 때에는 그 득표수가 선거권자 총수의 3분의 1 이상이 아니면 대통령으로 당선될 수 없다.
② 대통령은 계엄을 선포한 때에는 지체없이 국회에 통고하여야 하며, 국회가 재적의원 과반수의 출석과 출석의원 3분의 2 이상의 찬성으로 계엄의 해제를 요구한 때에는 대통령은 이를 해제하여야 한다.
③ 대통령은 국회의 동의를 얻어 감사원장을 임명하고, 감사원장의 제청으로 국회의 동의를 거치지 아니하고 감사위원을 임명한다.
④ 대통령의 국법상 행위는 문서로써 하며, 이 문서에는 국무총리와 관계 국무위원이 부서한다.

**03** 국정감사 및 국정조사에 대한 설명으로 옳지 않은 것은?

① 국회는 재적의원 4분의 1 이상의 요구가 있는 때에는 특별위원회 또는 상임위원회로 하여금 국정의 특정사안에 관하여 국정조사를 하게 한다.
② 지방자치단체에 대한 국정감사는 특별시·광역시·도의 국가위임사무에 한정된다.
③ 국회는 국정전반에 관하여 소관 상임위원회별로 매년 정기회 집회일 이전에 국정감사 시작일부터 30일 이내의 기간을 정하여 감사를 실시하지만, 본회의 의결로 정기회 기간 중에 감사를 실시할 수 있다.
④ 국회는 감사 또는 조사 결과 위법하거나 부당한 사항이 있을 때에는 그 정도에 따라 정부 또는 해당 기관에 변상, 징계조치, 제도개선, 예산조정 등 시정을 요구하고, 정부 또는 해당 기관에서 처리함이 타당하다고 인정되는 사항은 정부 또는 해당 기관에 이송힌다.

**04** 정당에 대한 설명으로 옳지 않은 것은?

① 정당의 법적 성격은 일반적으로 사적·정치적 결사 내지는 법인격 없는 사단으로 파악되고 있지만, 국민의 정치적 의사형성에 중간 매개체적 역할을 수행하고 있으므로 공권력 행사의 주체가 될 수 있다.
② 정당해산심판의 사유 중 민주적 기본질서에 위배된다는 것은 민주사회의 불가결한 요소인 정당의 존립을 제약해야 할 만큼 그 정당의 목적이나 활동이 우리 사회의 민주적 기본질서에 대하여 실질적인 해악을 끼칠 수 있는 구체적 위험성을 초래하는 경우를 의미한다.
③ 헌법재판소의 해산결정에 의해 해산된 정당의 잔여재산은 국고에 귀속되나, 정당이 자진해산한 경우 잔여재산은 당헌이 정하는 바에 따라 처분하고, 처분되지 않은 재산은 국고에 귀속된다.
④ 헌법재판소의 위헌정당 해산결정으로 해산된 정당 소속의 국회의원의 의원직은 당선방식을 불문하고 모두 상실되어야 하나, 위헌정당 소속 비례대표지방의회의원은 의원직을 유지한다.

**05** 권한쟁의심판의 적법성에 대한 설명으로 옳지 않은 것은?

① 권한쟁의심판 청구인이 법률안 심의·표결권의 주체인 국가기관으로서의 국회의원 자격으로 권한쟁의심판을 청구하였다가 심판절차 계속 중 사망한 경우, 그에 관련된 권한쟁의심판절차는 수계된다.
② 권한쟁의심판청구는 피청구인의 처분 또는 부작위가 헌법 또는 법률에 의하여 부여받은 청구인의 권한을 침해하였거나 침해할 현저한 위험이 있는 때에 한하여 이를 할 수 있는데, 여기서 처분이란 법적 중요성을 지닌 것에 한하는 것으로, 청구인의 법적 지위에 구체적으로 영향을 미칠 가능성이 있는 행위여야 한다.
③ 권한쟁의심판은 그 사유가 있음을 안 날부터 60일 이내에, 그 사유가 있은 날부터 180일 이내에 청구하여야 하나, 장래처분이 확실하게 예정되어 있고, 장래처분에 의한 권한침해 위험성이 있음을 이유로 예외적으로 허용되는 경우에는 청구기간의 제한이 적용되지 않는다.
④ 지방자치단체는 기관위임사무의 집행에 관한 권한의 존부 및 범위에 관한 권한분쟁을 이유로 기관위임사무를 집행하는 국가기관 또는 다른 지방자치단체의 장을 상대로 권한쟁의심판청구를 할 수 없다.

**06** 재산권에 대한 설명으로 옳지 않은 것은?

① 건강보험수급권은 보험사고로 초래되는 재산상 부담을 전보하여 주는 경제적 유용성을 가지므로 헌법상 재산권의 보호범위에 속한다고 볼 수 있다.
② 재산권의 제한에 대하여는 재산권 행사의 대상이 되는 객체가 지닌 사회적인 연관성과 사회적 기능이 크면 클수록 입법자에 의한 보다 광범위한 제한이 허용되며, 개별 재산권이 갖는 자유보장적 기능, 즉 국민 개개인의 자유실현의 물질적 바탕이 되는 정도가 강할수록 엄격한 심사가 이루어져야 한다.
③ 헌법 제23조 제3항에서는 공공필요에 따른 재산권의 수용을 허용하고 있지만, 그 수용의 주체는 국가 등의 공적 기관에 한정된다고 보아야 하므로 사인(私人)인 민간개발자는 공용수용의 주체가 될 수 없다.
④ 헌법 제23조 제3항에 따른 재산권의 수용·사용 또는 제한은 국가가 구체적인 공적 과제를 수행하기 위하여 이미 형성된 구체적인 재산적 권리를 전면적 또는 부분적으로 박탈하거나 제한하는 것을 의미한다.

**07** 평등권 또는 평등원칙에 대한 설명으로 옳지 않은 것은?

① 법정형의 종류와 범위를 정함에 있어서 고려해야 할 사항 중 가장 중요한 것은 당해 범죄의 보호법익과 죄질로서, 보호법익이 다르면 법정형의 내용이 다를 수 있고 보호법익이 같지만 죄질이 다를 경우 법정형의 내용이 달라질 수는 없다.
② 과거 전통적으로 남녀의 생활관계가 일정한 형태로 형성되어 왔다는 사실이나 관념에 기인하는 차별, 즉 성역할에 관한 고정관념에 기초한 차별은 허용되지 않는다.
③ 내국인등 지역가입자와 달리 외국인 지역가입자가 보험료를 체납한 경우에는 다음 달부터 곧바로 보험급여를 제한하는 「국민건강보험법」 조항은, 외국인 지역가입자에 대하여 체납횟수와 경제적 사정 등을 전혀 고려하지 않고 예외 없이 1회의 보험료 체납사실만으로도 보험급여를 제한하고 있어 외국인 지역가입자의 평등권을 합리적 이유 없이 침해한다.
④ 특별시장·광역시장·특별자치시장·도지사·특별자치도지사 선거의 예비후보자를 후원회지정권자에서 제외하고 있는 「정치자금법」 조항은 이들 예비후보자의 평등권을 침해한다.

## 08 사생활의 비밀과 자유에 대한 설명으로 옳지 않은 것은?

① 금융감독원의 4급 이상 직원에 대하여 사유재산에 관한 정보인 재산사항을 등록하도록 한 「공직자윤리법」의 재산등록 조항은, 그들의 비리유혹을 억제하고 업무집행의 투명성을 확보하여 국민의 신뢰를 제고하며 궁극적으로 금융기관의 검사 및 감독이라는 공적 업무에 종사하는 금융감독원 직원의 책임성을 확보하려는 것으로 그 공익이 중대하므로, 사생활의 비밀과 자유를 침해하지 않는다.
② 특정인의 사생활 등을 조사하는 일을 업으로 하는 행위를 금지한 것은 이를 업으로 하려는 자의 사생활의 자유를 제한하는 것이다.
③ 성기구의 판매 행위를 제한할 경우 성기구를 사용하려는 소비자는 성기구를 구하는 것이 불가능하거나 매우 어려워 결국 성기구를 이용하여 성적 만족을 얻으려는 사람의 은밀한 내적 영역에 대한 기본권인 사생활의 비밀과 자유가 제한된다고 볼 수 있다.
④ 공판정에서 진술을 하는 피고인·증인 등도 인간으로서의 존엄과 가치를 가지며, 사생활의 비밀과 자유를 침해받지 아니할 권리를 가지고 있으므로, 본인이 비밀로 하고자 하는 사적인 사항이 일반에 공개되지 아니하고 자신의 인격적 징표가 타인에 의하여 일방적으로 이용당하지 아니할 권리가 있다.

## 09 집회의 자유에 대한 설명으로 옳지 않은 것은?

① 누구든지 중앙선거관리위원회의 경계 지점으로부터 100미터 이내의 장소에서는 옥외집회 또는 시위를 하여서는 아니 된다.
② 「집회 및 시위에 관한 법률」이 옥외집회와 옥내집회를 구분하는 이유는, 옥외집회의 경우 외부세계, 즉 다른 기본권의 주체와 직접적으로 접촉할 가능성으로 인하여 옥내집회와 비교할 때 법익충돌의 위험성이 크다는 점에서 집회의 자유의 행사방법과 절차에 관하여 보다 자세하게 규율할 필요가 있기 때문이다.
③ 헌법 제21조 제2항에서 규정한 집회의 허가제 금지는 헌법 자체에서 직접 집회의 자유에 대한 제한의 한계를 명시한 것이므로 기본권 제한에 관한 일반적 법률유보조항인 헌법 제37조 제2항에 앞서서, 우선적이고 제1차적인 위헌심사기준이 되어야 한다.
④ 집회의 금지와 해산은 집회의 자유를 보다 적게 제한하는 다른 수단, 즉 조건을 붙여 집회를 허용하는 가능성을 모두 소진한 후에 비로소 고려될 수 있는 최종적인 수단이다.

**10** 헌법상 영토와 평화통일에 대한 설명으로 옳지 않은 것은?

① 대한민국의 영토에 관한 조항은 1948년 헌법 당시부터 존재하였다.
② 「남북 사이의 화해와 불가침 및 교류·협력에 관한 합의서」는 남북관계를 '나라와 나라 사이의 관계가 아닌 통일을 지향하는 과정에서 잠정적으로 형성되는 특수관계'임을 전제로 하여 이루어진 합의문서인바, 이는 한민족공동체 내부의 특수관계를 바탕으로 한 당국 간의 합의로서 남북당국의 성의있는 이행을 상호 약속하는 일종의 공동성명 또는 신사협정에 준하는 성격을 가짐에 불과하다.
③ 대한민국의 영해는 기선으로부터 측정하여 그 바깥쪽 12해리의 선까지에 이르는 수역으로 하나, 대통령령으로 정하는 바에 따라 일정수역의 경우에는 12해리 이내에서 영해의 범위를 따로 정할 수 있다.
④ 조선인을 부친으로 하여 출생한 자는 북한법의 규정에 따라 북한국적을 취득하여 중국 주재 북한대사관으로부터 북한의 해외공민증을 발급받은 경우라도, 대한민국 국적을 취득하기 위해서는 일정한 요건을 갖추어 국적회복절차를 거쳐야 한다.

**11** 기본권제한의 일반원칙에 대한 설명으로 옳지 않은 것은?

① 오늘날 법률유보원칙은 단순히 행정작용이 법률에 근거를 두기만 하면 충분한 것이 아니라, 국가공동체와 그 구성원에게 기본적이고도 중요한 의미를 갖는 영역, 특히 국민의 기본권실현에 관련된 영역에 있어서는 행정에 맡길 것이 아니라 국민의 대표자인 입법자 스스로 그 본질적 사항에 대하여 결정하여야 한다는 요구까지 내포하는 것으로 이해하여야 한다.
② 개별사건법률은 개별사건에만 적용되는 것이므로 원칙적으로 평등원칙에 위배되는 자의적인 규정이라는 강한 의심을 불러일으키지만, 위헌 여부는 그 형식만으로 가려지는 것이 아니라, 나아가 평등의 원칙이 추구하는 실질적 내용이 정당한지 아닌지를 따져야 비로소 가려진다.
③ 기본권제한에 관한 법률유보의 원칙은 '법률에 근거한 규율'을 요청하는 것이 아니라 '법률에 의한 규율'을 요청하는 것이므로, 기본권의 제한의 형식은 반드시 법률의 형식이어야 한다.
④ 법문언이 해석을 통해서, 즉 법관의 보충적인 가치판단을 통해서 그 의미내용을 확인해 낼 수 있고, 그러한 보충적 해석이 해석자의 개인적인 취향에 따라 좌우될 가능성이 없다면 명확성의 원칙에 반한다고 할 수 없다.

**12** 국회의 인사청문회제도에 대한 설명으로 옳은 것은?

① 대법원장·헌법재판소장·국무총리·국무위원·감사원장 및 대법관 후보자에 대한 인사청문 요청이 있는 경우 실시하는 인사청문회는 국회 인사청문특별위원회에서 실시한다.
② 대통령당선인은 대통령 임기 시작 전에 국무총리 후보자를 지명할 수 있으며, 이 경우 국회의장에게 인사청문의 실시를 요청하여야 한다.
③ 국무총리, 감사원장, 대법원장, 헌법재판소장은 국회의 동의를 얻어 대통령이 임명하는데, 인사청문회에서 부동의로 보고를 하면 임명동의안은 부결된다.
④ 대통령이 임명하는 헌법재판소 재판관, 중앙선거관리위원회 위원, 국무위원, 방송통신위원회 위원장, 국가정보원장 등 공직후보자에 대한 인사청문 요청으로 인사청문회가 실시되는 경우, 대통령은 국회 인사청문회의 결정에 구속된다.

**13** 국회에 대한 설명으로 옳지 않은 것은?

① 국회가 선출하여 임명된 헌법재판소 재판관 중 공석이 발생한 경우, 국회는 공정한 헌법재판을 받을 권리의 보장을 위하여 공석인 재판관의 후임자를 선출하여야 할 구체적 작위의무를 부담한다.
② 국회의원의 국민대표성을 중시하는 입장에서도 특정 정당에 소속된 국회의원이 정당기속 내지는 교섭단체의 결정(소위 '당론')에 위반하는 정치활동을 한 이유로 제재를 받는 경우, 국회의원 신분을 상실하게 할 수는 없으나 '정당내부의 사실상의 강제' 또는 소속 '정당으로부터의 제명'은 가능하다고 보고 있다.
③ 팩스로 제출이 시도되었던 법률안의 접수가 완료되지 않아 동일한 법률안을 제출하기 전에 철회 절차가 필요 없다고 보는 것은 발의된 법률안을 철회하는 요건을 정한 「국회법」 제90조에 반하지 않는다.
④ 국회의장은 국회의원의 체포동의를 요청받은 후 처음 개의하는 본회의에 이를 보고하고, 본회의에 보고된 때부터 24시간 이후 72시간 이내에 표결하여야 하나, 체포동의안이 72시간 이내에 표결되지 아니하는 경우에는 그 체포동의안은 부결된 것으로 본다.

**14** 명령·규칙에 대한 위헌·위법심사에 대한 설명으로 옳지 않은 것은?

① 명령·규칙이 헌법이나 법률에 위반되는 여부가 재판의 전제가 된 경우에는 대법원은 이를 최종적으로 심사할 권한을 가진다.
② 대법원은 명령 또는 규칙이 헌법이나 법률에 위반된다고 인정하는 경우, 대법관 전원의 3분의 2 이상의 합의체에서 재판하여야 한다.
③ 행정소송에 대한 대법원판결에 의하여 명령·규칙이 헌법 또는 법률에 위반된다는 것이 확정된 경우에는 대법원은 지체 없이 그 사유를 행정안전부장관에게 통보하여야 한다.
④ 대법원규칙은 「헌법재판소법」 제68조 제2항에 따른 헌법소원심판의 대상이 된다.

**15** 법치주의에 대한 설명으로 옳지 않은 것은?

① 수신료 징수업무를 지정받은 자가 수신료를 징수하는 때, 그 고유업무와 관련된 고지행위와 결합하여 이를 행해서는 안 된다고 규정한 「방송법 시행령」 조항은 수신료의 구체적인 고지방법에 관한 규정인바, 이를 법률에서 직접 정하지 않았다고 하여 의회유보원칙에 위반된다고 볼 수 없다.
② 민사법규는 행위규범의 측면이 강조되는 형벌법규와는 달리 기본적으로는 재판법규의 측면이 훨씬 강조되므로, 사회현실에 나타나는 여러 가지 현상에 관하여 일반적으로 흠결 없이 적용될 수 있도록 보다 추상적인 표현을 사용하는 것이 상대적으로 더 가능하다.
③ 새로운 법령에 의한 신뢰이익의 침해는 새로운 법령이 과거의 사실 또는 법률관계에 소급적용되는 경우에 한하여 문제되는 것은 아니고, 과거에 발생하였지만 완성되지 않고 진행 중인 사실 또는 법률관계 등을 새로운 법령이 규율함으로써 종전에 시행되던 법령의 존속에 대한 신뢰이익을 침해하게 되는 경우에도 신뢰보호의 원칙이 적용될 수 있다.
④ 교육제도 법정주의는 교육의 영역에서 본질적이고 중요한 결정은 입법자에게 유보되어야 한다는 의회유보의 원칙을 규정한 것으로 학교제도에 관한 포괄적인 국가의 규율권한을 부여한 것으로 볼 수는 없다.

**16** 헌법재판소의 심판절차에 대한 설명으로 옳은 것은?

① 헌법재판소장은 헌법재판소에 재판관 3명으로 구성되는 지정재판부를 두어 위헌법률심판과 헌법소원심판의 사전심사를 담당하게 할 수 있다.
② 위헌법률심판 및 「헌법재판소법」 제68조 제2항에 따른 헌법소원심판에서 내린 결정은 재심의 대상이 된다.
③ 재판관에게 공정한 심판을 기대하기 어려운 사정이 있는 경우 당사자는 기피신청을 할 수 있으나, 변론기일에 출석하여 본안에 관한 진술을 한 때에는 그러하지 아니하다.
④ 위헌법률심판의 경우에는 위헌결정에만, 헌법소원심판의 경우에도 인용결정에만, 권한쟁의심판의 경우에도 인용결정에만 기속력이 인정된다.

**17** 기초자치단체의 자치사무에 대한 광역지방자치단체의 감사에 대한 설명으로 옳지 않은 것은?

① 광역지방자치단체가 기초지방자치단체의 자치사무에 대한 감사에 착수하기 위해서는 자치사무에 관하여 특정한 법령위반행위가 확인되었거나 위법행위가 있었으리라는 합리적 의심이 가능한 경우이어야 하고 그 감사대상을 특정하여야 한다.
② 광역지방자치단체가 기초지방자치단체의 자치사무에 대한 감사에 착수하기 위해서는 법령에 따른 사전조사와 관계없이 감사대상 지방자치단체에게 특정된 감사대상을 사전에 통보할 것까지 요구된다.
③ 지방자치단체의 자치사무에 관한 한 기초지방자치단체는 광역지방자치단체와 대등하고 상이한 권리주체에 해당하고, 광역지방자치단체의 기초지방자치단체에 대한 감사는 상이한 법인격 주체 사이의 감독권의 행사로서 외부적 효과를 가지는 통제에 해당한다고 보아야 한다.
④ 당초 특정된 감사대상과 관련성이 인정되는 것으로서 당해 절차에서 함께 감사를 진행하더라도 감사대상 지방자치단체가 절차적인 불이익을 받을 우려가 없고, 해당 감사대상을 적발하기 위한 목적으로 감사가 진행된 것으로 볼 수 없는 사항에 대하여는 감사대상의 확장 내지 추가가 허용된다.

**18** 예산에 대한 설명으로 옳지 않은 것은?

① 헌법상 정부는 회계연도마다 예산안을 편성하여 회계연도개시 90일 전까지 국회에 제출하고, 국회는 회계연도 개시 30일 전까지 이를 의결하여야 한다.
② 정부는 예산안을 국회에 제출한 후 부득이한 사유로 인하여 그 내용의 일부를 수정하고자 하는 때에는 국무회의의 심의를 거쳐 대통령의 승인을 얻은 수정예산안을 국회에 제출할 수 있다.
③ 국회가 의결한 예산 또는 국회의 예산안 의결은 「헌법재판소법」 제68조 제1항 소정의 공권력의 행사에 해당하므로 헌법소원의 대상이 된다.
④ 국회의장은 예산안과 결산을 소관 상임위원회에 회부할 때에는 심사기간을 정할 수 있으며, 상임위원회가 이유 없이 그 기간 내에 심사를 마치지 아니한 때에는 이를 바로 예산결산특별위원회에 회부할 수 있다.

**19** 기본권의 제3자적 효력(기본권의 대사인적 효력)에 대한 설명으로 옳지 않은 것은?

① 헌법상의 기본권은 제1차적으로 개인의 자유로운 영역을 공권력의 침해로부터 보호하기 위한 방어적 권리이지만 다른 한편으로 헌법의 기본적인 결단인 객관적인 가치질서를 구체화한 것으로서, 사법을 포함한 모든 법 영역에 그 영향을 미치는 것이므로 사인 간의 사적인 법률관계도 헌법상의 기본권 규정에 적합하게 규율되어야 한다.
② 기본권 규정은 그 성질상 사법관계에 직접 적용될 수 있는 예외적인 것을 제외하고는 사법상의 일반원칙을 규정한 「민법」 제2조(신의성실), 제103조(반사회질서의 법률행위), 제750조(불법행위의 내용), 제751조(재산 이외의 손해의 배상) 등의 내용을 형성하고 그 해석 기준이 되어 간접적으로 사법관계에 효력을 미치게 된다.
③ 사적 단체를 포함하여 사회공동체 내에서 개인이 성별에 따른 불합리한 차별을 받지 아니하고 자신의 희망과 소양에 따라 다양한 사회적·경제적 활동을 영위하는 것은 그 인격권 실현의 본질적 부분에 해당하므로 평등권이라는 기본권의 침해도 「민법」 제750조(불법행위의 내용)의 일반규정을 통하여 사법상 보호되는 인격적 법익침해의 형태로 구체화되어 논하여질 수 있지만, 그 위법성 인정을 위하여는 사인간의 평등권 보호에 관한 별개의 입법이 있어야 한다.
④ 사적 단체는 사적 자치의 원칙 내지 결사의 자유에 따라 그 단체의 형성과 조직, 운영을 자유롭게 할 수 있으므로, 사적 단체가 그 성격이나 목적에 비추어 그 구성원을 성별에 따라 달리 취급하는 것이 일반적으로 금지된다고 할 수는 없다.

**20** 사법권에 대한 설명으로 옳지 않은 것은?

① 국정감사 또는 국정조사는 개인의 사생활을 침해하거나 계속 중인 재판 또는 수사 중인 사건의 소추에 관여할 목적으로 행사되어서는 아니 된다.
② 사법권의 독립은 재판상의 독립, 즉 법관이 재판을 함에 있어서 오직 헌법과 법률에 의하여 그 양심에 따라 할 뿐, 어떠한 외부적인 압력이나 간섭도 받지 않는다는 것으로, 재판의 독립을 위해 법관의 신분보장도 차질 없이 이루어져야 함을 의미하지 않는다.
③ 대법원장의 임기는 6년으로 하며, 중임할 수 없다.
④ 법관이 법관징계위원회의 징계처분에 대하여 불복하려는 경우에는 징계등 처분이 있음을 안 날부터 14일 이내에 전심 절차를 거치지 아니하고 대법원에 징계등 처분의 취소를 청구하여야 한다.

# 2024 서울·지방직 7급 헌법 해설

01 ②  02 ②  03 ②  04 ①  05 ①  06 ③  07 ①
08 ②  09 ①  10 ④  11 ③  12 ④  13 ③  14 ④
15 ④  16 ③  17 ③  18 ③  19 ③  20 ②

## 01
정답 ②

① (○)

> **헌법 제63조**
> ① 국회는 국무총리 또는 국무위원의 해임을 대통령에게 건의할 수 있다.
> ② 제1항의 해임건의는 국회재적의원 3분의 1 이상의 발의에 의하여 국회재적의원 과반수의 찬성이 있어야 한다.

② (×)

> **헌법 제95조**
> 국무총리 또는 행정각부의 장은 소관사무에 관하여 법률이나 대통령령의 위임 또는 직권으로 총리령 또는 부령을 발할 수 있다.

③ (○) 정부조직법 제34조 제2항
④ (○)

> 헌법 제86조 제2항은 그 위치나 내용으로 보아 국무총리의 헌법상 주된 지위가 대통령의 보좌기관이라는 것과 그 보좌기관인 지위에서 행정에 관하여 대통령의 명을 받아 행정각부를 통할할 수 있다는 것을 규정한 것일 뿐, 국가의 공권력을 집행하는 행정부의 조직은 헌법상 예외적으로 열거되어 있거나 그 성질상 대통령의 직속기관으로 설치할 수 있는 것을 제외하고는 모두 국무총리의 통할을 받아야 하며, 그 통할을 받지 않는 행정기관은 법률에 의하더라도 이를 설치할 수 없음을 의미한다고는 볼 수 없을 뿐만 아니라, 헌법 제94조, 제95조 등의 규정 취지에 비추어 정부의 구성단위로서 그 권한에 속하는 사항을 집행하는 모든 중앙행정기관이 곧 헌법 제86조 제2항 소정의 '행정각부'라고 볼 수도 없으므로, 결국 정부조직법 제14조가 국가안전기획부를 대통령직속기관으로 규정하고 있다 하더라도 위 규정이 헌법 제86조 제2항에 위반된다 할 수 없다. (헌재 1994.4.28. 89헌마86)

## 02
정답 ②

① (○) 헌법 제67조 제3항
② (×)

> **헌법 제77조**
> ① 대통령은 전시·사변 또는 이에 준하는 국가비상사태에 있어서 병력으로써 군사상의 필요에 응하거나 공공의 안녕질서를 유지할 필요가 있을 때에는 법률이 정하는 바에 의하여 계엄을 선포할 수 있다.
> ② 계엄은 비상계엄과 경비계엄으로 한다.
> ③ 비상계엄이 선포된 때에는 법률이 정하는 바에 의하여 영장제도, 언론·출판·집회·결사의 자유, 정부나 법원의 권한에 관하여 특별한 조치를 할 수 있다.
> ④ 계엄을 선포한 때에는 대통령은 지체없이 국회에 통고하여야 한다.
> ⑤ 국회가 재적의원 과반수의 찬성으로 계엄의 해제를 요구한 때에는 대통령은 이를 해제하여야 한다.

③ (○)

> **헌법 제98조**
> ① 감사원은 원장을 포함한 5인 이상 11인 이하의 감사위원으로 구성한다.
> ② 원장은 국회의 동의를 얻어 대통령이 임명하고, 그 임기는 4년으로 하며, 1차에 한하여 중임할 수 있다.
> ③ 감사위원은 원장의 제청으로 대통령이 임명하고, 그 임기는 4년으로 하며, 1차에 한하여 중임할 수 있다.

④ (○) 군사에 관한 것도 같다. (헌법 제82조)

## 03
정답 ②

① (○) 국정감사 및 조사에 관한 법률 제3조 제1항
② (×)

> **국정감사 및 조사에 관한 법률 제7조(감사의 대상)**
> 감사의 대상기관은 다음 각 호와 같다.
> 1. 정부조직법, 그 밖의 법률에 따라 설치된 국가기관
> 2. 지방자치단체 중 특별시·광역시·도. 다만, 그 감사범위는 국가위임사무와 국가가 보조금 등 예산을 지원하는 사업으로 한다.

③ (O) 국정감사 및 조사에 관한 법률 제2조 제1항
④ (O)

> **국정감사 및 조사에 관한 법률 제16조(감사 또는 조사 결과에 대한 처리)**
> ① 국회는 본회의 의결로 감사 또는 조사 결과를 처리한다.
> ② 국회가 제1항에 따라 감사 결과를 처리하는 경우에는 감사 종료 후 90일 이내에 의결하여야 한다.
> ③ 국회는 감사 또는 조사 결과 위법하거나 부당한 사항이 있을 때에는 그 정도에 따라 정부 또는 해당 기관에 변상, 징계조치, 제도개선, 예산조정 등 시정을 요구하고, 정부 또는 해당 기관에서 처리함이 타당하다고 인정되는 사항은 정부 또는 해당 기관에 이송한다.
> ④ 정부 또는 해당 기관은 제3항에 따른 시정요구를 받거나 이송받은 사항을 지체 없이 처리하고 그 결과를 국회에 보고하여야 한다.
> ⑤ 국회는 제4항에 따른 처리결과보고에 대하여 적절한 조치를 취할 수 있다.
> ⑥ 국회는 소관 위원회의 활동기한 종료 등의 사유로 제4항에 따른 처리결과보고에 대하여 조치할 위원회가 불분명할 경우 의장이 각 교섭단체 대표의원과 협의하여 지정하는 위원회로 하여금 이를 대신하게 하여야 한다.

## 04  [정답] ①

① (X) 정당은 법인격 없는 사단으로 기본권주체이다. 헌법소원은 가능하지만, 공권력 행사의 주체는 아니므로 권한쟁의심판의 당사자는 아니다.
② (O) ④ (O) 헌재 2014.12.19. 2013헌다1
③ (O)

> **정당법 제48조(해산된 경우 등의 잔여재산 처분)**
> ① 정당이 제44조(등록의 취소) 제1항의 규정에 의하여 등록이 취소되거나 제45조(자진해산)의 규정에 의하여 자진해산한 때에는 그 잔여재산은 당헌이 정하는 바에 따라 처분한다.
> ② 제1항의 규정에 의하여 처분되지 아니한 정당의 잔여재산 및 헌법재판소의 해산결정에 의하여 해산된 정당의 잔여재산은 국고에 귀속한다.

## 05  [정답] ①

① (X) 권한쟁의심판을 청구하였다가 심판절차 계속 중 사망한 경우, 절차종료선언을 한다.
② (O) 따라서 정부가 국회에 법률안을 제출하는 행위는 법적으로 중요하지 않으므로 청구인의 법적지위에 영향을 미칠 가능성이 없다. 그 결과 권정부가 국회에 법률안을 제출하는 행위에 대한 한쟁의심판은 각하된다.
③ (O) 헌재 2009.7.30. 2005헌라2
④ (O) 지방자치단체는 자치사무에 대한 권한쟁의를 할 수 있지만, 기관위임사무에 대해서는 할 수 없다.

## 06  [정답] ③

① (O) 건강보험수급권은 재산권의 성격과 사회보장수급권의 성격이 혼재되어 있다.
② (O) 기본권 제한에 대한 심사기준은 사건에 따라 다른데 선지는 사회연관성 이론에 대한 설명이다.
③ (X)

> 헌법 제23조 제3항은 정당한 보상을 전제로 하여 재산권의 수용 등에 관한 가능성을 규정하고 있지만, 재산권 수용의 주체를 한정하지 않고 있다. 위 헌법조항의 핵심은 당해 수용이 공공필요에 부합하는가, 정당한 보상이 지급되고 있는가 여부 등에 있는 것이지, 그 수용의 주체가 국가인지 민간기업인지 여부에 달려 있다고 볼 수 없다. 또한 국가 등의 공적 기관이 직접 수용의 주체가 되는 것이든 그러한 공적 기관의 최종적인 허부판단과 승인결정하에 민간기업이 수용의 주체가 되는 것이든, 양자 사이에 공공필요에 대한 판단과 수용의 범위에 있어서 본질적인 차이를 가져올 것으로 보이지 않는다. 따라서 위 수용 등의 주체를 국가 등의 공적 기관에 한정하여 해석할 이유가 없다. (헌재 2009.9.24. 2007헌바114)

④ (O) 헌법 제23조 제2항은 무보상의 사회적 제약이고 제23조는 선지와 같은 내용이다.

## 07  [정답] ①

① (X)

> 법정형의 종류와 범위를 정함에 있어서 고려해야 할 사항 중 가장 중요한 것은 당해 범죄의 보호법익과 죄질이다. 따라서 보호법익이 다르면 법정형의 내용이 다를 수 있고 보호법익이 같다고 해도 죄질이 다르면 그에 따라 법정형의 내용이 달라질 수밖에 없다. 그러므로 보호법익과 죄질이 서로 다른 둘 또는 그 이상의 범죄를 동일선상에 놓고 그 중 어느 한 범죄의 법정형을 기준으로 하여 단순한 평면적인 비교로써 다른 범죄의 법정형의 과중 여부를 판정해서는 아니된다. (헌재 1995.4.20. 93헌바40)

② (O) 호주제 위헌 사건 (헌재 2005.2.3. 2001헌가9)
③ (O)

> 외국인 지역가입자에 대하여 ① 보험료 체납시 다음 달부터 곧바로 보험급여를 제한하는 국민건강보험법 제109조 제10항(보험급여제한 조항)은 헌법에 합치되지 아니하여 2025.6.30.을 시한으로 입법자가 개정할 때까지 계속 적용되도록 하고, ② 납부할 월별 보험료 하한을 전년도 전체 가입자의 보험료 평균을 고려하여 정하는 구 장기체류 재외국민 및 외국인에 대한 건강보험 적용기준 제6조 제1항에 의한 별표 2 제1호 단서(보험료하한 조항) 및 ③ 보험료 납부단위인 '세대'의 인정범위를 가입자와 그의 배우자 및 미성년 자녀로 한정한 위 보건복지부고시 제6조 제1항에 의한 별표 2 제4호(세대구성 조항)에 대한 심판청구를 모두 기각하고, ④ 법무부장관이 외국인에 대한 체류 허가 심사를 함에 있어 보험료 체납정보를 요청할 수 있다고 규정한 출입국관리법 제78조 제2항 제3호 중 '외국인의 국민건강보험 관련 체납정보'에 관한 부분(정보요청 조항)에 대한 심판청구를 각하하였다. (헌재 2023.9.26. 2019헌마1165)
> 【①: 헌법불합치, ②·③: 기각, ④: 각하】

④ (O)

> [1] 특별시장·광역시장·특별자치시장·도지사·특별자치도지사 선거의 예비후보자를 후원회지정권자에서 제외하고 있는 정치자금법 제6조 제6호 부분은 청구인들의 평등권을 침해한다.
> [2] 자치구의 지역구의회의원 선거의 예비후보자를 후원회지정권자에서 제외하고 있는 정치자금법 제6조 제6호 부분은 청구인들의 평등권을 침해하지 않는다. (헌재 2019.12.27. 2018헌마301)

## 08  정답 ②

① (O) 금융감독원의 4급 이상 직원에 대하여 재산등록의무를 부과하는 구 공직자윤리법 제3조 제1항 제13호 중 구 공직자윤리법 시행령 제3조 제4항 제15호에 관한 부분이 금융감독원의 4급 직원인 청구인의 사생활의 비밀과 자유를 침해하는 것은 아니다. (헌재 2014.6.26. 2012헌마331)

② (X)

> 청구인은 '사생활 등 조사업 금지조항'에 의하여 특정인의 소재 및 연락처를 알아내거나 사생활 등을 조사하는 일을 업으로 할 수 없게 됨으로써 직업선택의 자유가 제한되고, '탐정 등 명칭 사용 금지조항'에 의하여 탐정명칭을 사용할 수 없게 됨으로써 직업수행의 자유가 제한되므로, 이 사건 금지조항이 청구인의 직업의 자유를 침해하는지 여부가 문제된다. 청구인은 행복추구권 침해도 주장하고 있으나, 이에 관하여는 보다 밀접한 기본권인 직업의 자유 침해 여부에 대하여 판단하는 이상 따로 판단하지 아니한다. (헌재 2018.6.28. 2016헌마473)

③ (O) 사생활의 비밀과 자유가 침해된 것은 아니다. (헌재 2013.8.29. 2011헌바176)
④ (O) 헌재 1995.12.28. 91헌마114

## 09  정답 ①

① (X) 중앙선거관리위원회의 경계 지점으로부터 100미터 이내의 장소에서의 옥외집회에 대한 규정은 없다.
② (O) 헌재 2003.10.30. 2000헌바67
③ (O) ④ (O)

> 헌법 제21조 제2항은, 집회에 대한 허가제는 집회에 대한 검열제와 마찬가지이므로 이를 절대적으로 금지하겠다는 헌법개정권력자인 국민들의 헌법가치적 합의이며 헌법적 결단이다. 또한 위 조항은 헌법 자체에서 직접 집회의 자유에 대한 제한의 한계를 명시한 것이므로 기본권 제한에 관한 일반적 법률유보 조항인 헌법 제37조 제2항에 앞서서, 우선적이고 제1차적인 위헌심사기준이 되어야 한다. 헌법 제21조 제2항에서 금지하고 있는 '허가'는 행정권이 주체가 되어 집회 이전에 예방적 조치로서 집회의 내용·시간·장소 등을 사전심사하여 일반적인 집회금지를 특정한 경우에 해제함으로써 집회를 할 수 있게 하는 제도, 즉 허가를 받지 아니한 집회를 금지하는 제도를 의미한다. (헌재 2009.9.24. 2008헌가25)

## 10  정답 ④

① (O) 영토조항은 건국헌법에서 처음 규정하였다.
② (O) 남북합의서는 조약도 아니고 조약에 준하는 것도 아니다.
③ (O) 영해는 기선으로부터 측정하여 그 바깥쪽 12해리의 선까지이고 다시 거기서부터 12해리를 접속수역이라고 한다. 접속수역에서는 관세, 출입국관리, 위생에 관한 법규 위반행위를 단속한다. 영해기선으로부터 외측 200해리까지에 이르는 수역 중 영해를 제외한 수역을 경제적 배타수역이라고 한다. 천연자원의 탐사, 인공섬의 설치 등이 가능하다.
④ (X)

> 조선인을 부친으로 하여 출생한 자는 남조선과도정부법률 제11호 국적에관한임시조례의 규정에 따라 조선국적을 취득하였다가 제헌헌법의 공포와 동시에 대한민국 국적을 취득하였다 할 것이고, 설사 그가 북한법의 규정에 따라 북한국적을 취득하여 중국 주재 북한대사관으로부터 북한의 해외공민증을 발급받은 자라 하더라도 북한지역 역시 대한민국의 영토에 속하는 한반도의 일부를 이루는 것이어서 대한민국의 주권이 미칠 뿐이고, 대한민국의 주권과 부딪치는 어떠한 국가단체나 주권을 법리상 인정할 수 없는 점에 비추어 볼 때, 그러한 사정은 그가 대한민국 국적을 취득하고 이를 유지함에 있어 아무런 영향을 끼칠 수 없다. (대판 1996.11.12. 96누1221)

## 11
정답 ③

① (O) 헌재 1999.5.27. 98헌바70
② (O) 처분적 법률도 다른 이유로 정당화되는 경우에는 가능하다.
③ (X)

> 법률유보의 원칙은 '법률에 의한' 규율만을 뜻하는 것이 아니라 '법률에 근거한' 규율을 요청하는 것이므로 기본권제한의 형식이 반드시 법률의 형식일 필요는 없고 법률에 근거를 두면서 헌법 제75조가 요구하는 위임의 구체성과 명확성을 구비하면 위임입법에 의하여도 기본권제한을 할 수 있다. (헌재 2005.2.24. 2003헌마289)

④ (O) 대판 2019.10.17. 2018두104

## 12
정답 ②

① (X) 국무위원은 국회의 동의를 받지 않으므로 인사청문특별위원회의 대상이 아니라 상임위원회의 인사청문대상이다.
② (O)

> **대통령직 인수에 관한 법률 제5조(국무총리 후보자의 지명 등)**
> ① 대통령당선인은 대통령 임기 시작 전에 국회의 인사청문 절차를 거치게 하기 위하여 국무총리 및 국무위원 후보자를 지명할 수 있다. 이 경우 국무위원 후보자에 대하여는 국무총리 후보자의 추천이 있어야 한다.
> ② 대통령당선인은 제1항에 따라 국무총리 및 국무위원 후보자를 지명한 경우에는 국회의장에게 국회법 제65조의2 및 인사청문회법에 따른 인사청문의 실시를 요청하여야 한다.

③ (X) ④ (X) 인사청문회의 부적격결정은 대통령을 구속하지 않고, 국회의 동의와는 다른 절차이다.

## 13
정답 ④

① (O) 헌재 2014.4.24. 2012헌마2
② (O) 헌재 2003.10.30. 2002헌라1
③ (O) 헌재 2020.5.27. 2019헌라3
④ (X)

> **국회법 제26조(체포동의 요청의 절차)**
> ① 의원을 체포하거나 구금하기 위하여 국회의 동의를 받으려고 할 때에는 관할법원의 판사는 영장을 발부하기 전에 체포동의 요구서를 정부에 제출하여야 하며, 정부는 이를 수리(受理)한 후 지체 없이 그 사본을 첨부하여 국회에 체포동의를 요청하여야 한다.
> ② 의장은 제1항에 따른 체포동의를 요청받은 후 처음 개의하는 본회의에 이를 보고하고, 본회의에 보고된 때부터 24시간 이후 72시간 이내에 표결한다. 다만, 체포동의안이 72시간 이내에 표결되지 아니하는 경우에는 그 이후에 최초로 개의하는 본회의에 상정하여 표결한다.

## 14
정답 ④

① (O) 헌법 제107조 제2항
② (O) 법원조직법 제7조
③ (O) 대법원의 위헌결정은 개별적 효력이므로 조문이 개정될 때까지 적용을 제한할 필요가 있으므로 행정안전부장관에게 통보하고 행정안전부장관은 관보에 게재한다.
④ (X) 헌법재판소법 제68조 제2항의 헌법소원은 법률 또는 법률과 동일한 효력을 가지는 것을 대상으로 하므로 대법원규칙은 제68조 제2항의 대상이 아니다. 다만, 헌법재판소법 제68조 제1항의 헌법소원 대상은 된다.

## 15
정답 ④

① (O)

> 수신료 징수업무를 한국방송공사가 직접 수행할 것인지 제3자에게 위탁할 것인지, 위탁한다면 누구에게 위탁하도록 할 것인지, 위탁받은 자가 자신의 고유업무와 결합하여 징수업무를 할 수 있는지는 징수업무 처리의 효율성 등을 감안하여 결정할 수 있는 사항으로서 국민의 기본권제한에 관한 본질적인 사항이 아니다. 따라서 방송법 제64조 및 제67조 제2항은 법률유보의 원칙에 위반되지 않는다. (헌재 2008.2.28. 2006헌바70)

② (O) 헌재 2013.5.30. 2012헌바335
③ (O) 부진정소급의 경우에도 신뢰보호원칙이 적용되는 경우가 있다는 의미이다.
④ (X)

> 헌법 제31조 제2항 및 제3항은 이에 상응하여 국가가 제공하는 의무교육을 받게 해야 할 '부모의 의무' 및 '의무교육은 무상임'을 규정하고 있다. 특히 같은 조 제6항은 "학교교육 및 평생교육을 포함한 교육제도와 그 운영, 교육재정 및 교원의 지위에 관한 기본적인 사항은 법률로 정한다."고 함으로써 학교교육에 관한 국가의 권한과 책임을 규정하고 있다. 위 조항은 국가에게 학교제도를 통한 교육을 시행하도록 위임하였고, 이로써 국가는 학교제도에 관한 포괄적인 규율권한과 자녀에 대한 학교교육의 책임을 부여받았다. 따라서 국가는 헌법 제31조 제6항에 의하여 모든 학교제도의 조직, 계획, 운영, 감독에 관한 포괄적인 권한, 즉, 학교제도에 관한 전반적인 형성권과 규율권을 가지고 있다. (헌재 2000.4.27. 98헌가16)

## 16
정답 ③

① (✗)

> **헌법재판소법 제72조(사전심사)**
> ① 헌법재판소장은 헌법재판소에 재판관 3명으로 구성되는 지정재판부를 두어 헌법소원심판의 사전심사를 담당하게 할 수 있다.
> ③ 지정재판부는 다음 각 호의 어느 하나에 해당되는 경우에는 지정재판부 재판관 전원의 일치된 의견에 의한 결정으로 헌법소원의 심판청구를 각하한다.
>   1. 다른 법률에 따른 구제절차가 있는 경우 그 절차를 모두 거치지 아니하거나 또는 법원의 재판에 대하여 헌법소원의 심판이 청구된 경우
>   2. 제69조의 청구기간이 지난 후 헌법소원심판이 청구된 경우
>   3. 제25조에 따른 대리인의 선임 없이 청구된 경우
>   4. 그 밖에 헌법소원심판의 청구가 부적법하고 그 흠결을 보정할 수 없는 경우
> ④ 지정재판부는 전원의 일치된 의견으로 제3항의 각하결정을 하지 아니하는 경우에는 결정으로 헌법소원을 재판부의 심판에 회부하여야 한다. 헌법소원심판의 청구 후 30일이 지날 때까지 각하결정이 없는 때에는 심판에 회부하는 결정(이하 "심판회부결정"이라 한다)이 있는 것으로 본다.

② (✗) 공권력 행사에 대한 헌법재판은 판단유탈이 있으면, 재심이 가능하지만 법령에 대한 위헌결정은 성질상 재심이 불가능하다. 왜냐하면 위헌 결정된 법령을 재심을 하여 다시 합헌이 된다면 위헌 이후에 발생한 많은 법률관계에 혼란을 가져오기 때문이다.
③ (○) 헌법재판소법 제24조 제3항
④ (✗) 권한쟁의심판의 경우에는 인용결정이든 기각결정이든 기속력이 인정된다.

## 17
정답 ②

① (○) ② (✗) ③ (○) ④ (○)

> 지방자치법에 따른 감사의 절차와 방법 등에 관한 사항을 규정하는 '지방자치단체에 대한 행정감사규정'(이하 '행정감사규정'이라 한다) 등 관련 법령에서 이 사건 감사와 같이 연간 감사계획에 포함되지 아니한 감사의 경우 감사대상이나 내용을 통보할 것을 요구하는 명시적인 규정을 발견할 수 없는바, 광역지방자치단체가 자치사무에 대한 감사에 착수하기 위해서는 감사대상을 특정하여야 하나, 특정된 감사대상을 사전에 통보할 것까지 요구된다고 볼 수는 없다. 따라서 피청구인이 조사개시 통보를 하면서 내부적으로 특정한 감사대상을 통보하지 않았다고 하더라도, 그러한 사정만으로는 이 사건 감사가 위법하다고 할 수 없다.
> 지방자치단체의 자치사무에 대한 무분별한 감사권의 행사는 헌법상 보장된 지방자치권을 침해할 가능성이 크므로, 원칙적으로 감사 과정에서 사전에 감사대상으로 특정되지 아니한 사항에 관하여 위법사실이 발견되었다고 하더라도 감사대상을 확장하거나 추가하는 것은 허용되지 않는다. 다만, 자치사무의 합법성 통제라는 감사의 목적이나 감사의 효율성 측면을 고려할 때, 당초 특정된 감사대상과 관련성이 인정되는 것으로서 당해 절차에서 함께 감사를 진행하더라도 감사대상 지방자치단체가 절차적인 불이익을 받을 우려가 없고, 해당 감사대상을 적발하기 위한 목적으로 감사가 진행된 것으로 볼 수 없는 사항에 대하여는 감사대상의 확장 내지 추가가 허용된다. (헌재 2023. 3.23. 2020헌라5)

## 18
정답 ③

① (○) 헌법 제54조 제2항
② (○) 국가재정법 제35조
③ (✗) 법률안은 헌법소원의 대상이 되지만, 예산안은 헌법소원의 대상이 되지 않는다.
④ (○) 국회법 제84조 제6항

## 19
정답 ③

① (○) 기본권의 이중성, 즉 주관적 공권과 객관적 가치질서에 대한 내용이다.
② (○) 기본권의 대사인효에 대한 판례의 내용이다.
③ (✗)

> 사적 단체를 포함하여 사회공동체 내에서 개인이 성별에 따른 불합리한 차별을 받지 아니하고 자신의 희망과 소양에 따라 다양한 사회적·경제적 활동을 영위하는 것은 그 인격권 실현의 본질적 부분에 해당하므로 평등권이라는 기본권의 침해도 민법 제750조의 일반규정을 통하여 사법상 보호되는 인격적 법익침해의 형태로 구체화되어 논하여질 수 있고, 그 위법성 인정을 위하여 반드시 사인 간의 평등권 보호에 관한 별개의 입법이 있어야만 하는 것은 아니다. (대판 2011.1.27. 2009다19864)

④ (○)

> 사적 단체는 사적 자치의 원칙 내지 결사의 자유에 따라 그 단체의 형성과 조직, 운영을 자유롭게 할 수 있으므로, 사적 단체가 그 성격이나 목적에 비추어 그 구성원을 성별에 따라 달리 취급하는 것이 일반적으로 금지된다고 할 수는 없다. 그러나 사적 단체의 구성원에 대한 성별에 따른 차별처우가 사회공동체의 건전한 상식과 법감정에 비추어 볼 때 도저히 용인될 수 있

는 한계를 벗어난 경우에는 사회질서에 위반되는 행위로서 위법한 것으로 평가할 수 있고, 위와 같은 한계를 벗어났는지 여부는 사적 단체의 성격이나 목적, 차별처우의 필요성, 차별처우에 의한 법익 침해의 양상 및 정도 등을 종합적으로 고려하여 판단하여야 한다. (대판 2011.1.27. 2009다19864)

## 20

정답 ②

① (○) 국정감사 및 조사에 관한 법률 제8조
② (✕) 재판의 독립, 즉 물적독립을 확보하기 위해서는 법관의 신분보장, 즉 인적독립이 필요하다.
③ (○)

> **헌법 제105조**
> ① 대법원장의 임기는 6년으로 하며, 중임할 수 없다.
> ② 대법관의 임기는 6년으로 하며, 법률이 정하는 바에 의하여 연임할 수 있다.
> ③ 대법원장과 대법관이 아닌 법관의 임기는 10년으로 하며, 법률이 정하는 바에 의하여 연임할 수 있다.
> ④ 법관의 정년은 법률로 정한다.

④ (○) 법관징계법 제27조

MEMO